# LA FILLE DE LA CHAUVE-SOURIS

# Nana Mouskouri

# LA FILLE
# DE LA CHAUVE-SOURIS

## Mémoires

En collaboration avec Lionel Duroy

XO
EDITIONS

Chansons citées : *Un Roseau dans le vent*, paroles d'E. Marnay, musique d'E. Stern / *Retour à Napoli*, paroles de P. Delanoë, musique de H. Giraud / *À force de prier*, paroles de R. Bernard et P. Delanoë, orchestration de R. Chauvigny / *Quand on s'aime* (en duo avec Michel Legrand), paroles d'E. Marnay, musique de M. Legrand / *Le jour où la colombe*, paroles d'E. Marnay, musique de N. Heiman / *Il n'est jamais trop tard pour vivre*, paroles de Perialis, musique de M. Hadjidakis, adaptation S. Lama / *Le ciel est noir*, paroles et musique de B. Dylan, adaptation de P. Delanoë / *Que je sois un ange*, de M. Safka, adaptation de S. Lama / *Je chante avec toi liberté*, de G. Verdi, adaptation C. Lemesle et P. Delanoë, arrangements de A. Goraguer / *Fille du soleil*, paroles de J-C. Brialy, musique de N. Mouskouri, arrangements de L. di Napoli / *I'll remember you*, paroles et musique de B. Dylan.

*À Jean-Claude Brialy, mon ami de toujours.*

*À mes chers enfants, Lénou et Nicolas.*

*À André, l'amour de ma vie, grâce à qui je suis toujours restée « la chanteuse ».*

# 1

## « C'est quoi, la guerre ? »

C'est une nuit de printemps. Le cinéma est vide, la séance est finie depuis longtemps, et cependant on ne va pas se coucher. Mon père est descendu en nage de sa cabine de projection et il est venu nous rejoindre sur la petite scène en plein air, au pied de l'écran. Je ne me souviens plus du film qu'il vient de projeter, mais il devait être bien, sinon nous n'aurions pas eu la permission de le regarder. Maman semble rêveuse et, par moments, elle a ce geste familier pour arranger ses cheveux que le vent décoiffe. Ma grande sœur Eugénie contemple les étoiles, puis subitement elle revient au film pour nous dire combien elle a aimé tel ou tel moment. Tiens, est-ce que ça n'était pas *Le Magicien d'Oz*, avec Judy Garland ? Je ne sais plus, c'est possible, nous avons tellement vu et aimé *Le Magicien d'Oz*... En tout cas, Eugénie s'enflamme, et maman lui sourit distraitement, on dirait qu'elle est ailleurs. À quoi pense-t-elle ? À papa, peut-être, qui s'est assis un peu à l'écart et qui fume depuis un instant, tout en considérant les chaises de son cinéma, comme s'il devait les compter et les recompter. Combien y en a-t-il, d'ailleurs ? Quarante ? Cinquante ? Les jours de pluie, nous l'aidons à les plier pour les mettre à l'abri.

Nous sommes là, tous les quatre, assis sur la petite scène au pied de l'écran, les jambes ballantes, quand soudain un grondement envahit le ciel. On dirait la venue d'un orage, le roulement lointain du tonnerre, et je me rappelle combien maman semble surprise, au point de s'écrier :

— Tu entends, Costa ? Qu'est-ce que c'est ?

Eugénie s'est tue, papa a levé les yeux vers les montagnes puisque c'est de là-bas que ça provient. Il a le temps de répéter « Je ne sais pas... Je ne sais pas... », et brusquement il sait, nous savons : le ciel se couvre d'ombres noires en forme de croix. Très vite, il y en a tellement qu'elles nous cachent les étoiles.

— Mon Dieu, dit ma mère, des avions !

Durant tout le temps où ils survolent Athènes, faisant trembler le sol, nous creusant sourdement le cœur, papa se tait, comme pétrifié. C'est un spectacle ahurissant, terrifiant, si je me le remémore aujourd'hui à la lumière des chagrins qu'il annonce. Mais, sur le moment, je n'ai pas peur. Il nous est arrivé de voir un avion, c'était même un événement qui nous faisait courir et sauter de joie, Eugénie et moi, mais autant d'avions, et au milieu de la nuit, jamais nous n'aurions imaginé cela possible. D'où viennent-ils ? Où vont-ils ? Que font-ils ?

Je me souviens des trois mots inaudibles de mon père, à la fin, quand le grondement s'estompe :

— C'est la guerre.

La guerre ? Je n'avais jamais entendu ce mot-là.

— C'est quoi, la guerre ?

Mais papa ne m'écoute pas. Il a déjà sauté au bas de la petite scène.

— Aliki, dit-il à ma mère, rentrons, ne restons pas dehors.

C'est cette nuit-là que les bombardements commencent, marquant le début de l'offensive allemande contre la Grèce, de sorte que je peux dater cette soirée où notre vie a basculé. C'était le 6 avril 1941, j'avais six ans et demi.

J'ai longtemps cru que cette vague d'avions, au-dessus du petit cinéma où travaillait mon père, était mon premier souvenir d'enfance. Qu'avant cela, ma mémoire n'avait rien retenu. Mais non, c'est faux, maintenant je me rappelle notre excitation quand des amis de papa venaient chez nous, le soir, *avant* la guerre. Trois ou quatre hommes, la cigarette à la bouche, et qui avant même de confier leur chapeau à maman sortaient de leurs poches des petits cadeaux pour nous, les filles de Constantin Mouskouri. Un chocolat, une balle, un crayon... Ces nuits-là, on leur laissait notre chambre et on prenait celle des parents, avec le grand lit qu'on se partageait. Eugénie imitait les hommes dont on devinait la fébrilité, de l'autre côté de la cloison, « Je passe... Je relance... Je suis... », et on pouffait de rire. Il y avait le plaisir d'être à deux dans le même lit, mais surtout, je crois, la sensation rassurante d'être protégées du monde entier par ces hommes au timbre grave. Toute la nuit, la lumière brillait sous la porte, et l'on s'endormait dans la fumée de leurs cigarettes qui, petit à petit, envahissait notre chambre.

Ils n'étaient plus là au lever du jour, mais alors c'était la voix de maman qui nous tirait du sommeil. Maman qui allait et venait nerveusement dans la pièce où les hommes avaient joué, et dont les cris nous glaçaient le cœur. Qu'avait-il pu se passer entre la soirée, commencée si joyeusement, si amicalement, et cette aube lugubre, pour que notre mère se retrouve dans un tel état ? Eugénie se taisait, peut-être feignait-elle même de dormir pour ne pas avoir à m'expliquer, et moi je guettais chaque mot, recroquevillée sous le drap, le ventre noué.

Maman disait :

— Tu savais bien ce qui allait arriver, Costa ! Tu savais !

Et papa, dont la voix était à peine audible au début :

— Mais non, tu ne peux jamais savoir...

— Pourquoi ne t'es-tu pas arrêté ? Pourquoi es-tu allé si loin ?

— Quand c'est toi qui reçois, Aliki, tu ne peux pas te retirer quand ça t'arrange...

— La vérité, c'est que tu ne sais pas t'arrêter ! Tu as ça dans le sang !

— Tais-toi ! Je t'en supplie, Aliki, tais-toi !

— Je ne me tairai pas, non ! Je n'ai plus un sou pour la cuisine, plus un sou pour nos filles, et toi tu t'en fiches, tu n'as qu'une hâte, c'est que je te laisse dormir...

Alors une chaise tombait, puis deux. Papa à son tour se mettait à hurler, et je me bouchais les oreilles pour ne plus entendre leurs cris, ceux de maman, surtout, qui bientôt se transformaient en sanglots.

J'ai tant de fois vécu cette scène par la suite, à dix ans, à douze ans, que je la reconstitue ici telle qu'elle m'est restée, effaçant sans doute la frayeur particulière qu'elle m'inspirait à six ans, alors que je n'en comprenais encore ni les raisons ni les enjeux.

C'est curieusement l'invasion allemande qui va me permettre de nommer cette chose effrayante que je devine entre nos parents certains matins, et dont ni l'un ni l'autre ne nous parle jamais.

Quelques jours après le passage des avions, dans cette nuit d'avril 1941, je surprends mon père et ma mère dans un moment dramatique. Maman a pleuré, elle se détourne pour me cacher ses larmes, et mon père se tient silencieux et livide près de la fenêtre.

Est-ce que j'ose, pour une fois, demander ce qui se passe ? Je ne sais plus, mais ma mère voit certainement ma perplexité.

— Papa va partir à la guerre, dit-elle.

Je la regarde, puis je regarde mon père, et pour la seconde fois je demande :

— C'est quoi, la guerre ?

Alors mon père se retourne, et, très calmement :

— C'est quand les gens ne s'aiment pas, Nanaki. Ils se bagarrent, ils se font *la guerre*. Tu comprends ?

Je comprends que les avions de l'autre nuit ne nous aiment pas, et que mon père va se battre contre eux. Mais, plus confusément, je pressens aussitôt autre chose : que mes parents non plus ne doivent pas s'aimer, puisqu'ils se bagarrent.

Oui, il me semble qu'à peine explicité ce mot de « guerre », je fais immédiatement le lien avec les cris qui nous réveillent, ces tristes matins. Et j'accueille cette explication avec une forme de soulagement : ce que font mes parents n'est donc pas extraordinaire, cela porte un nom, *ils se font la guerre*.

Après le départ de papa pour le front, maman s'enferme dans leur chambre pour ne pas nous montrer son chagrin. Eugénie et moi ne pleurons pas, je crois que nous n'avons aucune conscience du danger. Y repensant, aujourd'hui, je me dis que nous devions avoir de la guerre une image plutôt rassurante puisque nos parents, parfois si violents, semblaient à présent complètement effondrés de devoir se séparer... On pouvait donc se faire la guerre à certains moments, et s'aimer à d'autres.

Comment survivons-nous durant les sept mois où papa se bat contre les Allemands ? Le cinéma est fermé, mais le propriétaire, M. Yiannopoulos, ne nous reprend pas la maison pour autant. C'est une maison minuscule, située juste derrière l'écran, et construite à l'origine pour héberger un gardien. C'est pourquoi elle ne comporte que deux petites pièces et une cuisine. M. Yiannopoulos a de la sympathie pour mon père, et sans doute escompte-t-il que la guerre ne va pas durer bien longtemps et qu'il pourra très vite rouvrir son cinéma.

Maman n'est plus beaucoup là, elle me confie à Eugénie qui a deux ans de plus que moi. Elle part chercher du travail, et je crois qu'elle en trouve comme placeuse dans les quelques salles de cinéma qui fonctionnent encore. Sans doute grâce aux relations de mon père dans ce milieu. Placeuse, ou peut-être femme de ménage. Eugénie et moi restons toute la journée à l'attendre, avec notre petite chienne et les autres animaux de la maison. Je ne sais plus combien nous avons de poules en ce temps-là, mais il y en a beaucoup, et parfois même elles s'échappent du poulailler pour venir picorer jusque sous la table de la cuisine. Des poules, et des petits poulets aussi, qui mangent dans notre main et nous suivent en nous piquetant les mollets, comme s'ils voulaient jouer avec nous. Chaque matin, nous avons des œufs frais. Il y a également un pigeonnier construit par papa le jour où un de ses amis nous a donné un couple de colombes. Elles ont fait une famille, depuis, et le pigeonnier est plein de colombes. Et il y a notre petite chienne, donc...

Tiens, je me rappelle sa naissance, et il me semble que ça aussi, c'était bien longtemps avant la guerre. En tout cas, c'était un matin. Je jouais sur la petite scène du cinéma, au pied de l'écran, quand j'ai entendu comme des chuchotements en contrebas. La scène était entourée de deux buissons touffus de marguerites, et ça provenait de l'un d'eux. Sans doute ai-je eu peur, puisque je suis allée chercher Eugénie avant de regarder. Nous avons écouté ensemble, penchées sur le buisson, et c'est elle qui a vu la première : lovée sous les marguerites, la grande chienne de M. Yiannopoulos venait de mettre au monde un bébé chien...

Il était si joli qu'on en a perdu le souffle.

Ensuite, nous nous sommes disputées pour savoir laquelle des deux allait le prendre.

— Vas-y, toi, disait Eugénie.

— Non, j'ai peur, la maman va me mordre.

— Elle nous connaît très bien, et M. Yiannopoulos a dit qu'elle ne mordait pas les enfants.

— Eh ben toi, vas-y, si t'as pas peur...

— Non, c'est toi qui l'as entendue, c'est toi qui y vas !

Et Eugénie m'a poussée dans le buisson. Et j'ai pris le chiot dans mes bras. La maman a grogné, mais elle ne m'a pas mordue.

Notre chienne n'est déjà plus un bébé au début de la guerre, et peut-être maman est-elle un peu rassurée de la savoir avec nous. D'ailleurs, quand les sirènes se mettent à hurler, elle nous accompagne jusqu'aux abris. J'ai toujours cette image de nous trois, courant comme des folles à travers les rues désertes, jusqu'aux sous-sols de la brasserie *Fix*, qui n'était qu'à une centaine de mètres de chez nous. Eugénie me tirant par la main, me criant de courir plus vite, « plus vite, Joanna, sinon les avions vont nous voir », et notre petite chienne réglant son pas sur le nôtre, comme s'il n'était pas question pour elle de nous abandonner sous les bombes.

La force d'Eugénie, une fois enfermées dans ces caves dégoûtantes où brûlait parfois une bougie, parfois rien, et où l'on entendait des femmes prier ! Eugénie ne priait pas, elle faisait exactement comme maman nous avait recommandé de faire, elle chantait. Elle n'avait que neuf ans, mais de sa jolie voix elle avait le culot de chanter, pendant qu'on entendait le vrombissement des premiers avions, et parfois des explosions qui faisaient trembler le sol. Moi, timidement, je l'accompagnais, et il arrivait qu'une ou deux voix féminines se joignent aux nôtres.

L'idée que maman pouvait se trouver quelque part sous les bombes ne nous effleurait pas. Elle nous avait dit qu'elle aussi chantait pendant les alertes, et je crois que dans notre esprit, c'était un peu comme si cela nous protégeait du malheur. Peut-être pensions-nous confusément qu'aucun avion allemand ne tuerait jamais quelqu'un qui ne faisait que chanter.

Et puis un jour, papa est de retour. Il semble revenir du pays des morts, ses yeux sont immenses et cernés de noir, il n'est pas rasé, ses cheveux sont sales, son uniforme est déchiré, mais ça ne fait rien, nous sommes tellement contentes de le revoir que nous fondons en larmes. Pourquoi n'entre-t-il pas ? Pourquoi reste-t-il planté près du poulailler, au lieu d'approcher, de nous prendre dans ses bras, de nous faire sauter sur ses genoux ? On dirait qu'il ne nous voit pas, qu'il ne nous voit plus. Alors maman fait quelques pas à sa rencontre, elle prend doucement son visage entre ses mains, elle l'embrasse, lui souffle quelques mots à l'oreille, il tend le cou, ouvre la bouche comme pour nous dire d'approcher, et enfin nous nous jetons contre ses jambes. Voilà, maintenant il nous enlace, il nous tient toutes les trois dans ses bras, et c'est à ce moment qu'il se produit cette chose impossible, tellement triste, papa fond en larmes... C'est la première fois. Jamais nous ne l'avons vu pleurer, s'abîmer en sanglots, devrais-je plutôt écrire, et ses larmes donnent aussitôt à son retour un poids insupportable. D'ailleurs, je crois que nous nous écartons, comme si nous comprenions qu'au contraire de nous, lui ne pleure pas de joie, d'émotion, mais d'un chagrin qui le submerge, et qui nous dépasse. Un chagrin si

15

profond que nous nous savons dans l'instant impuissantes à le consoler.

Papa pleure d'avoir perdu la guerre, et il pleure des malheurs que cette défaite annonce pour nous, sa femme et ses filles, et pour la Grèce. Il me faudra des années pour le comprendre, et partager secrètement sa souffrance. Devenue mère pour la première fois sous le ciel serein de Genève, en 1968, alors qu'un régime dictatorial vient de prendre le pouvoir en Grèce, je repenserai aux angoisses qu'ont dû traverser nos parents, sachant leurs enfants précipités dans une Europe à feu et à sang. En 1968, la Grèce des colonels est notre honte, l'Europe est encore coupée en deux, mais elle commence à se construire à l'ouest et on peut rêver de fraternité pour nos enfants. De quel avenir pouvait-on rêver, à l'automne 1941, tandis que les troupes victorieuses d'Hitler entraient en Grèce?

Papa est revenu du front, pourtant le cinéma ne rouvre pas. M. Yiannopoulos vient nous rendre visite, il s'enferme pour bavarder avec notre père, mais personne ne nous explique pourquoi on ne peut plus projeter de films. En attendant, papa s'est construit une petite radio avec des ampoules électriques et des bobines de fil qu'il a récupérées chez ses amis. Il passe un temps fou à écouter cette radio, tout bas, dans sa chambre, et quand il part en ville, Eugénie et moi nous précipitons sur son poste. On capte des voix de tous les pays, et parfois des chanteuses américaines au timbre grave qui nous rappellent le bon temps du cinéma.

Nous n'avons plus la permission de sortir, maman dit qu'on risque de se faire attraper par les Allemands. Elle raconte qu'il y en a partout, qu'ils entrent dans les immeubles et arrêtent les hommes.

— Je sais, dit papa.

— Tu sais, mais tu sors quand même.

— J'ai des choses à faire.

— Qu'est-ce qu'on deviendra si tu te fais prendre?

— Ne t'inquiète pas.

Il ne dit rien de ce qu'il fait, mais il disparaît parfois deux ou trois jours. Je ne sais plus comment Eugénie et moi apprenons qu'il continue à faire la guerre. Peut-être le dit-il à Eugénie comme un secret, et elle me le répète à voix basse. Quand il s'en va, papa rejoint donc d'autres hommes, des amis comme ceux qui venaient à la maison autrefois jouer aux cartes toute la nuit, c'est du moins ce que nous imaginons, et cela nous rassure.

Maman continue de travailler ici ou là, et elle rentre fatiguée, avec son panier vide. Elle dit qu'on ne trouve plus rien dans les magasins, qu'il n'y a plus rien à manger. Heureusement, nous avons les œufs, remarque-t-elle, et je crois aussi qu'elle attend que nous soyons endormies pour plumer de temps en temps un de nos petits poulets.

Les Allemands doivent également avoir faim, parce qu'un jour trois soldats entrent dans le poulailler et emportent nos poules. Nous les regardons faire depuis notre chambre, derrière la fenêtre. C'est la première fois que nous voyons des soldats allemands de si près. Il me semble que maman n'est pas là, mais j'ai le souvenir de ses larmes, plus tard, quand nous parcourons toutes les trois le poulailler vide.

Ils ont laissé les colombes, mais nous n'avons plus rien pour les nourrir. Papa dit qu'à partir de maintenant elles vont devoir se débrouiller toutes seules, et il ouvre le pigeonnier. Elles s'en vont, timidement, volant d'abord gracieusement au-dessus de nos têtes, puis se posant sur une branche du grand acacia, comme si elles voulaient être polies, ne pas nous quitter trop vite après toutes ces années, n'est-ce pas, et ce jour-là l'émotion l'emporte sur la tristesse.

D'ailleurs, le soir, elles sont presque toutes de retour. Papa sourit, on voit bien qu'il voudrait dire quelque chose, pour les remercier peut-être, mais qu'il ne trouve pas les mots. Et nous, c'est exactement pareil, nous les contemplons, nous les comptons et les recomptons, et Eugénie répète :

— Regarde, elles sont toutes revenues ! Regarde ! J'y crois pas... J'y crois pas...

Petit à petit, cependant, elles sont de moins en moins nombreuses, et, un soir, aucune ne revient.

Maman ne se met plus à table avec nous. Elle fait cuire des pois chiches, juste une petite poignée serrée dans une feuille de papier journal qu'elle sort de son sac comme si c'était un trésor, et qu'elle partage entre Eugénie et moi. Elle prétend qu'elle n'a pas faim, et nous mettrons toute la guerre à comprendre que c'est un mensonge. Les jours de pluie deviennent des jours de fête parce que nous ramassons les escargots et les grenouilles. Maman n'a rien pour apprêter les escargots, ils ont un goût de caoutchouc salé, mais il y en a suffisamment pour nous remplir l'estomac, et c'est tout ce qui compte. La petite chienne aussi est affamée, elle partage avec nous escargots et grenouilles.

À quelques reprises, maman nous emmène en ville. Elle doit sûrement avoir une raison importante pour cela, parce que plus personne ne se promène dans les rues d'Athènes au début de cet hiver 1942. C'est la première chose qui me frappe, combien les rues sont vides... Où sont donc passés tous les gens ? On se bousculait, autrefois, sur les trottoirs de la belle avenue Leoforos Singrou, qui passe tout près de chez nous et descend jusqu'au Pirée. Maintenant, les boutiques sont fermées, et on ne croise plus que quelques femmes avec des fichus noirs sur la tête qui pressent le pas en longeant les murs. Et, soudain, le corps d'un homme allongé en travers du trottoir. Il ne bouge plus, on dirait qu'il dort.

— Qu'est-ce qu'il a, maman ?

— Tais-toi, ne dis rien, ne t'arrête pas surtout, je t'expliquerai plus tard.

En passant près de lui, on voit bien qu'il n'est pas normal, que ses vêtements sont trop petits, ou plutôt que sa peau est tendue, comme si elle avait enflé.

Plus loin, il y a d'autres personnes comme lui, gonflées comme des ballons et couchées sur le trottoir. Mais comme nous approchons, un camion s'arrête, et des soldats allemands les prennent sans façons par les pieds et les bras et les balancent dans la benne. Eugénie et moi retenons un hurlement.

— Taisez-vous ! Je vous en supplie, taisez-vous ! chuchote maman.

18

Nous nous taisons, mais au retour elle ne nous explique rien, et nous n'osons pas revenir sur cette chose horrifiante : des hommes et des femmes qu'on jette dans un camion, comme s'ils étaient des bûches.

Je crois que l'idée que ce sont des morts s'impose petit à petit à notre esprit. Et qu'en écoutant parler nos parents, ou parfois les quelques amis qui leur rendent visite, nous devinons le reste. Toutes les conversations entre adultes tournent alors autour du départ de tel ou telle. Untel est « parti » la semaine dernière, l'autre, « malheureusement », ne va plus tarder « dans l'état où il est ». Où partent donc tous ces gens, poussés par la faim ? Pendant quelque temps, cela nous intrigue beaucoup, Eugénie et moi. Jusqu'à ce que nous établissions le lien entre les cadavres sur les trottoirs et ces mystérieux « voyages » pour fuir la misère. Ils partent bien, en effet, mais vers la mort, comme les corps gonflés aperçus sur les trottoirs et dont les âmes se sont envolées : le voyage n'est qu'une métaphore pour ne pas avoir à exprimer l'horreur.

Durant ce premier hiver d'occupation, deux mille personnes meurent de faim chaque jour en Grèce. Nous le découvrirons bien plus tard, quand la paix sera revenue.

La maison se vide petit à petit, mais nous n'en avons pas conscience. Nous nous rendons compte que nous n'avons plus rien à la fin de l'hiver, quand il nous faut déménager. C'est maman qui vend tous nos biens pour acheter à prix d'or une poignée de haricots blancs, ou de pois chiches. Elle vend sa bague de mariage, ses quelques robes, sa montre, la vaisselle, les draps, puis l'armoire (comment ne remarquons-nous pas tout de suite que l'armoire a disparu ?), puis la table de la cuisine, les chaises, les lampes, nos habits...

Elle se bat secrètement pour nous permettre de survivre, pour gagner un jour, et puis un autre. C'est étrange, j'ai oublié ma propre faim, mais je me rappelle en revanche ma peine en constatant combien notre petite chienne est maigre, combien ses yeux cernés de noir sont tristes. Et je me souviens de l'énergie que je dépense alors pour gratter la terre de l'ancien poulailler et en sortir des graines à moitié pourries que je lui porte avec des mots de réconfort. Aujourd'hui, je me dis que maman faisait la même chose avec nous : nous devions être si pitoyables à voir qu'elle oubliait ses propres souffrances pour transformer en nourriture tout ce qui lui tombait sous la main.

Mais sans doute est-il arrivé un moment où elle n'a plus rien trouvé à vendre. Et sans doute a-t-elle dit à mon père, avec un chagrin que je devine, qu'à présent elle ne voyait plus comment nous sauver, comment nous éviter de « partir », nous aussi... Parce que, sinon, je ne vois pas mon père touchant à l'intégrité de son cinéma, ce petit cinéma qui était toute sa vie.

Papa ne dit rien à maman, mais il prend quelques chaises de son cinéma et revient avec une petite somme d'argent.

— Voilà, dit-il, avec ça, on pourra tenir quelques jours.

Elle ne lui demande pas d'où il sort ces quelques billets, peut-être se dit-elle qu'elle le saura bien assez tôt.

Et ce qui arrive est épouvantable, d'une certaine façon bien pire que la mort au regard de nos parents si sensibles à l'honneur, au déshonneur, et à ce que les autres vont penser d'eux.

M. Yiannopoulos, le propriétaire du cinéma, s'aperçoit très vite que des chaises ont disparu. Mon père doit avouer qu'il les a vendues pour nourrir les siens. Je ne sais rien de cette scène, papa ne nous l'a jamais racontée, mais je peux imaginer combien elle est dramatique. Dans une époque où l'on meurt partout de faim, M. Yiannopoulos n'est pas particulièrement sensible à nos souffrances. Mon père croit-il qu'on peut liquider les actifs d'une entreprise sous prétexte que sa famille n'a plus rien à manger ? Une entreprise qui ne lui appartient pas, dont il n'est rien de plus qu'un petit employé ? Il croyait que M. Yiannopoulos était son ami, il nous le disait, parfois, avec une fierté qui nous gagnait aussitôt parce qu'on voyait bien que M. Yiannopoulos était un homme beaucoup plus important que ceux qui nous rendaient visite habituellement. Mais non,

M. Yiannopoulos n'était pas son ami, et ce fut sûrement un choc terrible pour mon père de le constater, et puis de devoir avouer à maman combien il s'est trompé. M. Yiannopoulos ne le connaît plus, ne nous connaît plus, il nous donne huit jours pour décamper, lui rendre la petite maison derrière l'écran dans l'état où il nous l'a donnée, et qu'on disparaisse, qu'il n'entende plus jamais parler de nous.

Je ne peux pas oublier ce jour où nous partons, tout ce qu'il reste de nos affaires entassées dans une petite charrette attelée à un âne. Est-ce que des voisins nous regardent ? Est-ce qu'on parle déjà dans le quartier de ce qui nous arrive ? J'ai honte pour papa et maman, qui n'ont plus la force d'échanger un mot, qui se déplacent comme des ombres, qui semblent écrasés. J'ai honte pour moi. En réalité, je crois que je découvre ces sentiments, la honte, l'humiliation, et que je cherche vainement le moyen de m'en défendre. J'ai sept ans, mais du fait de la guerre, je ne suis encore jamais allée à l'école, je ne sais rien de la vie. Comment se défend-on d'être montrés du doigt ? D'être déchus, punis, misérables ? J'en ai la nausée.

Nous partons à pied pour le quartier de Gouva, dans les faubourgs. Les parents d'un jeune homme auquel mon père avait appris le métier de projectionniste ont accepté de nous louer une chambre dans leur maison. Une seule chambre pour nous quatre, mais nous avons si peu de choses que nous y tenons sans mal. Nos lits ont été vendus, il reste uniquement celui des parents que nous séparons en deux pour la nuit : Eugénie et moi sur le matelas, par terre, papa et maman sur le sommier. Tous nos vêtements tiennent désormais dans un coffre.

C'est aussi dans ce coffre que maman cache le peu d'argent qu'elle rapporte. Passé l'hiver et les premiers mois d'occupation, elle a retrouvé du travail, peut-être dans un cinéma du centre-ville qui a rouvert, ou dans une salle de spectacle. Elle part travailler à pied, rentre épuisée, et toute la journée ma sœur et moi l'attendons. Nous n'avons pas la permission de sortir. Gouva est un quartier pauvre, plein de recoins et de terrains vagues, dont les rues tortueuses ne sont pas encore asphaltées et dont les résistants communistes ont fait l'une de leurs enclaves. Il y a souvent des accrochages avec les Allemands, on entend des coups de feu, et maman a peur que nous nous fassions tuer.

Papa est-il toujours membre de la Résistance ? Je ne sais pas. Il commet en tout cas une bêtise qui précipite maman dans un désespoir proche de la folie, et nous ramène aux pires moments de leurs bagarres.

Un soir, maman ouvre le coffre pour y ranger sa paie de la journée, ou peut-être de la semaine. Nous l'entendons hurler :

— Eugénie, Nana, qui a pris l'argent qui était caché là ?

Ça n'est pas nous, bien sûr. Le seul qui a pu y toucher, c'est papa, que nous n'avons pas vu depuis deux jours.

Il rentre au milieu de la nuit, et c'est immédiatement le drame. Il a joué, et perdu tout l'argent qu'avait économisé maman. Elle n'avait pas eu un mot de reproche quand elle avait appris qu'il avait vendu les chaises du cinéma. Elle savait bien que c'était pour nous. Mais là, comment a-t-il pu ? Il ne voyait pas qu'elle allait au bout de ses forces pour nous rapporter tout juste de quoi survivre ? Il se tait, il sait tout cela, dit-il, mais il voudrait qu'elle le laisse dormir, il est fatigué et ça n'est pas une heure pour discuter. Alors elle se jette sur lui comme si elle voulait le tuer. Et papa doit se défendre. Et Eugénie et moi nous jetons entre eux en hurlant, en les suppliant. Mais maman est folle de chagrin, d'épuisement, de solitude, et je crois qu'elle ne peut plus nous entendre. Avant la guerre, elle cherchait malgré tout à nous protéger de ces scènes dont elle avait honte, sans doute. Maintenant, elle est au-delà de la honte. Nous avons tout perdu, tout, jusqu'à l'estime des voisins de notre ancien quartier, et voilà que cet homme qui devrait être à ses côtés la vole... Avec le recul du temps, je pense que maman aurait aimé mourir cette nuit-là, pour en finir avec la noirceur de la vie. C'était tellement dur, dehors, comment tenir, comment espérer, si chez elle, dans ce qu'il restait d'un chez-soi, cette chambre minuscule, elle était trompée, volée, humiliée ?

Papa hurle qu'elle est folle. Il a du sang sur le visage, mais même le sang n'impressionne plus maman.

Eugénie crie :

— Non ! Non ! Arrête, maman ! Arrête ! S'il te plaît !

Et soudain, la porte claque, et maman semble un instant complètement perdue, hébétée. Papa est parti. Papa s'est enfui. Elle fait encore quelques pas entre le lit et la porte, avant de s'abattre sur le lit. Alors toute la peur et la colère qui nous faisaient hurler, et courir, se transforment en sanglots. Eugénie s'endort près de maman, et moi contre la petite chienne.

Papa a disparu, et maman fait comme s'il n'avait jamais existé. Elle ne parle plus de lui, et nous n'osons plus prononcer son nom en sa présence. Je ne sais pas combien de temps ça dure, cette disparition. Et le silence de maman ? Peut-être deux ou trois semaines.

Mais je me rappelle mon soulagement, le jour où elle s'inquiète enfin de lui.

— Est-ce que papa vous a donné de ses nouvelles ? demande-t-elle un matin.

Et sans même attendre notre réponse :

— Il faut quand même que je sache où il est passé.

Pendant quelques jours, elle le cherche. Et puis des amis lui disent où elle peut le trouver, et un soir elle le ramène à la maison.

Il a maigri, il n'est pas rasé, on dirait qu'il rentre encore de la guerre.

Est-ce maman qui a pensé que la perte de son cinéma l'a précipité dans un tel désespoir qu'il s'est remis à jouer ? Ou est-ce moi qui l'ai pensé par la suite, pour lui trouver des excuses ? Je ne sais plus, mais aujourd'hui encore j'ai cette explication à l'esprit : mis à la porte par M. Yiannopoulos, orphelin de ce cinéma qui était sa passion, papa aurait perdu la tête.

Il revient parmi nous, et cette vie si étrange que nous menons alors reprend son cours. Eugénie et moi ne devons pas sortir, nous sommes recluses dans cette chambre, et nous passons l'essentiel de nos journées allongées côte à côte sur le lit de nos parents. Nous dormons, nous bavardons un peu quand nous nous réveillons, parfois nous chantons, parfois nous faisons un petit jeu, ou simplement le tour de la pièce, et puis nous nous rendormons, et quand nous rouvrons les yeux, c'est déjà le soir. En vérité, il y a des mois que nous ne mangeons presque plus rien, et, insensiblement, nous nous éteignons. Comme deux bougies qu'on priverait petit à petit d'oxygène. Mais nous n'en avons pas conscience.

Parfois, aussi, nous nous accoudons à la fenêtre, et nous regardons ce qui se passe dehors jusqu'à ce que la fatigue nous gagne. Notre chambre donne sur une place de terre sèche, au milieu de laquelle se dresse un puits. C'est là que nous puisons l'eau pour boire et nous laver. Les Allemands aussi viennent chercher de l'eau, et il arrive qu'ils restent un moment à bavarder, près de leur camion, pendant que l'un d'entre eux remplit les bidons.

C'est dans une circonstance semblable que survient un drame qui me hante, aujourd'hui encore, comme si j'avais franchi ce jour-là cette frontière invisible qui nous préserve de l'abîme notre vie durant.

Ma sœur et moi regardons les soldats, près du puits. C'est un peu comme un jeu, nous faisons bien attention à ce qu'ils ne nous voient pas. Mais, soudain, une formidable explosion brise les carreaux de la fenêtre. Je ne sais pas si c'est le souffle ou la peur qui nous jette au sol. Quand nous nous relevons, la place a basculé dans l'horreur. Un des soldats allemands est allongé par terre, une de ses jambes a été arrachée et un flot de sang s'échappe de la blessure. Les autres courent partout, et il me semble que très vite, il y a des coups de feu et des hurlements de sirènes.

Puis, deux ou trois camions pleins de soldats viennent se garer sur la place, et bientôt on cogne violemment à la porte de la maison. « Si un jour les Allemands viennent, descendez vite ouvrir la porte », nous a répété maman. « Il ne faut surtout pas qu'ils croient que vous vous cachiez. » Nous ouvrons, mais nous n'avons pas le temps de dire quoi que ce soit, déjà ils nous ont bousculées pour courir à travers les chambres. L'un des soldats, en se retournant sur lui-même, nous donne à chacune un violent coup de crosse. Eugénie tombe, et moi je vais me cogner la tempe contre le mur. Mais il ne l'a pas fait exprès, j'ai le souvenir, dans l'instant d'après – comme cela arrive parfois dans ces scènes de folie –, d'avoir croisé son regard et d'y avoir lu une forme d'étonnement, ou de confusion, en nous découvrant dans ses jambes, à moitié assommées.

Nous ne les intéressons pas, ils cherchent des hommes. C'est ce que nous comprenons, après leur départ, en voyant qu'ils ramènent sur la place tous ceux qu'ils ont découverts dans les maisons alentour, et même de jeunes garçons, pas beaucoup plus âgés qu'Eugénie, nous semble-t-il.

Ils les alignent, en les tenant au bout de leurs fusils. Ils crient, ils frappent certains dans le dos, ou dans les jambes. J'ai le cœur serré, Eugénie est livide. Elle dit dans un souffle qu'ils cherchent sûrement celui qui a lancé la grenade.

— Et qu'est-ce qu'ils vont lui faire, s'ils le trouvent ?
— Je ne sais pas, dit-elle.

Il me semble que ça dure longtemps ces cris, ces coups de crosse. Nous avons tellement peur que nous ne respirons plus, et pourtant c'est impossible de se détourner, de ne plus regarder. C'est exactement comme si les garçons sur la place étaient nos frères, et les hommes nos pères. On ne peut pas se détacher d'eux, on ne peut pas penser à autre chose.

Et soudain, ils tuent l'un d'entre eux, là, sous les yeux des autres, sous nos yeux, et je crois bien qu'ils en tuent un deuxième pendant que nous étouffons un hurlement qui ressemble à un sanglot. Et nous tombons sous la fenêtre, nous ne voyons plus rien. C'est une telle douleur d'avoir été témoins de cette mort qu'on voudrait déjà se fracasser la tête contre les murs pour ne pas avoir vu, pour effacer, pour oublier. Ne pas avoir vécu ce moment, mon Dieu ! Quand nous reprenons conscience, nous sommes en train de pleurer, accrochées l'une à l'autre. Et les soldats poussent les hommes dans leurs camions.

Ce soir-là, nous racontons à maman que les Allemands ont été attaqués, qu'un soldat a perdu une jambe, qu'ils ont arrêté tous les hommes du quartier, mais nous ne racontons pas l'homme assassiné sous nos yeux, et un autre aussi, sans doute, pendant que nous suffoquions. Peut-être que ça nous soulagerait de le dire, mais c'est impossible, nous n'avons pas les mots. C'est comme si la douleur s'était aussitôt enkystée au fond de nos âmes, et qu'elle était devenue minérale, inaccessible, indélogeable.

Ni Eugénie ni moi ne parlerons jamais de ce drame. Ni à notre mère ni entre nous. C'est la première fois, ici, dans ce livre, que je tente de le raconter avec les mots simples qui me viennent. Et je crois que je le fais pour m'expliquer à moi-même l'origine d'un rêve épouvantable qui me poursuit depuis cet événement. Je suis une enfant, et je cours sur cette place de terre sèche autour du puits. Je cherche le chemin pour sortir et je ne le trouve pas. Plus le temps passe, plus je suis fatiguée et folle d'inquiétude. Éperdue. Où est ce chemin ? Est-ce que je suis en train de perdre la raison ? Bientôt, l'angoisse monte, elle me déchire le ventre, et je cours, et je cours, et je n'ai plus de souffle, et mon cœur cogne à se rompre. Mon Dieu, qu'est-ce qu'il va m'arriver si je ne trouve pas comment partir ? Alors la présence du puits agit comme un vertige : je m'en écarte, parce que j'ai atrocement peur de tomber dedans, je hais ce puits et sa bouche froide et noire, mais en même temps il m'attire. Je devine, avec un sentiment d'horreur grandissant, qu'il doit être la seule voie pour fuir cet endroit, ce cauchemar...

Maman retient de ce drame que si mon père avait été avec nous, ce jour-là, il aurait été arrêté, et peut-être fusillé. Est-ce pour fuir cette place maudite que nous déménageons de nouveau ? Nous nous rapprochons, en tout cas, de notre ancien quartier, près de la colline Filopapou, pour trouver refuge chez des amis de papa, plus chaleureux dans mon souvenir. La famille compte deux grands fils dont les destins vont beaucoup nous impressionner, quelques années plus tard, durant la guerre civile, puisqu'ils résumeront à eux seuls le drame de la Grèce : l'aîné sera alors officier, fidèle au roi, le cadet communiste, et ils se haïront à tel point que le second se félicitera de la mort au combat du premier.

Mais en 1943, lorsque nous faisons leur connaissance, ils nous accueillent avec chaleur et générosité. L'aîné dépense toute son énergie à trouver de quoi manger pour tout le monde, et il rapporte parfois de la montagne une espèce de salade sauvage, délicieuse dans mon souvenir, dont on nettoie soigneusement les racines et qu'on mange cuite, comme les épinards. Sa jeune femme nous regarde avec sympathie, et je me souviens que c'est à son contact que j'ai pour la première fois l'intuition de ce que peut être l'amour charnel, le désir. Il me semble même que je l'interroge sur la façon dont on fait les enfants et qu'elle trouve les mots pour me l'expliquer avec une grâce qui me laisse rêveuse. C'est en me remémorant la façon dont elle regarde son mari, et certains gestes tendres qu'elle a pour lui, que je m'étonnerai bientôt de ne jamais voir mes parents échanger un baiser, ou même se prendre un instant par la main.

Sans doute l'Occupation s'assouplit-elle un peu durant cette année 1943, car à l'automne, alors que je vais fêter mes neuf ans, je m'assois pour la première fois sur un banc d'école. Eugénie est deux classes au-dessus, parce qu'elle a eu le temps de démarrer sa scolarité avant la guerre, au contraire de moi.

Je me souviens de ma curiosité, de mon excitation. Nous sommes trois par pupitre, et pour la première fois quelqu'un s'occupe de nous. Une dame attentionnée, mais exigeante. Nous n'avons plus le temps de dormir et de rêver, de penser à ce qui va arriver si papa ne rentre pas ce soir : d'un seul coup, nous avons une quantité considérable de choses à apprendre. J'ai le sentiment de sortir d'une longue léthargie, et je m'accroche aux lèvres de cette institutrice avec un entêtement silencieux et une ardeur qui me donne la fièvre.

Nous n'avons pas les moyens d'acheter un cahier, et mes premières lettres, je les trace sur l'envers des vieux scripts de scénarios de mon père. Au temps du cinéma muet, chaque film à projeter était accompagné d'un *livre des dialogues*, qui permettait au projectionniste de synchroniser images et vignettes. Par bonheur, mon père les a tous conservés.

Par quels détours M. Yiannopoulos revient-il nous chercher ? Après avoir été si dur, il a présenté ses excuses, nous dira mon père. Il lui offre de reprendre son cinéma, et de nous restituer la petite maison derrière l'écran. C'est en apprenant la nouvelle que je mesure, soudain, combien je tiens à cet endroit, et combien j'en étais orpheline. La petite scène sous l'écran ! Les films ! Tout ce qu'ils nous enseignaient sur la grandeur et la beauté du monde, sur les mystères de la vie, sur l'amour entre les êtres, sur la façon de s'habiller, de marcher, de danser, de chanter... Cette scène minuscule où je singeais secrètement Judy Garland dans *Tout le monde chante*, dans *Le Magicien d'Oz*, ou aussi Marlene Dietrich dans *Shanghaï Express*, dans *L'Ange bleu*... Oh, Marlene Dietrich ! Cette façon si particulière qu'elle avait de se déplacer, n'est-ce pas, de jouer de ses longs cils et de son fume-cigarette...

Nous avons bien du mal à croire que M. Yiannopoulos va nous rendre notre petit paradis, mais si, ce jour-là arrive. Quelques semaines plus tôt, nous avons assisté à l'entrée des chars anglais dans Athènes. Maman pleure, nous applaudissons, et des soldats fichés sur la tourelle nous lancent des barres de chocolat, des baisers, et même une boîte de *corned-beef*...

Très vite, le bruit court qu'il y a des distributions de soupe, et maman y va avec tout ce qu'elle a pu trouver, une écuelle à l'émail éclaté que nous utilisions pour les poules, avant la guerre. Est-ce que l'écuelle était trop petite ? Ou les rations strictement comptées ? Je ne sais pas. Mais j'ai le souvenir de ce jour béni où la guerre est finie, où nous sommes de nouveau tous les quatre autour d'une table, comme autrefois, mais où seules ma sœur et moi mangeons. Papa et maman ont partagé la soupe en deux, ils ont dit qu'eux n'en prenaient pas, et nous n'avons pas protesté. Pourtant, nous savions que c'était injuste, impossible. Et même si nous ne le savions pas, il nous suffisait de croiser le regard de l'un ou de l'autre. Leurs yeux immenses et complètement exorbités, comme si l'odeur de la soupe les rendait fous...

— Ne mangez pas trop vite, répétait cependant maman, vous allez vous rendre malades.

Comment avons-nous pu ?

Je m'en suis voulu par la suite. Tellement voulu ! Et il m'est arrivé de penser que cette dette innocente, enfantine, était à l'origine de l'ardeur que je mettrai toute ma vie à réparer les injustices, les blessures innombrables, dont mes parents furent victimes.

# 2

# « Quel dommage
# que tu ne sois pas un garçon ! »

J'aimerais retrouver le titre du premier film avec lequel mon père inaugure la réouverture de son cinéma, au début de l'année 1945. Est-ce que ce n'était pas *La Fille rebelle*, de David Butler, avec Shirley Temple ? Non, je crois que celui-ci, nous l'avions vu juste avant la guerre. Comme tous les films où jouait Shirley Temple, d'ailleurs, qui se partageait mon cœur avec Judy Garland et Mickey Rooney. Et puis ça devait être un film anglais, puisque les Anglais venaient de nous libérer et qu'ils administraient provisoirement le pays. C'est pourquoi je penche plutôt pour *L'Homme fatal*, d'Anthony Asquith, avec Stewart Granger.

Pendant que papa s'est enfermé dans sa cabine de projection, pour caler la bobine et faire les derniers réglages, moi je suis debout sur la petite scène, occupée à considérer les chaises vides. J'ai la gorge nouée, envie de rire et de pleurer. Se peut-il que la vie reprenne comme s'il n'était rien arrivé ? La dernière fois que nous étions là, en famille, à compter les chaises avec mon père, c'était ce soir d'avril 1941 où subitement des centaines d'avions avaient envahi le ciel. J'avais six ans et demi ; à présent, j'en ai dix. Je crois que je guette en moi-même la montée de cette émotion qui me saisissait autrefois, quand le crépuscule tombait brutalement et qu'on attendait les premiers spectateurs. Est-ce que la tête va de nouveau me tourner ? De curiosité ? d'excitation ? d'impatience ? Je veux dire :

comme si nous n'avions pas vécu tout ce que nous avons vécu depuis. Eh oui, il me semble que l'émotion est intacte. Oh, ce vertige, quand le premier couple se présente, que la femme semble tergiverser sur la meilleure place, et que dans la seconde je saute derrière le buisson de marguerites pour que les spectateurs ne me voient pas, surtout !

De derrière les marguerites, je peux les épier, le cœur battant. Ils arrivent en couple ou en famille, et ils ont tous cet instant d'hésitation avant de se placer. Parfois, ils reconnaissent des amis, et ils font un détour pour les saluer, échanger quelques mots. Est-ce qu'avec mes yeux de dix ans je mesure combien ils ont changé en quatre ans ? Aujourd'hui, me remémorant cette scène, je ne peux pas m'empêcher de songer à ce qu'ils ont traversé. Tous ont eu faim, beaucoup ont perdu l'un des leurs, un enfant, une mère, un père. Parfois tous les leurs, et tous leurs biens, aussi. Aujourd'hui, quand je pense aux Grecs en 1945, je ne vois que des visages tristes et émaciés. Mais sans doute est-ce que ça ne me choque pas sur le moment. Ce qui me frappe, en revanche, c'est cette attente, ce désir qu'ils ont tous que le film les emporte loin d'ici, dans un autre monde que le leur. Cela se voit à la façon dont ils s'assoient, et puis à la façon dont ils soupirent d'aise en regardant l'écran. Tiens, me dis-je en partageant leur impatience, voilà une chose qui n'a donc pas changé, une chose que la guerre n'a pas pu détruire.

*L'Homme fatal* est un drame, l'histoire d'un ministre de la reine d'Angleterre qui embauche sa fille naturelle comme soubrette, ou dame de compagnie, pour lui venir en aide et la protéger. Mais sa femme, qui ignorait l'existence de cette enfant naturelle, conçue bien des années auparavant, soupçonne son mari de la tromper et menace de divorcer. Accablé, l'homme se suicide. Stewart Granger ne joue pas le rôle principal, mais je découvre ce soir-là, grâce à lui, qu'un garçon aussi peut me faire tourner la tête. C'est une sensation trouble, que je dois apprivoiser petit à petit, mais qui fera que j'attendrai avec une émotion grandissante chaque nouveau film du beau Stewart.

Quand la séance est finie, je retourne sous l'écran, derrière le buisson de marguerites, et, observant les gens qui s'ébrouent, se lèvent lentement, comme après une bonne nuit de repos, je retrouve alors une impression que je n'avais pas su exprimer avant la guerre, mais qui maintenant me saute aux lèvres : ils ne sont plus les mêmes, le film les a transfigurés. Ils n'ont plus la même tension dans le regard, à présent ils donnent le sentiment de flotter entre indolence et insouciance, comme si on les avait détachés d'eux-mêmes, de leurs souffrances, et qu'ils regardaient soudain le monde avec des yeux d'enfant.

Mon père est métamorphosé, lui aussi, quand il nous rejoint. On le dirait rajeuni.

— Est-ce que tu as remarqué, papa, que les gens ne sont pas les mêmes au début et à la fin du film ?

— Qu'est-ce que tu crois ? Qu'ils changent au milieu de la séance ? Bien sûr que ce sont les mêmes !

Ni mon père ni ma mère ne comprennent ce que je cherche à leur dire, et jamais ils n'essaieront de comprendre, de sorte que cette transformation qu'opère le cinéma sur les spectateurs va prendre une importance considérable dans mon esprit d'enfant, comme une découverte que personne ne pourrait partager, dont je ne parlerai plus par la suite, et qui cependant continuera de me fasciner. Pourquoi ? Que révèle de mes désirs enfouis, de mes rêves, cet éblouissement pour les pouvoirs secrets du cinéma ?

Je commence à le découvrir quelques mois plus tard, à l'occasion d'un spectacle de variétés pour lequel mon père nous a obtenu des billets. C'est la première fois que j'entre dans un théâtre et que j'assiste à une représentation vivante. C'est une sorte de revue qui mélange sketches, numéros d'acrobates, ballets, chanteurs. Or, très vite, je me mets à pleurer. Mais je ne pleure pas de peur ni d'ennui, non, je pleure du chagrin de n'être pas sur scène, ou plutôt de la distance qui sépare la petite fille que je suis des artistes que je vois sur scène.

Plus d'un demi-siècle a passé, et je suis capable aujourd'hui d'exprimer simplement ce qui m'arrive ce soir-là. Mais sur le moment, j'ai honte de ces larmes stupides, et du désarroi dans lequel elles plongent ma mère.

— Pourquoi n'as-tu fait que pleurer, Nana ? Ça ne t'a pas plu ?

— Je ne sais pas.

— Ton père était si content d'avoir trouvé ces places...

— Il ne faudra pas lui dire, j'irai me cacher...

Eugénie est ravie, lumineuse, et c'est elle qui raconte, au retour, pendant que je cuve mon chagrin dans notre chambre.

À plusieurs reprises, le lendemain et le surlendemain, maman revient vers moi. Elle voudrait comprendre, et moi aussi j'aimerais comprendre. C'est si étrange, à dix ans, de pleurer tout au long d'un spectacle justement créé pour éblouir, charmer et faire rire. C'est si étrange, n'est-ce pas ?

Et soudain, tandis que je suis comme un escargot, recroquevillée sur moi-même, les yeux bouffis, et que maman revient à la charge, je sens monter la colère, mais une colère méchante, pleine de ressentiment, et je crie :

— Je n'aime pas ma vie ! Je ne veux pas que ça continue comme ça !

— Tu n'aimes pas ta vie, Nana ? Mais qu'est-ce que tu connais de la vie ? Nous sortons de la guerre, bientôt les choses vont être plus faciles...

— Tu ne comprends pas. Je ne veux pas être dans la salle pendant qu'ils font le spectacle.

— Alors où veux-tu être ?

— Sur la scène !

— Tu veux être sur la scène ! Mais pour y faire quoi ?

— Je ne sais pas, n'importe quoi, mais je ne veux plus être dans la salle. C'est affreux d'être là pendant qu'ils sont là-bas.

— Comment peux-tu dire ça ? Tout le monde riait, applaudissait...

— Oui, eh bien moi, j'étais malheureuse !

— J'ai vu.

— J'aurais préféré qu'on s'en aille...

Ce que je ne dis pas, parce que j'ai honte de le découvrir, soudain, c'est que je suis jalouse. Je pleurais donc d'amertume et de jalousie pendant le spectacle. Comment avouer qu'on a le cœur rempli, malgré soi, de sentiments si détestables, si méprisables ? Aujourd'hui, je déteste les gens envieux, et pourtant, c'est bien grâce à l'envie que ma vie a pris petit à petit le tour que j'espérais confusément. Je ne le savais pas encore, mais je voulais être du côté des artistes, du côté de ceux qui nous arrachent à nous-mêmes, qui nous transfigurent pour quelques heures.

Que se disent mes parents ? Sans doute sont-ils soucieux de ma fascination pour le cinéma, pour les comédiens. Je travaille bien à l'école, mais je passe presque plus de temps sur notre petite scène, au pied de l'écran, à imiter Shirley Temple dans *Pauvre petite fille riche*, ou à chanter *Over the rainbow*, la chanson du *Magicien d'Oz* que je connais par cœur. Je crois que maman raconte finalement à mon père que j'ai pleuré au théâtre, parce que c'est après cette histoire, incompréhensible à ses yeux, que papa va demander conseil à des voisins qui nous regardent avec sympathie, et que le mot *conservatoire* est prononcé pour la première fois à la maison.

Ces voisins ne sont pas des gens simples comme nous. Ils habitent une belle et grande maison dont la grille majestueuse se dresse à quelques pas de notre petit jardin. Ils viennent souvent au cinéma, et, dans ce cas, ils prennent toujours soin de saluer papa et de s'enquérir de notre scolarité auprès de maman. Certains jours, au passage, ils bavardent avec nous et nous taquinent.

Papa me dira qu'il a raconté au voisin que j'ai une étonnante passion pour le cinéma, que j'imite les jeunes comédiennes d'Hollywood, que je danse toute seule...

— Bon, peut-être a-t-elle envie de faire du cinéma, aurait dit le voisin, mais ça, c'est bien compliqué, il vaut mieux ne pas trop y penser. Qu'est-ce qu'elle aime d'autre, votre fille ?

— Je vous dis, elle aime danser. Et chanter, aussi, comme sa maman.

— C'est vrai que votre femme a une bien jolie voix, nous l'entendons parfois...

— Eh bien, Nana, c'est pareil, elle chante toute la journée !

— Alors pourquoi ne l'inscrivez-vous pas au conservatoire ?

Je n'ai que dix ans, mais je me souviens de l'émotion de maman lorsque mon père nous rapporte cette conversation. Il existe donc une école particulière pour devenir chanteuse ! Elle le découvre, visiblement, et tout de suite elle abonde. Elle dit qu'Eugénie et moi, qui chantons si juste, serions sûrement prises dans cette école. Elle est heureuse, cela semble la remplir d'excitation, et je ne sais plus si c'est ce jour-là, ou un peu plus tard, que je l'entends dire : « Moi aussi, j'aurais tellement aimé apprendre la musique ! »

C'est en tout cas cette réflexion qui me fait regarder ma mère avec une sensibilité nouvelle, comme si je prenais subitement conscience qu'elle a vécu avant de nous mettre au monde, et même avant de rencontrer papa. Est-ce la guerre, ou les désillusions de sa vie auprès de mon père, qui expliquent qu'elle ne parlait pas volontiers d'elle ? En ce temps-là, nous savions tout juste qu'elle était de Corfou, d'une famille nombreuse. Eugénie se rappelle que nous sommes allés à Corfou, en 1939, voir son village, embrasser nos oncles et tantes, mais j'étais trop petite, je n'en ai gardé aucun souvenir...

Maman aurait aimé apprendre le chant, faire le conservatoire peut-être, devenir chanteuse... C'est en tirant sur ce fil ténu, pendant que moi-même je ferai mes premiers pas au conservatoire, que je découvrirai petit à petit d'où je viens, d'où nous venons, ma sœur et moi.

Maman n'est allée à l'école que deux ou trois ans, dans ce village de montagne situé à une heure de marche de la ville de Corfou. Juste assez pour savoir lire et écrire. Ils étaient neuf enfants, et je n'ai jamais su exactement quel rang elle occupait dans la fratrie. Les garçons travaillaient la terre, pressaient les olives, les filles se plaçaient dans les maisons de Corfou ou des environs. À neuf ou dix ans, Aliki est donc entrée au service d'un couple d'oncle et tante, qui avait lui-même trouvé à s'employer chez les Kapodistrias, une famille ô combien illustre (Ioanis

Kapodistrias fut en effet le premier gouverneur de la Grèce indépendante, en 1827, avant de mourir assassiné quatre ans plus tard). Aliki restera chez ce couple jusqu'à ses dix-huit ans, tenant toute seule la maison et préparant les repas.

Elle me racontera qu'elle chantait bien, qu'on le lui disait, mais qu'en ce temps-là on n'imaginait pas devenir artiste, faire profession de sa voix. Il paraît que tout le monde chantait à cette époque. Alors, quel avenir imaginait-elle ? Elle voulait partir, quitter cette île minuscule de Corfou pour gagner le continent, et je crois qu'elle fut tentée à un moment de suivre un marin. Elle était bien jolie à dix-huit ans, les marins ne devaient pas manquer. Elle a dû revoir celui-ci, le laisser espérer, espérer elle-même, sans doute, et puis non, au dernier moment elle n'a plus voulu le suivre, et le bateau a levé l'ancre sans elle.

C'est après cette déconvenue qu'elle est allée voir Marie Kapodistrias, la demoiselle de la famille. Marie n'était pas beaucoup plus âgée qu'elle, et l'on connaissait bien maman, là-bas, car parfois sa tante l'amenait avec elle pour aider aux cuisines, ou au repassage. Marie partait pour Athènes, et Aliki lui a demandé si elle n'aurait pas besoin, par hasard, d'une *camariera*, d'une femme de chambre, car elle aussi voulait s'en aller, connaître Athènes...

— Laisse-moi réfléchir, a dit Marie.

Et quelques jours plus tard :

— Eh bien, c'est entendu, je t'emmène, puisque tu veux partir.

C'est en 1924 qu'elle découvre Athènes. Une année plus tôt, la Turquie de Kemal Atatürk a imposé un échange de populations. Quatre cent mille musulmans turcs ont quitté la Grèce pour rejoindre leur pays d'origine, tandis qu'un million et demi de Grecs ont été chassés de Turquie. Les réfugiés ont convergé vers Athènes et son grand port du Pirée, espérant y trouver du travail, et des familles misérables dorment alors dans la rue ou dans les faubourgs, qui se couvrent de baraquements. Maman est surprise par toute cette pauvreté, par la violence des rapports entre les gens, par des difficultés qu'elle ne soupçonnait pas. La vie n'était pas facile à Corfou, mais tout le monde trouvait à s'employer, tandis qu'ici des hommes et des femmes supplient qu'on ne laisse pas leurs enfants mourir de faim... Regrette-t-elle d'avoir quitté les siens ? C'est bien possible. Mais elle s'endurcit, apprend à se défendre.

Quand elle doit quitter le service de Marie Kapodistrias, elle peine à retrouver du travail et accepte finalement une place d'ouvreuse dans un des grands cinémas du centre-ville, l'*Idéal*. C'est là qu'elle croise pour la première fois mon père, en 1929. Il est le projectionniste de l'*Idéal*, et on le regarde avec respect, se souvient-elle, car en ce temps-là les bons projectionnistes ne courent pas les rues.

Constantin Mouskouri a alors vingt-deux ans, une année de moins qu'elle. Lui est né à Athènes, mais ses parents sont originaires du Péloponnèse. Que sont-ils venus chercher dans la capitale ? Mon père ne nous l'a jamais dit, et peut-être n'en avait-il aucune idée, car très vite sa famille s'est retrouvée en plein naufrage. Il a quatorze ans quand sa mère meurt, laissant quatre enfants, trois garçons et une petite fille que le père confie à l'orphelinat. Les garçons se débrouillent. Constantin sait lire et écrire, il ne va plus à l'école, et trouve parfois du travail dans ces boutiques où l'on répare les appareils électriques qui font alors fureur, les ventilateurs, les radios, les enseignes...

C'est dans ces circonstances qu'il rencontre son destin, sous les traits d'un homme qui le prend en sympathie. Papa a l'œil vif, il est intelligent et curieux, souriant, et cet homme qui le regarde travailler sur une radio en pièces détachées engage la conversation. Il est peut-être surpris par son habileté.

— Tout ce qui est électrique m'intéresse, dit Constantin.

— Je vois. Et qu'est-ce que tu voudrais faire, plus tard ?

— Je ne sais pas.

— Si tu veux, je peux t'apprendre un métier. Tu es déjà allé au cinéma ?

— Ah non ! Je n'ai pas suffisamment d'argent.

— Ce soir, je t'emmène avec moi, si tu es d'accord. Ça ne te coûtera rien, je suis dans la cabine de projection...

Le lendemain, papa devient l'assistant de cet homme providentiel. Il va le rester deux ou trois ans, le temps d'apprendre le métier et de devenir projectionniste à son tour. Un bon projectionniste, sûrement, puisqu'il est très vite remarqué par les deux grands patrons du cinéma d'alors, Damaskinos et Michaelidis, qui possèdent la plupart des salles du centre-ville, et en particulier le *Palace*, et l'*Idéal*. On lui confie la cabine de projection du prestigieux *Idéal*.

La beauté de maman lui fait tourner la tête, mais comme les femmes l'intimident, il attend plusieurs jours avant d'oser l'inviter à la terrasse du café, de l'autre côté de l'avenue. Il ne m'en dira pas plus. Chez nous, en Grèce, les parents n'évoquent pas facilement leur lien amoureux devant les enfants. Maman rêve secrètement d'un homme avec lequel construire une famille, un homme qui la protégera, aussi, mais elle est sur ses gardes. Dans ces années-là, toutes les jeunes femmes partagent la crainte de l'homme indélicat qui pourrait ruiner leur honneur, et c'est elle qui précipite les choses : s'il l'aime comme il le prétend, eh bien qu'il l'épouse ! Il dit oui, et, sans vraiment se connaître, ils se lient pour la vie, quelques mois plus tard, au printemps de l'année 1930.

Le premier enfant arrive en 1932, et on lui donne le joli prénom de sa grand-mère disparue, la mère de Constantin : Eugénie.

C'est alors que MM. Damaskinos et Michaelidis proposent à papa de partir pour la petite ville de La Canée, en Crète, où un cinéma en plein air doit ouvrir prochainement. Il ne s'agit pas d'y rester bien longtemps, mais seulement d'aider le gérant à installer les éléments techniques, puis à lancer son affaire.

Mes parents me raconteront qu'ils sont très gentiment accueillis par cet homme et sa famille. Ils leur offrent une chambre dans une petite maison tout en hauteur qui héberge également la cabine de projection. Mon père n'aura qu'à descendre quelques marches pour se retrouver derrière sa machine.

C'est dans cette chambre que je suis conçue, et dans les rues de La Canée que, promenant Eugénie, tandis que son ventre s'arrondit, maman connaît ses premières désillusions. Papa est à ses côtés sans y être. Il part pour rencontrer un ami, et ne rentre qu'au petit matin. Ils devraient avoir suffisamment d'argent pour vivre, puisqu'il a un bon métier, mais l'argent disparaît, et mon père doit hypothéquer parfois sa paie du mois suivant. Beaucoup d'hommes en Grèce jouent, maman le sait bien, mais lui c'est une passion qui le dévore, lui fait perdre la tête. Je crois qu'ils connaissent à La Canée leurs premiers éclats, quand ils auraient pu se vouer l'un à l'autre, loin des rumeurs de guerre, dans cette petite ville à l'atmosphère un peu vénitienne, miraculeusement alanguie entre les Montagnes Blanches, enneigées l'hiver, et le bleu profond de la mer de Crète. Papa est un homme tendre et généreux, et s'il devient violent devant les reproches de maman, devant ses larmes, c'est qu'il s'en veut. Il a honte de lui, mais il ne trouve pas les mots, et très vite il se réfugie dans la colère. Je les ai tellement vus se faire du mal, par la suite, que je peux facilement me figurer ce qui s'est passé tandis qu'ils attendent ma venue.

Puisque maman lui a déjà donné une fille, papa espère un garçon. C'est ce qu'il dit et répète quand ils se retrouvent parfois le soir, en famille, dans ces parenthèses où papa renonce à jouer pour faire sauter Eugénie sur ses genoux, puis coller doucement son oreille sur le ventre de sa femme, dans cette impatience soudaine des hommes. Maman aimerait lui faire ce cadeau, et elle aussi, qui s'en fichait, se surprend à rêver d'un garçon.

Le soir où arrivent les douleurs, papa n'est pas loin, il joue avec quelques hommes dans l'enceinte du cinéma, trois étages en dessous de notre chambre. Maman est seule avec Eugénie, et c'est elle qu'elle envoie chercher de l'aide. Le gérant et sa femme accourent.

— Je vais prévenir Costa, dit l'homme, qui redescend aussitôt.

Papa quitte sa partie pour monter se rendre compte par lui-même.

— Très bien, je vais chercher la sage-femme, dit-il, après avoir croisé le regard implorant de maman.

Il repart en courant, mais il ne peut pas s'empêcher de jeter un œil sur la partie, au passage, et finalement il se rassoit et reprend ses cartes.

Ce sont, paraît-il, les autres joueurs qui lui rappellent que sa femme est dans les douleurs, et que la sage-femme ne va sûrement pas venir s'il ne court pas la prévenir.

Alors il y va, mais personne ne sait plus après combien de mains. Ni s'il était en train de perdre ou de gagner.

Quand il ramène la sage-femme, il est trop tard, maman m'a mise au monde comme elle a pu, avec le concours de la femme du gérant et de sa fille aînée, Joanna, qui va devenir ma marraine et dont on me donnera le prénom en signe de gratitude. C'est également elle qui sera à l'origine de l'américanisation du nom de ma grande sœur, que nous appelons tous Jenny. La sage-femme n'a plus qu'à constater la naissance et à nous administrer les premiers soins. Nous sommes le 13 octobre 1934.

J'imagine le chagrin de ma mère, et son humiliation, en apprenant la conduite de mon père, ce soir-là. J'imagine aussi la déception silencieuse de mon père en constatant que le Ciel lui a refusé le garçon espéré. « Quel dommage que tu ne sois pas un garçon ! » me dira-t-il dès que je serai en âge de l'entendre.

La vie amoureuse de mes parents s'est-elle arrêtée là, à La Canée, sur cet événement, ma naissance, si décevant pour l'un comme pour l'autre ? C'est ce que je crois aujourd'hui, me remémorant la mélancolie de maman quand nous étions enfants, sa tristesse si lourde certains jours, et cette petite phrase, également entendue très tôt mais dont je ne saisissais pas le sens : « Quand vous serez grandes, je partirai. » Elle ne devait pas oser employer le mot de *divorce,* qui était une honte pour elle, mais elle avait besoin d'exprimer tout haut son espoir en une autre vie, et peut-être aussi de se convaincre qu'elle oserait s'en aller.

C'est au retour de La Canée que mon père se voit offrir par M. Yiannopoulos notre petit cinéma en plein air. Nos parents n'ont pas un sou d'économies, et la maison derrière l'écran, si modeste soit-elle pour quatre, leur apparaît comme une aubaine. Nous nous y installons en 1936, alors que la Grèce est en pleine crise économique et sociale, et que le général Metaxas vient d'imposer la dictature, avec l'accord du roi Georges II, « pour éviter, dit-il, que le pays ne sombre dans le communisme ». Autant dire que la vie n'est pas facile à Athènes, et que nos parents doivent avoir le sentiment d'être protégés du Ciel, pour une fois.

Jenny se souvient qu'avant la guerre, les rôles sont curieusement partagés entre nous deux : elle est la fille de la maison, talentueuse et appliquée, à qui maman enseigne la broderie, le tricot, le raccommodage ; je suis le garçon raté que papa emmène aux matchs de football le dimanche. La guerre à peine finie, les choses reprennent exactement de la même façon, et cette fois je suis assez grande pour les mémoriser : Jenny seconde maman, pendant que je fais de gros efforts pour m'intéresser au football et retenir les explications de mon père. J'ai bien compris à quel point il déplore que je ne sois pas un garçon, et je fais tout mon possible pour agir comme si j'en étais un, et qu'il soit content de moi, malgré tout.

Mais ça ne l'empêche pas de me répéter tous les dimanches « quel dommage, Nana, que tu ne sois pas un garçon ! » et je me rappelle combien, petit à petit, ce regret entêtant de sa part m'atteint, me *détruit*. Le mot est peut-être trop fort, c'est un mot d'adulte, mais je n'en trouve pas d'autre pour exprimer le désespoir qui me gagne certains jours. Je me sens rejetée, ratée, inutile, et je voudrais disparaître, ne plus avoir à lire dans le regard de mon père la déception quand il se souvient du fils qu'il n'a pas eu.

Je ne suis pas admise à jouer au football avec les garçons pour consoler mon père (à l'époque, il n'existe même pas d'équipes féminines), et, pour ne rien arranger, je me découvre à l'école terriblement maladroite en couture.

C'est Jenny, agile et rapide, qui reprend chaque fois mon ouvrage et sauve la situation. Du coup, j'ai le sentiment de n'être bonne à rien, ni à m'incarner en garçon ni à remplir les tâches qu'on demande à une fille.

« Cette enfant, disent mes parents, parlant de moi devant leurs amis, ou bien elle pleure ou bien elle rit, mais elle pleure bien plus souvent qu'elle ne rit. Sinon, elle ne parle pas, elle reste dans son coin. »

Je ne parle pas beaucoup, c'est vrai, mais je ris toute seule, et je suis même transportée de bonheur les soirs où nous avons la permission de regarder le film. J'expérimente sur moi-même le pouvoir salvateur des comédiens, des artistes : ils m'arrachent à mon chagrin pour m'emporter dans le monde du rêve.

Et c'est justement l'histoire de la petite Dorothy qu'interprète Judy Garland dans *Le Magicien d'Oz*. Dorothy habite le Kansas. Elle n'est pas très heureuse dans sa famille, car personne ne se préoccupe d'elle. Quand une femme méchante veut s'emparer de son chien, elle demande de l'aide aux siens, mais aucun ne lève le petit doigt. Alors Dorothy décide de s'enfuir. Elle se fait assommer par une fenêtre pendant une tempête, et elle entre au pays des rêves. Ce pays est joyeux, et il est en couleur, tandis que le monde réel était en noir et blanc. Elle veut rencontrer le magicien d'Oz, et demande aux Munchkins, les nains qui habitent ce pays lumineux, de lui montrer le chemin. Un épouvantail, qui prétend n'avoir pas de cervelle mais a beaucoup d'idées, l'accompagne. Puis un homme en fer-blanc, qui dit n'avoir pas de cœur, se joint à eux. Enfin un lion, qui assure n'avoir pas de courage, complète l'escorte. Chemin faisant, ils rencontrent une sorcière qui leur bloque le passage. Mettant leurs talents en commun, ils parviennent à tuer la sorcière et à trouver le magicien d'Oz.

Je m'identifie à Dorothy, je fuis ce monde qui ne me veut ni comme fille ni comme garçon, et je rêve d'un magicien qui me donnera ma place.

Plus tard, devenue jeune fille, je comprendrai mieux la morale du film de Victor Fleming, et m'en inspirerai pour construire ma vie : en vérité, le magicien d'Oz n'est qu'un charlatan, et d'ailleurs il conseille à Dorothy de rentrer chez elle. Mais l'épouvantail, l'homme en fer-blanc et le lion lui ont enseigné qu'il faut savoir utiliser son intelligence, son cœur et son courage pour résoudre ses problèmes, plutôt que d'espérer en un quelconque enchanteur qui n'existe pas. Comme Dorothy, je n'oublierai pas la leçon.

La découverte par mon père que je chante bien, au point que mes parents envisagent de m'inscrire au conservatoire, surgit dans mon ciel plombé d'enfant comme un rayon lumineux. Peu importe que je sois encore trop petite pour entrer au conservatoire, l'idée est là, désormais, et le chant m'offre ce que le football me refuse : je peux en user et en abuser pour séduire enfin papa. Il m'écoute chanter, je le vois se détendre, sourire, et je me dis qu'à cet instant-là, au moins, il est un peu content que je sois une fille.

Oui, je me souviens de la dame qui nous a reçues au conservatoire, maman, Jenny et moi, une professeure allemande, souriante mais sévère. Elle m'a écoutée, puis elle a écouté Jenny, et elle a dit : « La petite a la voix juste, mais un peu enrouée. La grande a une voix magnifique, et du coffre. » J'ai pensé, sans aucune jalousie, que pour le chant aussi ma sœur avait plus de talent que moi. Mais Jenny ne s'identifiait pas à Judy Garland, elle ne réclamait pas d'être sur scène, elle n'avait pas pleuré au théâtre. Le problème, c'était moi, ça n'était pas Jenny, et maman a donc parlé de moi. La professeure a bien compris, mais elle a dit qu'il fallait encore patienter un an ou deux, que j'étais trop jeune pour entrer au conservatoire. Jenny aurait pu, elle, j'ai pensé cela par la suite, mais ni elle ni maman ne l'ont demandé, et la professeure, qui l'avait peut-être suggéré, n'a rien dit.

En attendant, je me satisfais de l'école, où je suis une enfant attentive, mais « un peu trop sage », disent les professeurs. Jenny et moi avons deux années de plus que les élèves de nos classes, du fait que nous ne sommes pas allées à l'école pendant une partie de la guerre (comment ont fait les filles de notre génération ? On dirait, soudain, que nous sommes les seules à être en retard...) et je pense que cela me complexe un peu. Et puis je ne veux pas me faire remarquer, et je sais bien pourquoi : je ne veux pas qu'on découvre d'où je viens, papa qui ne rentre pas à la maison une nuit sur deux, les cris et les larmes de maman quand il réapparaît, leurs disputes terribles, notre dénuement, notre pauvreté... Il me semble que je suis la seule à avoir de tels parents, et que le meilleur moyen de ne pas attirer l'attention sur eux est d'être une élève modèle.

L'uniforme obligatoire m'arrange bien à cet égard : petite robe de drap bleu et col blanc pour tout le monde, impossible de distinguer le mouton noir dans le troupeau. Sinon, les autres jours, nous n'avons qu'une tenue : une jolie robe à fleurs et des souliers blancs que maman nous offre pour Pâques. C'est une parure parfaitement appropriée au printemps qui fait soudain fleurir le gros acacia du jardin et souffler sur les rues d'Athènes un air de fête. À la rentrée d'automne, nous teindrons les chaussures en noir, et maman nous achètera un pull-over sombre qui fera passer la robe d'été pour une robe d'hiver.

Pour nous, les orthodoxes, Pâques a en effet bien plus d'importance que Noël. Nous célébrons plus volontiers la résurrection du Christ que sa naissance. Par exemple, nous n'avons pas de cadeaux à Noël, mais nous recevons pour Pâques un œuf rouge garni de bonbons (et des habits neufs chez les Mouskouri). Et puis les célébrations religieuses sont grandioses, bouleversantes, magnifiques, durant toute la semaine de Pâques. Pour les enfants comme moi qui voudraient tellement fuir la vie en noir et blanc, cette semaine miraculeuse apparaît vraiment comme l'incarnation du pays des rêves, du pays lumineux des rêves.

Nous passons notre temps à l'église ou en processions. Tous les soirs nous y sommes, pour nous prosterner, prier, chanter ensemble. Dans mon souvenir, ces célébrations de Pâques sont mon premier spectacle, bien avant la découverte du cinéma. C'est à l'église que, très tôt, je fais l'expérience de l'émotion partagée, de l'élan des cœurs, de la puissance du chant sur les esprits. La puissance des mots et des images également, car chaque année nous écoutons avec la même ferveur le récit de la Passion du Christ, comme si nous l'entendions pour la première fois. C'est donc à l'église que j'ai l'intuition qu'un autre monde est possible à condition qu'on le veuille, qu'on se donne les moyens de le créer.

Maman a été élevée dans cet esprit religieux et moral, et c'est elle, plus que papa, qui nous entraîne à l'église. C'est elle qui nous parle, enfants, du saint patron de Corfou, Agios Spyridon, dont on promène pour Pâques le corps momifié à travers les rues de la ville. Il s'agit d'une procession bouleversante, les gens se prosternent, prient, pleurent, s'évanouissent... Ne dit-on pas que si le corps ne se dissout pas, c'est que Dieu lui-même le protège ? Mais la protection de Dieu se mérite, et maman nous montre le chemin : on ne triche pas, on ne vole pas, on ne ment pas, on s'élève contre l'injustice...

Je suis d'accord, j'aime tout ce que dit maman, je crois profondément qu'elle a raison, et je m'applique à ne pas commettre de péchés. C'est d'ailleurs comme cela que je me surprends, un jour, à porter pour la première fois un jugement sur mon père.

Un matin, alors que je pars pour l'église avec l'intention de me confesser, maman m'arrête sur le seuil :

— Ton père est là, Nana, il est rentré tard hier soir, tu devrais aller le réveiller et lui demander son pardon avant de partir.

Sur le moment, je n'hésite pas une seconde, et mon père me donne son pardon dans un demi-sommeil. Mais ensuite, tout au long du chemin vers l'église, je sens monter en moi une colère que je ne connaissais pas : « Pourquoi suis-je allée lui demander son pardon ? me dis-je. Pour accorder son pardon à quelqu'un, il faut être soi-même un saint, et je ne trouve pas que papa soit un saint. Il a encore joué aux cartes toute la nuit, il rend maman malheureuse, il nous rend toutes les trois malheureuses, il le sait, et il ne fait aucun effort pour changer... »

En fait de colère, je suis révoltée. Peut-être est-ce la première fois de ma vie que j'éprouve aussi consciemment le sentiment de l'injustice, et que je fais l'expérience de la révolte.

Je fais une autre expérience, cette année-là : je me découvre. Mon visage, mon corps. Pendant la guerre, ça ne m'avait pas préoccupée, et peut-être n'avions-nous pas de miroir. Alors que désormais, nous avons une petite glace au-dessus de l'évier, et la fille que j'y rencontre ne me plaît pas. Je me trouve le visage éteint, les yeux trop écartés, les joues trop rondes... Enfin, je trouve que rien ne va, comparée à Jenny qui est si belle. Jusqu'ici, je n'aurais pas eu l'idée de nous mettre côte à côte, mais maintenant que j'ai cette image de moi, je ne peux pas m'empêcher de penser au visage de ma sœur. Elle est pleine de lumière, vive, lumineuse, et moi on me dirait figée dans le gris.

J'allais écrire que je trouve mon visage morne et brumeux, comme ma vie de fille ratée, ou de garçon manqué, et c'est ce mot de *brume* qui me ramène soudain le mieux à mes douze ans, sur les bancs de l'école. Car tout me semble couvert de grisaille, cet hiver-là. Comme je suis plus grande que les autres, on m'a mise au fond de la classe, et bien que je sois bonne élève, je peine à comprendre ce que la maîtresse explique au tableau. Un jour, elle me demande de répondre à la question qu'elle vient d'inscrire à la craie, et moi je ne vois pas la question.

— Est-ce que vous pouvez me la dire, madame, parce que je n'arrive pas à la lire ?

— Comment ça, tu n'arrives pas à la lire ! Tu ne vois donc pas les lettres ?

— Si, mais c'est comme si elles étaient dans la brume...

— Approche-toi, viens au premier rang, et dis-moi si ça va mieux.

Cette fois, je déchiffre, et je rentre donc à la maison avec un petit mot disant que je dois consulter d'urgence un ophtalmologiste.

La colère de mon père ! Il n'est pas méchant, il s'en veut bien plus à lui-même qu'à moi, mais il est sincèrement en colère.

— Tu y voyais très bien petite, Nanaki.

— Alors pourquoi, maintenant, je ne vois plus le tableau ?

— Pourquoi ? Tu veux que je te dise pourquoi ?

— Oui, s'il te plaît.

— Parce que tu regardes les films à l'envers !

— C'est vrai, quelquefois, mais pas tout le temps... Souvent, je les regarde à l'endroit.

— Oui, mais quand je t'interdis le cinéma, tu les regardes derrière l'écran. Tu crois que je ne t'ai pas vue ?

— Pardonne-moi, je ne pensais pas que c'était grave.

— Si, c'est très grave ! Parce que c'est ça qui t'a abîmé les yeux, figure-toi. Tu vas voir ce que va dire le docteur. J'aurais dû t'interdire, te punir, c'est ma faute.

Mais non, ce n'est ni sa faute ni la mienne, le docteur dit que je peux continuer à regarder les films à l'envers si ça me plaît. La vérité, c'est que je suis myope.

Maman n'était pas allée beaucoup à l'école, mais elle connaissait plein de proverbes et nous les apprenait. Il y en a un qui raconte l'histoire d'une pergola sur laquelle grimpe une vigne. La pergola n'est pas belle parce qu'elle est toute de travers, et voilà que passant près d'elle, un âne la fiche par terre d'un bon coup de sabot. Alors, vraiment, il n'y a plus rien à en tirer. Ainsi parle-t-on chez nous du coup de pied de l'âne quand la situation n'est plus récupérable.

Eh bien, j'ai pensé à ce proverbe, le jour où je suis rentrée à la maison avec ma première paire de lunettes sur le nez.

— Cette fois, c'est complètement fichu, me suis-je dit en me considérant dans le petit miroir.

Le monde venait miraculeusement de sortir de la brume, mais ce que je voyais de moi ne m'encourageait pas à y revendiquer une place.

# 3

## Le grand écran, la scène et le chant

Jenny et moi entrons ensemble au conservatoire. La professeure allemande qui nous avait auditionnées deux années plus tôt, Mme Kempers, nous prend toutes les deux dans son cours, le jeudi. Peut-être est-ce maman qui le lui demande, avec ce sens profond de la justice qu'elle met en tout – à la maison, quand l'une reçoit quelque chose, l'autre doit obligatoirement recevoir la même chose.

Cependant, Jenny et moi sommes différentes, et je crois que cela saute aux yeux de tout le monde, et aux nôtres en particulier, lors du premier petit spectacle que nous offrons aux parents du conservatoire.

Il s'agit d'interpréter un conte musical issu du folklore ancestral grec. L'histoire d'un homme qui se repent en confession d'avoir aimé une jeune fille. Il chante sa beauté, l'amour, le péché, la fuite. Mais contrairement à ce qu'il attend, le prêtre ne lui accorde pas le pardon, et les mots qu'il prononce bouleversent l'enfant de quatorze ans que je suis alors. Ai-je une sensibilité à fleur de peau du fait de mon mal-être ? du peu de confiance que j'ai en la vie ? En tout cas, je suis la seule, ce soir-là, à donner aux mots du prêtre une intensité dramatique qui va laisser sans voix les adultes, et changer profondément le regard que Mme Kempers porte sur moi.

C'est Jenny qui passe la première, et j'ai encore en mémoire la plénitude de sa voix dans ce petit théâtre. Elle interprète le jeune homme, puis le prêtre, et sa voix s'envole et gronde, et je crois que la salle n'en revient pas de sa présence sur scène, de la perfection de sa tonalité, de son assurance, à seize ans seulement. Quand les parents se lèvent pour l'applaudir, j'éprouve la même fierté qu'à l'école, dans la cour, quand on me désigne comme la petite sœur de Jenny. Sa beauté et sa lumière m'allègent momentanément de l'angoisse et de la noirceur qui me pèsent, Jenny me protège et m'ouvre la route comme elle le faisait pendant la guerre, avec naturel et entrain.

Puis c'est mon tour, et je dois vaincre le trac qui me noue la gorge. Les premières notes sont pitoyables, je le sens, mais très vite l'émotion me gagne, je suis le garçon qui se repent, qui a aimé la jeune fille puis l'a abandonnée, qui implore le pardon du Ciel. Au fond de moi, je pense qu'il ne le mérite pas, ce pardon, je m'identifie à la jeune fille dont je sais la vie perdue, à présent, et c'est pourquoi mon âme adhère avec tant de ferveur aux mots terribles du prêtre :

— Si tu l'as aimée et que tu l'as abandonnée, que Dieu te maudisse !

Avec quelle force je lance cette condamnation à mort : *Que Dieu te maudisse !* C'est un cri, je ne suis plus moi-même, je suis la voix de la justice outragée.

Alors il y a un immense silence. Je suis là, toute seule au milieu de la scène, et les gens ne pensent pas à applaudir. Ils me regardent, comme sidérés. Il me semble que mes parents pleurent. Mme Kempers ne sourit pas, on dirait que ses traits se sont subitement figés. Et soudain, elle se lève, se met à applaudir, et aussitôt toute la salle fait de même.

Je ne sais pas encore que c'est la première apparition en public de la chanteuse que je deviendrai, quelques années plus tard, pourtant jamais je n'oublierai ce premier « récital ». J'y découvre que sur scène je peux dépasser ma peur, l'oublier, pour exprimer les émotions qui me traversent. J'y découvre que ces émotions, soutenues par ma voix qui est pourtant loin d'être parfaite, ont le pouvoir mystérieux d'entraîner les gens loin de la réalité, comme le cinéma ou le théâtre. Trois ou quatre années plus tôt, j'avais pleuré d'envie en regardant des artistes, sur scène. Mon intuition me disait que ma place était auprès d'eux, plutôt que dans la salle. Maintenant, j'en suis certaine, en dépit de mes lunettes, en dépit de tout...

Peut-être une année avant ce petit spectacle, si déterminant dans ma vision du monde, j'ai quitté l'école primaire pour entrer au collège, que nous appelons chez nous le « gymnase ». Cela aussi est une bonne nouvelle. Tandis qu'il n'y avait que deux rues à traverser pour aller à la petite école, je prends désormais le train avec Jenny qui m'a précédée au gymnase. Cela ne fait que deux stations, mais c'est tout de même un voyage qui nous transporte dans un autre quartier, et qui me donne le sentiment de grandir, d'un seul coup.

En outre, Jenny a tracé la voie, et avant même que j'ouvre la bouche et rende mon premier devoir, on m'accueille avec des sourires confiants, et des exclamations louangeuses : « Ah, la sœur de Mouskouri ! Eh bien, avec toi, au moins, on est sûr que ça va bien se passer. » C'est que Jenny est en tête de sa classe, et en même temps généreuse, joyeuse, toujours prête à organiser des jeux collectifs ou des sorties.

Sans le vouloir, elle me pose d'ailleurs un problème en mathématiques où, au contraire d'elle, je ne comprends pas grand-chose. Je m'applique, je redouble d'attention, et je prends conscience à cette occasion d'un trait de mon caractère qui, toute ma vie, va me pousser à progresser : ma hantise de décevoir ceux qui m'ont prise sous leur aile et me font confiance. Je ne veux pas décevoir ces professeurs si prévenants, j'aimerais qu'ils soient fiers de moi, comme ils le sont de Jenny, mais comment faire ? C'est Jenny, encore, qui me permet de ne pas m'effondrer en reprenant mes travaux de broderie, ou de couture, le soir, comme elle le faisait à l'école primaire.

Cette année-là, nous entrons au conservatoire, et le chant m'ouvre, comme par miracle, le cœur des filles de ma classe. J'étais toujours seule en primaire, je me fais au gymnase mes premières amies durant les cours de musique. La professeure m'a repérée, elle me fait chanter, et nous organisons bientôt un petit chœur dont je suis la vedette. Quand il y a une fête, c'est encore Jenny et moi qui nous retrouvons à chanter devant toute l'école.

Bientôt, je considère le gymnase comme l'église, un lieu où j'aime la couleur de la vie, un lieu d'apprentissage et d'échanges, où l'on se sent en confiance, soutenus, respectés, solidaires.

C'est exactement durant cette période bénie pour moi (1947-1949) que la Grèce s'abîme en pleine guerre civile, monarchistes et communistes s'entretuant dans les montagnes, alors même que les blessures laissées par l'Occupation n'ont pas commencé à cicatriser. Mais autant l'Occupation nous a atteintes, autant la guerre civile nous semble lointaine. Nous en recevons les échos, parfois épouvantables, ahurissants, comme lorsque nous apprenons que le cadet communiste s'est félicité de la mort au combat de son aîné, officier royaliste, ces deux frères que nous avions connus si proches sous les Allemands, mais ça ne trouble pas tellement notre vie d'adolescentes, encadrées par des professeurs sans doute soucieux de nous permettre de grandir à l'abri de la haine et de la violence.

En quelle année quittons-nous le cinéma de notre enfance, et la petite maison derrière l'écran ? En 1946, peut-être. On a proposé à papa une salle de cinéma couverte, qui fonctionne toute l'année, et puisqu'il a accepté, il nous faut trouver un nouveau logement.

Nous emménageons alors au rez-de-chaussée d'une maison assez délabrée du quartier de Neos Kosmos, qui n'est encore en ce temps-là qu'un faubourg aux rues cabossées. L'appartement est petit, deux pièces et une cuisine au sol de terre battue. Il n'a pas plus de salle de bains que notre maison précédente, et les toilettes, que nous partageons avec les autres familles de la maison, se trouvent dans la cour. On dit que c'est un rez-de-chaussée, mais en réalité c'est à moitié une cave. Les fenêtres des deux chambres à coucher s'ouvrent au ras du trottoir, et pour sortir de la cuisine et gagner la cour, il faut grimper trois ou quatre marches.

Sur le moment, je ne suis pas trop choquée par la vétusté de notre nouvelle maison, après tout elle n'est pas très différente de la précédente, si ce n'est que nous n'avons plus l'acacia et son petit jardin. Mais entrant dans l'adolescence, et découvrant la façon dont vivent les filles de ma classe, je vais très vite comprendre que nous sommes différentes des autres. Ce n'est pas qu'elles soient riches, mais on sent bien que leurs parents se donnent sans cesse du mal pour améliorer les choses, agrandir et embellir la maison, profiter du progrès qui entre par miracle en Grèce, malgré la guerre civile. Tandis que chez nous, rien de tout cela. Chez nous, on semble se satisfaire de survivre. Maman s'enfonce dans la mélancolie, et papa continue de rentrer au petit matin deux nuits sur trois, quand ça n'est pas toute la semaine. Alors, très lentement, la vérité se fait jour en moi : si nous vivons comme des troglodytes, à demi enterrés, trop pauvres pour profiter du soleil, c'est que papa perd au jeu tout l'argent qu'il devrait consacrer aux siens.

Je nous compare à des troglodytes, mais je devrais plutôt parler de noyés, puisque dans ma mémoire cette maison à demi enterrée de Neos Kosmos est associée à un cauchemar : l'eau qui déferle, envahit nos chambres, et nous recouvrira tous un jour comme un sombre linceul.

Ce doit être aux premières grandes pluies d'automne que le phénomène nous surprend, un soir. Maman prépare une soupe, nous épluchons les légumes. Et, subitement, il y a de l'eau sur le sol de la cuisine. Une flaque qui se met à progresser sur la terre, à s'infiltrer sous la table, sous la bouteille de gaz, sous l'évier, et l'on croirait un mauvais tour de magie, car personne ne comprend d'où sort cette eau. On se met aussitôt à l'éponger, avec la serpillière et le seau, mais il en vient de plus en plus, et bientôt nous en avons jusqu'aux chevilles. Alors, seulement, nous faisons le rapprochement avec la pluie qui tombe à verse, dehors. On ne la voit pas, il fait nuit, mais on entend son bouillonnement de torrent dans cette cour où affluent toutes les eaux de la butte qui surplombe la maison. Pourtant, elle ne rentre pas par la porte, alors d'où arrive-t-elle ? Mon Dieu, des murs ! Elle sourd des murs ! C'est Jenny qui s'en aperçoit, et pousse un cri d'effroi. Au début, ça fait des petites bulles, puis le ruissellement s'installe, à peine visible à l'œil nu sur ces murs grossiers, et il faut toucher du doigt pour constater combien ça coule vite.

Ce soir-là, nous renonçons à la soupe, nous passons tout le dîner à éponger. Mais même en s'y mettant à trois, on ne peut pas empêcher l'eau de gagner les chambres, de s'insinuer sous les lits et les armoires. C'est effrayant, en réalité nous ne parvenons pas à croire que cela soit possible, et nous nous battons silencieusement, *comme des bêtes traquées*, ai-je envie de dire, car c'est l'image qui me vient, essoufflées, hébétées. Quand la pluie cesse et que nous pouvons enfin nous coucher entre ces murs gorgés d'humidité, nous n'avons plus la force de dire quoi que ce soit. Nous nous sentons sales, humiliées, anéanties, comme si nous sortions d'un corps-à-corps avec un ennemi monstrueux qui nous aurait piétinées, à demi noyées, avant de décider soudain que ça suffisait pour aujourd'hui.

Car, dès cette soirée, nous savons bien qu'à chaque grosse pluie l'inondation va recommencer. Nous le savons, et cependant ni papa ni maman ne vont envisager de partir, et ni Jenny ni moi ne nous révolterons. Comme si nous acceptions ce qui nous arrive, d'une certaine façon. Comme si nous considérions que c'est une juste punition du Ciel pour l'inconséquence de notre père. Jour après jour, il nous conduisait au désastre, et nous avions accepté cette situation comme une fatalité. Maman s'y était résignée, nous l'avions imitée. Eh bien, le Ciel nous envoyait une autre fatalité, comme pour nous réveiller, comme pour voir si, cette fois, nous allions réagir. Mais non, nous n'avons pas bougé.

Pourquoi est-ce que j'établis un lien entre le fléau d'avoir un père joueur et celui de devoir supporter l'inondation de sa maison à chaque grande pluie ? Parce qu'un autre papa nous aurait sortis de là, naturellement. Oui, mais ça, je l'ai pensé plus tard. Sur le moment, ça ne m'a pas traversé l'esprit. Le lien est ailleurs, demeuré intact dans ma mémoire d'enfant : j'ai peur depuis toujours qu'on découvre que mon père est joueur, et voilà que désormais j'ai peur qu'on découvre que j'habite une maison qui se remplit d'eau quand ça plaît au Ciel. Les deux me précipitent dans la même honte, dans la même humiliation.

Pour ma fête, la Sainte-Joanna, le 7 janvier, maman accepte que je reçoive à la maison mes meilleures amies. Je dois être en deuxième année de gymnase puisque notre petite chienne, qui mourra bientôt, est encore là. C'est un événement, ce goûter, nous n'avons pas l'habitude de recevoir. Pour l'occasion, nous passons tout le début de la matinée à briquer notre chambre qui fait office de salon. En disposant en angle nos deux lits, nous obtenons un joli canapé sur lequel nous disposons trois ou quatre coussins. Maman sort des petits napperons, des bougies que l'on allumera quand la nuit tombera.

Et puis le ménage fait, nous préparons les gâteaux.

Bientôt, on frappe à la porte de la cuisine, et je me précipite. C'est Héléna. Nous nous embrassons sur le seuil. Et là, machinalement, je lève les yeux au ciel. Seigneur, il est en train de se charger de gros nuages ! Alors, pendant qu'Héléna se débarrasse de son manteau, je prie silencieusement, mais de toutes mes forces : « Mon Dieu, si vous devez absolument faire tomber la pluie, je vous en supplie, attendez que mon goûter soit fini. Je veux bien ramasser l'eau à genoux toute la nuit, mais accordez-moi cette après-midi. »

Mes autres amies arrivent, nous mangeons les gâteaux, j'organise des jeux, mais je ne suis qu'à moitié présente tant la couleur du ciel m'angoisse. Je ne peux pas m'empêcher de le surveiller du coin de l'œil, soit par la fenêtre haut perchée de notre chambre, soit par la porte de la cuisine quand je viens rechercher des bonbons, du jus de fruit. Si le ciel se déchire, que vont-elles penser en voyant soudain l'eau monter dans la cuisine, puis courir à travers la pièce où nous sommes pour le moment à demi allongées par terre autour d'un jeu de sept familles ? L'imaginer, seulement, me glace le sang. Elles devraient se relever, elles verraient maman et Jenny à genoux, il faudrait leur dire de partir... Quelle honte ! Comment est-ce que je pourrais revenir au gymnase, après ça ? Et si le pire survenait... Je veux dire, si la fosse septique des toilettes, dans la cour, refluait, comme cela est arrivé déjà, et que l'odeur épouvantable se répandait dans la maison... J'en perds le souffle, toute l'après-midi je tremble secrètement.

Mais Dieu m'a entendue, il a eu pitié de moi, et quand la dernière de mes invitées s'en va, il n'est toujours pas tombé une goutte.

Maman et Jenny ont-elles aussi prié, tout bas ? J'en ai l'intuition, à voir leur soulagement, et leur gaieté soudaine, quand nous nous retrouvons toutes les trois seules. Ce soir-là, nous chantons en ramassant les assiettes sales et les verres, et nous sommes encore pleines de reconnaissance en nous mettant au lit.

Le déluge se déclenche alors que je suis dans mon premier sommeil, et c'est le chuintement de l'eau, comme un froissement soyeux, qui me réveille.

— L'eau ! L'eau ! Jenny ! Maman ! Réveillez-vous, vite !

Les deux chambres sont inondées, et je me rappelle que debout au milieu de ce désastre, en chemise de nuit, j'éclate en sanglots.

Maman a deux mots pour me consoler, Jenny me conseille gentiment de me remettre au lit, « on va se débrouiller sans toi », ni l'une ni l'autre ne devine que je pleure de joie. Je suis éperdue de gratitude envers le bon Dieu, et, comme je le lui avais promis, je passe le reste de la nuit à éponger.

C'est au milieu d'une nuit semblable, mais deux ou trois années plus tard, que je prendrai soudain conscience du calvaire que nous infligent nos parents. Je me revois encore m'arrêtant subitement de ramasser l'eau et disant à Jenny, avec une forme de solennité :

— Tu sais, si un jour je me marie et que j'aie des enfants, eh bien, je ferai tout pour qu'ils ne vivent pas des choses pareilles.

La phrase me revient comme je l'ai énoncée, à quinze ou seize ans. Elle montre combien je suis sage, résignée, dénuée de colère. Tout juste une légère amertume, qui a mis bien du temps à éclore, me souffle-t-elle ces mots d'adolescente se devinant bientôt femme.

Je suis sage et secrète, oui, et cela va finir par agacer Jenny qui découvre les garçons, l'envie de rire et de vivre. Subitement, elle étouffe à la maison, entre la mélancolie de maman et les petits ennuis du quotidien – les absences de papa, les factures impayées, les inondations... – qu'il faut soigneusement cacher aux voisins et aux amis pour garder la tête haute. Elle n'est pas révoltée, elle voudrait seulement qu'on la laisse s'envoler, comme autrefois nos colombes, et rentrer quand elle en aura envie, sans lui réclamer de comptes. Maman n'en revient pas de tant d'audace.

— Et tu crois que je vais te laisser partir comme ça et rentrer au milieu de la nuit ?

— J'ai dix-sept ans, je ne suis plus une enfant.

— Tu m'obéis, un point c'est tout.

— Alors je n'ai pas le droit de sortir ?

— Quand tu seras mariée, tu feras ce que tu voudras. D'ici là, tu restes à la maison.

Et pour la garder au nid, maman l'attache. Ce ne sont pas des menottes, juste une ficelle qui la retient par le poignet au pan de son lit, ou au dossier de sa chaise. Mais c'est aussi efficace que des menottes : ni Jenny ni moi n'oserions défaire un tel nœud, noué par notre mère.

Moi, pendant ce temps-là, je suis libre d'aller et venir. Et c'est ça qui énerve Jenny.

— Tu es bien plus maligne que moi, dit-elle, tu ne dis jamais ce que tu penses, et comme ça maman te fiche la paix.

— Mais moi, je n'ai pas envie de sortir le soir.

— Tu pourrais au moins te mettre de mon côté. Si on était toutes les deux à crier, maman céderait.

— Bon, la prochaine fois j'essaierai, je te le promets.

Mais quand l'occasion se présente, je n'arrive pas à articuler un mot. Leurs cris me vident le cœur. Ils me précipitent au plus noir des bagarres entre nos parents, quand ils échangeaient des coups, qu'ils saignaient au visage et que nous nous jetions entre eux en pleurant parce que nous pensions qu'ils allaient se tuer. Comment Jenny, qui a vécu cette horreur, peut-elle à son tour la reproduire ? Moi, je m'en découvre incapable.

— Jenny, lui dis-je un jour, je n'y arrive pas, je ne sais pas crier, je ne sais pas me battre.

— Tout le monde sait, tu n'as qu'à faire comme moi.

— Non, moi je ne peux pas, je n'ai plus de voix au moment de crier.

Je hais les disputes, je hais la violence et la guerre, mais je n'ai pas encore les mots pour le dire.


Il n'y a plus d'argent à la maison, même plus de quoi acheter à manger, papa a tout perdu.

— Je ne peux plus payer le conservatoire, nous dit un jour maman.

Il me semble que ni Jenny ni moi ne répliquons quoi que ce soit. C'est comme pour les inondations, au fond, nous acceptons que papa nous entraîne avec lui dans son naufrage. Sans doute est-ce le contraire qui nous surprendrait.

Je me trouve avec maman quand elle doit annoncer la nouvelle à Mme Kempers. C'est seulement aujourd'hui, sachant combien maman était fière, et sensible à ce qu'on pensait d'elle, que je mesure l'effort qu'a dû lui demander ce rendez-vous.

Quand elle nous fait entrer dans son bureau, Mme Kempers est impénétrable, comme d'habitude. Ce n'est pas une femme démonstrative, tout juste a-t-elle un petit hochement de tête caractéristique quand on a bien chanté.

Maman parle, et le visage de notre professeure s'assombrit imperceptiblement. Elle écoute, mais ne l'interrompt à aucun moment. Bien sûr, maman ne lui dit pas que nous sommes dans cette misère parce que papa passe ses nuits à jouer, elle dit que son mari est un simple projectionniste et qu'ils ne peuvent plus faire cet effort avec la vie qui augmente.

Mme Kempers a compris. Elle acquiesce silencieusement. À ce moment-là, je pense que nous allons nous lever et partir. D'ailleurs, maman s'y apprête, elle s'est déjà redressée sur sa chaise, a fait mine de vérifier que son sac à main est bien fermé.

— Pour vous dire la vérité... commence alors la grande dame au visage osseux.

Et maman semble soudain pétrifiée. Et moi, je partage sa stupéfaction. Ça n'est donc pas fini, nous ne nous sommes pas suffisamment humiliées, maintenant il va falloir discuter, la convaincre que nous sommes plus pauvres que pauvres...

— Pour vous dire la vérité, reprend Mme Kempers, je pense que c'est dommage pour la grande, parce qu'elle a une voix superbe, des possibilités exceptionnelles. Mais je pense que c'est plus grave encore pour la petite, parce que celle-ci, si vous l'empêchez de chanter, je ne sais pas ce qu'elle va devenir.

Mme Kempers se tait, elle ne me regarde pas, elle fixe maman de ses yeux gris. Mais maman semble paralysée, et mon cœur à moi s'est arrêté de battre. Que veut-elle dire ? Que va-t-elle dire, maintenant ?

— La grande a plus de talent que la petite, poursuit-elle, comme maman se tait, mais je ne suis pas certaine qu'elle ait envie de chanter. Il faudrait le lui demander. La petite, c'est autre chose. Elle n'a pas la voix de sa sœur, mais elle a l'envie, la fureur de chanter... Est-ce que vous me comprenez, madame Mouskouri ?

Cette fois, maman acquiesce. Comment ne comprendrait-elle pas, elle qui rêvait à mon âge de devenir chanteuse ? Et moi, la tête me tourne : de toute ma vie, on ne m'a jamais fait un tel compliment. Peu importe que je chante moins bien que Jenny, je le sais, je le sais depuis le premier jour. Mais que Mme Kempers ait vu mon désir et s'en fasse l'avocate, ça, jamais je n'aurais osé l'espérer. Comment mieux me signifier que je suis importante à ses yeux ? Que j'ai donc une place dans ce monde ?

— Je comprends, dit doucement maman. Je comprends. Mais malheureusement nous ne pouvons pas...

— Je sais, j'ai bien entendu. Je vais vous proposer une solution : si Jenny le veut bien, elle va donc arrêter. Mais je vais garder la petite, et vous me paierez plus tard, seulement si vous en avez un jour les moyens.

— C'est impossible !

— Madame Mouskouri, c'est possible, puisque c'est moi qui vous le propose ! Ne soyez pas gênée et ne me remerciez pas, je le fais pour Nana parce qu'elle le mérite.

Voilà, c'est fini, et je me sens en même temps comblée, flattée, et terriblement meurtrie pour Jenny. C'est injuste, et ce n'est pas maman qui peut dire le contraire, elle si éprise de justice et d'égalité.

Nous avons une longue discussion avec Jenny, ce soir-là. Je veux être certaine qu'elle n'a pas la même envie que moi, *la fureur de chanter*, comme le dit si justement Mme Kempers. Ma sœur me renvoie ma question :

— Et toi, me dit-elle, si tu devais arrêter, qu'est-ce que ça te ferait ?

— Je ne sais pas, ça serait terrible, j'aime tellement chanter... Quand je réfléchis, c'est la seule chose qui me donne envie de vivre.

— Alors Mme Kempers a raison, Nana, tu dois continuer.

— Parce que toi, c'est pas comme ça ?

— Non, moi je peux très bien supporter l'idée d'arrêter. Je ne suis pas certaine d'avoir envie de devenir chanteuse, plus tard.

— Vraiment ?

— J'aime sortir, j'ai d'autres centres d'intérêt... Tu le vois bien, non ?

Que pense réellement Jenny ? Bien des années plus tard, elle me dira qu'elle s'est sacrifiée pour moi, réalisant ce jour-là l'importance démesurée que j'accordais au chant. Si je l'avais compris, je ne l'aurais pas accepté. Mais peut-être n'ai-je voulu ni le comprendre ni même l'entendre, devinant inconsciemment que toute ma vie se jouait sur cette décision de Jenny.

Désormais, je suis seule à suivre les cours de Mme Kempers, la belle voix de Jenny ne m'accompagne plus, et, sans que nous le voulions, nos chemins, si longtemps parallèles, commencent à diverger. Je me focalise de plus en plus sur le chant, la musique, tandis que Jenny, éprise de liberté, rencontre un homme d'une vingtaine d'années de plus qu'elle, qui va lui ouvrir les portes de la vie et devenir son mari.

Il s'appelle Demostanis, il travaille dans la restauration et connaît toutes les tavernes où l'on peut dîner en écoutant les groupes folkloriques du moment. Très vite, ma sœur et lui se fiancent, et son entrée dans la famille est comme l'arrivée du printemps après un trop long hiver. Il est souriant, sympathique, entreprenant, et il aime sortir, profiter de tous les plaisirs qu'offre Athènes, maintenant que la guerre civile est finie et que le roi Paul I<sup>er</sup>, frère et successeur de Georges II, a pris l'avantage sur les communistes. Seulement, il ne serait pas convenable que Demostanis sorte seul avec Jenny alors qu'ils ne sont pas encore mariés – « que diraient les voisins ? », s'inquiète sombrement maman –, de sorte que c'est en famille que nous sortons. Le fiancé invite avec plaisir ses futurs beaux-parents, et moi, naturellement, qu'il regarde avec tendresse.

Parfois, je les accompagne, pour le plaisir de reprendre avec Jenny les refrains de ces vieilles chansons grecques que nous connaissons par cœur. Mais, de plus en plus, je préfère rester seule à la maison pour écouter Radio-Tanger. C'est par ce canal que nous arrive depuis quelques années tout ce qui se chante en Amérique, et en particulier le jazz. Je ne connais pas l'anglais, mais je note phonétiquement les paroles d'Ella Fitzgerald, de Billie Holiday ou de Mahalia Jackson, et je chante sur leurs voix. Mme Kempers ignore ma passion pour le jazz et les standards anglo-américains. Quelque chose me dit que si elle l'apprenait, elle ne serait pas très contente. Et donc je le lui cache. Radio-Tanger est mon conservatoire clandestin. Mais cela n'entame en rien ma vocation pour l'art lyrique, et en particulier pour Franz Schubert que je travaille avec une émotion qui me porte parfois au bord des sanglots.

Toutes les élèves du conservatoire ont un piano chez elles, sauf moi. Et ce n'est évidemment pas un luxe que nous pouvons envisager. Mais maman trouve une solution. Un oncle de papa, devenu un mathématicien réputé en Grèce, partage avec sa femme un bel appartement au centre d'Athènes, et nous savons qu'ils ont un piano dont ils ne jouent plus guère. Elle les appelle, ne leur dit rien de nos déboires, évoque la nécessité provisoire d'un piano, et ma grand-tante accepte que je vienne jouer une ou deux fois par semaine. Pour économiser le billet de train, j'y vais à pied, et arrive essoufflée dans ces salons feutrés où la vieille dame me prie de mettre la sourdine pour ne pas déranger son mari qui travaille. Je déteste les sourdines, je voudrais entendre voler les notes, ouvrir grand les fenêtres et chanter, puisque c'est le printemps, mais c'est mieux que rien, n'est-ce pas ? Et après mes deux heures de piano, confinée dans la pénombre du salon de musique, je regagne Neos Kosmos en fredonnant Schubert.

L'anglais vient à moi comme le piano. Je chante Ella Fitzgerald sur des textes phonétiques, sans comprendre les paroles. Au gymnase, nous apprenons le français, pas l'anglais. Papa aime m'écouter chanter *Lullaby of Birdland*, ou d'autres classiques de ma grande idole américaine, et cela me comble. Pour lui, j'improvise de petits récitals dans notre cuisine au sol de terre battue.

— Comment fais-tu pour parler si bien l'anglais ? me demande-t-il un jour.

— J'écoute la chanson à la radio, et je répète exactement. Comme autrefois, quand je chantais *Over the rainbow*, tu te souviens ?

— Oui, je disais à ta mère : « Regarde, elle est comme un petit singe. Tu la mets sur scène et elle te fait Judy Garland. »

Sans doute est-ce après un de ces spectacles en tête à tête que je laisse échapper combien j'aimerais apprendre l'anglais, parce qu'un soir mes parents me parlent d'amis à eux qui connaîtraient un drôle de professeur, un vieil homme aveugle qui donnerait des leçons pour le plaisir...

— On leur a parlé de toi, ils vont se renseigner sur cet homme.

Pendant quelques jours, je rêve en cachette d'un miracle, et je me figure ce professeur sous les traits du magicien d'Oz. Je partirais à sa recherche, et, pour me remercier, il me transmettrait sa langue d'un coup de baguette : « Va, mon enfant, maintenant le monde t'appartient ! »

D'une certaine façon, le miracle se produit. On me dit bientôt que cet homme m'attend, qu'il veut bien me rencontrer, et c'est une vieille dame charmante qui m'ouvre la porte, sa sœur, avec laquelle il partage un appartement confortable. J'apprends que ce monsieur, ancien officier de marine, a longtemps fréquenté les grands ports anglais, jusqu'à ce que l'âge et la cécité le ramènent chez lui.

Tout de suite, nous nous plaisons. J'aime ses manières, sa façon de prendre le temps d'expliquer, de ne rien précipiter, puis de tendre l'oreille avec bienveillance et de m'écouter comme si tout ce que je disais l'intéressait. Ma curiosité pour l'anglais l'amuse, et plus encore que je veuille apprendre cette langue pour chanter Ella Fitzgerald, ou encore ma dernière découverte, Elvis Presley ! Je me souviens qu'après trois ou quatre leçons, rentrant de chez lui, tellement excitée et heureuse que ça se passe bien, je suis traversée par une idée qui m'illumine, soudain : puisqu'il ne me voit pas et qu'il m'aime, c'est que je suis belle à l'intérieur ! Jamais je ne me serais fait cette réflexion s'il n'avait pas été aveugle, bien entendu. Or, elle est la bienvenue, dans ces années difficiles de l'adolescence, où de surcroît, pour ne rien arranger, je grossis. Je ne me plais pas, j'évite de croiser mon visage, ma silhouette, mais je découvre grâce à cet homme que je suis malgré tout aimable...

Dit comme cela, ça n'a l'air de rien, et pourtant c'est une révélation monumentale autour de laquelle va bientôt se construire toute ma vie d'artiste. Car c'est à travers la musique, le chant, que va s'exprimer cette beauté que je suppose en moi. Et que les gens vont m'accepter, m'aimer, malgré mes lunettes et mes quelques kilos en trop. M'aimer au point de me réclamer dans tous les pays du monde, ce qui ne cessera jamais de me bouleverser...

Mais je reviens à mes leçons d'anglais. Puisque nous ne pouvons pas lire ensemble, nous n'avons donc pas de livres. J'apprends tout à travers la conversation, et bientôt grâce à un dictionnaire que nous allons faire venir des États-Unis, et que je regarderai longtemps pour cela comme un objet quasi sacré. Ne trouve-t-on pas de dictionnaires à Athènes, au début des années 1950 ? Non, probablement, puisque mes parents ont l'idée de recourir à ma marraine, Joanna, la fille du gérant du cinéma de La Canée, qui habite désormais en Amérique avec son mari. Joanna, qui a aidé sa maman à me mettre au monde, ne nous a pas oubliés. Et ce dictionnaire merveilleux nous arrive un jour par la poste. Désormais, quand un mot ou une forme grammaticale me semblent difficiles à retenir, mon professeur me demande de lire à voix haute ce qui s'y rapporte. Je le vois acquiescer :

— Tu vois, c'est parfaitement expliqué. Est-ce que tu as compris, maintenant ?

Même si je n'ai pas compris, je prétends le contraire, parce que je sais que j'aurais tout le loisir de relire tranquillement à la maison les explications du dictionnaire. Quand mes leçons s'arrêteront, après une année, c'est avec ce même dictionnaire que je poursuivrai seule l'apprentissage de l'anglais, jusqu'à pouvoir retranscrire sans fautes d'orthographe *Rock around the clock*, le dernier succès du grand Elvis.

J'ai beau chanter du jazz et du rock'n roll, ma voie semble toute tracée : je serai chanteuse lyrique, et peut-être cantatrice, comme Maria Kalogeropoulos, ma grande aînée grecque, que le monde entier nous envie et que nous appelons familièrement *la Callas*. C'est le rêve de mes parents qui partagent une vénération religieuse pour l'opéra. Ils n'ont pas les moyens de nous y emmener, mais avec ses relations dans le milieu des techniciens du spectacle, papa se débrouille toujours pour nous avoir des strapontins. Nous avons vu *La Traviata*, *Carmen*, *Norma*, et à deux reprises déjà le *Nabucco* de Verdi, l'opéra préféré de mon père. À la Scala de Milan, Maria Callas a bouleversé les Italiens, et, depuis, on ne parle plus que d'elle. Elle se produit à New York, à Londres, à Paris... Marcherai-je un jour sur ses pas ? Comme s'ils avaient peur de se laisser emporter par la fièvre, mes parents se corrigent mutuellement :

— Si elle n'arrive pas à devenir cantatrice, elle sera au moins choriste, dit mon père. Choriste, ça serait déjà formidable, tu ne trouves pas ?

— Bien sûr, mais puisqu'elle peut faire mieux !

— C'est à Mme Kempers de décider.

— Oui, c'est vrai, mais si Nana le veut, je crois qu'elle peut y arriver.

Est-ce que je le veux ? En vérité, je ne me projette pas au-delà des quelques mois à venir. J'entre dans mon avant-dernière année au gymnase, j'ai d'autres préoccupations, et puis il me semble que je n'aimerais pas devoir choisir entre jazz, rock'n roll et classique. Je cultive les premiers clandestinement, je travaille le classique officiellement, et ça me va très bien comme ça.

Mme Kempers partage-t-elle les espoirs insensés de mes parents ? Peut-être, mais elle n'est pas femme à rêver à voix haute, ni à se livrer. Quel aurait été mon destin si elle avait pu m'accompagner jusqu'au terme du conservatoire ? Dieu ne l'a pas voulu, et il l'a rappelée cette année-là, me laissant brutalement orpheline d'une femme droite et généreuse sans laquelle je ne serais sans doute jamais devenue chanteuse, tout simplement chanteuse.

Étrangement, j'ai chassé de ma mémoire le chagrin de sa disparition. Je me revois comme au bord du vide, écoutant fébrilement Radio-Tanger pour fuir le vertige, et chantant tout ce qui me passe par la tête, aussi bien *Voi che sapete*, le morceau des *Noces de Figaro* que nous étions en train de travailler la veille de sa mort, que Bessie Smith ou Billie Holiday. Cependant, la nuit, revient me hanter la petite fille qui court fébrilement sur la place de terre sèche, affolée par la bouche sombre du puits contre laquelle les Allemands ont abattu le jeune homme, et ne trouvant pas le chemin pour s'échapper.

# 4

# « La petite Mouskouri
# va chanter à la radio ! »

Combien de temps est-ce que je reste à tourner en rond, essayant de fuir un chagrin qui me rattrape la nuit ? Je n'imagine plus de revenir au conservatoire. Mme Kempers m'y acceptait gracieusement, ce genre de chose ne se répète pas, généralement. Et cependant, comme souvent dans ces situations-là, mon père trouve une solution. Un de ses amis, projectionniste, lui parle d'un ancien technicien du son devenu choriste par passion, puis, de fil en aiguille, professeur au conservatoire. Peut-être accepterait-il de me prendre parmi ses élèves, au nom de la solidarité entre gens du cinéma, par exemple... Papa va le voir, je ne sais pas ce qu'il lui dit, mais l'homme veut bien me rencontrer.

— Maintenant, c'est à toi de le convaincre, me dit mon père.

— J'ai peur... Jamais je n'oserai lui parler, tu sais bien comme je suis timide...

— Ne parle pas, Nana, chante ! Je lui ai simplement demandé de t'écouter. Tu vas voir, il va changer de tête.

Papa a raison. L'homme sévère et pressé qui m'accueille n'est plus le même après m'avoir entendue. Non seulement il est devenu bavard, mais il propose immédiatement de prolonger cette audition par une première leçon.

Mon nouveau professeur est bien différent de Mme Kempers. Celle-ci avait compris que chanter était pour moi une affaire de survie, et elle s'était engagée à mon côté avec une abnégation dont je prends mieux conscience en observant son successeur. M. Gorgios Djouaneas est exclusif, possessif, très vite je deviens sa chose, et, comme je fais des progrès, dit-il, il se prend à rêver pour moi d'un destin de cantatrice, conforme au vœu de mes parents. J'ai parfois le sentiment qu'il en rêve bien plus que moi, comme si c'était son propre avenir qui était en jeu.

Cependant, M. Djouaneas est moins austère, plus ouvert sur la vie que la discrète Mme Kempers. Avec d'autres choristes, il participe en particulier à des émissions musicales à la radio nationale. Et c'est à son invitation que je pénètre pour la première fois dans cette maison mythique, d'où me vient depuis dix ans tout le folklore grec, et qui, petit à petit, est en train de rattraper Radio-Tanger pour le rock'n roll, le jazz et les artistes européens. J'assiste en direct à une émission où chante mon professeur, et je fais ce jour-là, sans m'en douter, un pas décisif vers ma vie future. Un pas qui va rapidement me conduire au conflit, puis à la rupture avec ce même M. Djouaneas, justement.

Depuis des mois, l'oreille collée à ma petite radio, j'entendais les animateurs des différentes émissions musicales nous inviter à les rejoindre pour participer à des jeux en direct. Je brûlais d'envie d'y aller, d'autant plus qu'à toutes les questions posées, j'aurais été en mesure de répondre. Soit il s'agissait de trouver le nom de l'interprète dont on venait d'écouter une chanson, soit d'interpréter soi-même une chanson dont on vous donnait seulement le titre. Oui, je brûlais d'envie d'y aller, mais je n'aurais sans doute jamais franchi le pas si M. Djouaneas lui-même ne m'y avait invitée.

Comme je connais la maison, à deux ou trois reprises j'ose y revenir. Seule, et avec le sentiment grisant de m'écarter du droit chemin, moi qui suis tellement sage et raisonnable. Je me fais remarquer par ma culture musicale, et sans doute aussi par la façon dont je chante puisque à la sortie d'une de ces émissions, un monsieur me prend courtoisement à part pour m'indiquer que la radio cherche des solistes et qu'elle organise régulièrement des auditions pour cela.

— Vous devriez vous présenter, me dit-il.

Je suis si confuse, si tremblante, que je ne trouve rien à lui répondre, de sorte qu'il doit me prendre un instant pour une idiote.

— Vous devriez vous présenter à ces auditions, me répète-t-il, je crois que vous auriez des chances d'être prise. Vous comprenez ? Vous voyez ce que c'est qu'une audition ?

Cette fois, j'acquiesce, mais pressée de m'en aller.

— Voulez-vous que je vous donne la date de la prochaine ?

— Heu... oui, ai-je la force de murmurer, avec la peur au ventre, comme si je commettais un de ces péchés impardonnables et que j'entendais déjà le prêtre me lancer : « Disparais de ma vue, et que Dieu te maudisse ! »

Enfin libérée, je cours vers la maison. Et c'est une fois arrivée dans ma chambre, écarlate, le cœur comme un tambour, que je m'aperçois que j'ai toujours au fond de la main le petit papier sur lequel il m'a griffonné la date et l'heure. Pourtant, je ne me revois pas en train de le le prendre.

Est-ce que je préviens seulement mes parents de cette audition ? Non, il me semble que je m'y prépare toute seule. Je suis alors dans ma dernière année de gymnase, celle du baccalauréat, qui s'obtient chez nous en fonction de la moyenne des notes sur toute l'année, et peut-être qu'ils ne seraient pas très contents de me savoir si loin de mes études. Je ne dis rien non plus à M. Djouaneas, mais pour d'autres raisons : lui serait furieux d'apprendre que je vole, ou plutôt que *j'essaie de voler*, de mes propres ailes. Et puis, si je suis prise, il ne s'agira pas de chanter du classique, mais du folklore grec, ou de la *variété*, ces chansons qui nous arrivent maintenant du monde entier, et j'ai le pressentiment que M. Djouaneas n'appréciera pas beaucoup...

Je tremble de la tête aux pieds en me présentant devant les jurés. Et, très vite, je comprends que ça ne va pas aller : je connais beaucoup plus de chansons étrangères que de chansons grecques, or ils aimeraient justement me voir interpréter le répertoire national. Cependant, on se met d'accord sur quelques titres, et je me lance. Mais ma voix, si pleine lorsque je chante pour mon père dans notre petite cuisine, me semble incertaine, pitoyable. Et plus l'angoisse me serre le ventre, plus elle me trahit.

Avant même de connaître le résultat, je sais que j'ai raté cette première chance qui m'était offerte, et je rentre à la maison sourdement en colère contre moi-même.

Du moins suis-je reçue au bac ! Il n'est pas envisageable que je poursuive mes études au-delà, et la question se pose donc immédiatement de savoir ce que je vais faire pour gagner ma vie. Cette même année 1954, Jenny se marie, ce qui apporte un premier soulagement à nos parents. Ils n'ont plus que moi à charge, mais ils ont hâte de me voir participer aux frais de la maison.

C'est par mon beau-frère que nous apprenons que l'ambassade des États-Unis recherche des secrétaires d'origine grecque. Nous n'avons aucune idée du travail que l'on demande à une secrétaire, mais je parle un peu anglais, ce dont mes parents sont très fiers, et cela leur paraît largement suffisant pour me prendre un rendez-vous.

La dame qui me reçoit est très aimable. Nous échangeons quelques phrases en anglais, et quand je comprends qu'elle me fait passer un premier test, en réalité, je l'ai déjà emporté.

— Très bien, me dit-elle. Maintenant je vais vous présenter à la personne qui supervisera votre travail.

C'est encore une femme, et de nouveau nous bavardons un instant. J'ai l'impression de bien me débrouiller. D'ailleurs, je la vois se détendre, sourire.

— Eh bien, voyons maintenant ce que vous savez faire, me dit-elle finalement.

Et là, elle m'entraîne dans une autre pièce et me fait asseoir devant une machine à écrire.

— Prenez une feuille de papier, calez-la convenablement, je vais vous dicter une petite lettre...

Mon Dieu, mais je n'ai jamais touché une telle machine !

— Excusez-moi, mais je ne sais pas...

— Vous ne savez pas mettre le papier ?

— Non, je ne sais rien, je ne sais pas comment ça marche...

Et, d'un seul coup, je comprends combien je suis ridicule : à quoi sert une secrétaire qui ne sait pas taper à la machine ?

D'ailleurs, la dame semble stupéfaite :

— Vous ne savez pas taper à la machine !

— Non, je suis désolée.

— Alors je ne peux pas vous prendre, c'est impossible...

Je suis écrasée de honte en me relevant. Comment n'ai-je pas pris la peine de me renseigner ? Et ces deux dames si prévenantes à qui j'ai fait perdre leur temps...

— Pardonnez-moi, pardonnez-moi, dis-je tout bas.

Et je m'enfuis de cette ambassade, en nage, le rouge au front, comme si on m'y avait surprise en train de fouiller dans les tiroirs.

Les jours suivants, j'achète une méthode pour apprendre toute seule à taper à la machine, et, dans la foulée, j'apprends la sténographie. Je m'en veux tant ! J'imagine secrètement qu'on me donnera une seconde chance, et que j'aurai l'occasion de me racheter auprès de ces deux femmes qui étaient si bien disposées à mon égard...

Serais-je devenue chanteuse si j'étais entrée comme secrétaire dans cette ambassade ? La vie est encore si fragile à vingt ans, si incertaine, qu'elle peut prendre le premier chemin venu, et, ce faisant, vous engager pour toujours dans une direction qui ne correspond en rien à vos aspirations profondes. Sans doute mon ignorance, si lourde à porter sur le moment, a-t-elle été ma providence.

Car c'est la radio qui m'offre une seconde chance. Quelques semaines après la déconvenue de l'ambassade, je suis sélectionnée pour une audition dont l'enjeu est considérable pour la jeune fille aux abois que je suis : chanter une fois par mois, dans une émission en direct, en échange d'un petit cachet. Cette fois, j'ai prévenu mes parents, et ils sont évidemment avec moi, solidaires.

La nécessité m'a-t-elle aidée, cette après-midi-là, à dépasser mon trac ? En tout cas, je chante presque aussi bien que lorsque je suis seule en face de mon père. Mais je ne suis pas la seule candidate, et on m'avertit qu'on me donnera la réponse quelques jours plus tard.

À cette époque, nous habitons toujours Neos Kosmos, dans ce petit deux-pièces à demi enterré et inondable. Et vu que, bien sûr, nous ne pouvons pas nous offrir le téléphone, nous utilisons celui de l'épicerie du quartier, comme la plupart de nos voisins. Et nous donnons également le numéro de cette épicerie aux personnes qui doivent absolument nous joindre. C'est en tout cas celui que j'ai donné aux jurés de la radio, ne me doutant pas du tout de l'impact qu'aurait sur le quartier un tel coup de téléphone.

L'épicier nous envoie son dernier fils pour porter le message : le monsieur de la radio a appelé et je suis prise pour chanter dans l'émission ! Oh, merci, mon Dieu, merci ! Maman n'en retient pas ses larmes, et moi j'en reste un moment stupéfaite, à tel point que l'hilarité du petit messager fond comme neige au soleil :

— Tu n'es pas contente ? Papa disait...

— Mais si, je suis contente... Merci. Et remercie bien ton papa, surtout.

— Il a dit : « Cours vite, la demoiselle va être contente, c'est une très grande nouvelle. »

— Oui, c'est une bonne nouvelle.

Qui constitue sans aucun doute l'événement de la semaine à l'épicerie. Puis qui se répand dans tout le quartier : la petite Mouskouri va chanter à la radio ! Le soir même, j'en reçois les échos, on m'interpelle, on me montre du doigt, les enfants me courent après, et je suis un peu confuse de ne rien trouver à dire : non, je ne connais pas le monsieur de la radio, je ne sais pas quand l'émission sera diffusée, je ne sais pas s'il y aura ma photo dans les journaux, ni même s'ils parleront de moi...

Mais la rumeur enfle à tel point qu'elle vient aux oreilles de notre propriétaire qui, la semaine suivante, nous adresse une augmentation de loyer. Il n'a plus à se montrer compréhensif, écrit-il, puisque je suis devenue « une personne célèbre qui chante à la radio ».

Le cachet est minuscule, mais la première émission se passe remarquablement. Je chante quelques vieilles chansons grecques, puis Ella Fitzgerald, et, comme si le public découvrait alors un autre monde, on me réclame du jazz, du rock, on lance des titres de chanson, et comme je les connais, je les chante, soudain insensible au trac, transportée par l'émotion qui me gagne, comme ce jour où sur la scène du petit théâtre, au conservatoire, j'avais incarné le jeune homme et le prêtre...

Sans doute est-ce que je surprends, puisque le pianiste qui m'a accompagnée, Kostas Yanidis, vient me voir à la fin : est-ce que j'accepterais de me produire avec eux, certains soirs ? Ou dans d'autres émissions ? Ils sont comme moi, me dit-il, capables de jouer du folklore, de la musique populaire, mais aussi tous les standards qui nous arrivent d'Amérique.

Pourquoi pas ? Oui, je veux bien, je ne sais pas, je suis encore dans l'ivresse de cette première émission, pleine d'émotions, incapable d'envisager la suite, en tout cas de remettre si vite les pieds sur terre...

Que ce soit par le biais de cet orchestre, ou simplement par le bouche-à-oreille, il me semble que dès le lendemain on me réclame dans d'autres émissions. Je m'y prépare sagement, m'y rends habillée de mon unique tenue de sortie, une robe de taffetas bleu sombre, le nez chaussé de mes lunettes, et chaque fois se produit le même petit miracle : l'émotion m'emporte, et je vois au fil de l'émission se transformer les visages des quelques personnes qui m'ont accueillie. Comme je voyais se transformer les visages des spectateurs dans le cinéma de mon père. Se peut-il que ma voix ait ce pouvoir mystérieux d'arracher les gens à eux-mêmes, de leur ouvrir les portes secrètes du rêve ?

Insensiblement, sans que je le voie venir, une espèce de tourbillon m'emporte. Au départ, ce sont des musiciens qui viennent me trouver après une émission, et qui me demandent si je connais tel ou tel club de jazz où ils jouent le soir. Non, je ne sors pas, je ne connais pas les clubs de jazz, ni les autres d'ailleurs, tout juste quelques tavernes grâce à mon beau-frère. Ils me regardent curieusement, l'air de penser : où a-t-elle appris à chanter comme ça, celle-ci, si elle ne fréquente pas les clubs ? Je ne leur parle pas de Radio-Tanger, de Mme Kempers, de mon professeur d'anglais aveugle... Mais ils insistent, ils me glissent sur un petit papier leur nom et celui du club, et ils me font promettre de passer un soir. J'ai vingt ans, maman ne veut pas que je sorte toute seule, et il me faut inventer des stratagèmes pour courir les écouter. Une fois là-bas, je n'ai pas d'argent, je n'ose pas m'asseoir, mais ils m'aperçoivent et s'arrangent pour que je les rejoigne sur scène. Mes jambes me portent difficilement, je n'ai plus de souffle, j'ai un trac à tourner de l'œil, et cependant, le désir de chanter l'emporte sur la peur. Dès la première note lâchée, je suis une autre. Ailleurs, bouleversée. Et je sens bien que la salle aussi, qui murmurait en me voyant venir, partage soudain mon émotion.

Ce n'est pas toujours du jazz. Ça peut être du folklore grec, mais ça se passe en général de cette façon et je me retrouve sur scène pour une ou deux chansons qui me valent des applaudissements prolongés. Parfois, le patron du club, comme pour s'excuser de m'avoir exhibée, vient rappeler que je chante régulièrement dans telle ou telle émission.

Et bientôt, ce sont eux, justement, les patrons de clubs, qui me demandent si je ne viendrais pas chanter sur leurs propres scènes, certains soirs. Mais si, bien sûr ! C'est que je commence à comprendre que je pourrais gagner ma vie de cette façon-là. En tout cas, suffisamment pour aider mes parents, et payer moi-même les cours de M. Djouaneas au conservatoire.

Petit à petit, voilà que mon existence, qui était si vide quelques semaines plus tôt, quand je songeais à devenir secrétaire, se remplit. Certaines après-midi je suis à la radio, et tous les soirs dans les clubs et les tavernes. Je ne suis pas encore attachée à l'un plutôt qu'à l'autre. Je passe ici ou là, je chante une demi-heure contre un peu d'argent, et je file ailleurs. Presque chaque soir, je retrouve des têtes connues, et bientôt je m'aperçois combien le monde des musiciens de la nuit est petit. Quand on a fini de chanter soi-même, on fait le tour des clubs pour écouter les autres. On voit ce qu'ils font, on parle des uns et des autres, on se donne mutuellement des idées. Après deux ou trois mois seulement, j'ai l'impression de les connaître tous, et je crois que tous m'ont repérée.

Est-ce Mimis Plessas lui-même, ou l'un de ses musiciens, qui me propose de participer aux matinées musicales organisées tous les dimanches au cinéma *Rex* ? Mimis est alors le pianiste en vogue, et il parraine ces rencontres du *Rex* où se retrouvent tous les jeunes artistes et les groupes qui cherchent à se faire connaître. Mimis est une immense star à mes yeux, mais il m'arrive de le croiser à la radio et il a toujours un petit mot élogieux, encourageant. Suffisamment encourageant, en tout cas, pour que j'ose franchir un jour les portes du *Rex*. L'ambiance y est extraordinaire, toutes les musiques y sont les bienvenues, tous les styles également, et bientôt je me retrouve sur scène, dans ma robe de taffetas, à chanter du rock'n roll. On m'applaudit, on m'invite à revenir le dimanche suivant, et cette fois je chante des chansons grecques.

C'est au *Rex*, au cours d'une de ces folles matinées, que je découvre l'existence d'un groupe que je n'avais encore croisé nulle part. Ce sont trois jeunes garçons, originaires de Salonique, ils se font appeler le *Trio Canzone*, et ils ont un répertoire singulier, des chansons mexicaines et espagnoles traversées çà et là de sonorités typiquement grecques.

Je les écoute, un peu tendue, parce que je passe juste après eux. Cette fois, je chante du jazz, et peut-être, par provocation, deux lieder de Schubert. Après tout, eux viennent bien de nous chanter du folklore mexicain...

Je regagne sagement ma place en sortant de scène, mais il se passe alors une chose extravagante : tandis que les gens se lèvent pour se détendre en attendant que l'artiste suivant soit prêt, un des trois garçons du *Trio Canzone* vient tranquillement vers moi, et avec un joli sourire, posant le doigt sur mon larynx :

— Je viens de vous écouter, mademoiselle, et je crois qu'il y a de l'or là-dedans !

— Pardon ?

J'ai sursauté, presque malgré moi.

— Excusez-moi, reprend-il, je ne voulais pas vous faire peur... J'ai été très impressionné par votre voix...

— Oh merci ! Merci beaucoup !

Il s'en va, un peu confus sans doute. Et moi j'aimerais pouvoir me cacher. Autant j'oublie tout quand je suis sur scène, autant je me sens maladroite une fois retombée sur terre.

Il me faudra quelques mois pour découvrir que ce garçon s'appelle Georges Petsilas, et quelques années de plus pour le voir entrer petit à petit dans ma vie, jusqu'à devenir mon mari...

Comment maman accepte-t-elle que je coure les clubs la moitié de la nuit, elle qui n'avait pas lâché Jenny d'une semelle ? La plupart du temps, je la trouve derrière la porte quand je rentre, fatiguée et inquiète. Pourtant, il n'y a aucun homme dans ma vie, pas encore, et même pas le désir d'en rencontrer un, me semble-t-il. Quand je me remémore mes premiers pas de chanteuse populaire, il ne me revient à l'esprit que cette ivresse de chanter, et ma reconnaissance éperdue envers ceux qui m'écoutent pour l'émotion que je lis dans leurs yeux au moment de saluer.

Peut-être maman pressent-elle que seule la chanson m'intéresse, et que je ne cours donc pas grand risque à fréquenter ces lieux sulfureux qu'elle interdisait à Jenny. Et puis j'en reviens avec de l'argent, que je lui donne sans rien garder pour moi, et nous avons tant besoin d'argent !

Mais M. Djouaneas, lui, se fiche bien de ces considérations. Il m'a vue démarrer à la radio – grâce à lui, mais le sait-il ? – puis glisser de la radio aux tavernes et aux clubs où je fais une musique qu'il ne tient pas en grande estime. Il ne dit trop rien, au début, puis, peu à peu, il se fâche.

— Tu abîmes ta voix à chanter du jazz. En plus, tu ne dors pas suffisamment, ça s'entend.

— J'ai vraiment besoin de travailler.

— C'est à toi de savoir si tu veux devenir chanteuse lyrique...

Puis il durcit le ton :

— Ça ne peut pas continuer comme ça, Nana : si tu veux rester au conservatoire, tu arrêtes les boîtes de nuit. La radio et le *Rex*, d'accord, mais les boîtes, c'est fini !

— Je ne peux pas, je n'aurais même plus de quoi payer vos leçons.

— Écoute, on ne va pas recommencer ce débat, je te donne huit jours pour prendre une décision.

Dans l'affolement, je cours demander à une autre professeure du conservatoire si elle accepterait de me prendre parmi ses élèves. Elle ne me laisse aucun espoir, et, pendant une semaine, je me torture l'esprit.

Puis je me retrouve en tête à tête avec M. Djouaneas, et la rencontre est orageuse, dramatique. Une demi-heure plus tard, je quitte définitivement le conservatoire, exclue sans appel.

Est-ce la fin de ma carrière de cantatrice ? Je me persuade du contraire, mais je ne trouve pas la force d'annoncer la nouvelle à mes parents, sachant combien ils vont être déçus. Ils rêvaient de me voir interpréter Verdi et Puccini, ils n'ont aucune estime pour les artistes qui se produisent dans les tavernes, « ces chanteuses qui montrent leurs jambes », dit maman avec une pointe de mépris, et voilà que c'est tout ce qu'il me reste...

Cependant, le destin me fait un petit signe : cette semaine-là, justement, tandis que je cherche les mots pour annoncer la catastrophe à mes parents, un night-club bien connu à Athènes, le *Mocabo Lido*, me propose un engagement. Je serai la chanteuse attitrée de son orchestre. C'est la première fois qu'on me fait une telle offre, avec la promesse à la clé d'un revenu modeste, mais régulier.

Je me dis que cette bonne nouvelle consolera en partie la déception de mes parents, et je me décide enfin à les mettre au courant. Papa est effondré. Il devine que tout cela ne serait pas arrivé si nous avions un peu d'argent, si nous pouvions payer le conservatoire sans que je sois forcée de travailler, et, comme toujours quand il se sent coupable, il se met en colère. Mais ses colères ne me font plus peur, je sais bien qu'il crie contre moi parce qu'il s'en veut, qu'il ne sait pas comment se punir, et j'ai plutôt envie de le prendre dans mes bras. C'est ce que je ferai quinze ans plus tard, quand il viendra m'écouter chanter au Théâtre des Champs-Élysées, à Paris, et que je le découvrirai sanglotant dans les coulisses. J'avais dû quitter le conservatoire, mais on m'accueillait malgré tout sur la plus belle avenue du monde, et c'était pour lui comme si on me rendait justice. Sa faute était donc oubliée, pardonnée. Il pouvait enfin pleurer.

Le chagrin de ma mère est d'une autre nature. Elle est très déçue, bien sûr, mais elle a surtout peur que je tourne mal à prendre racine dans un night-club. Cependant, la promesse d'un second revenu dans la famille lui donne un peu d'espoir, d'autant plus que cet argent-là, elle le cachera. Papa ne pourra pas le perdre au jeu.

# 5

## J'ai vingt-deux ans
## et je suis une catastrophe...

— Ah, mademoiselle Mouskouri ! J'ai cru que jamais je
ne vous trouverais. Ce téléphone, c'est un cauchemar.
Est-ce que vous seriez libre le 4 juillet au soir ? Pour un
concert.

— Pour un concert ? Le 4 juillet ? Mais c'est demain ?

— Oui, je suis désolé. La chanteuse que nous atten-
dions vient de nous avertir qu'elle ne pourra pas venir, ça
serait pour la remplacer. On m'a dit que vous chantiez
parfaitement en anglais...

— Mais qui êtes-vous ?

— Excusez-moi, je ne me suis même pas présenté, mon
nom est Takis Kambas, je suis l'organisateur de ce spectacle. C'est une telle catastrophe...

— Je peux chanter en anglais, oui.

— Ah ! Vous ne pouvez pas savoir quel soulagement
vous m'apportez. Et vous seriez libre demain soir, alors ?

— Je dois pouvoir me faire remplacer. Mais, monsieur
Kambas, vous ne me dites rien de ce concert...

— Bien sûr, pardonnez-moi, je suis tellement bouleversé... Il s'agirait de chanter sur un porte-avions
américain, devant quatre mille marins et un parterre
d'invités. Vous avez l'habitude, n'est-ce pas ? Je ne vous
connais pas, mais on m'a dit...

— Je n'ai jamais chanté devant quatre mille personnes.

— Ne me dites pas que ça vous impressionne, je n'ai
aucune autre solution de rechange !

— Non, ça va, ne vous inquiétez pas, je viendrai.

— Il faudrait que vous vous présentiez en milieu d'après-midi sur le bateau, le *Forrestal*, de toute façon on ne voit que lui dans la baie... Une vedette vous prendra au ponton de la marine américaine au Pirée pour vous y conduire. Je serai moi-même à bord, et c'est moi qui vous accueillerai. Vous aurez deux petites heures pour répéter avec l'orchestre, avant le début du concert.

— Que souhaitez-vous que je chante ?

— On m'a dit que vous interprétiez merveilleusement Ella Fitzgerald...

— Oui, je l'adore !

— Eh bien, vous me sortez d'un sacré cauchemar. Je ne sais pas comment vous remercier.

— Je ferai de mon mieux, je vous le promets.

— Merci, vous êtes extraordinaire ! Alors je compte sur vous demain, vers seize heures.

Le lendemain, 4 juillet 1957, c'est la fête nationale américaine. Les États-Unis d'Amérique célèbrent leur indépendance partout dans le monde *(Independence Day)*, et en particulier sur l'*USS Forrestal*, bateau amiral de la 6ᵉ flotte, en escale au Pirée.

À peine raccroché le téléphone, je dois m'asseoir, prise d'un vertige. Demain, je chanterai donc devant quatre mille paires d'yeux ! J'ai vingt-deux ans, je ne me suis jamais produite ailleurs que dans des boîtes de nuit, devant une centaine de personnes... L'excitation d'être entendue par une telle foule se dispute à la panique que je sens monter. Quelle horreur, quand j'y songe ! Mais quel bonheur aussi ! Il me semble que si je franchis cet obstacle, ma vie en sera pour toujours bouleversée. Si quatre mille personnes m'applaudissent, m'aiment, n'est-ce pas comme si le monde entier m'applaudissait ? Et ça y est, on me connaît donc suffisamment parmi les jeunes artistes d'Athènes pour citer mon nom lorsqu'un M. Takis Kambas cherche une chanteuse de jazz. Qui a bien pu me nommer ? Plusieurs de ces musiciens que je croise la nuit, sûrement, et peut-être également le grand Mimis Plessas...

Vite, prévenir le *Mocabo Lido* que je serai absente demain soir. Ils vont me demander pourquoi, et je ne sais pas mentir... Tant pis, je leur dis la vérité, et s'ils ne sont pas contents, on verra bien. C'est le patron lui-même qui me parle au téléphone.

— Je suis invitée à chanter sur le porte-avions américain.

— Demain ? Pour l'*Independence Day* ?

— Oui, voilà.

— Mais c'est formidable, Nana ! On va annoncer à nos clients que les Américains t'ont choisie, tu vas voir qu'après ça ils vont se bousculer tous les soirs.

— Ah, très bien, très bien. J'avais tellement peur que vous vous fâchiez.

— Des nouvelles comme ça ne me fâchent jamais, ma petite. La chanteuse du *Mocabo* sur le *Forrestal*, c'est une réclame du tonnerre !

Bon, maintenant, réfléchir à ce que je vais chanter. À la robe que je vais porter, peut-être plutôt la noire qui me mincit... Courir chez le cordonnier lui reprendre mes chaussures, celles qui me portent bonheur, acheter des bas, demander à maman de me coiffer...

Je n'ai pas dû beaucoup dormir, cette nuit-là, pourtant je ne sens pas la fatigue en débarquant du train au Pirée, puis en courant le long des quais sous le soleil brûlant de juillet, à la recherche du ponton américain. J'y suis attendue, et trois marins me conduisent aussitôt en vedette jusqu'à la coupée du porte-avions, une échelle minuscule, enchâssée dans une formidable muraille d'acier.

Je n'oublierai jamais la tête de Takis Kambas à l'instant où il m'aperçoit. Il avait espéré une de ces blondes hollywoodiennes à la taille de guêpe, aux jambes immenses, et voilà que le destin lui envoie une brune un peu ronde, chaussée de grosses lunettes.

— Quelle catastrophe ! murmure-t-il, sans même prendre la peine de faire semblant.

Il n'a pas un mot de bienvenue, plus il me contemple, plus il semble atterré, et du coup je ne trouve rien à dire pour le réconforter. Je suis là, silencieuse, et je le vois s'éponger le front, les joues...

— Quelle catastrophe ! répète-t-il. Mais pourquoi est-elle tombée malade, aussi ?...

Alors, comme il évoque l'autre chanteuse, je parviens enfin à desserrer les lèvres :

— Je ne chante pas mal, vous savez. Vous ne devriez pas vous mettre dans cet état.

— Je sais, je sais, tout le monde dit que tu chantes bien. Mais ça ne suffit pas... Tu ne peux pas enlever tes lunettes, au moins ?

— Mes lunettes, ce n'est rien du tout. Tous les soirs, je chante avec mes lunettes, et les gens finissent par les oublier.

— Mon Dieu, je ne sais pas comment on va faire...

— Eh bien, là, j'aimerais commencer à répéter, monsieur Kambas. Pourriez-vous me conduire jusqu'à l'orchestre ?

— Oui, oui, naturellement. Mais quelle malchance ! Quelle malchance !

Il me précède, et tout le long de notre cheminement à travers des coursives qui n'en finissent pas, il s'éponge le front. C'est un homme petit et rond, étrangement nerveux, me dis-je, pour quelqu'un dont le métier est d'organiser des spectacles.

— Et l'ambassadeur qui sera là avec sa femme, et l'amiral... bougonne-t-il, au comble de l'angoisse.

Par bonheur, les musiciens de l'orchestre m'accueillent avec plus de gentillesse, et, dès la première chanson achevée, un intérêt et une chaleur que je sens grandir. Mais M. Takis Kambas n'a pas attendu les premières notes, je l'ai vu s'éloigner en se tamponnant toujours le front de son mouchoir chiffonné.

La scène est dressée sur le pont, les personnalités occuperont les premiers rangs, elles seront assises sur des chaises de velours écarlate, puis les quatre mille marins se serreront à l'intérieur d'un carré immense délimité par un cordon et un chapelet de lampions qui illumineront le crépuscule.

Je passe en clôture du spectacle. Avant moi, il y a différentes attractions, et en particulier le ballet d'Athènes.

Quand j'entends l'orchestre du bord ouvrir les festivités, puis la belle voix grave d'un homme décliner le programme, et que je reconnais mon nom, à la fin, je crois que mon cœur va se décrocher. Nous sommes également sur le pont, mais derrière la scène, et la baie du Pirée forme un cordon lumineux dans le soir qui tombe, comme si toute la ville n'avait maintenant d'yeux que pour nous, pour ce porte-avions gigantesque dont les feux montent vers les étoiles.

Cependant, plus le moment approche, plus M. Kambas se décompose. Il me jette des regards de noyé, comme s'il ne pouvait pas se figurer mon entrée en scène autrement que comme un désastre. Je lui ai dit que je voulais bien essayer de renoncer à mes lunettes, si ça pouvait le rassurer, mais il a eu l'air de penser que ça ne changerait rien. Maintenant, c'est moi qui devrais être à l'article de la mort, et c'est lui qui tremble, comme s'il vivait ses dernières minutes. De sorte qu'il me fait pitié, et que j'en oublie un peu mon propre trac.

— Monsieur Kambas, j'ai bien vu que je vous ai déçu, mais vous devriez être plus confiant, je vous assure.

— Tu as vu Marilyn Monroe ? C'est ça, le genre de femmes qu'aiment les Américains...

— Oui, peut-être, mais ils aiment aussi Ella Fitzgerald, qui n'est ni mince ni blonde, n'est-ce pas ?

Un instant, il semble se raccrocher à cette idée, et puis il retombe dans les affres, et je l'abandonne pour me retrouver moi-même, ne pas me laisser entamer par son incrédulité, sa défiance.

Enfin, c'est mon tour. J'ai le souvenir d'avoir fermé les yeux en pénétrant sur scène, comme si la vision de cette foule, dont le souffle était palpable, avait pu me faire chanceler. Quelques pas jusqu'au micro dont j'ai repéré la silhouette, et tout de suite, *a capella*, la première phrase de *Pete Kelly's Blues*, la merveilleuse chanson d'Ella Fitzgerald : *There are bad things, there are sad things, the blues...*

Et alors, avant même les premières notes de l'orchestre, un tonnerre d'applaudissements ! Je relève les paupières, j'ai le temps d'apercevoir les dizaines de calots projetés vers les étoiles, de recevoir ce cadeau-là, le bonheur des hommes, et puis l'orchestre vient à ma rencontre et ça y est, le trac m'a laissée, je suis seule avec la musique, traversée par les notes, loin de toutes les laideurs du monde, comme si c'était juste mon âme qui chantait.

À la fin de *Pete Kelly's Blues*, les marins se lèvent, et ce ne sont plus seulement des applaudissements, mais des hurlements. Alors j'entame *Lullaby of Birdland*, et ils se mettent à claquer des doigts en rythme, et moi je trouve la force d'ouvrir les yeux, et devant ces hommes debout, si tendus et recueillis qu'ils m'évoquent la foule des fidèles le jour de Pâques, je croise un étonnement ravi dans le regard des personnalités assises au pied de la scène.

J'avais dressé la liste de tout mon répertoire pour l'orchestre, il était entendu que je n'en chanterais qu'une petite partie, et un peu plus si nous avions des rappels. C'était à M. Takis Kambas de décider. Après quatre chansons, je ne reconnais plus cet homme lors d'un bref passage en coulisses. Il a rangé son mouchoir, il est excité et lumineux comme s'il voyait apparaître Marilyn Monroe, me dis-je.

— C'est formidable ! me hurle-t-il à l'oreille, tandis que quatre mille hommes tapent du pied sur le pont. Vas-y, chante tout ce que tu veux, il ne faut plus t'arrêter...

Il me semble que je reste un peu plus d'une heure sur scène, et que je n'ai jamais si bien chanté ces artistes qui m'accompagnent depuis l'adolescence, Billie Holiday, Nat King Cole, Mahalia Jackson, et, bien sûr, la bouleversante Ella Fitzgerald.

Quand le rideau retombe, moi non plus je ne suis plus la même. J'ai le sentiment d'avoir rencontré mon être secret, et d'avoir pu l'offrir, le donner à entendre, à aimer. Et moi qui m'aimais si peu en arrivant, je suis parvenue à m'aimer dans les yeux des autres. Ce miracle, c'est à ma voix que je le dois. C'est elle qui a conduit ces hommes jusqu'à mon âme, c'est elle qui leur a fait oublier les imperfections de ma silhouette, et mon visage un peu triste que les lunettes n'arrangent pas.

Maintenant, je voudrais disparaître comme je suis apparue, mais l'amiral vient me féliciter, et peut-être aussi l'ambassadeur parmi tous ces gens illustres qui me sourient, me retiennent, me baisent la main, tant et tant que je ne trouve plus les mots pour les remercier, et que je m'en vais en titubant, soutenue par M. Takis Kambas, comme une jeune femme qui aurait beaucoup trop bu.

Le lendemain, et les jours suivants, la radio nationale retransmet des extraits du concert donné sur le *Forrestal*, et en particulier plusieurs de mes chansons. Je ne savais pas que nous avions été enregistrés, je le découvre par la rumeur. On ne parle que de cela au *Mocabo Lido*, et, comme l'avait espéré le patron, ma notoriété naissante lui attire de nouveaux clients. Les voisins aussi me regardent différemment, et quand l'épicier, qui m'a connue à douze ans, ose avouer tout haut qu'il m'a entendue, je vois se former un petit attroupement silencieux autour de moi. Voilà que j'intimide des femmes qui me rudoyaient autrefois, mais je suis moi-même bien trop timide pour raconter quoi que ce soit et je m'en sors avec des balbutiements inaudibles.

Mes parents, qui ont secrètement honte que je travaille dans un night-club, et qui n'avaient pas plus saisi que moi l'impact de mon apparition sur le *Forrestal*, se découvrent soudain une fierté inespérée. Je ne suis pas cantatrice, mais pour la première fois on dit de moi à la radio que je suis « une jeune chanteuse grecque », et que cette chanteuse-là aurait suscité « l'enthousiasme et la curiosité des Américains ».

Pas seulement des Américains, semble-t-il, puisque dans les semaines qui suivent, un petit éditeur de musique, Odéon, me propose d'enregistrer mon premier disque. Il a entendu parler de moi, m'a écoutée récemment chanter *Fascination*, un succès américain, à la radio, et souhaiterait que je fasse un disque, avec cette chanson en anglais sur une face, en grec sur l'autre. Pourquoi pas ? Je n'y connais rien en droit, et je signe donc sans le lire un contrat qui me lie à Odéon. Nous enregistrons le disque, et il sort quelque temps plus tard dans une pochette sur laquelle ne figure pas ma photo, seulement mon nom, et le titre de la chanson. Je ne toucherai jamais un sou pour cet album, qui passera complètement inaperçu, mais quand je souhaiterai, plus tard, en graver un second, dans une compagnie plus sérieuse, Odéon me fera des tas d'ennuis, prétextant que je lui suis liée par contrat. Malheureusement, ça ne m'apprendra pas à me méfier, et je ne lirai pas mieux le contrat suivant.

Est-ce parce que je gagne suffisamment d'argent que nous envisageons de déménager ? Sans doute. Maman a dû faire et refaire ses comptes, car la décision est enfin prise de quitter Neos Kosmos, et cet appartement épouvantable, pour nous installer dans le quartier plus résidentiel d'Ilianou. Mes parents ont trouvé là un petit deux-pièces, au rez-de-chaussée d'un immeuble de quatre étages. Je n'aurai pas plus de chambre à moi que dans le précédent appartement, je dormirai dans la pièce faisant office de salon, sur un lit escamotable, mais la grande nouveauté est que nous aurons une salle de bains !

La découverte de cette pièce, équipée d'un lavabo et d'une baignoire, me donne le sentiment, à vingt-trois ans, de flirter avec ce luxe qu'on prête aux grandes familles d'Athènes. Jusqu'ici, je me suis lavée à l'eau froide, devant l'évier, debout dans une bassine en zinc posée sur la terre battue. Comment ne pas avoir la tête qui tourne à s'imaginer allongée dans l'eau brûlante, au fond de cette baignoire immaculée que soutiennent quatre puissantes pattes de lion en fonte émaillée ?

Et comme si le luxe appelait le luxe, voilà que l'un des clubs les plus sélects d'Athènes, l'*Astir*, me propose de venir chanter. C'est en réalité son pianiste et chef d'orchestre qui me contacte, un musicien très réputé dans la haute bourgeoisie, du nom de Spartacus.

— Tout le monde parle de vous, me dit-il, j'aimerais bien vous faire faire un essai.

— Avec plaisir !

Et me voici très vite embauchée à l'*Astir*, chantant chaque soir accompagnée par un véritable orchestre, à quelques pas du piano de M. Spartacus. Je remarque que cet homme, extrêmement raffiné, coqueluche de la haute société, regarde parfois mes formes rondes avec un peu de contrariété, à moins qu'il n'apprécie pas la simplicité de mes robes, mais dès qu'il m'entend, il paraît oublier le reste, et sans doute formons-nous un étrange duo aux yeux de cette clientèle richissime : lui élégant comme un prince, souriant à chacun, circulant à l'entracte de table en table, et moi comme je suis, timide et maladroite aussitôt sortie de scène.

Un soir, je reconnais Maria Callas, attablée avec Aristote Onassis, son amant à l'époque. Mon Dieu, comment chanter devant cette femme dont nous entretenons le culte à la maison depuis mes premiers pas au conservatoire ? Maria Callas ! M. Spartacus va la saluer, bien entendu, et tandis que je les observe échanger quelques mots, je me dis que jamais je n'oserai me produire devant elle. Quel dommage que je ne sois pas entrée sur scène les yeux fermés !

Alors l'orchestre lance les premières notes, et je me réfugie dans la musique. Je l'oublie, je m'oublie, pour n'être plus qu'une voix désincarnée.

Après une brève suspension, quand je reviens sur scène, un des maîtres d'hôtel vient vers moi :

— Mme Maria Callas demande si vous pourriez lui interpréter cette chanson. Elle en serait très touchée, me prie-t-elle de vous signifier.

Et l'homme me tend un petit carton sur lequel la cantatrice a écrit le titre d'une vieille chanson grecque que ma mère chantait souvent quand nous étions petites. Vais-je me rappeler les paroles ? Je me les repasse rapidement en mémoire, et, relevant la tête, je rencontre pour la première fois le sourire de la grande dame.

— Oui, dis-je en opinant de la tête, sentant aussitôt le rouge me monter aux joues.

À deux ou trois reprises, la scène se répète les jours suivants, et il se trouve que je connais toutes les chansons anciennes qu'elle me réclame.

Un soir, je remarque qu'elle est venue seule, et cette fois-là le petit billet qu'elle me fait passer ne porte pas le nom d'une chanson, mais ces quelques mots : « Voulez-vous me rejoindre un moment à l'entracte ? »

— Asseyez-vous, me dit-elle gentiment. Je voulais vous remercier pour toutes ces chansons qui ont bercé mon enfance, et la vôtre aussi, sans doute...

— Oui, ma maman nous les chantait.

— On m'avait parlé de vous, on m'avait dit que vous étiez capable d'interpréter tous les styles. Où avez-vous appris à chanter ?

— Toute seule, et puis aussi au conservatoire...

— Vraiment ! Vous vouliez donc être chanteuse lyrique ?

— Je crois que j'en rêvais, oui. Mais mon professeur n'a pas admis que je gagne ma vie la nuit, dans les clubs, et il m'a mise à la porte.

— Ah !

Elle se tait, me regarde un moment avec un peu de gravité, et puis, très chaleureusement, me prenant la main et se mettant soudain à me tutoyer :

— Tu sais, la vie t'a peut-être fait un cadeau ce jour-là. Nous sommes nombreuses à vouloir interpréter *Norma*, *Tosca*, *La Traviata*, mais c'est un art très cruel, et finalement bien peu sont reconnues... C'est pourquoi je crois qu'il vaut mieux être une grande chanteuse populaire qu'une petite cantatrice.

Elle marque un temps.

— L'important, reprend-elle, ce n'est pas ce que tu fais, c'est *comment* tu le fais.

Sans doute est-ce que j'acquiesce, trop intimidée pour répliquer quoi que ce soit. Mais bien plus tard, me répétant ces deux petites phrases, je mesurerai combien elles étaient justes. Et prémonitoires.

Car, sur le moment, la passion que je mets à chanter ne me sert guère.

Après quelques semaines à l'*Astir*, un mois peut-être, M. Spartacus me convoque pour un entretien. Je m'y rends confiante et souriante, parce que j'ai le sentiment d'être appréciée. C'est dire si je tombe de haut.

— Je dois me séparer de toi, commence-t-il. Je le regrette, mais les recettes n'atteignent pas ce que nous espérions. Je vais simplement garder le jeune chanteur qui te remplace certains soirs.

C'est un tel coup que je peine à reprendre mes esprits.

— Mais comment... La salle est pleine, les gens me rappellent... Je ne comprends pas...

— Tu n'es pas non plus chargée de faire les comptes.

— Si ça n'est qu'une histoire d'argent, pourquoi ne partageons-nous pas entre le jeune chanteur et moi ? Je suis tellement heureuse de chanter à l'*Astir*...

— Non, c'est impossible.

Alors j'ai l'intuition que M. Spartacus me cache quelque chose, et je sens monter la colère.

— Écoutez, c'est mieux de me dire la vérité, parce que je la saurai un jour, de toute façon. Je chante mieux que le jeune homme, et cependant c'est lui que vous gardez, et moi qui dois partir. Je ne crois pas que ça soit une histoire d'argent. Alors, maintenant, dites-moi *vraiment* pourquoi vous me mettez à la porte.

— Je te l'ai dit, n'insiste pas.

— Monsieur Spartacus, je veux que vous me donniez la vraie raison. Je ne partirai pas comme ça.

Je ne me pensais pas capable d'une telle colère, mais la révolte est là, je ne sortirai pas de cette pièce avant qu'il m'ait tout dit, et je crois qu'il s'en rend compte, sans doute sidéré que la jeune fille silencieuse et timide, qu'il pensait docile, lui oppose une telle résistance.

— Puisque tu veux la vérité, lâche-t-il après s'être levé pour tourner en rond, je vais te la dire, et tant pis pour toi : quelques dames se sont plaintes que tu n'étais pas suffisamment... pas suffisamment attractive. Je veux dire pour l'*Astir*, n'est-ce pas, où les gens sont tout de même... très élégants, très raffinés... Quelques dames se sont plaintes !

Je crois qu'à cet instant je crie, moi qui déteste crier, pour cacher mes larmes, pour ne pas m'enfuir sous le coup.

— Oui, elles n'ont rien contre ta voix, elles trouvent même que tu chantes plutôt bien, mais il n'y a pas que la voix qui compte sur scène. Elles te reprochent ta silhouette, tes robes, ta coiffure, tes lunettes... Enfin, ne me force pas...

Comment est-ce que je suis sortie de ce bureau ? Je ne sais pas. Je me revois courant le long de la mer, étouffée par les sanglots, pour attraper le bus qui me ramènera à la maison.

Papa et maman silencieux, atterrés. Par un drôle de hasard, la couturière qui me coupe mes robes, une amie proche de Jenny, est également à la maison ce jour-là. Elle aussi se met à pleurer, et je cherche maladroitement à la consoler : c'est moi qui ne suis pas assez jolie pour l'*Astir*, ce ne sont pas ses robes...

Mon Dieu, comment est-il possible d'en arriver là ? Bien des années plus tard, quand mon merveilleux guitariste, Yussi Allies, Noir et originaire d'Afrique du Sud, me parlera de l'apartheid, il me semble que je le comprendrai immédiatement grâce à cet épisode.

Plusieurs musiciens de l'orchestre sont également choqués, et ce sont eux qui me pressent de demander un rendez-vous au directeur. Mes parents abondent dans ce sens, et papa promet de m'accompagner.

Le directeur nous reçoit, mais à peine entré dans son bureau, mon père, qui avait pourtant répété ses griefs tout au long du chemin, se trouve paralysé. Alors c'est moi qui parle. Je dis que ce n'est pas juste de renvoyer une artiste parce qu'elle n'a pas la tête qu'on voudrait, ou que ses robes ne sont pas suffisamment raffinées. Je dis que si les dames m'en avaient fait la remarque, plutôt que d'aller se plaindre à M. Spartacus, j'aurais fait un effort pour être plus élégante. Quand quelqu'un ne sait pas, dis-je encore, parce qu'il n'a pas été préparé à cela par son éducation, il faut l'aider plutôt que l'enfoncer. Vous ne trouvez pas ? Je suis chanteuse, tout le monde dit que je chante bien, il est injuste que je perde mon travail parce que mon image ne plaît pas à certaines personnes.

Le directeur acquiesce, mais il explique qu'il ne peut rien faire, que la décision est entre les mains de M. Spartacus qui a seul la responsabilité de la partie artistique. Et voilà, tout cela n'a servi à rien, nous repartons humiliés et perdus.

Bien plus tard, on me dira que ce sont les épouses des responsables de l'*Astir*, et la femme de ce directeur, en particulier, qui auraient demandé mon départ à M. Spartacus, et que celui-ci ne m'aurait pas défendue, craignant peut-être pour sa propre place. Je ne sais pas. Mais quand, deux années après cet événement, et après que j'aurai remporté le premier Festival de la chanson grecque, ce même M. Spartacus me proposera de le rejoindre, se prétendant « désolé » pour ce qui était arrivé, je déclinerai sèchement son offre.

Mon concert sur le *Forrestal*, puis mon passage à l'*Astir*, ont accru ma notoriété dans le petit cercle des musiciens d'Athènes, et je retrouve sans mal du travail au jour le jour dans les tavernes et les night-clubs. J'y croise, entre autres groupes, le *Trio Canzone*, avec lequel je sympathise. L'homme qui m'avait dit qu'il y avait de l'or dans ma voix, pendant cette matinée au *Rex*, ce Georges Petsilas aux yeux rieurs, a toujours un mot encourageant, si bien qu'un jour, à la radio, nous improvisons un morceau ensemble. Je joins ma voix à celles de Georges et de ses deux amis, Kostas et Philipos. Les gens applaudissent, on nous réclame autre chose, et nous passons finalement toute l'émission ensemble.

Notre collaboration se serait-elle poursuivie si Mimis Plessas, passant par là, n'avait tendu l'oreille ? C'est peu probable, dans le tourbillon où nous nous trouvions tous à cette époque, chacun saisissant sa chance au hasard des rencontres.

Mais Mimis Plessas nous écoute, donc, et c'est lui qui lance le premier cette drôle d'idée.

— C'est pas mal, ce que vous faites ensemble... Pourquoi vous ne créez pas un quatuor vocal ?

Venant de n'importe qui d'autre, la suggestion nous aurait sans doute paru complètement farfelue, mais venant de lui, pianiste, auteur compositeur, elle nous apparaît plutôt comme une main tendue. Pourquoi pas, en effet, associer nos talents, plutôt que de courir chacun de son côté ?

Et comme si le Ciel, soudain, se souciait de moi, c'est au même moment que survient, dans ma vie d'artiste encore balbutiante, l'homme qui va m'ouvrir les portes du monde : Manos Hadjidakis.

# 6

## Un compositeur nommé Manos Hadjidakis

C'est un musicien de la radio qui vient un jour me dire que Manos Hadjidakis me cherche, qu'il voudrait me voir.

— Manos Hadjidakis ! Tu es sûr ?

— Oui, je lui ai dit que j'allais certainement te croiser.

— Tu te fiches de moi !

— Je t'assure que non.

— Mais pourquoi il voudrait me voir ? Il a toutes les chanteuses qu'il veut, moi je ne suis rien du tout...

— Il m'a dit qu'il t'avait entendue.

— Je ne te crois pas !

— Si tu n'as rien à faire, demain, je te conduis chez lui.

— Vraiment ? Mais qu'est-ce qu'il veut ?

— Je crois qu'il cherche quelqu'un pour une chanson, dans un film...

Quand je raconte ce soir-là au *Trio Canzone* que je vais peut-être travailler avec Hadjidakis sur une musique de film, je déclenche un tollé. Hadjidakis, c'est le succès, la réussite, on le croise dans les magazines au côté d'étoiles du cinéma, Katina Paxinou, Mélina Mercouri, Alexis Minotis, il déjeune avec le président du Conseil, Constantin Caramanlis, et peut-être même avec le roi, Paul I^er... Hadjidakis, c'est un autre monde. Eux sont pauvres, mais ils sont de vrais artistes, tandis que lui est riche, reconnu, célèbre...

— Tu ne vas pas aller voir ce type, tout de même !

— Et pourquoi est-ce que je n'irais pas ?

— Parce que tu es une artiste, et lui un bourgeois.

— Vous ne le connaissez pas plus que moi. Avant d'être un bourgeois, il est musicien, comme nous...

Le « comme nous » ne passe pas, et j'ai le sentiment, en les quittant ce soir-là, de m'apprêter à trahir.

En réalité, ce n'est pas chez lui que me conduit l'homme de la radio, mais dans les studios de Finos-films, une grosse maison de production. Et il me laisse à la porte.

Je demande timidement M. Manos Hadjidakis.

— Vous avez rendez-vous ?

— Je crois qu'il a demandé à me voir. Je suis chanteuse...

— Ah ! Suivez-moi.

La jeune femme pousse une porte, et je me retrouve au seuil d'une grande pièce enfumée où bavardent plusieurs hommes autour d'un piano.

— C'est celui qui est assis au piano, me souffle-t-elle avant de s'éclipser.

La curiosité me donne le courage de faire quelques pas en direction de cet homme au visage rond qui, pour le moment, vissé sur son tabouret, tourne le dos au clavier et semble tenir un discours enflammé, une cigarette fichée entre l'index et le majeur de sa main droite.

Mais soudain, il m'aperçoit, et s'interrompt brutalement :

— Ah, la voilà ! Maintenant vous allez entendre la plus merveilleuse voix d'Athènes...

Il n'a pas fini sa phrase que j'ai déjà reconnu M. Finos, le producteur, parmi les autres hommes. Et lui aussi m'a reconnue.

— C'est elle, ta chanteuse ? Mais je la connais très bien, c'est la fille de la chauve-souris !

Et M. Finos part d'un grand éclat de rire, tout en m'ouvrant ses bras.

Et moi je suis mortifiée, statufiée. Comment cet homme, qui m'a fait sauter sur ses genoux quand j'étais petite, à présent je me le rappelle, peut-il parler de mon père en termes si insultants ? Je sais bien qu'on le surnomme « la chauve-souris » parce qu'il passe ses nuits à jouer, mais M. Finos est bien placé pour savoir combien papa est un grand projectionniste. Pourquoi n'a-t-il pas dit : « Mais je la connais très bien, c'est la fille de Costa, le projectionniste ! » Alors tout aurait été différent, j'aurais eu le cœur plein de fierté. Tandis que là, je n'ai plus la force de faire un pas. Je crois que jamais je ne me suis sentie aussi profondément blessée, rabaissée, humiliée.

Par bonheur, M. Finos met ma paralysie sur le compte de la timidité, et, après quelques secondes, je parviens à reprendre mes esprits.

— Viens, me dit-il, approche, ne sois pas gênée, Manos ne nous parle que de toi depuis trois jours...

Et maintenant, Manos aussi me tend la main. Il s'est levé, puis se rassoit aussitôt devant le piano.

— Écoute ça, me dit-il.

Dans un silence subit, il se met à jouer une mélodie qui m'est complètement étrangère.

— Tu crois que tu pourrais chanter là-dessus ? me demande-t-il à la fin.

— Je peux essayer, oui.

— Je n'ai pas encore les paroles, tu n'as qu'à faire *lalala*, juste pour voir.

— D'accord.

— Alors on y va !

Je chante une fois, deux fois, trois fois. Manos Hadjidakis m'accompagne au piano, et sur certains passages je l'entends fredonner.

À la dernière note de la troisième prise, il se tourne soudain vers moi, le visage lumineux, et c'est comme un signe : tous les hommes présents se mettent à applaudir. M. Finos m'embrasse.

— Alors, dit Manos, est-ce qu'elle n'est pas extraordinaire ?

Et ne s'adressant plus qu'à moi :

— On commence les répétitions demain, mais cette fois chez moi. Tu es libre en ce moment ?

— Oui. Mais c'est quoi, cette chanson que nous allons faire ?

— Je suis en train de composer la musique d'un film dont Finos est le producteur. Je voudrais que tu chantes cette chanson dans le film.

— Ah, d'accord.

— Alors à demain !

C'est la maman de Manos qui m'ouvre la porte. Une petite femme empressée et souriante.

— Venez, il vous attend.

Il est déjà au piano, depuis le vestibule on entend voler les notes à travers tout l'appartement.

De nouveau la fumée de sa cigarette, et puis lui qui s'interrompt subitement en nous apercevant sur le seuil.

— Ah, enfin ! Entre vite... Laisse-nous, maman, et ferme la porte, s'il te plaît.

Alors il me tend une feuille de papier griffonnée.

— Tiens, lis ça, ce sont les paroles des premiers couplets...

Puis, sans plus de préambule, nous nous mettons au travail. Je le sens tendu, fiévreux, et je devine qu'il ne retrouvera pas la paix tant que nous n'aurons pas créé la chanson.

Prendre les mots, les tisser dans les notes, les tendre, les étirer, les épuiser, ou, au contraire, les arrondir, les lancer comme des ballons vers le soleil, et puis tâtonner, revenir en arrière, changer une rime ici ou là, parfois. Au milieu, crier « non, ça ne va pas ! », s'arracher les cheveux, rallumer une cigarette, revenir au premier couplet, tout recommencer. Jamais je n'ai fait cela, mais l'espèce de folie que je sens à l'œuvre chez cet homme me tient en haleine. Et puis la confiance qu'il me fait ! Hier, nous ne nous connaissions pas, et aujourd'hui, on dirait presque que sa vie dépend de moi... On dirait qu'il pourrait se fracasser la tête contre les murs si nous n'y arrivons pas... Est-ce cela, un artiste ? Quelqu'un qui ne se conçoit plus d'avenir tant que la chose est là, en travers de sa route ? Quelqu'un qui oublie sa notoriété, tout ce qu'il a déjà créé de grand, de beau, et qui chaque fois se retrouve à cheminer au-dessus du vide, comme un funambule ? Je ne savais pas, je découvre, et voilà que moi aussi je serais prête à tout donner pour que cette œuvre voie le jour, cette œuvre minuscule, et qu'elle le sauve, qu'elle nous sauve, qu'elle nous rende la lumière.

Alors, petit à petit, la chanson éclôt. Et je peux laisser aller ma voix, et je ressens combien le jeu de Manos se fluidifie soudain. Ça y est, maintenant nous sommes comme des chevaux qu'on aurait libérés, nous filons d'une traite dans le vent, et l'on ne sait plus qui nous porte, des mots ou des notes, puisque désormais les deux semblent à jamais liés. La chanson s'appellera *Pisso apo tis triandafilies (Derrière les rosiers)* et j'apparaîtrai subrepticement dans le film en train de la chanter. Cependant, le soir même de notre après-midi de travail, surgit dans la tête de Manos l'idée d'en faire l'une des chansons d'un disque que nous signerions ensemble...

Le soir même, oui, et je ne peux pas oublier cette soirée, car c'est celle où je rencontre pour la première fois le poète Nikos Gatsos. Si Manos Hadjidakis m'a ouvert les portes du monde, Nikos Gatsos m'a ouvert les portes de mon âme. Il m'a appris à me connaître, et, ce faisant, à m'accepter telle que je suis.

Comment Manos Hadjidakis me convainc-t-il de l'accompagner, ce soir-là, au café *Floka* ? Je crois que je suis si impressionnée par sa créativité, par son talent, que j'en oublie qu'on m'attend pour chanter ailleurs.

— Viens, me dit-il, maintenant je vais te présenter à mes amis.

Et j'acquiesce, tout simplement, comme si j'étais déjà devenue sa chose. Il a retrouvé le sourire, je le sens libéré, pressé de retourner dans les désordres et les rumeurs du monde.

Le *Floka*, c'est un peu le *Flore* du boulevard Saint-Germain, à Paris. Je sais qu'on y croise beaucoup d'artistes connus, des écrivains, des musiciens, des peintres, et jamais je n'aurais osé y mettre les pieds. D'ailleurs, quand j'entends ce nom dans la bouche de Manos, j'ai un mouvement de recul : comment va-t-on me regarder dans cet illustre café, moi qui ne suis qu'une petite chanteuse de cabaret ? Mais aussitôt je pense à maman, à la tête qu'elle fera quand elle apprendra où j'ai passé la soirée, et l'idée m'amuse.

Évidemment, je ne sais pas qui peuvent être les amis de ce M. Hadjidakis qui doit avoir une vingtaine d'années de plus que moi, mais quand il me présente cet homme au profil de médaille, qui s'est aussitôt levé en nous voyant entrer pour le presser sur son cœur, je reste un moment paralysée. Nikos Gatsos est alors un poète dont on parle avec beaucoup d'admiration en Grèce (et à l'étranger aussi, mais je ne le saurai que plus tard). Il s'est fait connaître par un recueil paru en pleine guerre, *Amorgos*, que l'on a redécouvert quelques années plus tard et que l'on croise dans toutes les devantures des librairies d'Athènes à la fin de ces années 1950. « Né et écrit en pleine Occupation, aux heures les plus sombres du pays, écrira plus tard Jacques Lacarrière dans une édition franco-grecque, *Amorgos* fut – et est toujours – un chant de résistance, un refus des traditions nationales mortifères et un hymne, un hymne toujours aussi éclatant à la jeunesse du langage. Il fut – et il est toujours – un des plus beaux printemps qu'ait connus la poésie grecque [1]. »

Quel regard peut avoir sur moi, ce soir-là, l'auteur d'*Amorgos* ? Dans mon souvenir, il m'a beaucoup observée, comme c'était son habitude (plus tard, je me rendrai compte combien il aimait découvrir les autres silencieusement, par les yeux seulement), puis il m'a posé quelques questions avec une élégance un peu distante, à demi dissimulé derrière la fumée de sa cigarette. Il voulait savoir comment j'étais devenue chanteuse, quelle musique m'inspirait, et il me semble que je ne fis que balbutier, morte de timidité, Manos Hadjidakis terminant toutes mes phrases pour les détourner en de fiévreux éloges qu'écoutait avec attention son ami, acquiesçant parfois d'un air grave.

---

1. Nikos Gatsos, *Amorgos*, éditions Desmos/poésie, 2001.

Et que pensa le grand poète lorsque Manos Hadjidakis, comme emporté par son enthousiasme, lança subitement cette idée de faire un disque dont je serais l'interprète ? Avec le recul, je me dis qu'il aima un peu plus son ami pour cette folie, mais, sur le moment, je me sentis confuse, comme si Gatsos allait me juger, ce qu'en vérité il ne faisait jamais avec personne.

Bon, mais qu'allions-nous mettre dans ce disque, outre *Derrière les rosiers*, que nous venions de créer ? Manos Hadjidakis proposa-t-il dès ce soir-là que je chante *La Lune de papier (Hartino to fegaraki)* ? Peut-être, je n'en ai gardé aucun souvenir, mais j'ai bel et bien chanté pour ce disque *La Lune de papier*, et cette chanson si belle, si poétique, a été en même temps à l'origine de mon amitié pour Nikos Gatsos, et d'une rivalité avec Mélina Mercouri qui devait empoisonner nos rapports durant quelques années, avant que Mélina ne devienne à son tour mon amie.

*La Lune de papier* ! Les paroles sont de Nikos Gatsos, ce sont des vers magnifiques, et la musique est de Manos Hadjidakis. À l'origine, les deux hommes ont écrit cette chanson pour Mélina Mercouri, leur amie commune, qui doit la chanter bientôt sur scène dans une adaptation de la fameuse pièce de Tennessee Williams, *Un tramway nommé Désir*. Au moment où Manos me propose de l'interpréter, Mélina Mercouri ne l'a pas encore chantée publiquement. Il me semble qu'elle n'en est qu'aux répétitions. Mais, quoi qu'il en soit, je suis encore bien trop novice pour deviner qu'elle pourrait le prendre mal, et j'accepte donc naïvement d'enregistrer cette œuvre.

Y repensant, aujourd'hui, je me dis que cet épisode résume bien à lui seul l'emballement soudain de Manos pour la petite inconnue que je suis. Comment ose-t-il faire cet affront à Mélina Mercouri qui est déjà une star ? Me demander à moi d'enregistrer une chanson écrite pour elle ? Peut-être est-ce cette indélicatesse involontaire de Manos qui explique en partie le peu d'enthousiasme de Nikos Gatsos pour mon interprétation, au début. Il est présent dans le studio lorsque j'enregistre *La Lune de papier*, et je vois bien qu'il paraît contrarié, au contraire de Manos qui semble flotter sur un petit nuage. Finalement, il profite d'une pause pour nous confesser ce qu'il a sur le cœur :

— Je crois que ton interprétation n'est pas juste, me dit-il.

Mais je n'ai pas le temps de répondre, déjà Manos s'interpose :

— Tu as tort, Nikos, c'est au contraire son interprétation qui est la bonne.

— Tu crois ? Je l'ai bien écoutée, tu sais, et dits par elle, les mots n'ont pas la même force...

Ce que je comprends à travers leur échange, c'est qu'ils sont en train de comparer la façon dont Mélina et moi chantons *La Lune de papier*. Mélina est une actrice, une grande comédienne, et lorsque je l'entendrai chanter, plus tard, je saisirai immédiatement ce qu'avait voulu dire Nikos : dans sa bouche, les mots ont une puissance dramatique qu'ils n'ont sûrement pas dans la mienne. Nikos regrettait cette dramatisation, tandis que Manos, à l'inverse, appréciait la simplicité, presque le dénuement de mon interprétation.

Il faudra près d'une année à Nikos Gatsos pour revenir sur ce jugement, se faire lentement à ma façon, et venir me le dire un certain soir, qui reste pour moi inoubliable puisqu'il marque le début d'une amitié qui va m'accompagner plus de trente années durant, jusqu'à sa mort, en 1992.

Ce soir-là, je chante au *Dzaki*, une taverne. Gatsos y vient souvent avec le même ami, un poète anglais qui habite Athènes. À l'entracte, j'ai pris l'habitude d'aller m'asseoir un moment à leur table. *La Lune de papier* fait partie de mon répertoire, désormais, et je chante cette chanson pratiquement tous les soirs avec la même émotion. Nikos Gatsos ne fait plus allusion à mon interprétation et c'est entre nous comme une blessure ouverte, mais silencieuse. Jusqu'à ce jour, donc, où venant encore une fois d'interpréter *La Lune de papier*, je m'assois discrètement à la table des deux amis.

— Tu sais, j'ai réfléchi, me dit soudain Nikos, je t'ai souvent écoutée, eh bien c'est toi et Manos qui aviez raison : cette petite *lune*, c'est exactement comme cela qu'il faut la chanter. Elle a besoin que tu t'effaces pour laisser les notes et les mots trouver le chemin de nos âmes. Pourquoi m'a-t-il fallu tant de temps pour le comprendre ?

Et Nikos me prend un instant la main comme pour se faire pardonner, et moi je suis tellement touchée que je ne parviens même pas à articuler correctement les deux seuls petits mots qui me montent aux lèvres : « Oh, merci ! »

« Elle chantait dans une espèce de night-club sur la plage, aux environs d'Athènes, les succès américains du jour, accompagnée par un petit orchestre, écrira-t-il peu de temps avant de mourir, se remémorant nos premiers souvenirs communs. Mais sa voix et la chaleur sympathique de son visage évoquaient en moi cette image d'un bateau en plein océan, image qui devait continuer à hanter mon esprit durant de nombreuses années. »

Entre-temps, notre disque est sorti. Mon deuxième disque, si je prends en compte celui enregistré chez Odéon, *Fascination*, qui n'a connu aucun succès. Cette fois, nous suscitons de l'intérêt, de la curiosité, et comment en serait-il autrement avec les noms associés de Hadjidakis et de Gatsos ? Le premier est en train d'inventer un style où se mêlent bouzouki, instrument fruste et ancestral, musique byzantine, folklore, sonorités jazzy et fragments de classique. Contrairement à ce que prétend le *Trio Canzone*, Manos Hadjidakis est un remarquable artiste, un compositeur de génie, qui s'apprête à révolutionner la musique grecque. Le second est un poète admiré, et il n'est pas si courant qu'un poète prête ses mots à un compositeur. Quant à moi, mon nom ne compte pas beaucoup sur la pochette, bien peu de gens le connaissent, mais la réalisation de ce disque m'a apporté un immense réconfort. J'ai compris que je n'avais pas fait le conservatoire en vain, car de la même façon qu'il joue de tous les instruments, les plus anciens comme les plus modernes, Manos Hadjidakis joue de toutes les possibilités de ma voix. Je suis chanteuse populaire, mais l'instant d'après cantatrice, puis au détour d'une phrase petite-fille d'Ella Fitzgerald. Au fond, c'est aujourd'hui, me remémorant cette façon si particulière qu'avait Manos d'*inventer* la musique, que je comprends combien il a dû être content de me trouver, moi qui n'ai jamais voulu choisir un style contre l'autre, moi qui ai toujours tout aimé, du moment que ça se chante.

Désormais, je suis chaque nuit au café *Floka*. Après avoir quitté la scène du *Dzaki*, je rejoins là-bas vers minuit ces deux hommes qui ont commencé à bouleverser ma vie, l'un par sa fébrilité créatrice, l'autre par sa façon tranquille d'observer le monde sans le juger, et de s'en évader soudain en accrochant au vent mauvais trois ou quatre mots enchantés :

*Il suffit d'une unique fleur*
*D'un peu de blé pour la gaieté d'un peu de vin pour la*
*    mémoire*
*Et d'un peu d'eau pour la poussière.* [1]

Ils m'accueillent comme leur petite sœur, ou plutôt leur muse, ai-je envie d'écrire, *osé-je* écrire, moi dont les dames de l'*Astir* n'avaient pas voulu, parce que, disaient-elles, je n'étais pas « suffisamment attractive ». Je n'ai pas changé, je porte toujours les mêmes robes, les mêmes lunettes, et cependant Nikos voit en moi « un bateau en plein océan », tandis que Manos prétend que je suis la seule à savoir chanter ce qu'il compose, la seule à donner une âme à sa musique.

Ce soir-là, je les découvre avec Jules Dassin, le réalisateur américain de *La Cité sans voiles*, et, parmi d'autres films, de *La Loi*, qu'il vient de tourner avec Mélina Mercouri, son grand amour (ils se marieront en 1966). Intimidée et silencieuse, je les écoute. Je comprends que Jules Dassin est de nouveau en plein tournage avec Mélina, et qu'il attend avec une certaine impatience que

---

1. *Amorgos, op. cit.*

Manos Hadjidakis lui compose la musique de son film. Manos est en retard, comme d'habitude. Il dit qu'il a beaucoup de travail, c'est vrai, mais je crois surtout qu'il aime composer dans l'urgence.

Enfin, Jules Dassin part se coucher, et, peu après, Nikos me propose, comme souvent, de me déposer en taxi devant chez moi. Nous embrassons Manos, et nous filons. J'aime prendre le taxi avec Nikos parce qu'il ne donne jamais sa destination au chauffeur, il lui dit « tu prends à droite », « tu descends tout droit, et puis à gauche »... Et quand le chauffeur, qui le reconnaît la plupart du temps, lui demande : « Pourquoi vous ne me dites pas où vous voulez aller, monsieur Gatsos ? Ça serait plus facile », il lui rétorque : « Parce que je veux passer par les rues que j'aime et que tu ne peux pas deviner leurs noms. » Le chauffeur pense que Nikos est un peu fou, et cela nous fait rire.

Il n'est pas loin de quatre heures du matin quand je pousse la porte de notre petit appartement. Et je suis en train de me mettre au lit quand le téléphone, que nous avons enfin depuis quelques mois, réveille toute la maison. Maman bondit du lit.

— C'est pour toi, Nana, M. Hadjidakis.

— Vraiment ?

Et je reconnais, en effet, la voix de Manos.

— Viens tout de suite, j'ai absolument besoin de toi.

— Mais qu'est-ce qui se passe, Manos ? Je viens de te quitter, tu n'es pas malade au moins ?

— Dans combien de temps peux-tu être là ?

— Je ne sais pas, j'allais me coucher, je suis en chemise de nuit...

— Eh bien, rhabille-toi vite et prends un taxi. Je t'attends chez moi.

Maman tombe des nues en me voyant renfiler mes vêtements.

— Enfin, Nana, tu viens de rentrer, tu ne vas pas repartir !

— Si ! Manos a l'air affolé, je ne sais pas ce qu'il lui arrive...

— C'est un homme, il peut bien se débrouiller tout seul. Tu te rends compte de ce que vont penser les gens s'ils te voient sortir à cette heure-ci ?

— Maman, j'ai vingt-quatre ans, je n'ai pas de comptes à rendre aux voisins.

Et je la laisse, consternée, pour courir jusqu'à la station de taxis.

C'est la mère de Manos qui m'ouvre la porte, vaillante à n'importe quelle heure du jour ou de la nuit :

— Ah, Nana, entrez vite... Je ne sais pas ce qu'il a, je ne l'ai jamais vu dans un tel état, on ne peut même plus lui parler.

Alors je l'entends vociférer depuis le salon de musique :

— Ne la retiens pas, maman, j'ai besoin d'elle ! Tu bavarderas plus tard, apporte-nous plutôt du café.

Et je le découvre avec sa cigarette, devant son piano.

— Écoute ça, et puis chante-le-moi, s'il te plaît.

À ce moment, j'entends les premières notes d'une chanson qui va faire le tour du monde quelques mois plus tard, et prendre place parmi les refrains légendaires du XXe siècle, sous ce titre inoubliable : *Les Enfants du Pirée*.

— Maintenant, vas-y, essaye de poser ta voix sur les notes. Pour les paroles, on verra ensuite.

Je chante, et aussitôt je vois le visage de Manos se détendre, puis s'illuminer petit à petit.

— Oui, oui, fait-il doucement, c'est ça, c'est exactement ça...

Et puis :

— On va la reprendre encore une fois. Ça va ? Tu ne veux pas boire ton café ? Ou un peu d'eau ?

— Non, Manos, ça va très bien. Quelle belle mélodie, quand l'as-tu trouvée ?

— Tout à l'heure, en rentrant à pied du *Floka*. Bon, ne perdons pas de temps, ça y est, tu es prête ?

La chanson est là, entraînante et belle à pleurer, et il me semble que Manos a les yeux brouillés quand il se jette sur son téléphone.

— Il faut qu'ils viennent tout de suite écouter ça, murmure-t-il en composant un numéro, tout de suite...

— Manos, je ne sais pas qui tu appelles, mais il est six heures du matin.

Il ne m'écoute pas, et j'entends :

— Jules ! Viens tout de suite ! Ça y est, j'ai trouvé !

Une demi-heure plus tard, Mélina Mercouri et Jules Dassin nous rejoignent dans le petit salon de musique. Ils tombent du lit, ils n'ont pas même pris le temps de s'habiller, et c'est en peignoirs et pantoufles qu'ils nous apparaissent, les cheveux en désordre, les paupières lourdes.

— Taisez-vous et écoutez, dit Manos. Tu es prête, Nana ?

C'est le visage de Manos que je regarde en chantant. Et lorsque j'ai fini, et que je me tourne vers nos deux visiteurs, je repense soudain au petit cinéma de mon enfance, parce qu'ils ne sont plus les mêmes : les yeux de Mélina Mercouri sont pleins de feu, on la dirait envoûtée, et le beau visage de Jules Dassin est miraculeusement sorti des limbes du sommeil, ses traits se sont acérés, son regard illuminé.

— C'est magnifique ! s'exclame-t-il. Magnifique !

— Tu es le plus grand, mon Manos ! Tu es le plus grand ! s'écrie Mélina, au comble de l'émotion.

Et comme il se lève, radieux, elle se jette à son cou et l'enlace en étouffant des sanglots.

Bien des années plus tard, Manos me révélera combien il fut amoureux de Mélina dans sa jeunesse. Puis, mi-sérieux, mi-plaisantant : « Après elle, je ne pouvais plus regarder aucune autre femme. C'est pour ça que je me suis intéressé aux garçons. »

Comment Manos Hadjidakis ose-t-il proposer le lendemain, alors que nous sommes tous en pleine euphorie, que ce soit moi qui chante *Les Enfants du Pirée* dans le film de Jules Dassin ? Mélina en perd le souffle. Elle est la vedette du film, il a toujours été entendu que ce serait elle qui chanterait...

— Manos, est-ce que tu es en train de me proposer de chanter en play-back sur la voix de Nana ?

— Oui, voilà, exactement.

— Mais tu perds la tête ! Tu ne sais pas que je chante, moi aussi ?

— Je sais très bien que tu chantes, et magnifiquement, mais pour cette chanson-là, je préférerais la voix de Nana.

Quelques mois plus tôt, je lui avais volé involontairement *La Lune de papier*, et voilà que nous nous apprêtions à récidiver avec *Les Enfants du Pirée*. C'était impossible, et, par bonheur, tout rentra dans l'ordre : Manos accepta que Mélina interprète sa chanson dans le film, et Jules Dassin, qui ne supportait pas qu'on contrarie Mélina, lui en fut certainement reconnaissant. Cela ne m'empêcha pas d'enregistrer moi-même *Les Enfants du Pirée (Ta pedia tou Pirea)*, mais sur un disque, tout simplement.

Présenté au Festival de Cannes, en 1960, *Jamais le dimanche*, de Jules Dassin, valut un prix d'interprétation à Mélina Mercouri, tandis que *Les Enfants du Pirée* devait obtenir, l'année suivante, l'Oscar de la meilleure musique de film.

Il était écrit, cependant, que j'obtiendrais mon premier grand succès grâce à Manos Hadjidakis, puisque quelques mois avant la sortie sur les écrans de *Jamais le dimanche*, j'allais décrocher le premier prix du Festival de la chanson grecque avec *Il existe dans le monde un homme qui m'aimera (Kapou iparhi agapi mou)*, une chanson écrite et composée par Manos spécialement pour moi.

# 7

## « La voix de la jeune chanson grecque »

C'est le directeur de la radio nationale, M. Spiromilios, qui a l'idée de créer un Festival de la chanson grecque. Tous les jeunes artistes de ces années euphoriques de l'après-guerre le connaissent, et l'apprécient. Il est toujours heureux de nous accueillir dans ses studios, il s'intéresse à toutes les expressions musicales, et sans doute rêve-t-il de nous faire connaître à l'étranger et d'attirer en Grèce les chanteurs européens, comme d'ailleurs les groupes de rock anglo-saxons qui commencent à fleurir.

Bientôt, la date du premier festival est annoncée : il se tiendra le 3 septembre 1959 à l'*Athinéa*, un luxueux club du bord de mer.

Demande-t-on à Manos Hadjidakis de concourir pour donner du panache à ce premier festival ? C'est bien possible, d'autant que M. Spiromilios lui voue une grande admiration. En tout cas, très vite, Manos m'écrit cette chanson, *Il existe dans le monde un homme qui m'aimera*, et nous la répétons ensemble. Manos sait très bien que je me produis indifféremment avec divers musiciens, mais il refuse absolument que quelqu'un d'autre que lui m'accompagne quand j'interprète une de ses œuvres. Mimis Plessas, aussi, veut être du festival, et il me propose de chanter une très belle chanson écrite et composée par lui, *Asteri Asteraki*. Mais cette fois, c'est bien sûr le *Trio Canzone* qui m'accompagnera, puisque Mimis est

105

justement celui qui a eu l'idée de nous réunir. J'irai donc au festival avec deux chansons.

Sans que j'en prenne clairement conscience, ma vie s'est étroitement cloisonnée en quelques mois : d'un côté, je suis la disciple de Manos et de Nikos, de l'autre, je chante toujours de temps en temps avec le *Trio Canzone*, qui devient ainsi un quatuor. Peut-être est-ce la défiance originelle du *Trio Canzone* à l'égard de Manos Hadjidakis qui a suggéré cette frontière, mais ensuite elle n'a fait que se renforcer du fait des personnalités des uns et des autres.

Je vois bien qu'au *Floka*, où je rejoins toutes les nuits Manos et Nikos après avoir chanté dans plusieurs nightclubs, il n'y a pas de place pour mes trois amis du *Canzone*. Au *Floka* se retrouvent des artistes reconnus, de ces hommes et ces femmes dont on voit la photo dans les journaux, dont les noms circulent, et qui donnent sans doute le sentiment de mener grand train. Pour les *Canzone*, et en particulier pour Georges Petsilas dont je me sens plus proche, ces gens qui fréquentent le *Floka* ne sont pas de vrais artistes, mais de grands bourgeois gâtés par l'argent, la vie facile, et les relations au plus haut niveau de l'État.

De son côté, Manos Hadjidakis évoque rarement ma vie musicale avec le *Trio Canzone*, et, quand il le fait, c'est pour me signifier qu'il m'interdit formellement d'enregistrer une de ses œuvres accompagnée par un tel groupe, ce qui est une façon de me dire qu'il ne tient pas mes amis en grande estime. En tout cas, il les ignore. À l'inverse, les trois ne l'ignorent pas, puisqu'ils ne ratent jamais une occasion de dénoncer son omniprésence, son orgueil, sa fatuité... Et moi, je peux simplement dire : « Si vous le connaissiez, vous verriez que ce que vous prenez pour de l'orgueil, c'est de l'exigence. Manos est comme tous les grands artistes, il protège et défend son œuvre. »

Bon, mais ils ne se connaissent pas, ce sont deux mondes qui se tournent le dos, et, sans moi, ils n'auraient aucun lien. Je les relie malgré eux, emportant un peu de l'esprit des uns chez les autres, et vice-versa.

Il m'arrive bien souvent de passer la soirée à chanter avec Georges et ses deux musiciens, Philipos et Kostas, et de les quitter brutalement vers minuit pour courir au *Floka*. Philipos et Kostas viennent de se marier, ils rejoignent leurs femmes, mais Georges, qui est seul, me regarde curieusement. Il n'est pas difficile de deviner qu'il aimerait prolonger la soirée avec moi, mais il ne propose pas de m'accompagner au *Floka*, et il ne me viendrait pas à l'esprit de le lui suggérer, comme si nous avions l'un et l'autre conscience que son passage dans l'autre monde est impossible.

Suis-je déjà amoureuse de Georges au printemps de cette année 1959 où nous commençons à préparer ensemble notre apparition au premier Festival de la chanson grecque ? Je ne le crois pas. S'il commence à entrer dans ma vie, c'est très lentement, et par le biais de l'amitié. J'aime bavarder avec lui, l'écouter jouer de la guitare, mais je l'oublie aussitôt que je retrouve Manos et Nikos. Ce que je découvre de la vie au contact de ces deux hommes bien plus âgés que moi me tient constamment en haleine, et laisse tout le reste loin derrière, aussi bien mes sentiments naissants à l'égard de Georges que mon quotidien entre mon père et ma mère. Manos et Nikos comblent mon attente, ma curiosité. L'un me porte au faîte de l'exigence artistique, l'autre m'enseigne la philosophie de l'âme, il m'apprend à me connaître, il m'ouvre les yeux sur la beauté et la complexité de la vie. L'un et l'autre m'apportent enfin ce que ni mes parents ni l'école ni le conservatoire n'ont pu, ou su, me donner : l'intelligence du monde, les clés pour y entrer et y faire son chemin.

J'ai envie d'écrire que je n'ai guère le temps de penser à l'amour, mais ce serait un raccourci à demi mensonger. La vérité, je crois, c'est que je me suis trop longtemps détournée de moi-même, mal aimée, pour imaginer aujourd'hui qu'un homme puisse m'aimer. Mon père m'aurait voulue garçon, et j'étais fille. Et quelle fille ! Une sur laquelle les garçons ne se retournaient pas, comme je les voyais se retourner sur Jenny. Une qui ne devait pas être très sexy avec ses lunettes et ses kilos en trop. Il faut tout de même s'aimer un peu, pour songer aux garçons, à l'amour ? J'ai vingt-cinq ans cette année 1959, et jamais encore je n'ai embrassé un garçon. Mais Manos et Nikos sont en train de m'accoucher, de me faire renaître au monde, ils m'apprennent à m'aimer, un peu, suffisamment en tout cas pour que le regard de Georges puisse m'apparaître bientôt comme un cadeau. Et comment ne pas voir une jolie coïncidence entre l'imperceptible attente de Georges et la chanson que m'écrit justement Manos pour le festival : *Il existe dans le monde un homme qui m'aimera* ? Comme si Manos, après m'avoir sortie de la nuit, me montrait le chemin.

Il pleut sur Athènes ce 3 septembre 1959, et tout le festival s'en trouve bouleversé. Il faut renoncer à la merveilleuse plage de l'*Athinéa* pour se rabattre dans la précipitation sur l'hôtel *King George*, ses dorures et ses salons de réception. Peut-être la pluie me porte-t-elle bonheur ? Ou ce remue-ménage contribue-t-il à me faire oublier mon trac ? Je ne sais pas, mais nous sommes accueillis avec une joyeuse curiosité lorsque nous nous présentons sur scène, Manos me tenant par la main. Puis il se met au piano et ses premières notes m'emportent. À la fin, notre chanson nous vaut des applaudissements nourris. Est-ce un bon présage ? Est-ce que tous les artistes ne sont pas salués avec la même chaleur ?

En tout cas, je me sens très en confiance lorsque je reviens sur scène, un moment plus tard, accompagnée cette fois par le *Trio Canzone*, pour interpréter la chanson de Mimis Plessas, *Asteri Asteraki*. Mêmes applaudissements, même enthousiasme. Je ne sais trop que penser, et je m'installe discrètement dans les coulisses pour écouter les autres artistes, ces jeunes que je croise presque tous les soirs, et bien souvent à la radio.

Le palmarès me laisse sans voix : j'emporte le premier prix avec la chanson de Manos, et le deuxième avec celle de Mimis ! Comment est-ce possible ? Ma voix est-elle si émouvante que le jury en a oublié mes lunettes ? Je suis si touchée que je ne trouve pas mes mots. Mais tant pis, M. Spiromilios me couvre d'éloges et de fleurs, et je rentre me coucher dans notre petit appartement sans vraiment comprendre ce qui vient de m'arriver.

Le lendemain, tous les journaux publient ma photo, et maman, le visage transformé, me dit qu'à la radio on ne parle plus que de moi. Mes parents, qui n'étaient pas au *King George*, n'ont pas saisi non plus la portée de l'événement, et nous en prenons lentement la mesure. Les premiers jours, ce ne sont que des mots, et beaucoup d'agitation, des journalistes qui écrivent que je serais devenue « la voix de la jeune chanson grecque », des animateurs de radio qui me cherchent partout, des émissions où l'on me demande sans cesse de chanter en direct mes deux premiers prix... Puis, très vite, je vois qu'on me regarde différemment. Désormais, la salle est comble au *Dzaki* quand j'apparais sur scène. Le patron me parle avec plus de chaleur, et il me prie de revenir tous les soirs. M. Spartacus, qui me trouvait si peu *attractive*, me propose de doubler mon ancien cachet de l'*Astir* et de former un duo avec lui, ce que je refuse, bien sûr. Tous les autres nightclubs me veulent aussi, et moi qui devais courir de l'un à l'autre pour gagner péniblement ma vie, voilà que je me retrouve avec l'embarras du choix, et des cachets qui font enfin briller les yeux de ma mère.

Bon, mais à part ça, ma vie ne change pas radicalement. Je continue d'être une chanteuse de boîtes de nuit, d'habiter chez mes parents, et je poursuis mon éducation entre Manos et Nikos, entre le *Floka* et le salon de piano.

Si, tout de même, c'est à cette époque qu'entre dans ma vie un homme que je ne vais plus cesser d'aimer et d'admirer, et dont l'estime me touche infiniment : Constantin Caramanlis. Appelé par le roi Paul I^er, il est alors chef du gouvernement. Je l'avais rencontré pour la première fois à Salonique, quelques mois avant le festival. J'avais été invitée pour chanter au bal de la presse dont il était l'hôte. Or, assez curieusement, à la fin du récital, il m'avait priée de m'asseoir à sa table et nous avions eu une longue conversation. À travers ses questions, j'avais compris qu'il cherchait à savoir un peu mieux ce que pensait la jeunesse du pays, comment nous vivions, quels étaient nos espoirs, et je lui avais parlé avec toute la sincérité dont je suis capable.

Un soir, il vient en personne m'écouter au *Dzaki*, accompagné de sa femme. À l'entracte, il me fait appeler, et là, pour la seconde fois, nous bavardons. Il se souvient très bien de notre rencontre à Salonique, il me félicite pour mon double succès au festival, et puis il me fait un compliment inoubliable.

— Je vais te faire un aveu, me dit-il : aucune chanson ne m'a jamais touché comme *Il existe dans le monde un homme qui m'aimera*. Manos Hadjidakis a un immense talent, mais il a de la chance de t'avoir : tu es une interprète exceptionnelle.

Quelques semaines plus tard, je reçois une invitation à dîner du couple Caramanlis. C'est ce soir-là que naît vraiment l'amitié qui va me lier à lui, comme à elle. Sans doute est-ce que je parle un peu de mon enfance, de la Grèce que j'ai entrevue depuis le petit cinéma de mon père, car nous échangeons des souvenirs précieux, et, à un moment, Constantin Caramanlis, prenant conscience de l'importance que revêtent dans ma vie la scène et la chanson, me donne ce conseil que je n'ai pas oublié : « Maintenant, c'est à toi de t'améliorer toute seule. Ne regarde pas ce que font les autres, n'aie pas peur d'eux, construis ton propre destin. La seule dont tu dois te méfier, c'est toi. Sois forte, apprends à compter sur tes propres forces, à te faire confiance. » Quand j'assisterai, en 1974, devant mon poste de télévision, au retour en Grèce de cet homme, venant y rétablir la démocratie après sept années de dictature, je ne pourrai pas m'empêcher de me remémorer cette phrase, songeant à part moi que lui avait sûrement appris en exil à ne compter que sur ses propres forces.

C'est par Caramanlis encore que je me retrouverai témoin privilégié de deux événements historiques. Il aimait les artistes, il pensait qu'une société sans artistes n'est qu'un corps sans âme, et il s'arrangeait donc pour nous donner une place partout où se faisait l'Histoire.

Depuis quelques mois, les journaux nous entretenaient des fiançailles prochaines de la princesse Sophie de Grèce, fille du roi Paul Ier et de la reine Frederika, avec le prince Juan Carlos d'Espagne. Or, on me fait dire que M. et

Mme Caramanlis, qui recevront le jeune couple, souhaiteraient que je vienne chanter en cette grande occasion.
Accepterai-je ? Je crois que je réponds oui, sans même
prendre le temps de réfléchir, tant je suis heureuse de leur
faire plaisir. Et puis je prends conscience que je vais me
retrouver seule devant ces personnalités ô combien
illustres, moi, « la fille de la chauve-souris », et mon cœur
se fige.

Ai-je bien chanté ce soir-là ? Sans doute suis-je apparue
les yeux fermés, comme sur la scène du porte-avions *Forrestal*, consciente que je devais me protéger pour garder
mes forces, de sorte qu'il ne me reste aucune image des
futurs souverains d'Espagne. Je n'ai conservé que le beau
sourire de Constantin Caramanlis, se levant à la fin pour
me rendre hommage.

Une autre invitation me parvient, peut-être une année
plus tard. Cette fois, les Caramanlis reçoivent Jacky Kennedy, l'épouse du président américain nouvellement élu,
accompagnée de son beau-frère, l'attorney général Robert
Kennedy. Je me rappelle que cette visite est entourée d'un
vent de polémique. La presse estime que ce serait au roi, et
non au président du Conseil, de recevoir la première dame
des États-Unis. D'un autre côté, on regrette avec un peu
d'amertume que le jeune président américain n'ait pas pu
honorer la Grèce de sa présence...

Cette fois, je me sens moins intimidée, et puis Jacky
Kennedy a une façon très naturelle d'aller vers les autres,
de manifester son enthousiasme, sa reconnaissance, si bien
que quelques jours plus tard, j'accepterai avec plaisir de
revenir chanter pour elle sur un yacht, dans un port de la
mer Égée...

Mais revenons à cet automne 1959 où, devenue soudain
« la voix de la jeune chanson grecque », je suis d'un seul
coup beaucoup plus sollicitée. Cependant, je n'ai ni imprésario ni conseiller artistique, et je ne vois rien d'autre pour
progresser, et me faire connaître, que de préparer le
second Festival de la chanson grecque qui se tiendra cette
fois au mois de juillet, pour éviter les fortes pluies de
septembre.

J'y serai de nouveau présente avec deux chansons, l'une et l'autre de Manos Hadjidakis : *To kiparissaki (Le Jeune Cyprès)*, et *I timoria (La Procession)*, celle-ci écrite en collaboration avec Nikos. Nous les répétons ensemble, sous le regard critique du même Nikos, qui, durant ces mois de l'hiver 1960, m'écrit quelques très belles chansons qui seront mises en musique par Manos, et en particulier *Pour toi, mon amour (Yia sena tin agapi mou)*.

Ce que j'ignore, c'est que dans le même temps l'éveil musical de la Grèce est en train d'intriguer l'Europe, et en particulier la France. La consécration de *Jamais le dimanche* au Festival de Cannes, aussitôt suivie par le succès monumental des *Enfants du Pirée*, attise soudain la curiosité des maisons de disques. À Paris, le jeune directeur de Fontana, Louis Hazan, qui avait suivi d'une oreille distraite le premier Festival de la chanson grecque, décide cette fois d'assister au second. Il s'est fait envoyer les chansons qui m'ont valu les deux premiers prix, ainsi que le disque que j'ai réalisé avec Manos Hadjidakis, et qui est sorti sous le label grec Fidelity. Sans m'avoir jamais vue, il me connaît donc, et c'est notamment pour me rencontrer qu'il a pris rendez-vous depuis Paris avec M. Patsifas, le patron de Fidelity.

« C'était en 1960, racontera douze ans plus tard Louis Hazan au mensuel belge *Pleins feux*. Après le film *Jamais le dimanche*, une petite brise venue de Grèce agitait l'air parisien : on fredonnait *Les Enfants du Pirée*, on aimait le bouzouki, on apprenait le sirtaki, et moi, j'étais sûr que d'autres choses allaient encore venir de Grèce. Ayant donc demandé un échantillonnage de la chanson grecque, je me suis retrouvé devant une énorme pile de 45 tours. Il a fallu tout écouter ! La beauté de certains airs n'empêchait pas la monotonie de l'ensemble, et je commençais à sombrer dans un ennui profond lorsque, brusquement, le début d'un disque m'arracha à ma contemplation du plafond : pure et un peu voilée, une voix "extraordinaire" sortait du haut-parleur. Qui pouvait chanter ainsi ? Ma femme, Odile, qui avait quelques notions de grec, déchiffra la pochette : Nana Mouskouri.

Une inconnue pour nous. Sur-le-champ, j'annulai mes vacances, et nous partîmes pour Athènes assister au Festival de la chanson hellénique [1]. »

Il fait un temps splendide au milieu de ce mois de juillet 1960, et le festival peut se tenir comme prévu à l'*Athinéa*, près des plages de Faliron. Il est entendu que Manos Hadjidakis m'accompagnera personnellement pour les deux chansons, si bien que le *Trio Canzone* ne concourt pas avec moi, comme l'année précédente, mais... *contre* moi ! Nous ne l'avons pas voulu, mais que faire ? Le trio a ses propres chansons, et il n'y a pas de place pour lui dans les miennes... Est-ce cette incongruité qui rend Georges malade ? Quelques semaines avant le festival, il s'est décidé à me déclarer son amour, et cela a bouleversé notre relation qui n'était, jusqu'à présent, qu'amicale. Je l'ai regardé différemment et me suis aperçue, moi aussi, que cet homme me touchait, m'attirait. Nous sommes secrètement fiancés au moment du festival, et Georges n'a peut-être pas très envie d'être placé en concurrence avec moi. En tout cas, il tombe malade, et le trio doit déclarer forfait.

Pour moi, en revanche, c'est la consécration : unanimement applaudies, mes deux chansons reçoivent le premier prix ex-aequo ! Pour la seconde année consécutive, je me retrouve donc en tête du festival.

Voici ce qu'en a retenu Louis Hazan, dans le même entretien accordé à *Pleins feux* : « Je me rappelle encore avec quelle impatience j'attendais l'entrée en scène de celle dont la voix m'avait bouleversé ! À chaque apparition d'une de ces jeunes chanteuses souvent belles et fières, je me disais : "C'est elle !" pour constater le contraire dès qu'elles ouvraient la bouche. Soudain, je vois arriver, engoncée dans une robe noire, une jeune femme, les cheveux tirés en arrière, pas maquillée, avec des lunettes sur le nez et au moins trente kilos de trop ! Ça ne pouvait pas être elle ! J'étais effondré. Puis, figée, les yeux fermés, les

---

1. Louis Hazan, entretien accordé à *Pleins feux*, mensuel édité en Belgique, mai 1972.

mains derrière le dos, elle a commencé à chanter de sa voix incomparable. Alors, je l'ai reconnue, et je me suis bien juré de la mener au triomphe dans le monde entier. »

Louis Hazan ne raconte pas dans cet entretien ce qu'il me confiera par la suite : l'entêtement de M. Patsifas, le directeur de Fidelity, à le détourner de moi au profit de chanteuses plus jolies. M. Patsifas lui présente, paraît-il, les jeunes artistes les plus sexy de sa maison, lui expliquant que la France ne sera sûrement pas insensible à leur beauté, et M. Hazan doit beaucoup insister pour revenir à moi. C'est moi qu'il veut, et personne d'autre.

Cette nuit-là, ou le lendemain soir, je ne sais plus, je rencontre pour la première fois autour d'un verre Odile et Louis Hazan. Ils sont jeunes, élégants, sympathiques, Odile ravissante dans une robe chinoise largement fendue sur la jambe, et ce que je retiens de notre conversation en anglais, c'est que M. Hazan a une grande confiance en mon avenir, et qu'il me demandera bientôt de le rejoindre à Paris. Quand ? Il ne le sait pas, il doit auparavant régler des problèmes un peu compliqués de contrats, mais dès que la voie sera libre, il me le fera savoir d'une façon ou d'une autre.

Nous nous quittons sur cette promesse, et une douce étreinte d'Odile qui me redit combien ils ont été émus, tous les deux, de m'entendre.

Quelque temps avant le festival, j'avais été bien surprise de découvrir un soir un homme m'attendant devant ma loge, au *Dzaki*. Mon Dieu, sa tête me disait quelque chose...

— Takis Kambas, tu te souviens de moi ?

— Oui, mais où nous sommes-nous rencontrés ?

— C'est moi qui t'avais fait venir sur le porte-avions *Forrestal*...

— Mais bien sûr ! Tu étais tellement inquiet... Tu t'épongeais sans arrêt le front avec ton mouchoir...

— Il faut dire qu'il faisait chaud... Enfin, ça t'a porté chance, depuis on te voit partout.

— Tu crois ? Je ne sais pas...

— J'ai justement une proposition pour toi. Tu connais Kostas Yanidis ?

— Le pianiste ? Oui, bien sûr.

— Il a composé une chanson qu'il voudrait présenter au Festival de Barcelone, et il aimerait que ça soit toi qui la chantes...

— Pourquoi pas ? Dis-moi où je peux le retrouver.

La chanson de Kostas Yanidis m'avait plu, nous l'avions enregistrée sur une bande magnétique que nous avions envoyée à Barcelone. Pour participer au festival, il fallait en effet être présélectionné sur une maquette.

Or, à peine achevé le Festival d'Athènes, et les Hazan repartis, voilà que je reçois la réponse des jurés catalans : notre chanson est retenue, je suis donc attendue à Barcelone au mois d'août pour l'interpréter en public.

Mais je ne suis pas attendue seule. Le festival impose que la même chanson soit chantée par un homme et par une femme. Kostas Yanidis et Takis Kambas ont déjà repéré un jeune chanteur, très beau garçon, Alekos Pandas. Nous ferons donc le voyage ensemble, chaperonnés, pour la première fois en ce qui me concerne, par un imprésario : Takis Kambas. Ce drôle de petit homme, dont j'avais dû calmer les angoisses sur le *Forrestal*, devient ainsi, par la force des choses, mon premier imprésario.

Oh, ce voyage vers Barcelone, à la fin août de l'été 1960... Mon premier voyage à l'étranger ! Je vais bientôt fêter mes vingt-six ans, mais je ne suis encore jamais sortie de Grèce. Il m'est arrivé de prendre un avion militaire à hélices pour aller chanter devant des soldats, sur l'île de Rhodes notamment, mais jamais je ne suis montée dans un de ces avions à réaction qu'empruntent les grands de ce monde. Je suis en même temps curieuse, et terriblement angoissée. Par superstition, peut-être, j'ai placé au fond de ma valise la robe de dentelle noire que m'a cousue Jenny, et dans laquelle je suis apparue au Festival d'Athènes. Peut-être me portera-t-elle bonheur. Sinon, je ne sais pas exactement ce que je dois emporter, et j'entasse vêtements et objets inutiles.

Il est entendu que nous ferons escale à Rome, pour reprendre un avion différent le lendemain en direction de Barcelone. Quand j'y pense, cela me donne le vertige. Il va donc falloir passer la nuit à Rome, dans cette ville qui m'est complètement étrangère. Emprunter des taxis qui ne nous comprendront pas, dormir à l'hôtel, et recommencer le lendemain dans l'autre sens...

Est-ce parce que tout cela me semble au-dessus de mes forces, qu'à peine entraperçue par le hublot, Rome me donne envie de rentrer chez moi ? Le ciel est bas, parcouru d'éclairs terrifiants, la pluie cingle la carlingue, la capitale italienne paraît prête à nous engloutir...

Cependant, Takis Kambas ne paraît pas dépassé par les événements, pour une fois. C'est lui qui nous trouve un taxi, et lui qui nous fait conduire jusqu'à notre hôtel, en dépit du déluge, comme s'il avait une longue habitude de ce genre de choses. Je crois qu'à ce moment-là il remonte sensiblement dans mon estime. D'ailleurs, je n'aurais sûrement pas imploré sa protection, cette nuit-là, s'il ne m'était apparu solide, en tout cas plus solide que sur le *Forrestal*.

Car la nuit s'annonce immédiatement épouvantable. L'hôtel qu'il nous a réservé ressemble en effet à s'y méprendre au palais du comte Dracula dans le film de Tod Browning. Lourdes tentures dès le vestibule, candélabres, boiseries sombres, lits à baldaquin... À peine enfermée dans ma chambre, entre ce lit monstrueux, dressé là comme pour le sacrifice, et le sévère fauteuil de velours lie-de-vin, je crois perdre la tête. Les murs et le plafond sont si noirs que j'imagine des ombres partout, comme des trolls qui se faufileraient, et que prise de panique, je finis par me jeter contre la fenêtre à petits carreaux qui ne laisse filtrer qu'une lumière jaune sale.

Jamais maman ne m'a tant manqué, et si seulement je pouvais me servir du téléphone, je l'appellerais au secours. Mais je n'ai ni la possibilité de téléphoner ni le courage de m'enfuir dans la rue, et dans un sursaut de volonté je ne parviens qu'à me glisser dans le lit tout habillée. Blottie, la tête enfouie sous l'édredon, j'attends le sommeil en retenant mon souffle.

Sans doute est-ce que je m'endors puisque c'est un grondement phénoménal qui me ramène dans cette abominable chambre, un grondement qui n'en finit pas, comme si la terre venait de se fracasser, et qu'à présent elle s'ouvrait en deux. D'ailleurs, le vent et les éclairs sont si violents, dehors, qu'ils donnent le sentiment que portes et fenêtres vont céder d'un instant à l'autre et que la colère du ciel, ou de Nosferatu, va tout anéantir.

Alors je fais une chose qui me paraît inconcevable avec le recul : je bondis de mon lit et cours pieds nus jusqu'à la porte de Takis Kambas. Je frappe.

— Mais qu'est-ce que tu fais là ?

Il a très vite ouvert, il ne dormait donc pas. D'ailleurs, il m'apparaît avec un livre dans une main, un bougeoir dans l'autre, son ventre rond pointant sous une longue robe de chambre couleur de bure. Pourquoi ce bougeoir ? Et pourquoi cette drôle d'allure ? Un instant, j'ai le sentiment que le cauchemar se prolonge, on le dirait surgi d'une scène de *Dracula*. Quand, un moment plus tard, je verrai qu'il lit *précisément* une aventure de Dracula, j'en éprouverai un frisson d'horreur, avant de mieux comprendre pourquoi cet hôtel, pourquoi ce bougeoir... Takis Kambas est en réalité un fervent adepte des récits d'épouvante, et rien ne lui plaît comme de les dévorer dans un cadre approprié.

— Mais qu'est-ce que tu fais là ? répète-t-il. Entre vite.

— J'ai peur, je ne peux pas dormir.

— Est-ce que quelqu'un t'a vue frapper à ma porte ?

— Je ne crois pas, non. Mais pourquoi tu me demandes ça ? Je ne fais rien de mal.

— Qu'est-ce que tu veux ?

— Dormir avec toi. Je ne peux pas rester toute seule, j'ai trop peur.

— Dormir avec moi ! Mais tu n'as pas honte ? Tu es complètement folle ! Retourne vite dans ta chambre ! Tu te rends compte, si quelqu'un t'a vue ?

— Personne ne m'a vue, laisse-moi dormir dans ce fauteuil, je t'en supplie, je ne veux pas retourner dans cette chambre...

— C'est impossible ! Tu imagines le scandale si les journalistes apprennent que tu as passé la nuit dans ma chambre ?

— Je leur dirai que je n'ai pas quitté ton fauteuil.

— C'est ça, et ils te croiront, bien sûr...

— Je me fiche de ce qu'ils croiront, je me fiche de ce que penseront les gens, jamais je ne retournerai seule dans cette chambre ! Jamais ! Donne-moi juste une couverture, je te promets de ne pas bouger du fauteuil.

Il soupire. Puis il me lance une couverture et retourne se plonger dans son livre, allongé contre ses oreillers, sous son baldaquin, la bougie sur la table de nuit, pendant que dehors les éléments continuent à se déchaîner.

C'est dans cette même position que je le retrouve au matin. Il n'a donc pas dormi, tandis que je sombrais dans un mauvais sommeil.

L'arrivée à Barcelone me réconcilie avec la vie. Le ciel est de nouveau limpide, et les Catalans, comme les Grecs, aiment flâner dehors, bavarder aux terrasses des cafés, lire le journal sur les bancs publics, entre les enfants qui jouent au ballon, ceux qui cirent les chaussures ou vous apportent un *espresso*. Découvrir seulement la ville depuis la fenêtre d'un taxi me remplit d'enthousiasme, de confiance. Ouf ! Le monde entier ne ressemble pas à l'antre de Dracula...

Le Festival Mediterraneo de Barcelone s'étale sur tout le week-end. Comme il y a deux chanteurs par chanson, l'un chante le samedi, l'autre le dimanche. Takis Kambas a décidé qu'Alekos passerait le premier, et donc je vis cette journée de samedi dans l'attente de son entrée en scène, tout en écoutant les autres participants. Il y a des Israéliens, des Italiens, des Français, des Espagnols, bien sûr, et beaucoup parmi ces artistes me touchent profondément. Allons-nous être à la hauteur ? Tous me semblent bien plus à l'aise que moi sur scène, et, pour ne rien arranger, ils sont beaux, pour la plupart, et habillés à merveille.

Enfin Alekos se présente, et j'ai l'impression que toute la salle retient son souffle. L'émotion qu'il suscite en moi est-elle réellement contagieuse, ou n'est-ce qu'une illusion ? En tout cas, il chante à la perfection, et les applaudissements du public, à la fin, me laissent espérer une très bonne appréciation. Un moment plus tard, le résultat tombe : nous n'avons pas la meilleure note, mais nous sommes dans le haut du classement. C'est la moyenne des deux notes, la sienne et la mienne, qui nous placera dans le palmarès final. Désormais, tout repose donc sur mes épaules.

J'ai un trac fou en entrant sur scène, le dimanche, même si j'éprouve soudain la sensation rassurante de me retrouver pour la première fois dans le petit cinéma de mon père. Le festival se déroule, en effet, dans une salle en plein air, et la scène, plus grande que celle de mon enfance, lui ressemble étonnamment par sa simplicité. Tout se passe comme si mes rêves secrets de petite fille m'adressaient un clin d'œil, l'air de dire : « Eh bien voilà, cette fois ce n'est plus de la comédie, tu y es vraiment ! »

J'y suis vraiment, oui, mais plus seule que je ne l'ai jamais été. Aux deux Festivals d'Athènes, Manos était avec moi sur scène, et j'avais puisé ma force dans la sienne. Et si ce n'était pas lui qui était présent, c'était Georges avec son groupe. En boîte, cela ne me faisait plus tellement peur d'apparaître seule, mais devant une salle d'un millier de personnes, c'est autre chose.

Alors je ferme les yeux, je revois notre petit cinéma, les chaises vides, et papa, là-bas, qui me sourit depuis sa cabine de projection, et je me mets à chanter comme si nous n'étions que tous les deux. Certes, j'entends l'orchestre, qui est le même, ici, pour tous les artistes, mais je suis ailleurs, au plus près de mon émotion.

La dernière note envolée, les applaudissements m'arrachent à mon rêve, et pour la première fois, j'ouvre les yeux. Il me semble que tous ces visages que je me figurais glacials sont devenus amicaux. Les gens me sourient, certains crient « bravo ! bravo ! » sans cesser d'applaudir.

— Tu as très bien chanté, me confirme Takis Kambas en m'accueillant en coulisses.

— Ah ! Merci ! Merci !

Et maintenant, qu'est-ce qu'il va se passer ?

Je m'apprête à rejoindre Alekos pour attendre avec lui les résultats, mais voilà que Takis Kambas recommence à se tamponner le front.

— Tu as bien chanté, mais tu as vu l'autre, la petite Française ?

— Non, c'était juste après moi, je ne l'ai pas vraiment écoutée...

— Tu aurais dû, elle a été formidable !

— Il faut avoir confiance en nous, Takis.

Il s'éloigne, les yeux injectés, et je le vois disparaître parmi les techniciens et les autres imprésarios qui forment un attroupement derrière la scène. Où va-t-il ? Probablement nulle part, puisqu'un instant plus tard il est de retour, les tempes mouillées, le col défait, écarlate.

— Tu aurais dû commencer, et Alekos finir...

— Mais pourquoi ? C'était très bien comme ça.

— Alekos est très séduisant, il aurait laissé une plus forte impression.

— Tout le monde a trouvé que j'avais bien chanté.

— C'est vrai, mais il a plus de présence que toi sur scène. Il faudrait tout de même que tu apprennes à bouger !

Et il s'en va de nouveau, me laissant seule avec ce reproche. Comment pourrais-je bouger, alors que je ferme les paupières pour mieux me concentrer sur moi-même ? Mais peut-être a-t-il raison, peut-être n'y a-t-il pas de place pour les chanteuses comme moi qui ne savent pas prendre la lumière, jouer de leur silhouette...

Soudain, il est là, comme une pile électrique, alors que je ne l'ai pas vu revenir.

— Je n'en peux plus... Je n'en peux plus... Je ne vais pas tenir dix minutes de plus... Tu t'imagines, si nous gagnons ?

— Pourquoi dis-tu ça ? Tu as entendu quelque chose ?

— Non, enfin, je ne sais pas... Le bruit court que tu serais loin devant les autres.

— Ce ne sont peut-être que des rumeurs. On devrait attendre calmement.

— Comment veux-tu attendre calmement une nouvelle pareille !

Il s'en va. Et, soudain, je le vois rappliquer en courant :

— C'est nous ! C'est nous ! On a gagné !

Au même moment, le nom d'Alekos Pandas, puis le mien, jaillissent des haut-parleurs. Je devine qu'on nous rappelle sur scène, et, d'ailleurs, je vois Alekos courir dans tous les sens. Il me cherche, nous nous embrassons, et réapparaissons ensemble sous les projecteurs.

La soirée qui suit ce succès est extraordinaire, parce que des liens se sont noués entre les chanteurs au fil de ces deux journées vécues dans l'angoisse et l'excitation. Ce que nous avons partagé a fini par abolir l'esprit de concurrence, les rivalités inévitables, et maintenant nous rions et chantons ensemble.

Nous sommes en pleine fête quand quelqu'un vient me dire qu'on me demande au téléphone. On m'entraîne vers une petite cabine, en coulisses.

— C'est vous, Nana ? Ah, quel plaisir de vous entendre. C'est M. Hazan à l'appareil.

— Monsieur Hazan ! Mais vous m'appelez de Paris ?

— Exactement, oui. Nous avons suivi le festival à la radio, nous vous avons écoutée, vous avez été magnifique. Bravo pour ce troisième grand succès !

— Oh, merci ! Je suis très touchée...

— Attendez, Nana, j'ai deux amis à côté de moi qui vous ont également écoutée, et qui voudraient vous féliciter. Je vous les passe.

Alors j'entends :

— Bonjour, Nana, peut-être mon nom ne vous dira-t-il rien, je m'appelle Michel Legrand...

Michel Legrand ! Bien sûr que son nom me dit quelque chose. Je dois alors avoir deux ou trois disques de lui, dont *Michel Legrand plays Cole Porter*, et *I love Paris*. Pour moi, c'est un grand pianiste, un musicien doué de tous les talents, un amoureux de jazz... Je sens mon cœur cogner, et je cherche mes mots.

— Si... Votre nom... Je vous connais...

— Je voulais vous dire... Vous avez une voix extraordinaire ! Louis Hazan m'a promis que vous seriez bientôt à Paris, j'ai hâte de vous connaître. Bravo ! Mille bravos ! Mais ne raccrochez pas, je vous passe un ami...

Je ne raccroche pas, non, je me demande qui je vais entendre, cette fois, et je sens le rouge me monter aux joues.

— *Hi, baby*, ici c'est Quincy Jones !

L'espace d'une seconde, l'idée me traverse qu'on se moque de moi.

— Quincy Jones, vraiment ?

— Quincy, oui. Je t'ai écoutée, tu es merveilleuse. À mon avis, on a de grandes choses à faire ensemble !

— Eh bien... Je ne sais pas...

— Moi, je sais, *baby*, il faut qu'on se croise à Paris ou à New York. Mais tu vas voir que la vie va nous arranger ça. Je te repasse ton boss...

Encore quelques mots encourageants de Louis Hazan, et nous raccrochons, et je me retrouve seule dans cette cabine improvisée, perdue parmi les câbles qui jonchent le sol, à me demander si tout cela est bien réel. Quincy, le trompettiste de génie, l'enfant chéri de Duke Ellington, de Ray Charles, de Sarah Vaughan... Se peut-il que ce soit lui, vraiment ?

Revenue parmi les autres chanteurs, je ne parviens pas à cacher mon émotion. Et quand je leur dis que je viens d'avoir au téléphone Quincy Jones et Michel Legrand, j'ai le sentiment d'entendre un instant courir le silence, et puis je vois la stupéfaction se peindre sur tous les visages.

« Pourquoi moi ? » me dis-je ce soir-là en retrouvant avec soulagement ma chambre d'hôtel. « Pourquoi moi, et pas l'une ou l'autre de ces chanteuses, ou l'un de ces chanteurs, tellement plus à l'aise que moi sur scène ? Tellement plus "attractifs", comme disait M. Spartacus... »

Le lendemain, nos deux noms sont à la une de tous les journaux. Mais quand je vais voir l'article qui est consacré au festival, en pages intérieures, je reçois un choc : chaque concurrent a son portrait sur scène... sauf moi ! Le photographe m'a prise de dos, et ce que le journal montre de moi, ce sont mes mains, serrées l'une contre l'autre sur mes reins, comme entravées.

# 8

## Roses blanches à Berlin

Athènes, Barcelone... et soudain Berlin ! Comment est-ce que je me retrouve à Berlin, à l'automne de cette même année 1960, décidément pleine de surprises ?

C'est encore Manos Hadjidakis qui m'ouvre la voie.

Cette année-là, en marge de mes soirées au *Dzaki*, de mes nuits au *Floka*, de mes après-midi à préparer les festivals, je répète, puis j'enregistre cinq chansons qui constitueront la musique d'un film tourné par des Allemands : *Grèce, pays de rêves*. Le réalisateur, Wolfgang Mühlersehn, a fait appel à Manos pour la composition musicale, et celui-ci s'est naturellement tourné vers Nikos Gatsos pour les paroles, et vers moi pour l'interprétation.

Comme il aime le faire, Manos compose ces cinq chansons avec toutes les sonorités imaginables, mêlant tous les instruments dont il peut disposer : du bouzouki au violon, de la guitare classique à l'orgue de Barbarie, sans oublier le xylophone. Mais cette fois, il veut en plus un chœur, et, tant qu'à faire, le plus prestigieux d'entre eux : celui de l'Opéra.

Parce que c'est lui, le chœur accepte, sans trop savoir, certainement, ce qui l'attend. Sans doute répète-t-il dans son coin les airs composés par Manos. Arrive enfin le jour de l'enregistrement. En ce temps-là, tout le monde se retrouve dans le même studio pour la prise finale, la technique ne permet pas encore d'enregistrer séparément les uns et les autres, puis de mixer les sons. Le chœur est en place, aux côtés de tous les autres musiciens, quand j'entre dans le studio. Manos me présente, et c'est à ce moment-là seulement, semble-t-il, que les chanteurs de l'Opéra découvrent qu'ils vont devoir m'accompagner. Très vite, je devine qu'il se passe quelque chose de grave, car le chef de chœur prend Manos à part et lui tient un discours qui n'a pas l'air de lui plaire.

Puis Manos vient me voir :

— Nana, j'aimerais que tu sortes une seconde. J'ai un problème avec ces gens-là, je vais tâcher de le régler, et puis je te rappelle.

Assez intriguée, je rejoins les techniciens dans la cabine d'enregistrement. Je n'ai pas le son, qui est coupé, mais j'ai au moins l'image. Et c'est une drôle d'image : Manos paraît assez vivement pris à partie par ces hommes et ces femmes de l'Opéra à qui l'on aurait donné le bon Dieu sans confession un instant plus tôt, tant ils semblaient sages et policés. Il parle, mais plus il parle, plus les autres paraissent véhéments. Que se passe-t-il donc ? Quel événement de dernière minute peut être à l'origine d'une telle colère ? C'est complètement inexplicable, et les techniciens, à leur tour, se mettent à considérer ce théâtre muet avec des yeux ronds.

Enfin, Manos me fait signe de revenir.

— Voilà le problème, Nana, commence-t-il devant les chanteurs du chœur, attroupés et silencieux : ces personnes de l'Opéra jugent indigne de leur rang de chanter avec toi. Ils accompagnent habituellement des cantatrices, et trouvent dégradant de mêler leurs voix à celle d'une chanteuse populaire. Je leur ai dit que je ne faisais pas de distinction entre les artistes, mais eux en font. Ils refusent de chanter avec toi.

Manos se tait. Me regarde, puis les regarde. Il se tient à ce moment-là si près de moi que je l'entends haleter.

— C'est bien cela, n'est-ce pas ? reprend-il soudain en s'adressant au chef de chœur.

— Oui, monsieur, parfaitement.

— Eh bien, je vais vous dire une chose : Mlle Mouskouri ne va pas quitter le studio, comme vous me le demandez. Si vous ne souhaitez pas chanter avec elle, je ne vous retiens pas. En ce qui me concerne, ma décision est prise depuis longtemps : elle chantera. Avec, ou sans vous. Si ce n'est pas le chœur de l'Opéra qui l'accompagne, ce sera un autre chœur. Je vous laisse une dizaine de minutes pour prendre votre décision.

Là-dessus, il leur adresse un petit salut, et il m'entraîne à l'extérieur.

Étrangement, nous n'échangeons pas un mot pendant ces dix minutes. Manos semble couver une énorme colère, il va et vient dans la pièce en tirant sur sa cigarette. Il me faudra du temps pour comprendre qu'il a honte, et qu'ajouter trois mots de consolation à cet affront lui paraîtrait sans doute le comble de l'humiliation pour nous deux. Et moi, je suis comme suspendue au bord du gouffre, me demandant si le flot de larmes que je retiens tant bien que mal ne va pas m'y faire basculer. Je connais ces larmes, ce sont celles qui m'avaient ramenée dans le bureau du directeur de l'*Astir*, après les mots dégradants de M. Spartacus. Je ne veux pas revivre cette scène, devoir me défendre en étouffant des sanglots, plus jamais, de sorte qu'à ce moment-là j'ai conscience que toute ma vie est entre les mains de Manos. Je me tiens debout parce qu'il m'a défendue. Je crois que s'il m'avait lâchée, je serais perdue.

Quand nous revenons, le chœur de l'Opéra est au complet, en ordre de marche, visages fermés. Les musiciens qui ont assisté à la scène semblent stupéfaits. Manos me fait signe de m'avancer jusqu'au micro, et, comme s'il ne s'était rien passé, il gagne lui-même sa place de chef d'orchestre.

Je ne sais pas où je trouve la force d'entrer dans la musique, d'oublier tout le reste, mais je trouve cette force, oui, et la deuxième prise est la bonne. Comment nos voix, enregistrées dans un tel climat de défiance, peuvent-elles néanmoins susciter cette émotion intacte ? Longtemps, me repassant cet enregistrement, je repenserai à cet épisode, et cela renforcera ma foi en la musique. Je me dirai, pour ne jamais l'oublier, que l'art est seul capable de transcender notre laideur, notre inhumanité.

Quelques mois passent, puis nous apprenons que le film *Grèce, pays de rêves* a été retenu pour le Festival de Berlin. Je crois que la nouvelle m'arrive alors que je rentre tout juste de Barcelone. Très vite, des invitations nous parviennent. Les Allemands souhaiteraient que Manos Hadjidakis et son interprète, c'est-à-dire moi, soient présents au festival. Manos n'a pas un instant d'hésitation : il n'ira pas ! Pourquoi ? Ses raisons me paraissent un peu confuses et entremêlées. Le succès obtenu à Cannes, six mois plus tôt, avec *Jamais le dimanche*, et l'inoubliable mélodie des *Enfants du Pirée*, lui suffit, dit-il, il se fiche de Berlin. Et puis il n'aime pas voyager, quitter son piano, son appartement, sa ville. De surcroît pour mettre les pieds en Allemagne, sûrement pas ! La paix n'a que quinze ans, il n'a rien oublié de l'Occupation, ni les familles entières anéanties par la faim, ni les hommes fusillés au hasard pour intimider la Résistance, ni les destructions, les humiliations.

Moi non plus je n'ai rien oublié, à tel point que le seul nom de Berlin me glace le sang. Mais M. Hazan me rappelle de Paris : les Allemands sont si enthousiasmés par les chansons du film, paraît-il, qu'un ou deux producteurs se seraient déjà manifestés pour me faire enregistrer un disque. M. Hazan est en contact avec eux, et, voyant la tournure des événements, il envisage même d'assister au festival avec Odile.

— Dans ce cas, nous vous y retrouverons, Nana, n'est-ce pas ? Ça sera une occasion formidable !

— Oui, oui, sûrement.

Je n'ose pas dire à Louis Hazan que non seulement Manos Hadjidakis n'y sera pas, mais qu'il m'a tout simplement interdit d'y aller. C'est venu d'un seul coup dans une conversation, deux ou trois nuits plus tôt, au *Floka* :

— Et toi, Nana, tu n'iras pas non plus !

— Mais pourquoi dis-tu ça, Manos ? On peut au moins en parler !

— Non, pas de discussion là-dessus. On ne va pas aller quémander des récompenses chez les Allemands. Et puis quoi encore !

Par bonheur, Nikos m'encourage à y aller, lui.

Quand je remets la discussion sur la table, après le coup de téléphone de M. Hazan, le débat s'enflamme immédiatement.

Manos, qui me considère maintenant tout à fait comme sa chose, n'admet pas que je puisse seulement envisager de lui désobéir. Et, de surcroît, en me faisant l'ambassadrice de sa musique...

— Si tu y vas, je ne t'adresserai plus la parole !

— Manos, dit doucement Nikos, il faut que tu admettes que Nana puisse voler de ses propres ailes.

— Je n'ai rien à admettre. Nana est mon interprète, elle fait ce que je décide.

— Mais moi, tu sais, au contraire de toi, je la pousse à partir pour Berlin. Il faut qu'elle se fasse connaître en dehors de la Grèce.

Cette nuit-là, Manos nous quitte sans nous embrasser.

Et je décide, le lendemain, d'accepter de me rendre seule en Allemagne.

Ce voyage, que j'aurais tellement aimé faire avec Manos, me glace d'appréhension. Comment regarder dans les yeux les hommes du cauchemar qui continue de me hanter ? Ces géants vert-de-gris, brutaux, cruels, assassins, qui ont abattu le jeune homme sous nos yeux ? Je ne sais pas. Je ne veux pas y réfléchir. Je pense à Odile et Louis Hazan qui m'ont promis qu'ils seraient là, et je m'accroche à ce réconfort. Je pense au regard profond de Nikos et à ses encouragements : « Pars, Nana, vas-y, ne refuse pas la main que te tend la vie. »

Et je m'envole pour Berlin.

À l'époque, il faut obligatoirement passer par Francfort, et je me rappelle mon ravissement en atterrissant dans un écrin de verdure, moi qui viens d'un pays où la terre est sèche, où les arbres meurent de soif.

Et ma stupéfaction quand, arrivés au-dessus de Berlin, le pilote annonce que nous allons nous poser. L'Allemagne est alors coupée en deux, et l'ancienne capitale du Reich étroitement enclavée en territoire communiste. L'aéroport de Tempelhof est donc au milieu des immeubles, et j'ai la sensation atroce que nous allons nous fracasser dessus. Mais non, l'avion plonge, se faufile, frôle les antennes, roule à tombeau ouvert, puis freine dans un grondement assourdissant de réacteurs, jusqu'à s'immobiliser. Nous sommes sauvés, et je remercie silencieusement le bon Dieu, comme je le fais chaque fois que le Ciel m'est clément.

Le bon Dieu a bien veillé sur nous, sur moi, mais pas sur mon bagage qui n'est pas dans l'avion et n'arrivera que le lendemain, de sorte que mon premier achat à Berlin est une brosse à dents. On me conduit à l'hôtel *Berlin*, près duquel se tient le festival. Je n'ai guère de souvenirs de cette première journée, fatiguée par le voyage, et comme anesthésiée par une sorte d'effroi à l'écoute de cette langue qui me replonge au plus noir de mon enfance.

Puis Odile et Louis Hazan arrivent enfin, et lentement je rouvre les yeux, retrouve l'envie de rire, d'observer, d'écouter. Et ce que nous entendons, ce soir-là, dépasse mes espérances : *Grèce, pays de rêves* décroche le premier prix dans la catégorie documentaire !

Du coup, les producteurs de disques, tablant sur un succès du film, assiègent Louis Hazan. Il faut absolument que je revienne très vite enregistrer, et je crois que mon avenir se décide pendant la soirée de gala, tandis qu'assise à la table d'honneur, malheureusement loin des Hazan, je reçois des compliments dont je ne devine qu'un mot sur quatre. On me demande, au milieu du repas, de bien vouloir chanter une ou deux chansons du film, et je m'exécute avec plaisir, trop contente de m'éloigner un moment de mes hôtes, pourtant charmants.

Trois mois plus tard, je serai de retour à Berlin, mais entre-temps je me serai mariée...

Par la suite, Georges racontera qu'il a dû me menacer de rompre nos fiançailles pour que j'accepte de quitter mes parents et de l'épouser. Oui, peut-être, mais lui non plus ne s'engage pas avec moi sans angoisse. Quelque temps avant la cérémonie, il doit se faire hospitaliser, victime d'une étrange maladie, une violente allergie en réalité, qui boursoufle tout son corps et le rend méconnaissable. Si impressionnant, qu'il me fait dire par ses amis qu'il ne veut pas me voir. Sur le moment, je ne saisis pas le lien entre cette allergie et notre mariage. L'idée m'en viendra par la suite, en me remémorant en quels termes Georges m'avait parlé de sa première grande histoire d'amour avec une comédienne. Cette femme devait être très exigeante, très difficile à vivre, car il avait gardé de leur relation un souvenir épouvantable. Craignait-il qu'à mon tour je ne lui fasse du mal en lui imposant mes quatre volontés ?

Sans doute, et d'une certaine façon, je le comprendrai plus tard, Georges souffrait déjà que je ne sois pas exactement comme la femme dont il rêvait. Il souffrait de ma relation exclusive avec Manos et Nikos, il souffrait de tout ce que je construisais en dehors de lui. Comme la plupart des hommes, surtout en Grèce, il aurait aimé trouver une femme qui soit dans le don d'elle-même et la dévotion, et dont le monde se résume à la vie familiale. Il était un peu tôt pour deviner quelle serait ma vie, mais déjà elle se dessinait à grands traits : si les hommes ne se retournaient pas sur moi dans la rue, des artistes tendaient l'oreille et manifestaient l'envie de me connaître. Et déjà des frontières s'ouvraient devant moi... Tout cela devait inquiéter secrètement Georges. Avant même qu'il me passe la bague au doigt, je lui échappais. Quelle allait être sa place dans le tourbillon qu'on sentait venir ? Il n'en avait aucune aux yeux de Manos, qui faisait comme s'il n'existait pas. Nikos était plus attentionné, mais me rencontrait néanmoins toute seule. Et voilà maintenant que Michel Legrand et Quincy Jones m'attendaient à Paris... Où cela s'arrêterait-il ?

Cependant, le désir qu'avait Georges de m'avoir pour lui tout seul me touchait infiniment. Il était la preuve de son amour, de sa loyauté, des rêves de tablées familiales qu'il nourrissait, et tout cela était en train d'en faire, à mes yeux de vingt-cinq ans, l'homme de ma vie. Par moments, je me sentais le cœur brûlant d'amour pour lui, mais il m'arrivait aussi de l'oublier à l'instant de chanter, tant ma passion pour la musique était exclusive.

L'aimais-je vraiment? Autant qu'il m'aimait? Aujourd'hui, je me rends compte combien j'étais innocente, ignorante de ce qu'est une relation amoureuse. Je n'avais rien appris de mes parents, rien retenu, si ce n'est une irrémédiable aversion pour les disputes et les cris. Jamais je ne les avais vus se regarder avec tendresse, se prendre la main, manifester un quelconque bonheur à être ensemble. Pourtant, je crois qu'ils s'aimaient, mais qu'ils ne connaissaient ni les mots ni les gestes pour le manifester. À eux non plus, on n'avait rien appris. Ils avaient dû se débrouiller, et moi, à mon tour, je devais me débrouiller avec le peu que je savais, avec la confusion des sentiments qui me traversaient.

Et c'est vrai qu'il m'était douloureux de laisser mes parents. Non pas, comme le croyait Georges, parce que je craignais de perdre le cocon familial, mais parce que je me sentais terriblement coupable de les abandonner. Jenny leur avait donné une petite fille, Aliki, mais je n'en restais pas moins l'incarnation de leurs rêves, et, d'une certaine façon, de leur *réussite*. J'étais en train de devenir la chanteuse qu'avait voulu être maman, et je comblais secrètement les attentes de mon père en construisant ma vie comme un garçon. Dans cette Grèce de l'après-guerre où les femmes étaient encore dociles et soumises, bien loin d'être *libérées*, j'étais une des rares à gagner ma vie, à porter des pantalons, à voyager seule...

La fierté de mon père, bien des années plus tard! Maman nous a quittés, il vit alors chez Jenny. Toutes les après-midi, il descend au café jouer au bridge. Jenny lui donne un peu d'argent.

— Tu sais, lui dit-il un jour, c'est pas assez ce que tu me donnes.

— Mais papa, c'est beaucoup! Qu'est-ce que tu fais de cet argent?

— Ce que j'en fais? J'offre à boire à tout le monde, si tu veux savoir.

— Tous les jours, tu offres à boire?

— Eh bien oui. Mais c'est que je ne suis pas n'importe qui non plus, je suis le papa de Nana Mouskouri !

Même après mon mariage, je porterai son nom. Comme un fils...

Mais à la veille de quitter mes parents pour suivre Georges, j'ai donc le sentiment de les trahir.

De les trahir doublement puisque maman n'aime pas Georges. Elle trouve que ce n'est pas un métier pour un homme de chanter, de jouer de la guitare. Et puis quoi qu'il fasse, de toute façon, il a le tort impardonnable d'être celui qui m'enlève à eux...

Maman pleure, et moi je ne sais plus que dire pour la consoler. C'est pour ça que je suis presque heureuse le jour où je l'entends me réclamer un appartement. C'est une demande folle, démesurée au regard du peu d'argent que je gagne, mais au moins maman m'offre-t-elle le moyen d'acheter son pardon.

— Si tu veux te marier, marie-toi, me dit-elle, mais tu ne peux pas partir comme ça, nous laisser dans cet appartement dont nous ne pourrons peut-être plus payer le loyer dans quelques années.

— D'accord, maman, je vais demander un crédit et vous acheter un appartement.

Ça y est, notre mariage est fixé au 19 décembre 1960. La nouvelle est fraîchement accueillie au *Floka*. Nikos n'a pas un mot pour me féliciter, et Manos, qui a eu du mal à me pardonner mon voyage à Berlin, laisse sèchement tomber :

— Si tu es vraiment décidée, ça te regarde.

Mais une heure plus tard, quand toute la compagnie est attablée – je crois me souvenir que le poète Elytis est là, ce soir-là, ainsi que les peintres Moralis et Tsarouchis –, j'ai la stupéfaction de l'entendre revenir sur le sujet :

— Vous connaissez la nouvelle, les amis ?

Toutes les têtes se tournent vers lui.

— Non. Quelle nouvelle ?

— Nana a décidé de se marier...

Aussitôt, des sourires s'ébauchent ici ou là.

— ... avec un homme ! ajoute Manos, coupant court aux compliments de circonstance.

Du coup, toute la petite troupe éclate de rire. Je ne sais plus trop où me mettre, et Manos savoure son petit effet en allumant une énième cigarette.

Est-ce pour se racheter qu'il décide, le lendemain, d'être mon témoin ? Non, je crois plutôt qu'il a pensé à ce stratagème pour être le héros de la fête, et conserver son emprise sur moi.

Et c'est en effet bien vu, puisque après avoir alerté toute la presse en annonçant mon mariage à la radio, il arrive le dernier sur le parvis de l'église, alors que nous n'attendons plus que lui pour entrer et remonter la nef jusqu'à l'autel...

Il y a foule. Georges ne se sent pas à sa place, entouré par tous ces curieux, et moi je suis confuse. Le lendemain, je me découvrirai caricaturée dans les journaux, au bras de Manos, sous ce sobriquet peu flatteur : « *Xondroi* » (« Les gros »). La première caricature de ma vie d'artiste, il y en aura des centaines d'autres, mais celle-ci ne me rend pas très fière...

Le soir, nous fêtons l'événement au *Dzaki*, où, cet hiver-là, Manos, qui a toujours besoin d'argent malgré son succès grandissant, m'accompagne tous les soirs au piano. Grâce à notre duo, le *Dzaki* fait recette, et il prend bien soin de nous. Pour mon mariage, une grande table a été dressée autour de laquelle se mêlent familles et amis. Je garde un beau souvenir de ce dîner, après lequel Manos et moi nous retrouvons sur scène, comme tous les soirs, mais le cœur plus joyeux.

Nous n'avons pas d'argent pour partir en voyage de noces. Dans les jours qui suivent notre mariage, mes parents emménagent dans l'appartement que je leur offre, et Georges et moi conservons pour nous notre ancien appartement, ce petit rez-de-chaussée avec la salle de bains qui m'avait tellement éblouie quelques années plus tôt.

Mais à peine installée, je dois repartir pour Berlin. Parmi les cinq chansons du film *Grèce, pays de rêves*, les Allemands en ont retenu deux qu'ils souhaitent me faire enregistrer dans leur langue : *Adieu, mon cœur*, et *Roses blanches de Corfou*. Comment vais-je réussir à chanter en allemand alors que je ne sais rien de cette langue ? Je n'y pense pas trop, excitée et flattée de m'envoler pour enregistrer mon premier disque à l'étranger. Si j'ai bien compris ce que m'a expliqué M. Hazan au téléphone, il sera édité par une filiale de Philips, comme l'est Fontana, de sorte que je ne m'éloigne pas beaucoup de ma famille d'adoption.

Cette fois, on m'installe au *Park Hotel*, et je suis frappée, en traversant Berlin, par l'immensité des ruines qui demeurent de la guerre. Des pâtés entiers d'immeubles dressent encore leurs carcasses calcinées sous le ciel bas de janvier, donnant aux rues un air de désolation qui me serre le cœur. C'est en contemplant ces vestiges de la guerre que je prends lentement conscience des souffrances qu'ont dû endurer les Allemands. Victime du nazisme, comme tant de citoyens européens, je n'avais pas vraiment songé à la douleur du peuple allemand. Pour la première fois, cette évidence me saute aux yeux, et, pour la première fois, je me sens pleine de compassion pour les familles qui ont été anéanties ici, prisonnières de cette apocalypse.

D'ailleurs, le studio d'enregistrement est lui-même logé dans les ruines de l'ancien *Grand Hôtel Esplanade*. Du palace, ne demeurent que les caves et une partie du rez-de-chaussée dont on a pu sauver le hall de réception et quelques salons. D'immenses rideaux de velours écarlate ont été tendus pour dévier les courants d'air et dissimuler les béances, une scène a été improvisée, et c'est là, dans cet étrange décor qu'aurait pu imaginer Fellini, qu'on m'invitera à chanter quand je serai prête. Mon producteur allemand, Ernst Ferch, qui a les yeux gris, le profil coupant et la haute silhouette des officiers que je croisais, enfant, dans les rues d'Athènes, s'excuse avec élégance de ne rien pouvoir m'offrir de plus confortable, tout en me vantant l'excellente sonorité du lieu.

En attendant d'y être reçue, je suis consignée dans ma chambre d'hôtel avec un magnétophone, et les textes de mes chansons adaptées en allemand. J'apprends à prononcer les mots comme on me l'a expliqué, et je les chante en play-back, inlassablement. Combien d'heures est-ce que je passe à répéter, seulement interrompue par les visites de M. Ferch, accompagné de son directeur artistique? Ce dernier me corrige, mais tous les deux ont l'air surpris par la rapidité de mes progrès. Enfin, le deuxième ou troisième jour, nous investissons le studio.

Cette fois, toute l'équipe technique est présente, et s'il pleut dehors, sur ce tronçon de rue dévastée, coupée cent mètres plus loin par les barbelés de *Checkpoint Charlie*, il règne sous les ruines de l'*Esplanade* une ambiance chaleureuse. On m'encourage, on me sourit, et dans la seule après-midi nous enregistrons les deux chansons du disque, rebaptisées en allemand : *Weisse Rosen aus Athen*, et *Addio*.

Je suis tellement heureuse, à la fin de cette journée « historique » pour la petite chanteuse grecque que je suis, que j'ose appeler Louis Hazan à Paris. Il me fait longuement raconter comment les choses se sont passées, et je devine au fil de la conversation que tout ce que je lui dis le réconforte. Comme s'il attendait de voir le résultat de mon voyage à Berlin pour lancer plus loin ses filets. D'ailleurs, il me reparle de ma venue à Paris au moment de raccrocher.

— Bon, maintenant, Nana, il faut enregistrer en France.

— Oui, monsieur Hazan. Mais vous savez, je viens juste de me marier...

— Eh bien, venez avec Georges!

— Non, ça c'est impossible, il a ses propres engagements. Et puis je ne sais pas...

— Alors venez seule. Que penseriez-vous d'un premier voyage dans un mois? Ça me laisserait le temps d'organiser votre rencontre avec de jeunes compositeurs qui rêvent de vous connaître et de travailler avec vous...

— Dans un mois? Dans un mois à Paris?

— Rentrez tranquillement à Athènes, réfléchissez, et je vous rappelle dans quelques jours.

# 9

## Une paysanne effrayée à Orly

Du jour de mon départ pour Paris, au mois de février 1961, il demeure une photo prise sur le tarmac de l'aéroport d'Athènes. Le hasard a voulu que Charles Aznavour arrive de France au moment précis où je m'apprête à y aller, et que la presse soit accourue pour l'accueillir. Sans doute quelqu'un signale-t-il ma présence à son imprésario, car cet homme insiste pour me présenter au chanteur français, et un photographe en profite.

Étonnante photo ! Alors que Charles a dix ans de plus que moi, je parais presque être sa mère. Mes cheveux bouffent au-dessus de mon front en un gros chignon de dame patronnesse, mes lunettes teintées semblent posées là comme l'aveu d'une longue vie de dévotion, ou d'amertume, et la lourdeur de mes joues, de toute ma silhouette, trahit cette indifférence à la séduction que l'on trouve chez les femmes qui ne se sentent plus regardées depuis longtemps. Pour ne rien arranger, je suis plus grande que Charles Aznavour, qui porte sa chemise boutonnée au col et son manteau rejeté en arrière des épaules, comme un gamin dans une cour de récréation.

Cela dit, les quelques mots que nous échangeons ce matin-là, en anglais, sont pleins de chaleur et de promesses. Charles ne me connaît pas, mais, à l'inverse, la plupart de ses chansons me sont déjà familières. Et puis quand un Arménien rencontre un Grec, la complicité est généralement immédiate, comme si la solidarité entre nos

deux cultures, éprouvée au temps de la dictature otto-
mane, nous jetait aussitôt dans les bras les uns des autres.

— Quel dommage que je parte, lui dis-je, j'aurais tellement voulu t'écouter chanter ici, sous notre ciel.

— Promets-moi de m'appeler à Paris. D'ici là, j'aurai
trouvé tes premiers disques...

Charles ne m'oubliera pas, nous nous reverrons à Paris,
et il m'écrira l'une de mes premières chansons éditées en
France, *Salvame dios*.

J'avais quitté Athènes sous notre soleil d'hiver, tendre
et pailleté. Je découvre Paris sous le ciel noir d'une fin
d'après-midi de février. L'avion semble complètement
perdu dans ces cieux tempétueux, ténébreux, qui laissent
deviner par instants, au travers de gouffres béants, des
phares minuscules filant au milieu de labours sombres,
quelques hameaux pauvres et frileux, des barres d'immeubles, des chapelets soudains de lumière crue... Puis il vire
sur une aile, perd encore de l'altitude, craque et s'ébroue
comme s'il venait de prendre la foudre, et enfin les premiers feux d'Orly surgissent sous la carlingue. Des rideaux
de pluie viennent à notre rencontre, et, à l'instant où nous
nous posons enfin, des gerbes d'eau sale giflent les
hublots. Mon Dieu, et moi qui suis déjà tellement angoissée ! À qui vais-je me raccrocher ? Qui va me tendre la
main dans ce pays en plein cyclone ? Je ne parle que quelques mots de français, ceux que j'ai retenus de l'école. Je
ne connais personne, à part les Hazan. Pourvu qu'ils
soient là...

Le grand hall lumineux d'Orly me rassure. Dans la
queue pour franchir la douane, je reprends petit à petit
confiance. Ça y est, je suis officiellement en France, à
Paris, et dans la foule qui patiente je cherche un peu trop
fébrilement le beau regard d'Odile, la fine silhouette de
Louis Hazan...

— Je viendrai avec Odile, m'a-t-il promis la veille. Ne
vous faites pas de souci, Nana, on ne vous abandonnera
pas...

Là, les voilà !

Odile me saute au cou, son mari, plus réservé, m'observe avec un mince sourire, comme s'il savourait sa victoire : m'accueillir à Paris, enfin !

« Il fallait la voir débarquer à Orly, telle une paysanne effrayée ! racontera-t-il plus tard. Quitter la Grèce était pour elle une chose impensable. Cette idée la terrorisait. Mais j'ai tenu bon [1]. »

C'est que je me rends tout à fait compte de la différence entre l'Allemagne et la France. À Berlin, je n'ai fait que passer pour enregistrer un disque. À Paris, si j'ai bien compris ce que m'a expliqué M. Hazan, je vais devoir m'enraciner progressivement. « Vous ne ferez aucune carrière depuis Athènes, m'a-t-il expliqué. Si vous voulez devenir une grande chanteuse, une chanteuse internationale, il vous faut obligatoirement rayonner depuis Paris. » Je ne sais pas si je veux devenir une grande chanteuse, mais je veux chanter toute ma vie, ça oui, de sorte que je mesure l'enjeu de ce premier voyage. Mais je n'oublie pas, surtout, ce qu'a ajouté plus bas M. Hazan : « Je ne vous demanderais pas de venir à Paris, Nana, si je ne vous croyais pas capable de faire une carrière internationale. » Ne pas décevoir M. Hazan. Mériter la confiance qu'il me fait. À mes yeux, cela est bien plus important que ma carrière. Ou plutôt, les deux choses sont étroitement liées : pour réussir, j'ai besoin d'être chaperonnée par des gens que je tiens en grande estime et c'est le souci de ne jamais les décevoir qui me fait avancer, progresser. Déjà, à l'école, je travaillais pour ne pas décevoir les anciens professeurs de Jenny. Petite, je chantais pour conquérir l'affection de mon père, réparer la déception qu'avait été pour lui ma naissance, puis Manos Hadjidakis était entré dans ma vie, et son attente, sa confiance, m'avaient sans doute permis de l'emporter aux deux festivals d'Athènes.

Tandis que nous quittons Orly sous une pluie battante, je me fais la réflexion, assise à l'arrière de la voiture des Hazan, qu'à tout prix je dois être à la hauteur des espoirs que cet homme met en moi. M. Hazan ne remplace dans

---

1. *Pleins feux, op. cit.*

mon cœur ni Manos Hadjidakis ni l'homme qui m'a éveillée à la réflexion, Nikos Gatsos, mais il figure à leur côté, comme un troisième architecte de cette vie d'artiste que je construis à tâtons.

Je sais gré aux Hazan de ne pas trop me parler, de me laisser dans mon silence. J'ai besoin de toutes mes forces, de toute ma conscience, pour ne pas perdre pied, pour accepter tellement de bouleversements, et enregistrer tant bien que mal la multitude d'images qui défilent sous mes yeux. Nous entrons dans Paris, et je suis sidérée par la noirceur des immeubles, sans doute amplifiée par la pluie. Mon Dieu, comme cette ville, dont le seul nom m'éblouissait, me paraît à présent triste et grise ! Et cependant, non, les rues sont animées, les gens se croisent dans tous les sens, jouant habilement de leurs parapluies pour ne pas accrocher les chapeaux des messieurs ou les voilettes des dames. Les terrasses des cafés regorgent de monde, ici on s'engouffre dans une bouche de métro, là on fait la queue devant un cinéma dont le fronton monumental jette sur le bitume des flaques de lumière jaune. Et puis tout ce bitume, justement... Depuis l'aéroport, nous n'avons pas emprunté une seule route de terre, ni franchi un de ces petits ponts en dos d'âne sur lesquels on ne passe qu'à une voiture. Athènes me semble soudain d'un autre siècle au regard de Paris. Plus nous nous rapprochons du centre, plus la régularité des façades m'impressionne. Elles sont noires, certes, mais comme tous ces balcons sont charmants ! Comme ces hautes fenêtres tendues de rideaux, qui laissent deviner le confort des intérieurs, sont élégantes ! Et les hauts porches, et les lampadaires si romantiques à la lueur desquels, parfois, des couples s'enlacent...

— Nous voici sur le boulevard Raspail, dit M. Hazan, votre hôtel est un peu plus bas.

Il se gare en double file. J'ai le temps de lire hôtel *Lutetia* sur la façade, mais déjà on m'a pris ma valise, on me sourit, on me presse d'entrer me mettre à l'abri, on me souhaite la bienvenue...

— Reposez-vous un moment, me souffle Odile dans le hall, nous passerons vous prendre pour dîner vers huit heures et demie.

138

J'ai un instant de stupeur en découvrant ma chambre. Des lumières blondes, des drapés de rouge, le lit qui a été ouvert et sur l'oreiller duquel on a déposé une petite carte de bienvenue, la salle de bains tout illuminée, le savon parfumé, les fleurs... À vrai dire, je ne soupçonnais pas que tant de luxe soit possible. Et cependant, au lieu de me faire couler un bain brûlant, ou de me jeter sur le lit, c'est vers la fenêtre que je me dirige. Soulevant les voilages, je replonge dans la nuit mouillée, comme si je voulais m'enfuir, comme si ma place n'était pas ici.

Et soudain, je me rends compte que je suis en train de pleurer, de pleurer tout doucement, le front sur la vitre froide. Mais depuis combien de temps ? Je suivais distraitement le ballet des voitures sur le pavé luisant du boulevard, mais j'étais ailleurs, très loin. Je songeais au chagrin de maman lorsqu'elle avait découvert que mon père lui avait volé le peu d'argent qu'elle cachait dans le coffre, pendant la guerre... Au chagrin de maman tous les jours, depuis que nous nous connaissions, depuis qu'elle m'avait mise au monde et que papa était arrivé trop tard avec la sage-femme... Et qu'est-ce que je faisais ici, à présent ? Comment avais-je pu venir de si loin, moi, la fille d'Aliki et de Constantin, et me retrouver à Paris, dans ce grand hôtel, dans ce palace ? Est-ce que le destin ne se trompait pas de personne ?

Subitement, le téléphone sonne, et je sursaute. C'est la réception, Odile est en bas. Se peut-il que tant de temps se soit écoulé ? Je n'ai pas défait ma valise, même pas enlevé le manteau que je portais le matin même sur le tarmac de l'aéroport d'Athènes, quand je posais pour la photo au côté de Charles Aznavour... En passant devant la glace, j'ai le temps d'apercevoir mes paupières gonflées derrière mes lunettes. Tant pis, je dirai que j'ai pleuré s'ils me demandent quelque chose. De toute façon, je mens tellement mal qu'il vaut mieux dire la vérité.

Mais ils ne me demandent rien. Odile est heureuse, très élégante, très excitée, nous allons passer la soirée au *Blue Note*, m'annonce-t-elle, une célèbre boîte de jazz de Saint-Germain-des-Prés. On y a entendu Ray Charles récemment, et il paraît qu'on y croisait Boris Vian, il y a encore deux ou trois ans, avant que la mort ne le fauche.

— Vous avez entendu parler de Boris Vian, n'est-ce pas, Nana ?

Eh bien, non, pas encore. Alors c'est Louis Hazan qui me parle de Vian, du trompettiste extravagant, de *L'Herbe rouge*, de *L'Arrache-cœur*...

— Je suis sûr que vous allez beaucoup aimer l'ambiance du *Blue Note*, me dit-il, comme nous y arrivons.

Oui, l'ambiance me plaît aussitôt. Le jazz m'est si familier que je peux me croire un moment dans une taverne d'Athènes, assise à côté de Georges.

Jusqu'à ce qu'un inconnu vienne proposer une danse à Odile, sous les yeux de Louis. J'ai bien vu que tous les hommes se retournaient sur Odile. Elle a la finesse d'une estampe chinoise, des cheveux de feu d'un roux splendide, de longs cils, un regard un peu électrique qui ne peut pas laisser indifférent...

Et Odile saisit avec plaisir la main que lui tend cet homme, et un instant plus tard ils sont dans les bras l'un de l'autre. Comment est-ce possible ? Comment M. Hazan peut-il accepter ça ?

— Vous n'êtes pas jaloux ? m'enquiers-je timidement.

— Non. Pourquoi est-ce que je devrais être jaloux ?

— Parce qu'il danse avec votre femme.

— Odile aime beaucoup danser, moi pas tellement. Je suis content qu'elle s'amuse.

— Georges ne serait pas content du tout, lui.

— Mais Odile est libre de vivre comme elle l'entend, Nana. Et puis nous nous faisons confiance, vous savez.

Quand elle revient s'asseoir, elle a les pommettes un peu rouges.

— Alors, c'était comment ? lui demande son mari.

— Il me serrait tellement fort que j'étouffais ! Je n'aime pas qu'on me serre comme ça...

— Nana ne comprend pas que je te laisse danser. Elle dit que son mari n'apprécierait pas. Est-ce que ce type t'a fait des avances ?

— Il était très entreprenant !

140

Elle éclate de rire, et, au lieu de se fâcher, son mari lui sourit avec beaucoup de tendresse. Est-ce donc comme cela qu'on s'aime, en France ?

Je ne dors pas beaucoup, cette nuit-là. J'ai hâte que le jour se lève pour découvrir de mes yeux le Paris que je me suis construit à travers les aventures de Gérard Philipe et Gina Lollobrigida dans *Fanfan la Tulipe*, de Christian-Jaque, à travers les déambulations de Jean Gabin dans *L'Air de Paris*, de Marcel Carné, ou encore à travers les yeux d'Arletty, dans *Hôtel du Nord*, du même Carné. Est-ce que le petit pont sur le canal existe toujours ? Est-ce qu'il y a toujours des montreurs d'ours autour de Notre-Dame de Paris ? Est-ce qu'on sert encore des soupes à l'oignon dans le quartier des Halles et de Saint-Eustache ?

Ce premier matin, Louis Hazan m'a fixé rendez-vous à onze heures, au siège de Philips, dans le 13ᵉ arrondissement. Je dois prendre un taxi et donner l'adresse au chauffeur, ce que je fais avec l'aide de mon petit dictionnaire, et un accent qui doit être épouvantable. Tout le long du chemin, je m'extasie de ce que je vois. M. Hazan m'avait dit que son bureau n'était qu'à dix minutes du *Lutetia*, mais j'ai complètement oublié ce détail. En tout cas, je profite bien de ma promenade.

Et soudain, nous y sommes.

— C'est ici, dit le chauffeur.

— Et quel est le nom de cette église ?

— Le Sacré-Cœur, mademoiselle.

— Ah ! Merci.

Je suis sur la butte Montmartre, et quand, après avoir erré en tous sens, je me décide à entrer dans un café pour téléphoner à M. Hazan, je reconnais à peine sa voix :

— Je vous attends depuis dix minutes, Nana, où êtes-vous ?

— Au Sacré-Cœur.

— Mais qu'est-ce que vous faites au Sacré-Cœur ? Mon bureau est exactement à l'opposé !

— Ah, je suis désolée.

— Et moi encore plus que vous. Reprenez immédiatement un taxi et faites-vous conduire ici.

141

Le siège de Philips se résume à une maison particulière de deux étages dans laquelle je m'engouffre avec une heure de retard. M. Hazan m'attend sur le seuil de son bureau.

— Enfin, Nana ! Écoutez-moi bien : vous venez de me faire perdre la matinée. C'est la première, et la dernière fois. Si cela se reproduit, je vous remets dans l'avion pour Athènes.

— Je suis désolée, vraiment désolée, c'est la faute de mon mauvais français.

— Je m'en doute. C'est pourquoi, à partir d'aujourd'hui, nous ne parlerons plus que français. Entrez !

Je n'ai gardé aucun souvenir de notre conversation, ce premier matin, honteuse et paralysée, si ce n'est qu'après avoir démarré en français, M. Hazan est progressivement revenu à l'anglais, constatant sans doute que je ne comprenais rien. À la fin, de nouveau souriant, je l'ai entendu me dire :

— Bon, maintenant je vais vous présenter votre directeur artistique.

Il a décroché son téléphone, et, une seconde plus tard, j'ai vu entrer Philippe Weil.

Tout aurait dû m'opposer à cet homme, volontiers blagueur, très titi parisien, moi, la timide, complexée et introvertie, or notre vénération commune pour le jazz a immédiatement fait de nous des complices.

Depuis un mois qu'il sait que je dois venir, Philippe Weil a beaucoup travaillé. L'après-midi même, nous avons rendez-vous avec deux auteurs qui ont une chanson pour moi, me dit-il. Et, en attendant, il m'emmène déjeuner. Il n'en revient pas que je connaisse tous les standards du jazz, et je dois lui raconter Radio-Tanger, les matinées du *Rex*, la colère de mon professeur au conservatoire...

Eddy Marnay et Émile Stern sont déjà là quand nous regagnons le siège de Philips. Le premier est parolier, le second compositeur. Émile se met aussitôt au piano et je découvre alors la mélodie de la chanson qu'ils m'ont écrite, la première chanson que je vais enregistrer en français : *Un roseau dans le vent*.

*Un roseau dans le vent*
*Qui se couche*
*Il embrasse l'étang*
*Sur la bouche*
*Et dans un million*
*De tourbillons*
*Tout bleus*
*J'aperçois tes yeux*
*Penchés sur notre amour...*

— Ça te plaît ? s'enquiert Philippe Weil.

— Oui, je crois.

En réalité, je suis complètement dépaysée. La musique ne rappelle en rien les mélodies grecques, et je n'ai pas compris un mot aux paroles qu'Eddy et Émile ont fredonnées ensemble. Comment vais-je parvenir à chanter dans cette langue qui m'est si étrangère ?

En regagnant ma chambre du *Lutetia*, dans le premier crépuscule, sous une pluie fine, j'ai bien du mal à ne pas éclater en sanglots. Que penserait M. Hazan s'il me voyait dans cet état, lui qui a tant misé sur moi ? Ces gens qui accourent pour me présenter leur travail, les avions, les taxis, cet hôtel de luxe... Tout cela pour une petite chanteuse qui voudrait se cacher au fond de son lit et pleurer. Et demain, j'ai rendez-vous avec d'autres auteurs... Mon Dieu, pourvu que je trouve la force de tenir ! Par bonheur, Odile a promis de passer me prendre pour dîner, et je m'accroche à sa bonne étoile. Odile ne m'intimide pas comme son mari, elle est protectrice, spontanée, affectueuse...

Sans doute est-ce que nous parlons toutes les deux, ce soir-là, du désespoir que m'inspire la langue française, car à la première heure, le lendemain, je suis tirée du lit par un coup de fil de la réception : on vient de livrer pour moi un colis urgent, le garçon d'étage peut-il me le monter ?

Et je vois entrer un gros magnétophone, accompagné d'un petit mot charmant de M. Hazan, en français : « Chère Nana, voici de quoi te familiariser avec notre langue. Ne te fais pas de souci, contente-toi de répéter inlassablement ce que tu vas trouver sur cette bande, et tu vas voir que très vite le français va te devenir familier. »

Tiens, M. Hazan me tutoie donc. Je sais suffisamment de français pour en être touchée. Et pour ne pas oser en faire autant à son égard. Tant pis, lui me dira « tu », et moi je continuerai à le vouvoyer.

Ce ne sont que des exercices de prononciation. Je dois apprendre à ne plus rouler les « r », et pour cela répéter devant le micro *roule, râle, ronde*, et me corriger après m'être entendue. Je dois apprendre à prononcer des sons qui n'existent pas en grec, comme *on, an*, ou encore *e*.

Ces exercices, et les progrès qu'ils me permettent de faire en une heure ou deux seulement, me redonnent confiance en moi. Je suis de nouveau enthousiaste quand je rejoins Philippe Weil, mon directeur artistique. Je le trouve en compagnie d'Hubert Giraud et de Pierre Delanoë. Les trois hommes m'accueillent avec chaleur, et je suis immédiatement séduite par la chanson que Giraud et Delanoë m'apportent. La mélodie de *Retour à Napoli* est pleine de soleil, sensuelle et joyeuse, et je n'ai pas besoin d'en comprendre les paroles pour m'y sentir comme sous mon propre ciel.

— Je l'aime beaucoup, dis-je un peu vite, ne me doutant pas du calvaire que va représenter pour moi la prononciation des vers de Pierre Delanoë...

Dans la journée, nous choisissons les deux autres chansons de ce premier 45 tours qui doit sortir au printemps : l'une est une chanson grecque de Manos Hadjidakis, *O imittos (La Montagne de l'amour)*, l'autre *Le Petit Tramway*, de Georges Magenta et Jacques Larue.

Ça y est, le travail peut commencer, et nous nous retrouvons tous au Studio Blanqui au milieu de ce mois de février 1961.

Je crois me souvenir que l'enregistrement du *Roseau dans le vent* ne nous prend qu'une petite après-midi. J'ai tellement travaillé cette première chanson dans ma chambre, avec le magnétophone, et pris le temps d'en comprendre les paroles, que je peux oublier les difficultés et n'écouter que mon émotion.

**Nana**

« Cette enfant, disent mes parents, ou bien elle pleure ou bien elle rit, mais elle pleure bien plus souvent qu'elle ne rit. Sinon, elle ne parle pas, elle reste dans son coin. » Je ne parle pas beaucoup, c'est vrai, mais chaque fois que je regarde un film, les artistes m'arrachent à mon chagrin pour m'emporter dans le monde du rêve.

# Mon enfance

**Mes parents**

© Archives Nana Mouskouri

© Archives Nana Mouskouri

Papa se voit offrir une place de projectionniste dans la petite ville de La Canée, en Crète, où un cinéma en plein air doit ouvrir prochainement. C'est là-bas que je suis conçue et que je nais, le 13 octobre 1934.

© Archives Nana Mouskouri

Le premier enfant arrive en 1932, et on lui donne le joli prénom de sa grand-mère disparue, la mère de Constantin : Eugénie.

Constantin Mouskouri a vingt-deux ans quand il rencontre ma mère, Aliki. La beauté de maman lui fait tourner la tête, mais comme les femmes l'intimident, il attend plusieurs jours avant d'oser l'inviter à la terrasse d'un café. Il ne m'en dira pas plus. Sans vraiment se connaître, ils se lient pour la vie, quelques mois plus tard, au printemps de l'année 1930.

© Archives Nana Mouskouri

Maman est originaire de Corfou, d'une famille de neuf enfants. Eugénie se rappelle que nous sommes allés en 1939 voir son village, embrasser nos oncles et tantes, mais j'étais trop petite, je n'en ai gardé aucun souvenir…

Eugénie, maman et moi allons rendre hommage aux soldats morts pour notre pays, au monument du soldat inconnu à Athènes.

En 1946, nous emménageons au rez-de-chaussée d'une maison assez délabrée du quartier de Neos Kosmos. Ce petit deux pièces est associé dans ma mémoire à un cauchemar : à chaque grosse pluie, l'eau sourd des murs, déferle, envahit nos chambres et manque de nous recouvrir comme un sombre linceul. Ici, nous posons avec les trois enfants de la propriétaire.

**Jenny**

Ma sœur, Eugénie, que nous appelons tous Jenny. Elle est la fille de la maison, talentueuse et appliquée, à qui maman enseigne la broderie, le tricot, le raccommodage.

Mon père m'aurait voulue garçon, et j'étais fille. Et quelle fille ! Une sur laquelle les garçons ne se retournaient pas, comme je les voyais se retourner sur Jenny. Une qui ne devait pas être très sexy avec ses lunettes et ses kilos en trop.

# Le Conservatoire

Moi et Jenny (ci-contre) entrons ensemble au conservatoire. Je me souviens de la dame qui nous a reçues au conservatoire, maman, Jenny et moi, une professeure allemande, souriante mais sévère. Elle m'a écoutée, puis elle a écouté Jenny, et elle a dit : « La petite a la voix juste, mais un peu enrouée. La grande a une voix magnifique, et du coffre. » Pourtant, je n'oublierai jamais mon premier « récital » (ci-dessus avec une autre élève). J'y découvre que sur scène, je peux dépasser ma peur, l'oublier, pour exprimer les émotions qui me traversent.

J'ai quitté l'école primaire pour entrer au collège, que nous appelons chez nous le gymnase. Chaque fin d'année, nous défilons pour une parade au stade national de Kalimarmaro.

Le chant m'ouvre, comme par miracle, le cœur des filles de ma classe. J'étais toujours seule en primaire, je me fais au gymnase mes premières amies durant les cours de musique.

Ici, en visite à La Canée, en Crète, où je suis née, dans la famille de ma marraine (en haut, debout à gauche). J'ai 12 ans et je pose au centre de la photo, Jenny à ma droite.

# Mes débuts en Grèce

© Archives Nana Mouskouri

J'ai vingt-deux ans, je ne me suis jamais produite ailleurs que dans des boîtes de nuit, devant une centaine de person-

nes. Et pourtant, le 4 juillet 1957, à l'occasion de la fête nationale américaine, je suis invitée à chanter sur un porte-avions américain au Pirée, devant 4 000 paires d'yeux !

# Le Trio Canzone

**Georges**

# Manos Hadjidakis

Dans les tavernes et les night-clubs d'Athènes, je croise le *Trio Canzone*, avec lequel je sympathise. Je joins ma voix à celles de Georges (au centre) et de ses deux amis, Kostas (à gauche) et Philipos (à droite).

C'est au même moment que survient, dans ma vie d'artiste encore balbutiante, l'homme qui va m'ouvrir les portes du monde : Manos Hadjidakis. J'apparaîtrai subrepticement à l'écran (photo en haut à gauche) en train de chanter notre première chanson, *Derrière les rosiers*, que Manos a composée pour un film. Au mois de juillet 1960, pour le second Festival de la chanson grecque, Manos Hadjidakis m'accompagne personnellement sur scène pour les deux chansons que nous présentons (ci-dessus).

Prendre les mots, les tisser dans les notes, les tendre, les étirer, les épuiser, ou, au contraire, les arrondir, les lancer comme des ballons vers le soleil, et puis tâtonner, revenir en arrière, changer une rime ici ou là, parfois. Jamais je n'ai fait cela, mais l'espèce de folie que je sens à l'œuvre chez cet homme me tient en haleine... Alors, petit à petit, la chanson éclot. Ma première caricature de ma vie d'artiste, aux cotés de Manos, sous ce sobriquet peu flatteur « Les gros » ne me rend pas très fière...

Nikos Gatsos

© Archives Nana Mouskouri

Nikos Gatsos, un grand poète dont les vers n'ont jamais cessé de me bouleverser, m'a ouvert les portes de mon âme. Il m'a appris à me connaître, et, ce faisant, à m'accepter telle que je suis. En 1943, en pleine guerre, parlant de la vie, il écrivait :

*Combien je t'ai aimée, moi seul peux le savoir*
*Moi qui parfois t'ai effleurée avec les yeux des astres*
*Étreinte avec la crinière de la lune pour danser avec toi*
*Dans les champs de l'été parmi les chaumes arasés...*

© Archives Nana Mouskouri

© Archives Nana Mouskouri

Le palmarès du premier Festival d'Athènes me laisse sans voix : j'emporte les deux premiers prix ! Tous les journaux publient ma photo, les journalistes écrivent que je suis devenue « la voix de la jeune chanson grecque ».

© Archives Nana Mouskouri

Georges s'est décidé à me déclarer son amour, et cela a bouleversé notre relation qui n'était, jusqu'à présent, qu'amicale. Nous nous sommes secrètement fiancés au moment du festival. Par la suite, Georges racontera qu'il a dû me menacer de rompre nos fiançailles pour que j'accepte de quitter mes parents et de l'épouser, le 19 décembre 1960.

# Berlin

Athènes, Barcelone… et soudain Berlin ! Comment est-ce que je me retrouve à Berlin, à l'automne de cette même année 1960, décidément pleine de surprises ? Les Allemands souhaiteraient que Manos Hadjidakis et son interprète, c'est-à-dire moi, soient présents au Festival de Berlin. Manos n'a pas un instant d'hésitation : il n'ira pas ! Malgré tout, je décide d'accepter de me rendre seule en Allemagne.

Le studio d'enregistrement est logé dans les ruines de l'ancien Grand Hôtel Esplanade. En attendant d'y être reçue, je suis consignée dans ma chambre d'hôtel avec un magnétophone, et les textes de mes chansons adaptées en allemand. Comment vais-je réussir à les chanter alors que je ne sais rien de cette langue ?

© Archives Nana Mouskouri

Combien d'heures est-ce que je passe à répéter, seulement interrompue par les visites de M. Ferch, mon producteur allemand (en haut, à droite) ? Enfin, nous investissons le studio. Cette fois, toute l'équipe technique est présente. Au milieu de l'été 1961, je suis disque d'or en Allemagne, où j'ai vendu un million de mon premier 45 tours ! Un million ! Un million de foyers allemands m'ont donc accueillie chez eux, comment est-ce possible ?

© Archives Nana Mouskouri

© Archives Nana Mouskouri

Je vais bientôt fêter mes vingt-six ans. Il m'est arrivé de prendre un avion militaire à hélices, mais jamais je ne suis montée dans un de ces avions à réaction qu'empruntent les grands de ce monde. Je suis en même temps curieuse, et terriblement angoissée.

# Paris, Paris...

J'avais quitté Athènes au mois de février 1961 sous notre soleil d'hiver, tendre et pailleté. Je découvre Paris sous le ciel noir d'une fin d'après-midi de février. Athènes me semble soudain d'un autre siècle au regard de Paris. Plus nous nous rapprochons du centre, plus la régularité des façades m'impressionne. Elles sont noires, certes, mais comme tous ces balcons sont charmants ! Et les hauts porches, et les lampadaires si romantiques à la lueur desquels, parfois, des couples s'enlacent...

Sur le tarmac de l'aéroport d'Athènes, le hasard a voulu que Charles Aznavour arrive de France au moment précis où je m'apprête à y aller avec Takis Kambas (à droite, lunettes noires), et que la presse soit accourue pour l'accueillir. Les quelques mots que nous échangeons ce matin-là, en anglais, sont pleins de chaleur et de promesses.

© Archives Nana Mouskouri

Mon premier voyage à Paris. J'y suis encore inconnue, mais des journalistes allemands m'ont suivie depuis Berlin. Ils me photographient dans le centre de Paris à l'instant où le bus démarre, et le cliché paraîtra dans un grand quotidien berlinois.

© Archives Nana Mouskouri

Louis Hazan

© Archives Nana Mouskouri

© Archives Nana Mouskouri

L'éveil musical de la Grèce est en train d'intriguer l'Europe, et en particulier la France. Le jeune directeur de Fontana, Louis Hazan, a une grande confiance en mon avenir et il me fait venir à Paris pour enregistrer. « Vous ne ferez aucune carrière depuis Athènes », m'a-t-il expliqué. « Si vous voulez devenir une grande chanteuse, une chanteuse internationale, il vous faut obligatoirement rayonner depuis Paris. »

**Michel Legrand**

Michel Legrand me fait écouter *Les Parapluies de Cherbourg*, sa dernière œuvre, une comédie musicale dont on parle déjà pour le prochain Festival de Cannes. Le voilà au piano, et moi à côté de lui à poser ma voix sur des notes tout juste jetées sur le papier, mais ça ne fait rien, l'émotion est là.

Michel Legrand (en bas à droite) a l'idée de faire un disque en duo avec moi. Le projet enthousiasme Eddy Marnay (en bas, deuxième à gauche) qui écrit avec lui quatre chansons. Au fond, Claude Dejacques, mon directeur artistique.

Le soir, nous allons souvent dans les boîtes de jazz de Saint-Germain-des-Prés, en compagnie de M. Hazan. L'ambiance me plaît aussitôt. Le jazz m'est si familier que je peux me croire un moment dans une taverne d'Athènes, assise à côté de Georges. C'est pourtant Manos qui est près de moi lors de cette soirée de 1963.

Jacques Caillard, qui a succédé à Louis Hazan, et qui a cru en moi dès mes débuts.

Mon français s'améliore au fil des jours. Maintenant, je ne roule plus les « r », j'ai presque complètement perdu mon accent, et je n'ai plus besoin d'un dictionnaire pour déchiffrer les paroles. M. Meyerstein, ici à droite, le grand patron de Philips, me félicite.

Au milieu des années 1960, les jeunes artistes qui intéressent, ce sont ceux dont *Salut les copains* fait la couverture : Johnny Hallyday, Sylvie Vartan, Claude François (à gauche)… Je ne fais pas encore partie des stars.

# L'Amérique avec Quincy

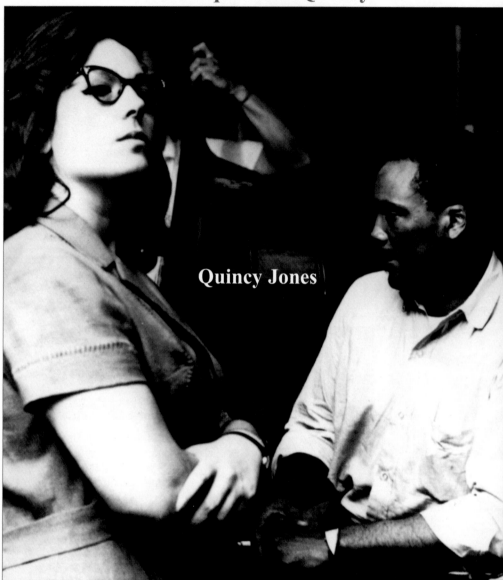

Quincy Jones

© Archives Nana Mouskouri

Une nouvelle inouïe m'attend au retour de ma première tournée en Allemagne : Quincy Jones m'invite à New York pour enregistrer un disque de jazz ! Quand M. Hazan me l'annonce, je ne le crois pas. Son idée est de me faire enregistrer un album de jazz qui serait diffusé dans le monde entier. La perspective de me retrouver en face d'un homme qui a travaillé avec Duke Ellington, Sarah Vaughan, Ray Charles, m'enthousiasme et me glace. Comme chaque fois, je suis terrifiée à l'idée de décevoir celui qui m'a choisie, et la seule chose qui me réconforte est de m'entendre chanter moi-même sur la voix des plus grands.

C'est quand nous en venons à *Retour à Napoli* que les choses se gâtent. Je n'ai aucun problème avec la musique, mais comment prononcer :

> *Jambes nues, elle a couru*
> *Dans les rues, dans les rues*
> *De Napoli, Napoli,*
> *Du soleil dans les cheveux*
> *Et les yeux, et les yeux*
> *Remplis de ciel bleu.*

J'ai eu beau m'entraîner toute la nuit précédente, *jambes nues* ne passe pas, et tous ces « r »... on dirait que Pierre Delanoë l'a fait exprès ! Impossible d'être dans le bon tempo, ma voix se débat dans un buisson de ronces, et le résultat est à pleurer. Pierre Delanoë ne pleure pas, mais il s'arrache les cheveux, lève les bras au ciel, éructe, et finit presque, je crois, par m'insulter. Je peux comprendre combien il doit être déçu, lui qui est si sensible à la musique des mots, mais plus je le sens découragé et en colère, plus je perds mes moyens. Comment cela va-t-il finir ?

Par chance, Philippe Weil ne perd pas son sang-froid, lui. Après six heures de huis clos, et alors que tout le studio semble au bord de la crise de nerfs, il décide une bonne pause et prie Delanoë de rentrer se reposer chez lui.

— Laisse-nous faire, reviens demain matin, et je te promets que tu ne seras pas déçu.

Et à moi :

— Maintenant, prends ton temps, Nana. Ici, chacun sait bien combien ce que tu fais est difficile, alors ne pense qu'à toi, on est là pour t'aider, pas pour te presser.

Sa confiance me redonne du courage, et, deux heures plus tard, la prise est enfin bonne.

Après huit jours en France, je regagne la Grèce, dépaysée, sonnée par tout ce que je viens de vivre. Enregistrer ce premier disque a été un tel défi que je n'ai pas eu beaucoup de temps pour penser à Georges, pour qu'il me manque. Et maintenant que je vole vers lui, je suis en même temps heureuse de le revoir, et traversée d'une sourde appréhension. Je voyage, j'enregistre, et pendant ce temps-là, lui et ses amis continuent à se produire dans les boîtes de nuit d'Athènes. J'ai conscience qu'un écart commence à se creuser insidieusement entre nous, et cela me soucie. Je sais que Georges souffre de mon absence, qu'il aimerait m'avoir près de lui, à la maison, et je devine combien mon succès naissant doit le blesser secrètement.

C'est dans cet avion du retour que je me rends compte, pour la première fois, de la différence du regard que nous portons l'un et l'autre sur la musique. Georges était étudiant en droit à Salonique, avant de décider de créer un groupe avec deux copains, et de débarquer à Athènes, au début d'un été, pour gagner un peu d'argent. À ce moment-là, me dis-je, la musique n'était pour lui qu'un pis-aller, en attendant de reprendre ses études et d'avoir un *vrai* métier. Mais il n'était pas retourné à Salonique, et il avait finalement fait de la musique son unique métier. Oui, finalement, comme on se résigne, me dis-je encore. Tandis que pour moi, la musique est ma passion depuis toujours, ma seule passion... Bien plus qu'un métier, bien plus que le plus beau des métiers, elle est un élan de tout mon être, l'expression de mon âme, ma *vocation*, voilà! Je me consumerais, et je mourrais, si l'on m'empêchait de chanter. Et c'est d'en avoir une conscience aiguë qui me permet de relever tous les défis, tels ces deux disques, l'allemand et le français, que je viens d'enregistrer dans des langues que je ne parle pas. Est-ce que Georges mourrait, lui, si on l'empêchait de chanter? Non, je ne le crois pas.

Comment lui dire que je dois retourner à Paris dans deux mois pour enregistrer un nouveau disque? Comment lui raconter, sans le blesser, l'enthousiasme de M. Hazan, mon amitié naissante avec Odile, ma complicité avec Philippe Weil? Comment lui dire que tous ces gens importants croient en moi?

La vie n'est pas facile à mon retour. Une fois payés le loyer et le crédit de l'appartement de mes parents, il nous reste tout juste de quoi manger. Georges ne se plaint pas, mais il espère autre chose, je n'ai qu'à croiser son regard pour le deviner. Toutes les nuits, il joue de la guitare et chante dans ces tavernes où nous nous sommes connus trois ans plus tôt. Il gagne modestement sa vie, et je rapporte déjà un peu plus d'argent que lui, ce que j'aimerais bien pouvoir lui cacher. C'est si choquant, si inhabituel qu'une femme réussisse mieux que son mari, dans cette Grèce qui commence tout juste à s'ouvrir aux autres cultures... Bon, mais peut-être parviendrait-il à l'oublier si cette vie-là lui plaisait, s'il se voyait un avenir dans la musique. Mais j'ai le sentiment qu'il doute, qu'il regarde ailleurs, et certains jours je me dis qu'il regrette d'avoir abandonné ses études.

Par égard pour lui, je vais un peu moins au *Floka*, je ne dis pas combien je suis heureuse, au fond, de tout ce que me fait miroiter M. Hazan. Chanter, chanter sur toutes les scènes du monde... Quand je pense que cela pourrait m'arriver un jour, j'en ai le vertige, le cœur qui me brûle. Et je m'en veux de ce plaisir que je n'ose pas partager.

# 10

# New York avec Quincy Jones

Au mois de mai 1961, je suis de nouveau à Paris. Cette fois, les Hazan m'ont installée tout près de chez eux, dans un petit hôtel de la rue Montalembert où ils habitent, à trois pas du boulevard Saint-Germain. Entre-temps, j'ai appris par cœur quelques expressions en français, quelques centaines de mots, également, et je parviens maintenant à demander mon chemin. Paris m'est devenu plus familier, et puis, avec le printemps, cette ville qui m'avait paru si grise me semble à présent joyeuse.

Je découvre coup sur coup mon premier disque français, qui vient d'être mis en vente, et mon disque allemand, *Weisse Rosen aus Athen*. Curieusement, ma photo ne figure sur aucune des deux pochettes et, après avoir pensé que cela m'était indifférent, cette façon de m'effacer, de me cacher, me plonge malgré moi dans une tristesse d'enfant. Comme si, de nouveau, je n'étais pas celle qu'on espérait. Les Allemands ont choisi d'illustrer mon disque avec une jolie jeune fille posant devant le Parthénon, une rose à la main. Les Français, plus discrets, se sont contentés d'un bouquet de micros. Bien sûr, je garde pour moi ma déception.

Il est trop tôt pour savoir comment le disque français va être accueilli. En revanche, M. Hazan a de très bonnes nouvelles de Berlin : à peine sorti, mon disque est entré dans la liste des meilleures ventes, et il paraît que *Weisse Rosen aus Athen* est sur toutes les radios, sur toutes les lèvres.

— Vraiment ?

— Je t'assure, Nana. Et à la vitesse où ça démarre, je peux même t'avancer un peu d'argent si tu en as besoin.

Cela me console de la pochette, et je me fais la réflexion, comme sur le porte-avions *Forrestal*, qu'on peut donc m'aimer malgré tout, puisque le Ciel m'a donné une voix...

Philippe Weil a quatre nouvelles chansons à me faire enregistrer, dont deux se retrouveront bientôt finalistes du Coq d'or de la chanson française : *Ton adieu*, de Pierre Delanoë et Hubert Giraud, et *Je reviendrai dans mon village*, d'Eddy Marnay et Émile Stern.

Puis je repars pour Athènes. Mais j'ai bien compris qu'aux yeux de Louis Hazan, les choses sont en train de bouger. Devant mon premier succès en Allemagne, la Hollande aurait déjà demandé à ce que je vienne enregistrer *Roses blanches de Corfou* à Amsterdam. L'Italie, et surtout l'Espagne, qui se souvient de mon premier prix à Barcelone, seraient également sur les rangs...

Il est entendu que je serai de nouveau à Paris à l'automne pour enregistrer un troisième disque, et peut-être rayonner vers d'autres pays européens.

Au milieu de cet été 1961, alors que je continue de me produire à l'*Astir* ou au *Dzaki*, deux grandes nouvelles me cueillent coup sur coup : je suis disque d'or en Allemagne, où j'ai donc vendu un million de mon premier 45 tours ! Un million ! M. Hazan a beau me le répéter trois fois, je n'y crois pas vraiment. Un million de foyers allemands m'ont donc accueillie chez eux, comment est-ce possible ? Et pendant ce temps-là, à Paris, le palais de l'Élysée a fait savoir qu'il aimerait que je chante à l'occasion de la visite en France du shah d'Iran et de son épouse, l'impératrice Farah, que les Français continuent d'appeler familièrement par son nom de jeune fille, Farah Diba.

Mon Dieu, on a donc entendu parler de moi à l'Élysée ! Est-ce déjà l'écho de mon succès en Allemagne ? De mes deux premiers disques en France ? Ils ont été favorablement accueillis par les critiques, d'après M. Hazan, mais, au contraire des Allemands, les Français ne se sont pas précipités. Alors peut-être est-ce plutôt l'engouement pour la Grèce qui ne serait pas retombé depuis *Les Enfants du Pirée*.

Mon producteur allemand, Ernst Ferch, me demande, de son côté, d'envisager rapidement une première tournée en Allemagne. Une tournée... J'imagine vaguement ce que ça peut être, et je balance secrètement entre excitation et angoisse. Quel bonheur de chanter tous les soirs, oui, mais comment vais-je survivre dans un pays dont je ne parle pas la langue ?

M. Hazan y est favorable, comme il est favorable à tout ce qui m'éloigne de la Grèce pour me précipiter dans le monde.

L'automne s'annonce donc agité...

Il fait un agréable temps d'arrière-saison lorsque je retrouve Paris, au début d'octobre. Les arbres du boulevard Saint-Germain ont commencé à rouiller, et je fredonne la jolie chanson d'Yves Montand et de Jacques Prévert, *Les Feuilles mortes*, dont je comprends enfin les paroles. Qu'aurais-je pensé si on m'avait dit que, quarante ans plus tard, je l'enregistrerais à mon tour, en hommage à Prévert, à Montand, à Mouloudji ? J'aurais sûrement cru qu'on voulait se moquer de moi... La veille, à mon arrivée à Orly, j'ai eu droit à mon premier comité d'accueil : quelques journalistes et photographes venus immortaliser l'instant où l'on me remettrait le collier de perles offert par l'Élysée en geste de bienvenue. Et ce matin, en m'arrêtant devant un kiosque, je suis tombée sur une photo de moi, à la une d'un journal que je n'ai pas osé acheter. Une photo où je mords les perles de mon collier, comme me l'avaient demandé les journalistes, avec ce drôle de titre dont j'ai mis cinq minutes à déchiffrer le jeu de mots : « Nana Mouskouri, la perle des voix, chantera à Paris pour Farah Diba. »

Ce soir-là, je fêterai mes vingt-sept ans, tandis que Farah célébrera le lendemain ses vingt-trois ans. Nous sommes l'une et l'autre d'octobre, elle du 14, moi du 13, et je me dis que c'est un bon présage.

Pour mettre toutes les chances de mon côté, j'ai décidé que je porterais de nouveau la robe de dentelle noire cousue par Jenny, et avec laquelle j'ai remporté les Festivals d'Athènes et de Barcelone. C'est la dernière fois que je la mettrai. Bientôt, Roland Ribet deviendra mon imprésario, et il engagera une guerre contre le noir.

— J'en ai assez de te voir déguisée en veuve corse, râlera-t-il, tu serais tellement plus jolie en blanc, ou en rouge !

Et moi :

— Je ne suis pas une *cover-girl*. Si on aime mes chansons, qu'on me prenne comme je suis.

Bon, mais Roland Ribet n'est pas encore entré dans ma vie, et c'est en noir, avec les lunettes papillon que je porte à cette époque, que j'apparais sur la scène du palais de Chaillot.

Songer qu'à mes pieds sont installés les souverains d'Iran, le général de Gaulle et son épouse, est un tel choc que je m'en tiens, comme d'habitude, à fermer les yeux. Je ne chante que des chansons grecques, ce soir-là, portée par les vers de Nikos, qui n'ont jamais cessé de me bouleverser, et la musique entraînante et singulière de Manos.

D'autres chanteurs m'ont précédée, dont Charles Aznavour, que je retrouve avec plaisir à la fin du spectacle lorsque le général de Gaulle nous fait appeler pour nous présenter à ses hôtes. Je me souviens des mots d'affection de Farah pour la Grèce, et de la simplicité qui émane d'elle. Des mots d'encouragement du général de Gaulle, auxquels acquiesçait son épouse. De l'étonnante jeunesse du shah d'Iran, gardant un instant ma main dans la sienne pour me dire : « Bravo, mademoiselle, vous avez beaucoup de talent », dans un français parfait.

Quelques jours après ce gala, je m'enferme au Studio Blanqui pour enregistrer mon troisième disque français. Cette fois, trois des quatre chansons sont des œuvres de Manos Hadjidakis qui m'ont fait connaître en Grèce. La première est *Roses blanches de Corfou*, version française de mon disque d'or *Weisse Rosen aus Athen*, composée au départ par Manos pour le film *Grèce, pays de rêves*. Les deux autres sont *La Procession* et *Adieu, mon cœur*. La quatrième est une chanson française, romantique et nostalgique, *Sonata*, écrite et composée pour moi par Eddy Marnay et Émile Stern.

C'est durant ce séjour en France que je découvre Édith Piaf. Sans doute l'ai-je déjà entendue, mais je ne l'ai jamais vue. Elle passe à l'Olympia, et M. Hazan a décidé de m'y emmener. J'aimerais trouver les mots justes pour dire l'émotion qui me saisit à l'instant où elle entre en scène, dans ce dénuement, dans tout ce noir, sa frêle silhouette illuminée et le masque blanc de son visage. Je crois qu'elle sourit imperceptiblement tandis qu'elle marche vers le micro, et on dirait d'un seul coup que la salle retient son souffle. On entend ses pas légers sur les planches. Moi aussi, mon cœur s'est arrêté de battre. Et soudain elle chante. Et comme n'en pouvant plus, la salle explose en un bref et violent applaudissement, comme un spasme. Et puis il n'y a plus que la voix de Piaf... et nous qui pleurons. En tout cas, moi, je ne peux pas retenir mes larmes. Comment est-il possible, simplement par les mots et les notes, d'éveiller tant de sentiments, tant de regrets et de nostalgie ? Comme si Piaf nous dépouillait de tout, qu'elle nous mettait le cœur à nu, et que nous grelottions de tant de solitude, de chagrins accumulés, de détresse... Pourquoi est-ce que je parle de mots alors que la plupart me sont étrangers ? À moins que je ne les comprenne sans les reconnaître. À moins que la voix de Piaf ne les dise si bien que le monde entier les comprendrait.

— J'ai vu que tu pleurais, me dit M. Hazan en sortant.

Et moi, encore en larmes, mais en colère à présent :

— Je devrais avoir honte de me prétendre chanteuse ! Après avoir entendu ça, je crois que je n'aurai plus jamais l'audace de monter sur une scène...

Je me rappelle encore les mots de M. Hazan, tandis que nous sommes devant l'Olympia, dans le flot des spectateurs :

— Écoute-moi bien, Nana. Non seulement tu auras cette audace, mais un jour ce seront les lettres rouges de ton nom qui seront accrochées à ce fronton...

Le lendemain soir, Odile vient me prendre pour dîner. J'ai passé la journée à ne songer qu'à Piaf, l'émotion encore à fleur de peau, au bord des larmes. La journée à me demander comment oser chanter après cette femme... Et à quoi bon, puisque jamais je ne lui arriverai à la cheville... Et c'est Odile qui trouve les mots justes pour me remettre en selle, me réconcilier avec ce désir de chanter qui me porte depuis toujours et sans lequel je me disloquerais.

— Tu sais, me dit-elle, il n'y a pas deux Piaf dans le monde, comme il n'y a pas deux Maria Callas, ou deux Judy Garland. La question pour toi ne doit pas être d'égaler l'une ou l'autre, mais de trouver ta place. Chaque artiste est unique, comme ce qu'il a à dire. Quand tu te seras découverte, tu ne seras ni la copie de Piaf ni celle de Judy Garland, tu seras Nana Mouskouri, et, à ton tour, tu seras devenue unique.

Je me noyais, et Odile me sauve en quelques phrases.

Aux premiers jours de l'hiver 1962, je m'envole pour l'Allemagne. Cette fois, je pars pour un long mois, et j'ai un peu le sentiment de sauter dans le vide. Je dois faire cette première tournée en compagnie de deux chanteurs allemands, Heidi Brühl et Gerhard Wendland, tous deux également disques d'or, de sorte que la presse allemande, m'a prévenue M. Hazan, nous surnomme déjà « Les trois voix d'or ». Je suis la seule étrangère du trio, la seule à n'avoir jamais fait de tournée. Le même orchestre nous accompagnera durant toutes les soirées, comment les musiciens vont-ils m'accueillir, comment vais-je réussir à me faire comprendre ? Je me pose beaucoup de questions, mais, curieusement, je serais parfaitement heureuse de mon sort... si je ne me sentais pas coupable de l'être ! Je viens de passer Noël auprès de Georges et je m'en veux de l'abandonner de nouveau. D'abandonner également mes parents qui ne comprennent pas bien les raisons de tous ces voyages. Le succès en Grèce ne me suffit-il donc pas ? Pourquoi courir plusieurs lièvres à la fois, m'éloigner d'Athènes, juste au moment où mon nom commence à être sur toutes les lèvres ? Ne va-t-on pas finir par m'oublier dans mon propre pays ?

Nous devons parcourir toute l'Allemagne : Hambourg, Berlin, Hanovre, Munich, Stuttgart... et, à peine arrivée, je découvre mes compagnons de voyage. Les deux chanteurs, Heidi et Gerhard, feront la route dans leur voiture personnelle, accompagnés de leurs assistants respectifs, ou de leurs imprésarios, je ne sais pas. L'orchestre voyagera en car. Et moi ? Ai-je une voiture ? Un imprésario ? Une secrétaire ? Une habilleuse ? Non, je n'ai rien de tout ça. Dans ce cas, le mieux est peut-être que je voyage avec les musiciens, il doit bien rester quelques sièges libres dans l'autocar... Oui, on me trouve un siège sans trop de mal, une place en soute pour ma valise, et nous voilà partis.

Dès la première répétition, une complicité s'établit entre les musiciens et moi. Je ne sais pas quelle langue secrète nous utilisons, mais à peine m'ont-ils entendue chanter que nous nous comprenons. Et tout de suite je devine qu'ils ont du plaisir à jouer pour moi. Cela s'entend, cela se lit sur leurs visages. Je crois qu'ils savent que vivant pour la musique, je les aime immédiatement pour tout ce qu'ils me donnent. Je chante les plus belles chansons de Manos Hadjidakis, et j'ai la certitude que les musiciens ressentent la poésie des vers de Nikos Gatsos. Bien sûr, nous reprenons *Weisse Rosen aus Athen*, mais également *Les Enfants du Pirée*, *Adieu, mon cœur*, *La Procession*, et *A Taste of Honey*, pour le jazz.

Je dois me faire violence chaque soir pour entrer en scène, mais dès les premières notes je suis une autre, légère, désincarnée, comme s'il ne restait plus de mon corps, traversé un instant plus tôt de tant de doutes et d'angoisse, que mon âme, et ma voix pour exprimer la grâce qui nous est donnée de vivre, d'aimer, de partager... Pour la première fois, durant cette tournée, je me sens exister, applaudie et reconnue pour moi-même, et non plus comme la voix de Manos Hadjidakis, comme *sa chose*. Suis-je en train de trouver ma place ? La prophétie d'Odile est-elle en train de s'accomplir ? En tout cas, voler de mes propres ailes, loin de mes deux maîtres, me permet de me retrouver avec moi-même, comme si le moment était enfin venu de me rencontrer, de me découvrir.

Cette curiosité pour la chanteuse que je deviens me maintient dans une sorte d'excitation, de fièvre, et il faut au moins cela pour supporter les difficultés du quotidien. Les nuits trop courtes, les kilomètres qui défilent, l'inconfort, l'angoisse qui me serre le cœur au moment où tombe le crépuscule et que je peux compter sur une main les heures qui me séparent de la scène. Il faut cela pour supporter ma solitude les jours de relâche, quand chacun retourne chez soi et que je reste toute seule à errer dans les faubourgs d'une ville que le ciel bas me dérobe. Alors je ne me demande plus ce que je fais là, je le sais. Comme me l'a dit Nikos, j'ai saisi la main que m'a tendue la vie, et maintenant je suis le fil de mon destin.

Une nouvelle inouïe m'attend au retour : Quincy Jones m'invite à New York pour enregistrer un disque de jazz ! Quand M. Hazan me l'annonce, je ne le crois pas. Comment Quincy, à qui je n'ai plus jamais reparlé depuis notre conversation téléphonique entre Barcelone et Paris, pourrait-il avoir l'envie soudaine de travailler avec moi ?

— Mais c'est impossible, dis-je en riant, il ne me connaît pas ! Il ne sait même pas que j'aime le jazz.

— Détrompe-toi, il te trouve formidable en Ella Fitzgerald.

— Vous vous moquez de moi, il ne m'a jamais entendue chanter du jazz !

— Eh bien si, justement ! Crois-tu vraiment qu'il te ferait venir à New York s'il ne t'avait pas entendue ?

— Mais comment ? Où ?

Alors M. Hazan me remet en mémoire une scène que j'avais un peu oubliée. Un an plus tôt, ce jour terrible où j'avais eu tant de mal à enregistrer *Retour à Napoli*, il s'était passé un petit événement joyeux, que j'avais considéré sur le moment comme absolument *gratuit*. À peine *Napoli* en boîte, Philippe Weil avait fait entrer dans le studio trois grands musiciens de jazz, le pianiste Georges Arvanitas, le bassiste Pierre Michelot et, pour la batterie, Christian Garros.

— Tiens, Nana, m'avait-il lancé, maintenant détends-toi. Ils ne sont là rien que pour toi. Cadeau !

Malgré la fatigue, l'idée de chanter quelques standards m'avait beaucoup plu, et durant une petite heure nous nous étions bien amusés tous les quatre.

Ce que j'ignorais, c'est que Philippe Weil nous avait enregistrés, et qu'il avait envoyé la bande à Quincy Jones...

Compositeur, trompettiste, arrangeur de génie, Quincy est alors directeur artistique chez Mercury, un label américain qui fusionnera bientôt avec Philips. Son idée est de me faire enregistrer un album de jazz qui serait diffusé dans le monde entier. M. Hazan y est favorable, et il me parle longuement, ce jour-là, de la chance que représente pour moi cette invitation.

La chance ? Eh bien oui, sûrement, mais moi je suis tellement bouleversée à l'idée de partir pour les États-Unis que je n'arrive pas à écouter ce qu'il me dit. En ce temps-là, pour nous les Grecs, l'Amérique est encore la destination de la dernière chance. Voilà des années que les familles les plus pauvres s'y exilent, en suppliant le Ciel de leur venir en aide. De certaines, on ne reçoit plus jamais aucune nouvelle, et cela contribue à nourrir l'effroi qui s'attache à l'immensité de ce pays, à son inhumanité. D'autres ont réussi, mais du peu qu'ils racontent, on devine combien ils ont dû se battre pour ne pas mourir. J'ai beau me dire que je ne suis pas dans la même situation, partir pour l'Amérique n'en réveille pas moins de vieux cauchemars...

Mais en même temps, c'est tellement excitant ! L'Amérique, c'est le pays du James Dean de *À l'est d'Éden*, d'Elia Kazan, de *La Fureur de vivre*, de Nicholas Ray, de John Wayne, le cow-boy du *Massacre de Fort Apache* de John Ford, de l'inoubliable Marlon Brando dans *Sur les quais*, d'Elia Kazan, de Marilyn Monroe, de Judy Garland... Tous mes rêves d'enfant enfouis me reviennent en mémoire. Oh, revoir *Débuts à Broadway*, de Busby Berkeley, revoir *Une étoile est née*, de George Cukor... Est-ce que la vie n'est pas en train de me jouer un tour de magie en me précipitant dans un film ?

En sortant du bureau de M. Hazan, je me sens un peu ivre, et je crois que les gens doivent me regarder drôlement, sur le boulevard Raspail, en cette claire après-midi de février où je parle toute seule en regagnant mon hôtel.

— Maintenant, tu vas rentrer te reposer à Athènes, m'a dit Louis Hazan en me raccompagnant, et puis je t'attends au printemps pour enregistrer un nouveau disque. Et cet été : New York !

Que va penser Georges de mon programme ? Je rentre d'une tournée en Allemagne et je vais devoir lui annoncer que je ne serai pas là cet été... Voilà bientôt un an et demi que nous sommes mariés, et tout ce que j'ai construit d'enthousiasmant, c'est à l'étranger que je l'ai fait. En Allemagne, où je suis maintenant sans doute plus connue qu'en Grèce, et surtout en France, à Paris, où habitent toutes les personnes qui travaillent à mon avenir.

Pour la première fois, je l'entends protester :

— C'est comme si on ne vivait pas ensemble, me dit-il tristement. Chacun fait ses petites affaires de son côté, ça ne peut pas durer comme ça...

Non, c'est vrai, mais comment faire ? Je me sens coupable de le rendre malheureux, mais pour que cela change, il faudrait que je renonce à tout ce qui s'offre à moi, à toutes ces invitations à chanter, et ce serait comme de renoncer à respirer. Quel couple nous formerions alors, moi dans l'amertume et le regret, lui dans l'attente d'une reconnaissance qui ne viendrait peut-être jamais ?

Encore ai-je fait mine de ne pas comprendre ce que m'a glissé M. Hazan sur le seuil de son bureau :

— Si ça continue comme ça, Nana, il faudra envisager de t'installer à Paris. Tous ces hôtels et ces billets d'avion coûtent une fortune, et puis ça serait tellement mieux de t'avoir ici, sur place...

Je ne veux pas y penser, même si certains soirs cela m'empêche de dormir. Moi à Paris, Georges à Athènes, que resterait-il de notre histoire ?

Je ne sais pas pourquoi je vais rechercher Takis Kambas pour partir à New York. Il est vrai que ce drôle d'imprésario, torturé par l'angoisse et le doute, est associé à deux de mes premiers succès : le *Forrestal* et Barcelone. Si je prends la peine d'y réfléchir, il n'y est pas pour grand-chose, et même son peu de confiance en moi aurait pu m'être fatal, mais ça ne fait rien, j'ai envie que quelqu'un m'accompagne. Et puis je crains que mon anglais ne soit insuffisant, et Takis, lui, le parle couramment.

Plus la date du départ approche, plus je me ronge d'inquiétude. Qu'arrivera-t-il si je déçois Quincy Jones ? Odile Hazan, la seule à qui j'ose ouvrir mon cœur, ne voit pas comment cela serait possible. Elle a écouté la maquette de mon dernier disque, en particulier *Savoir aimer* et *Ce soir à Luna Park*, et elle trouve, comme son mari, qu'avec l'assurance, ma voix atteint petit à petit sa plénitude.

Nous sommes dans les derniers préparatifs, quand une catastrophe frappe Paris d'un sentiment d'horreur : un Boeing d'Air France s'écrase au décollage d'Orly, tuant les cent trente passagers ! Le drame fait la une de tous les journaux, quelques jours avant notre départ, et il est bien difficile de ne pas y penser dans la voiture qui nous conduit à Orly. Takis Kambas, qui m'a rejoint à Paris, est absolument muet. Par chance, Odile a insisté pour nous accompagner, et elle s'applique à nous distraire en nous racontant les derniers sketches de Fernand Raynaud au théâtre des Variétés. Et puis, comme elle aussi est morte d'inquiétude, je l'entends soudain me glisser à l'oreille :

— De toute façon, ça ne peut pas arriver tous les jours. Maintenant, ça ne va plus se reproduire avant très long-temps, c'est la loi des statistiques, alors tu peux être complètement tranquille.

Devrais-je transmettre l'encouragement à Takis qui s'éponge fébrilement le front au moment du décollage ? Je n'en ai pas la force, et je passe tout le voyage à lister les chansons que je serais capable de chanter à Quincy s'il lui prenait l'envie de me tendre un micro à notre descente d'avion...

Mais Quincy n'est pas à l'aéroport, il nous a envoyé une voiture, et, du coup, nous n'avons rien d'autre à faire que de profiter du spectacle. À l'instant où nous franchissons le pont de Brooklyn, je ne peux pas retenir ma stupéfaction : cet immense chaos de buildings, dressés comme des miroirs sous le soleil de midi, c'est donc cela New York ? Je ne pensais pas qu'une telle ville pouvait exister au monde, et Takis Kambas, qui a retrouvé le sourire, s'amuse de ma surprise.

— Regarde bien le ciel, parce que dans quelques minutes tu devras te tordre le cou pour l'apercevoir...

Insensiblement, en effet, le flot des voitures pénètre dans la ville, et, bientôt, nous avons l'impression de rouler au fond d'une gorge. La lumière est comme filtrée par les parois abruptes contre lesquelles, par instants, le soleil découpe d'immenses triangles incandescents. Si j'osais, je dirais à Takis que ça me rappelle ma première visite, enfant, au temple de Zeus. À un moment, interdite par la solennité impressionnante du lieu, figée entre deux colonnes, j'avais levé les yeux pour chercher le soleil, et il m'avait paru soudain si loin, si haut, que j'en avais éprouvé comme un éblouissement.

Ici aussi, j'ai besoin de me retenir à l'accoudoir, ou au siège de notre chauffeur, pour ne pas hurler de vertige quand je passe la tête à travers la portière. Mais la ville est bien là, maintenant. Comme les premiers feux nous immobilisent, elle nous souffle son haleine chaude par les fenêtres ouvertes : c'est l'heure du déjeuner, il flotte sur les trottoirs un parfum de viandes grillées, de hamburgers, auquel se mêle l'odeur un peu nauséeuse du café tiède, et, subitement, des relents de poubelles ou de goudron, car quand le soleil parvient à percer, il fait fondre le bitume ici ou là. Une foule légère et colorée se croise le long des boutiques, dans un désordre inextricable. Mais, mon Dieu que les gens me paraissent grands ! Bien plus grands que chez nous. Les femmes vont toutes seules, cheveux blonds dans le vent chaud, épaules rejetées en arrière. Les hommes ont d'élégantes chemises blanches, oui, comme Humphrey Bogart dans *Le Grand Sommeil*, de Howard Hawks, et ils portent négligemment leur veste sur l'épaule. Est-ce que tous les Américains sont aussi beaux, aussi grands ? Et

voilà soudain qu'un policier à cheval traverse l'avenue...
Mais nous avons quitté les quartiers populaires. Takis dit
que nous sommes à présent sur la prestigieuse 5ᵉ Avenue,
qu'un peu plus loin se trouve Central Park.

Voilà, c'est ici, l'hôtel *Plaza*. Je me fais la réflexion qu'il
doit être à New York ce qu'est le *Lutetia* à Paris, car je
suis tout de suite frappée par la beauté surannée du hall,
ses globes lumineux portés par des statues de bronze, son
mobilier sombre et patiné, ses épaisses moquettes, et partout d'immenses ventilateurs pour brasser la moiteur de
l'air.

D'ailleurs, à peine entrée dans ma chambre, j'ai le même
mouvement que le premier soir au *Lutetia* : je me précipite
sur la fenêtre ! Mais comme c'est différent ! Impossible
d'apercevoir la rue, les voitures, les gens qui se promènent
en contrebas, je dois être bien trop haut, et, de toute façon,
ce sont des fenêtres à guillotine au travers desquelles on ne
peut pas se pencher. Impossible également d'attraper un
pan de ciel bleu, je dois donc me trouver suspendue à mi-
hauteur... Alors j'observe le building qui nous fait face :
des bureaux. Des hommes qui téléphonent, d'autres qui
écrivent, penchés sur leur feuille de papier, une cigarette
entre les lèvres. Une jeune femme traverse la pièce sans
leur jeter un regard, puis elle repasse un instant plus tard,
une pile de dossiers sur les bras...

C'est le téléphone qui me tire de ma rêverie. Quincy
Jones !

— *Hi, baby* ! Tu as fait bon voyage ?
— J'arrive juste, c'est extraordinaire !
— Tu as trouvé la musique ?
— Quelle musique ?
— Regarde bien dans ta chambre, je t'ai fait porter de
quoi t'occuper. Je passerai te prendre ce soir, d'ici là,
amuse-toi bien !

À quelle heure passera-t-il ? J'aurais voulu le lui demander, mais il ne m'en a pas laissé le temps. Alors j'inspecte
ma chambre, et je découvre, joliment disposé sur la
commode, un trésor : tous les enregistrements arrangés
par Quincy, ses disques personnels, un pick-up, et une pile
de livres sur le jazz !

Ce premier jour, nous descendons manger un hamburger avec Takis, puis je le laisse filer à travers les rues de New York, qu'il connaît bien, et je remonte m'imprégner de jazz. La perspective de me retrouver dans quelques heures en face d'un homme qui a travaillé avec Duke Ellington, Sarah Vaughan, Ray Charles, Count Basie, m'enthousiasme et me glace. Comme chaque fois, je suis terrifiée à l'idée de décevoir celui qui m'a choisie, et la seule chose qui me réconforte est de m'entendre chanter moi-même sur la voix des plus grands.

Enfin, Quincy est en bas, il m'attend, et tout de suite il m'ouvre les bras. On dirait qu'il a deviné dans quelles angoisses je me débats, car ses premiers mots sont pour me rassurer. Me dire combien il a été séduit par l'enregistrement que lui a envoyé Philippe Weil, et aussi par toutes les possibilités qu'il pressent dans ma voix. Ce soir-là, il m'emmène à l'Apollo Theater où se produisent de jeunes chanteurs, et le dîner qui suit est joyeux, réconfortant.

Quand commencerons-nous à travailler ? Il ne sait pas, peut-être dans trois ou quatre jours, pour le moment il enregistre avec Diana Washington et Johnny Mathis...

Le lendemain soir, il me rappelle :

— *How was the big apple today ?*

Alors je devine que je dois arrêter de me soucier de lui, arrêter surtout de m'angoisser, et profiter de New York, la *grosse pomme*.

Je me lance, je pars pour la journée, mon guide et mon plan de métro sous le bras. Je découvre toute seule Brooklyn, Chinatown, Chelsea, Harlem, le Bronx... Chaque soir, Quincy m'appelle :

— *How was the big apple today ?*

Et je lui raconte ma journée.

— Maintenant, *baby, take it easy*, je t'emmène à l'école des maîtres !

Alors il passe me prendre, et nous filons dans la nuit d'été vers Harlem écouter Louis Armstrong, Chet Baker, Dizzie Gillespie, Miles Davis, et enfin, un soir... l'idole de toute mon adolescence : Ella Fitzgerald !

Ce soir-là je pleure, et, par chance, Quincy ne s'en aperçoit pas.

Trois semaines se sont écoulées, Takis Kambas est reparti depuis longtemps, et j'ai eu tout le temps de dévaliser le magasin de jouets Schwartz, à l'angle de la 5ᵉ Avenue et de la 59ᵉ Rue, pour gâter ma petite nièce Aliki, la fille de Jenny, quand soudain, ça y est : Quincy est libre ! L'A and R Studio n'attend plus que nous sur la 42ᵉ Avenue, avec Phil Ramon à la prise de son, l'homme qui produira plus tard Frank Sinatra et Barbra Streisand, parmi beaucoup d'autres grands artistes.

Les deux ou trois premiers jours sont difficiles, j'ai ma liste de chansons, nous avançons à tâtons.

— Vas-y, *baby*, il faut me convaincre, répète Quincy, exigeant et tendu.

Par chance, les musiciens sont mes complices, comme en Allemagne, comme toujours. Ils s'étonnent que venant de si loin, de cette petite Grèce accrochée au flanc de l'Europe, je connaisse autant de vieux standards américains. Je vois leurs sourires quand je chante, ils m'applaudissent, ils m'embrassent...

Sur vingt chansons, nous en retenons finalement une douzaine, *What now my love, No moon at all, Love me or leave me...* que nous enregistrons en trois ou quatre jours, dans le plaisir intense et la fièvre, comme si nous n'en revenions pas de ce miracle, et qu'il ne fallait pas perdre une seconde tant que la grâce est avec nous...

Quincy a ce qu'il espérait, les musiciens me font la fête, et moi je ne peux que les remercier, les remercier encore et encore, parce que je sais bien que sans eux la musique ne m'aurait pas possédée comme elle a su le faire.

Il est entendu que Quincy me rejoindra dans quelques semaines à Paris pour retravailler avec moi, au Studio Blanqui, les corrections indispensables.

Ce soir-là, c'est lui qui me conduit à l'avion, après notre ultime journée d'enregistrement. Je suis épuisée, et en même temps folle d'excitation, de bonheur, pour tout ce que nous venons de vivre ensemble.

Nous nous étreignons, je suis partagée entre l'envie de rire et de pleurer, comme si je prenais enfin conscience de l'attachement que j'éprouve pour cet homme, et pour ce pays qui me faisait si peur en arrivant. Maintenant, je n'ai qu'une hâte, c'est de revenir en Amérique.

Nous sommes en retard, je cours, je cours, et c'est seulement dans l'avion que me revient ce que m'a dit M. Hazan, la veille au soir, au téléphone :

— J'ai une très bonne nouvelle pour toi, Nana. Je te raconterai ça à ton retour.

— Pourquoi pas tout de suite ?

— Il ne faut pas déranger les artistes en plein travail, tu ne crois pas ? Termine d'abord avec Quincy, et tu verras, tu ne seras pas déçue.

# 11

## « *C'est joli la mer,*
## dans deux minutes ! »

Le jour se lève à peine quand nous atterrissons à Orly.
Je n'ai pas fermé l'œil durant tout le vol, trop impatiente
de retrouver les Hazan, de leur raconter mon aventure
américaine, d'entendre la bonne nouvelle que me réserve
Louis Hazan...

Il est encore trop tôt pour les réveiller, et je commande
au bar de l'aéroport un café et un croissant. À côté de moi,
des hommes fument ces cigarettes de tabac brun que l'on
ne trouve qu'en France, les Gauloises. Et soudain, les
arômes mélangés du café, de la cigarette et du croissant me
remplissent la poitrine d'un bonheur presque douloureux,
comme si je retrouvais un paysage d'enfance. Mon Dieu,
me dis-je, comme c'est agréable de rentrer chez soi ! Je
souris au serveur, aux hommes qui fument, à cet aéroport
d'Orly qui m'est devenu si familier, et je repense à ce jour
où je cherchais fébrilement les Hazan dans la foule, débarquant d'Athènes « comme une paysanne effrayée ». Se
peut-il que la France ait déjà pris tant de place dans mon
cœur ?

Puis le taxi roule sous le jeune soleil de ce matin d'août,
et je me fais déposer devant une boulangerie du boulevard
Saint-Germain. Les arbres sont énormes, à présent leur
frondaison lèche les façades, les trottoirs sont encore
vides, ici et là quelques voitures s'élancent timidement sur
la chaussée pavée. Mon idée est de réveiller les Hazan avec
des croissants. Je sais bien qu'Odile me sautera au cou, et

164

que son mari se tiendra légèrement en retrait, avec son habituel petit sourire, discret, réservé, l'air de se demander comment m'aborder. « Elle a l'air gentille, comme ça, mais elle est très fière. Et très têtue... », l'ai-je entendu dire un jour à Philippe Weil, ne plaisantant qu'à moitié.

Je sonne, et tout se passe exactement comme je l'avais prévu. Odile, encore en chemise de nuit, me réserve un accueil plein d'exclamations et de mots tendres, tandis que Louis, déjà en chemise et cravaté, me prie de m'asseoir tout en mettant la cafetière en route.

— Maintenant, Nana, raconte-moi comment ça s'est passé avec Quincy.

Je raconte, m'embrouille, brûle les étapes.

— Bon, dit-il à la fin, c'est formidable ! Tu veux connaître la suite, le programme pour cet automne ?

— Oui, s'il vous plaît.

— On t'attend à l'Olympia ! La vedette sera Georges Brassens, tu passeras en première partie.

L'Olympia ! La première image qui me vient est évidemment celle, inoubliable, d'Édith Piaf. Je reste sans voix, abasourdie. Et sans doute est-ce que je blêmis, parce que M. Hazan croit nécessaire d'ajouter :

— Je compte sur toi, c'est une opportunité extraordinaire.

Bien sûr, mais il me faut du temps, c'est tellement... tellement énorme... Moi à l'Olympia ! Mais comment...

— Comment avez-vous obtenu que moi, qui suis si peu connue...

— C'est Roland Ribet qui a convaincu Bruno Coquatrix.

— Je ne connais pas Roland Ribet.

— Non, mais lui te connaît. Tu vas le rencontrer ce soir, et, si tu veux bien, il sera désormais ton imprésario.

Quand je quitte les Hazan, je suis épuisée, chancelante. Je les revois donc le soir même pour faire la connaissance de ce M. Ribet, et, par bonheur, Philippe Weil sera également là, avec son humour et sa gouaille. Ouf ! En attendant, je n'ai qu'une hâte, c'est de me mettre au lit, dormir, enfin ! et je retrouve avec plaisir ma chambre de l'hôtel *Montalembert*.

Roland Ribet a les yeux rieurs, le visage avenant, mais je devine dès cette première rencontre que sous ce masque sympathique se cache un œil acéré. Il est encore trop tôt pour qu'il me reproche ouvertement de me déguiser en « veuve corse », mais je le vois loucher curieusement sur mes lunettes papillon, sur ma tenue, et je pressens que l'heure de mon procès va bientôt sonner. Un procès amical, certainement pas dans le style de celui des dames de l'*Astir* et de Spartacus, mais une ferme offensive, néanmoins, car il me saute aux yeux que Roland Ribet ne me trouve pas non plus très « attractive ». Ce soir-là, il ne s'en prend qu'à mon prénom, Nana. Est-ce que ça ne serait pas le moment, avant l'Olympia, et tant que je ne suis pas trop connue, d'envisager quelque chose de plus... de plus attractif, justement ?

J'explique que je n'aime pas mon véritable prénom, Joanna, que mes parents ne l'employaient d'ailleurs que pour me réprimander, tandis que son diminutif, Nana, est associé dans ma mémoire au plaisir qu'avait mon père à m'écouter chanter.

— Il n'est peut-être pas très commercial, dis-je, mais c'est mon nom, et j'y suis attachée.

— Alors je n'insiste pas ?

— Non, je crois que ça serait inutile.

Philippe Weil éclate de rire, Louis Hazan reste de marbre, et Odile me regarde gravement, en fronçant les sourcils. Bien plus tard, me remémorant ce regard, et songeant au mal qu'elle s'est donné, durant cet automne 1962, pour m'aider à améliorer mon image, mon *look*, comme on dirait aujourd'hui, je me ferai la réflexion qu'elle a sans doute mesuré ce soir-là la difficulté de l'entreprise, et peut-être demandé à Roland Ribet de la laisser agir.

Le lendemain matin, je reprends l'avion pour Athènes, pressée de retrouver Georges, et une fois de plus torturée à l'idée que notre lune de miel ne va pas durer plus d'une dizaine de jours. Je dois être de retour à Paris aux premiers jours de septembre pour enregistrer de nouvelles chansons, puis débutera la préparation de l'Olympia, prévu en décembre. Cette fois, M. Hazan m'a demandé plus fermement d'habiter Paris, et j'ai donné mon accord pour qu'il me trouve une chambre qui sera mon premier pied-à-terre dans la capitale française. Insensiblement, je lâche du terrain, et commence donc à prendre racine loin de la Grèce, et loin de Georges...

Lui et son groupe se produisent à Rhodes durant ce mois d'août, et c'est donc là-bas que je les rejoins, après un dernier vol. Quel bonheur, tout de même, d'avoir un peu de temps ensemble après ces longues semaines ! Georges a mûri durant mon absence, et lui et ses amis ont pris des décisions importantes. Ils ont résolu de se recentrer sur la musique grecque et internationale, d'abandonner le folklore mexicain, et pour cela ils se sont adjoint un quatrième musicien, Spyros, capable de jouer aussi bien du bouzouki que de la clarinette. Ils sont allés trouver Manos Hadjidakis qui leur a conseillé de prendre pour nom *Les Athéniens*, et c'est sous ce nouveau label, clairement identifiable, qu'ils viennent de décrocher leur premier contrat à l'étranger : cet automne, ils joueront au *Blue Note* d'Amsterdam.

Cela nous donne beaucoup d'espoir, et mon automne à Paris nous paraît aussitôt plus léger. Les deux villes ne sont qu'à une heure d'avion l'une de l'autre, Georges viendra me rejoindre les jours de relâche, et moi j'irai passer des week-ends auprès de lui.

Maintenant, je ne suis plus tout à fait une étrangère à Paris. J'ai une chambre sous les toits, en plein Quartier latin, mes habitudes à l'épicerie du coin, et une concierge qui me dit bonjour et me garde mon courrier. Ma chambre est minuscule, à peine entrée je me heurte au lit et à la pente du toit, mais elle n'est pas très chère, et c'est tout ce qui m'importe. Là-bas, en Grèce, les miens ont besoin d'argent. Mes parents vivent difficilement, ceux de

Georges sont également aux abois, le mari de Jenny a fait de mauvaises affaires, et comme le veut la coutume chez nous, celui à qui le sort sourit partage sa bonne fortune. Je ne garde donc que le nécessaire pour vivre, et j'envoie à chacun tout ce que je peux. Je n'en ressens aucune frustration, aucune amertume, je crois même que c'est cette façon très naturelle de partager qui me sauve de la culpabilité d'être loin des miens, de n'être pas une femme comme les autres, seulement soucieuse de sa maison, du bonheur et de la bonne santé de son mari. Mon plaisir à moi, ça n'est pas de gagner de l'argent, c'est de chanter. Et, au fond, je n'en reviens pas d'être payée pour chanter, d'avoir la chance inespérée de vendre des disques...

Durant ce mois de septembre, j'enregistre deux nouvelles chansons, *Crois-moi, ça durera*, de Pierre Delanoë et Gilbert Bécaud, puis *Je reviendrai my love*, l'adaptation d'une chanson anglaise, *Roses are red*. Mais, surtout, je passe de nombreuses après-midi en compagnie d'Odile. C'est la première fois que nous avons le temps de bavarder, de nous connaître. En sortant du Studio Blanqui, je la rejoins au *Flore*, aux *Deux Magots*, ou à *La Closerie des Lilas*, et j'apprends petit à petit en la regardant, en l'écoutant, comment vivent les femmes dans cette Europe occidentale si différente de celle où je suis née. Odile, elle-même, incarne le raffinement, l'élégance. Je suppose qu'en nous comparant, on peut mesurer d'un seul coup d'œil le fossé qui sépare alors nos deux pays.

Doucement, sans jamais me brusquer, elle me suggère des petites choses qui pourraient améliorer ma silhouette. En passant devant la boutique Saint Laurent, quelques jours plus tôt, elle a repéré un pantalon que je devrais essayer.

— C'est drôle, me dit-elle, j'ai tout de suite pensé à toi en le voyant.

— Qui est-ce, Saint Laurent ?

— Tu vois cet ensemble prune que je portais hier ? Eh bien, ça vient de chez lui... Je dois y retourner tout à l'heure, accompagne-moi !

Il faut voir Odile entrer chez Saint Laurent. Son aisance, sa façon de rire en secouant la masse de ses cheveux roux... Discrètement, elle me montre le pantalon, et c'est à moi de décider. Mais on a compris, bien sûr, que je suis son amie, et on accourt pour me conseiller. Pendant qu'Odile passe un chemisier de son côté, j'essaie le pantalon. C'est vrai qu'il ne me va pas mal... J'apprends à me considérer sous un autre jour, à me regarder aussi dans l'œil critique de ces incroyables vendeuses qu'on dirait sorties des pages en papier glacé des magazines féminins.

Un jour, alors que je lui dis combien j'admire Maria Callas, Odile saisit ce prétexte pour me parler du médecin qui a changé sa vie, le docteur Heschberg.

— Elle était un peu enveloppée, tu sais, et ce médecin a été formidable !

— Ah, je ne savais pas... Moi aussi, j'aurais bien besoin de perdre quelques kilos.

— Ça, c'est vrai, tu serais tellement plus jolie ! Pourquoi n'irais-tu pas voir cet homme, justement ?

— Tu le connais ?

— Non, mais je sais qu'il habite ici, à Paris...

— Et tu me prendrais un rendez-vous ?

— Évidemment !

Le docteur Heschberg me reçoit deux jours plus tard. Il m'interroge longuement sur mes habitudes alimentaires, et repère assez vite mon goût pour les sucreries, les pâtisseries en particulier. Puis il dresse une liste de ce que je peux manger, m'établit des menus, et note sur une autre feuille les aliments qui me sont désormais interdits. Seul le sucre fait débat, parce que j'aime le café très sucré. Suis-je capable de le consommer avec modération ? Non, je ne crois pas, et je décide ce jour-là de me passer complètement du sucre.

— Très bien, dit le médecin. Maintenant, la suite dépend de vous. Revenez me voir dans trois semaines, mais seulement si vous avez perdu cinq kilos.

Trois semaines plus tard, quand il m'ouvre sa porte, je vois sa surprise. J'ai perdu dix kilos !

Odile ne tarit pas d'éloges. Elle m'encourage, m'entoure de mille délicatesses.

— Et maintenant, si nous nous attaquions à tes cheveux? me lance-t-elle joyeusement.

Pourquoi pas? Je les porte indifféremment sur les épaules, ou noués en chignon. Je ne vois pas bien ce qu'on pourrait améliorer, mais j'ai appris du docteur Heschberg que certains hommes sont capables de miracles, et j'accepte que nous allions ensemble chez Alexandre.

Cette fois, le résultat n'est pas très heureux. Le maître m'a fait une frange à la Anna Karina qui m'alourdit le visage, forme une masse disgracieuse avec les lunettes, et j'en reviens très vite à la raie sur le milieu qui a le mérite de la simplicité.

Nous ne sommes qu'en octobre, l'Olympia est encore loin, mais déjà Odile et moi réfléchissons à la robe que je porterai. Elle m'emmène chez Dior, chez Louis Féraud, et nous retournons naturellement chez Yves Saint Laurent. C'est comme cela que nous faisons la connaissance d'un jeune créateur norvégien, Per Spook, qui vient d'entrer chez Féraud. Il est grand, beau, très séduisant, et en même temps d'une modestie qui confine à la timidité. J'aime la simplicité de ses créations, son souci de respecter la personnalité de ses modèles. Il parle peu, sait écouter, me regarde avec bienveillance, et très vite nous nous comprenons. Il va réfléchir et me montrera ses dessins dans quelques jours...

Pour mon anniversaire, le 13 octobre, Odile m'offre un sac de chez Hermès. Un fourre-tout d'une élégance qui me coupe le souffle.

— Mon Dieu, mais c'est pour moi? Tu es folle, Odile, c'est bien trop beau!

— Mets-le à ton épaule, fais quelques pas, montre-moi!

Au passage, je jette un coup d'œil à ma nouvelle silhouette. Comme j'ai changé en quelques semaines!

— Magnifique! Une vraie Parisienne! s'exclame Odile.

L'histoire de ce sac, Odile attendra des années avant d'oser me la raconter. C'est l'épouse de Jean-Jacques Tilché, à l'époque adjoint de mon directeur artistique, qui lui avait discrètement fait remarquer que mon sac à main était en plastique.

— C'est un peu gênant, parfois les gens la regardent drôlement. Il faudrait le lui dire.

— Je sais, avait répondu Odile. Mais chaque chose en son temps, Nana est très susceptible, je ne veux pas la blesser.

Et c'est comme cela qu'elle avait profité de mon anniversaire pour régler son compte à mon vieux sac dont les vendeuses d'Yves Saint Laurent avaient dû bien rire, derrière mon dos.

« Nous l'avons beaucoup aidée, Odile et moi, mais sans la brusquer, devait confier plus tard Louis Hazan. Il fallait qu'elle prenne conscience elle-même de la nécessité de lutter contre cette terrible fierté grecque qui l'empêchait d'admettre que chercher à plaire n'est pas forcément s'avilir. »

Est-ce que je plais à Georges ? Est-ce qu'il remarque ma métamorphose quand nous nous retrouvons pour deux petits jours ? Oui, mais en même temps je n'ai pas le sentiment qu'il s'en réjouisse. Qui m'a poussée à suivre ce régime ? D'où vient donc cette nouvelle robe ? Et ce sac à main ? À travers toutes ses questions, je devine combien il a peur que je lui échappe, en réalité. Il ne me viendrait pas à l'esprit de regarder un autre homme que lui, et pourtant, je le sens confusément jaloux.

C'est ma faute, me dis-je. Georges est grec, profondément imprégné de notre culture, de nos usages, et il me voit, petit à petit, adhérer à une autre culture. Mais il ne connaît ni les Hazan ni Philippe Weil ni Roland Ribet, de sorte qu'il peut s'imaginer n'importe quoi. Il faudrait que je les lui présente, il faudrait qu'il voit combien ces gens sont généreux, désintéressés, seulement occupés à m'initier au monde, à me donner les clés du succès. Oui, mais la roue du temps tourne trop vite, et nous ne faisons que nous croiser...

Georges reparti pour Amsterdam, je retrouve Odile qui poursuit mon éducation parisienne. Elle m'emmène au

Louvre où je vois pour la première fois la fameuse Vénus de Milo, découverte un siècle et demi plus tôt sur l'île de Milo (*Milos*, en grec), et achetée par la France pour être offerte au roi Louis XVIII. Je pourrais, comme beaucoup de Grecs, ressentir de l'amertume au spectacle d'un de ces nombreux trésors enlevés à mon pays, et c'est le contraire que j'éprouve. Je suis fière qu'elle soit là, en France, au Louvre, si merveilleusement exposée, car des millions de personnes peuvent ainsi l'admirer, admirer notre culture, tandis que restée chez nous, me dis-je, elle ne serait peut-être jamais sortie de l'anonymat.

Le soir, nous allons souvent dans les boîtes de Saint-Germain-des-Prés, en compagnie de M. Hazan, et c'est à cette époque que je fais la connaissance de Serge Gains-bourg et de Dario Moreno. Gainsbourg est plutôt réservé, mais sympathique, curieux de savoir d'où je viens, et nous bavardons avec plaisir. À l'époque, il travaille surtout pour les autres, il n'est pas encore très connu, et c'est Odile qui me fera découvrir sa première chanson, *Le Poinçonneur des Lilas*. Dario Moreno, lui, est déjà une vedette, et certains soirs nous nous retrouvons tous à chanter des chansons mexicaines autour de lui.

Mon français s'améliore au fil des jours. J'en prends conscience durant ce mois d'octobre où je retourne enregistrer au Studio Blanqui. Maintenant, je ne roule plus les « r », j'ai presque complètement perdu mon accent, et je n'ai plus besoin d'un dictionnaire pour déchiffrer les paroles. Que de progrès depuis mes exercices au magnéto-phone dans ma chambre du *Lutetia*, il y aura bientôt deux ans ! C'est à cette époque que je chante *Salvame dios*, une chanson adaptée pour moi par Charles Aznavour, que je n'ai pas perdu de vue.

L'Olympia approche, et je consacre les deux dernières semaines de novembre à répéter, à me préparer psycho-logiquement. Je chanterai trois ou quatre chansons seulement, choisies parmi les premières, et en particulier *C'est joli la mer*, une chanson grecque de Ianis Ioanidis et Manos Hadjidakis, *La Procession*, de Manos, *Ce soir à*

*Luna Park* et *Un roseau dans le vent*. J'ai encore minci, et la robe que m'a créée Per Spook, noire avec un col pailleté, me fait une silhouette dont jamais je n'aurais osé rêver deux mois plut tôt.

Le nom de Georges Brassens s'étale en grosses lettres rouges sur le fronton de l'Olympia, le mien en tout petit, au-dessus de celui du ventriloque Jacques Courtois, qui passe en fin de première partie, et cela me va. Comme me va très bien la loge qu'on m'a attribuée, la plus modeste des trois. Ainsi, mon défi est moindre, me dis-je, et, si j'échoue, le prestigieux Olympia ne chancellera pas pour autant. J'ai bien compris que Bruno Coquatrix n'est qu'à moitié convaincu par ma présence. Les jeunes artistes qui l'intéressent, ce sont ceux dont *Salut les copains* fait sa couverture : Johnny Hallyday, Sylvie Vartan, Claude François... Sylvie est d'ailleurs déjà passée sur la scène de l'Olympia, au début de cette année 1962, en première partie du rocker Vince Taylor. Et elle y reviendra au début de l'année 1963, entre Claude François, Little Eva et les électriques *Tornados*, pour un spectacle dont le titre résume à lui seul la décennie qui s'annonce en France : « Les idoles des jeunes ». Bruno Coquatrix ne me classe pas parmi elles, et il attend manifestement de voir ce que le public va penser de moi.

Malgré un trac à en perdre le souffle, la première se passe merveilleusement. J'ouvre par *C'est joli la mer*, car je connais le pouvoir émotionnel qu'a sur moi la musique de Manos, et aussitôt je suis ailleurs, je n'ai plus peur. Les applaudissements, sans doute un peu timides, m'encouragent. J'imagine que beaucoup de personnes dans la salle ne me connaissent pas, et j'ai ce désir de leur faire partager mon émotion.

Est-ce que j'y réussis ? Le premier retour me viendra de Brassens lui-même, qui aura ce commentaire, bien dans son style, après m'avoir écoutée : « Elle ira loin, cette Grecque-là ! » Qu'en pense Coquatrix, à qui ces mots sont destinés ? Il me les répète avec un gentil sourire, l'air de dire que si Brassens le croit...

Pauvre Brassens, qui souffre de coliques néphrétiques, et qui certains soirs doit être remplacé au pied levé. Bruno Coquatrix était au courant, mais plutôt que d'annuler, il s'est assuré la complicité des plus grands artistes du moment, Colette Renard, Mouloudji, Ferré, Bécaud, Béart... Si Brassens doit partir pour l'hôpital, eh bien l'un d'entre eux arrive aussitôt et donne le spectacle à sa place... C'est bouleversant, magnifique, et je crois que dans le public bien peu demandent à se faire rembourser leurs billets.

Quant à moi, je passe la soirée dans les coulisses à les écouter. Passionnément.

Très vite, je suis conquise par l'âme de ce vieil Olympia. J'aime sa scène un peu de guingois, ses planches qui craquent, le sombre dédale de ses coulisses, et même les courants d'air qui vous cueillent à la sortie des loges... Je suis sensible à la bienveillance de tous les techniciens, des musiciens, du directeur de scène. Chacun a toujours un petit mot d'encouragement, une attention gentille. Oh, ce directeur de scène, que tout le monde appelle Doudou ! Son travail est de nous prévenir quand ça va être notre tour. Il devrait être associé dans mon esprit à cette angoisse à hurler qui me saisit cinq minutes avant d'entrer en scène. Mais non, il a une façon à lui de dédramatiser ce moment. Pour moi, par exemple, il ne hurle pas : « Nana Mouskouri, dans deux minutes ! » mais il dit, avec un air d'extase : « *C'est joli la mer*, dans deux minutes », et tout le monde sourit, et moi je l'embrasserais...

Le rideau tombe pour la dernière fois le soir de Noël. Le public m'a-t-il aimée ? Certains critiques ont-ils eu le temps de me remarquer ? En tout cas, moi, je n'ai guère le temps de savourer mon plaisir. Au tout début de cette année 1963, je suis attendue à Londres pour y enregistrer mon premier disque.

Il fait si mauvais, ce matin de janvier à Orly, que l'avion pour Londres est annulé. On nous conduit à la gare du Nord. Nous allons devoir emprunter le train, puis le ferry-boat. Au début, je prends la chose avec humour, ne me doutant pas de la déconvenue qui m'attend.

Jamais je n'ai franchi une douane sur un bateau, aussi je suis assez surprise de me retrouver dans une très longue file d'attente. D'un côté patientent les détenteurs d'un permis de travail, de l'autre ceux qui n'en ont pas, et c'est évidemment dans cette seconde catégorie que je me suis rangée. J'ai bien noté qu'il y a beaucoup d'ouvriers grecs, italiens et espagnols à bord de ce bateau, et mon voisin m'a expliqué que c'était en raison du retour des vacances. Après avoir passé les fêtes chez eux, les immigrés regagnent leurs usines.

Quand arrive mon tour de me présenter au guichet, la conversation est expéditive :

— Pourquoi vous rendez-vous à Londres ?

— Pour enregistrer.

— Permis de travail, s'il vous plaît.

Je sens mes jambes se dérober.

— Mais... Je n'en ai pas.

— Suivant !

Le suivant me bouscule, et, complètement abasourdie, je vais m'asseoir un peu plus loin. Pourquoi, dans l'avion, ne me demande-t-on pas un permis de travail quand je vais en Allemagne ? Qu'est-ce que je vais devenir ? On va me mettre dans le bateau du retour entre deux policiers. Et les directeurs de Philips qui m'attendent à Londres... Mon Dieu, mais quelle honte ! Alors je ne trouve rien de plus intelligent à faire que de me mettre à pleurer.

Par chance, un homme très aimable vient s'asseoir à côté de moi.

— Pourquoi pleurez-vous, mademoiselle ?

Je lui explique que je ne vais pas pouvoir débarquer et que c'est une catastrophe.

— Avez-vous un billet de retour ?

— Oui.

— De l'argent ?

— Oui, un peu.

— Et que devez-vous faire de si important à Londres ?

— Je suis chanteuse, on m'attend pour enregistrer.

— Alors vous avez un hôtel, une adresse...

— Oui, bien sûr.

— Calmez-vous, arrêtez de pleurer, je vais vous expliquer. C'est normal que les douaniers vous rejettent, beaucoup de travailleurs clandestins utilisent le ferry pour entrer en Angleterre. Il ne faut pas faire ce que vous avez fait : vous allez vous remettre dans la même file, et quand l'homme vous demandera ce que vous allez faire à Londres, vous répondrez « du tourisme », et vous lui montrerez votre billet de retour.

— C'est impossible, il va me reconnaître.

— Mais non. Essayez au moins, sinon vous ne pourrez pas débarquer.

Ce sont des minutes épouvantables où j'imagine qu'on va me traiter de menteuse, me passer les menottes, me jeter en prison... Mais l'homme lève à peine les yeux sur moi et tamponne mon passeport.

Cependant, il était écrit que ce premier voyage à Londres ne serait pas facile. Le soir de la troisième journée d'enregistrement, sortant du studio, je surprends sans le vouloir une conversation que je n'aurais jamais dû entendre. Le directeur de Philips pour l'Angleterre s'entretient avec son directeur artistique à mon propos.

— Je ne comprends pas pourquoi Hazan dépense de l'argent pour cette fille, dit le premier. Elle chante bien, mais je crois, personnellement, qu'elle n'a aucune chance de percer.

— Vous avez tort, le contredit le second. Je serais prêt à parier sur son succès.

— Ah oui, vraiment ? Je vais tout de même appeler Hazan pour lui dire le fond de ma pensée.

Le matin même, j'ai croisé Rod Stewart et Serge Gainsbourg qui enregistrent dans des pièces voisines, nous sommes convenus de nous retrouver, mais je n'ai pas le courage de les attendre et je rentre à mon hôtel, complètement défaite. Que va penser Louis Hazan si cet homme l'appelle ? Sa confiance en moi ne va-t-elle pas en être ébranlée ? Certes, j'ai bien vendu mon premier disque en Allemagne, mais, en France, mes chiffres sont encore très médiocres. Quel sera mon avenir si M. Hazan me lâche ?

Je suis dans ces sombres pensées quand Serge Gains-bourg m'appelle. Lui et Rod m'attendent au bar de l'hôtel.

Je me rappelle que nous passons la soirée à parler de notre relation avec le public. Serge a été frappé de me voir chanter à l'Olympia les yeux fermés, les mains derrière le dos.

— Au début, dis-je, je n'ai pas la force de regarder les gens. Ça vient petit à petit...

— Moi, je n'ai aucune envie de les regarder, dit-il, d'ailleurs, souvent, je leur tourne carrément le dos. Je préfère le cinéma à la scène, au moins tu es seul.

— Tu n'as pas envie que les gens t'aiment?

— Non, je ne crois pas. En tout cas, moi, je ne les aime pas.

— Moi, dit Rod, je suis comme Nana, j'ai besoin que les gens m'applaudissent. C'est pourquoi je me donne tellement de mal pour les provoquer.

Pourquoi Serge chante-t-il s'il n'aime pas le public? Je me souviens que cela me trouble profondément. La chanson est si liée pour moi à ce besoin de communier avec les autres dans l'émotion... Puis je résous cette étrange équation en me disant que Serge est sans doute le plus artiste d'entre nous, un créateur qui n'a pas besoin du regard des autres pour avancer.

En rentrant de ce séjour en Angleterre, je fais escale pour quelques soirs à Bruxelles, à l'Ancienne Belgique, où huit jours plus tôt Sylvie Vartan a fait scandale. On ne parle encore que de ça, et de cet article au vitriol du critique de *L'Écho de la Bourse* : « Elle a dix-huit ans, est d'origine bulgare, et passe pour être la nouvelle idole offerte aux crises d'hystérie des twisteurs à blouson noir ! Pauvre gosse. »

L'accueil qui m'est réservé est à l'opposé. Ni crises d'hystérie ni blousons noirs dans la salle. Un silence religieux et des applaudissements polis. Est-ce suffisant pour conquérir le monde? « Très beau succès, chanteuse accomplie, timidité qui participe à son succès, note le directeur de la salle sur une fiche qui me reviendra. Mais mal habillée. Grosse perte d'argent! »

# 12

## « Dieu ferme parfois une petite porte pour en ouvrir une plus grande »

À peine rentrée de Londres et de Bruxelles, voilà qu'on ne me parle plus que de ma candidature au prochain Grand Prix Eurovision de la chanson. Non seulement mes déconvenues n'ont pas découragé M. Hazan, mais toute l'équipe de Philips est maintenant mobilisée derrière moi.

Mon directeur artistique, Philippe Weil, avec qui je m'entendais si bien, a été prié de laisser sa place à un nouveau venu, Gérard Côte. Il arrive d'une compagnie concurrente où il a formidablement contribué, me dit-on, au succès de Gloria Lasso.

Tout de suite, je vois combien les deux hommes sont différents. Philippe Weil a une passion pour la musique, pour les artistes, il peut passer des heures à chercher la perfection, sans jamais s'impatienter, comme il l'avait fait lors de l'enregistrement mémorable de *Retour à Napoli*. Gérard Côte, lui, me donne le sentiment d'être bien plus soucieux de mes cheveux, de mes lunettes et de mes robes que des chansons que je vais interpréter. Mais, après tout, peut-être M. Hazan estime-t-il que c'est ce côté-là de ma personnalité qui pèche encore, bien plus que le versant artistique...

En tout cas, Gérard Côte est fermement décidé à pousser ma candidature à cet Eurovision 1963. Les prétendants se bousculent déjà : Alain Barrière portera les couleurs de la France, Françoise Hardy celles de Monaco, Heidi Brühl, avec qui j'avais fait ma première tournée en Allemagne, celles de son pays, Ester Ofarim, une magnifique chanteuse israélienne, représentera la Suisse...

Et moi, sous quelle casaque me lancer ? Toute l'équipe de RTL, et en particulier Roger Kreicher et Monique Le Marcis, insistent pour que je représente le Luxembourg. Pourquoi pas ? Louis Hazan et Gérard Côte y sont très favorables. Reste à trouver une chanson capable de nous faire gagner...

Très vite, Raymond Bernard et Pierre Delanoë m'en apportent une, écrite sur mesure pour ce genre de compétition : *À force de prier.* La chanson est facile, sans doute bien faite pour susciter l'émotion et l'adhésion dès la première écoute, mais, curieusement, elle ne me touche pas. Moi qui m'enflamme si facilement sur les mélodies de Manos, sur les vers de Nikos Gatsos, je ne parviens pas à vibrer sur ces mots qui me paraissent creux, et très éloignés de ce que je suis :

> *À force de prier*
> *Chaque nuit, chaque jour,*
> *À force d'implorer*
> *Tous les dieux de l'amour,*
> *À force de chanter*
> *Ton nom comme un poème,*
> *À force de t'aimer,*
> *Il faudra que tu m'aimes.*

Gérard Côte est enthousiasmé, lui, et je crois que mes réserves l'agacent. Pourquoi est-ce que je cède, finalement, au lieu de refuser de la chanter ? Sans doute parce que je me retrouve seule contre tous et qu'une fois de plus, je ne supporte pas l'idée de trahir la confiance que me font tous ces gens.

Cette année-là, l'Eurovision ne se déroule pas en direct, devant un public, mais dans un studio de la BBC, devant une caméra. Pour moi, c'est un nouveau handicap. Comme je l'avais expliqué à Serge Gainsbourg, j'ai besoin d'éprouver l'attention d'une salle, d'entendre son souffle, son émotion, pour ressentir ma propre émotion et qu'il se passe quelque chose de l'ordre de la communion. Comment être bouleversée devant une caméra ? Je ne suis pas comédienne, simplement chanteuse, et, pour ne rien arranger, cette chanson ne m'aide pas à me dépasser...

Le résultat est catastrophique : je me classe en huitième position, loin derrière Alain Barrière, cinquième, avec *Elle était si jolie*, et Françoise Hardy, sixième, avec *L'amour s'en va*. Le Grand Prix est remporté par un couple de Danois, les Ingmann, avec *Dansevise (En dansant)*.

C'est une grosse déception que le chroniqueur musical de *Bonne soirée*, Jacques Hélian, salue de quelques phrases qui me ramènent au temps de Spartacus et de l'*Astir* : « Nana Mouskouri, pour le Luxembourg, est le type même de l'artiste international. Quel talent... elle chante... elle bouleverse. Mais, hélas ! l'éternelle question du physique se pose, et, de ce côté-là... avec ses affreuses lunettes... enfin ! Sans cela, Nana Mouskouri avait une grande chance [1]. »

Je suis un peu sonnée, et je ne me doute pas une seconde que cet Eurovision complètement raté vient de m'ouvrir les portes de l'Amérique, et même de tout le reste du monde...

Dès le lendemain des résultats, je me lance à corps perdu dans l'enregistrement de mon premier disque de chansons grecques sous un label français. Je veux faire connaître Manos et Nikos, et je choisis nos plus belles chansons : *La Lune de papier*, *Le Jeune Cyprès*, *Les Enfants du Pirée*, *Il existe dans le monde un homme qui m'aimera*... Après ce concours, où j'ai eu parfois le sentiment de perdre mon âme, je reviens aux sources, et je retrouve intacte l'émotion de mes débuts.

Je chante de toute ma foi, de toute mon âme, et cela me console des blessures de ce début d'année. Bien sûr, je remarque qu'il y a une nouvelle tête dans la cabine d'enregistrement du Studio Blanqui, un jeune homme aux cheveux longs, au front large, aux yeux clairs, qui m'observe avec beaucoup de bienveillance et de curiosité.

---

1. *Bonne soirée*, 21 avril 1963.

Très vite, il vient me dire combien il est enthousiasmé par ce que je chante, et par ma voix. Nous bavardons. Il s'appelle André Chapelle, il a grandi parmi les grands crus de Bourgogne, dans la région de Beaune, mais la musique l'intéresse beaucoup plus que le métier de viticulteur. Un soir, il vient me dire qu'à son avis ce disque devrait remporter sans difficulté le Grand Prix de l'Académie du disque.

— Oh, c'est gentil de m'encourager, mais tout de même, beaucoup de gens chantent mieux que moi, vous savez...

— Ces chansons sont bouleversantes, je suis sûr que vous aurez le prix !

André Chapelle ne se trompe pas, notre disque recevra le Grand Prix, et lui deviendra deux ans plus tard mon directeur artistique. Le plus talentueux, le plus exigeant et le plus passionné des directeurs artistiques. Bien des années plus tard encore, après mon divorce avec Georges, André entrera dans ma vie. Il est aujourd'hui mon mari, et, toujours, mon plus fidèle complice artistique.

« Dieu ferme parfois une petite porte pour en ouvrir une plus grande », nous disait souvent ma mère quand nous étions enfants. Sans doute est-ce ce que Dieu a voulu faire avec l'Eurovision. Il m'a fermé la porte au nez, mais il a fait que deux personnes de grande influence m'ont écoutée ce soir-là. Et que ces personnes se sont aussitôt préoccupées de me chercher...

La première n'a pas eu trop de mal à me trouver, puisqu'il s'agit de la productrice de l'Eurovision, Yvonne Littlewood. Réalisatrice et productrice de plusieurs émissions sur la BBC, Yvonne Littlewood m'appelle quelques jours après mon échec. Elle a été impressionnée, me dit-elle, par ma voix, par ma sincérité, et elle voudrait m'inviter à son émission musicale du samedi soir.

Je suis intimidée, confuse, il me faut quelques secondes pour croire en cette bonne étoile, et puis, naturellement, j'accepte.

Cette fois, le ciel est clément, l'avion peut décoller, personne ne me demande mon permis de travail, et l'accueil d'Yvonne Littlewood me réconcilie avec Londres. Je chante en direct, l'émission me semble très réussie, et, sans m'en douter, je noue ce soir-là avec Yvonne un lien d'estime et de confiance qui ne se relâchera plus. Quatre ans plus tard, elle me fera revenir sur la BBC pour six semaines, et cette série d'émissions, diffusées dans tous les pays anglophones, et même au-delà, m'ouvrira les portes d'une large partie du monde, de l'Australie à Singapour, en passant par la Nouvelle-Zélande, l'Inde, le Japon, la Thaïlande...

L'autre grand témoin de mon Eurovision s'appelle Harry Belafonte. Il se trouve qu'il est à Londres, ce soir-là, et n'a sans doute rien de mieux à faire qu'à regarder la télévision.

La nuit même, il appelle Quincy Jones, qui me racontera plus tard cette conversation ahurissante.

— Quincy, est-ce que tu connais une chanteuse française avec de grosses lunettes épouvantables, mais qui chante vraiment très bien ?

— Française... avec des lunettes... non, je ne vois pas.

— Cherche mieux, s'il te plaît. Cette fille-là, si tu l'as entendue une fois, tu ne peux pas l'oublier !

— Je n'en connais qu'une qui chante avec des lunettes, Harry, qui chante même très bien, mais elle n'est pas française.

— Comment s'appelle-t-elle ?

— Nana Mouskouri.

— Bon Dieu, c'est elle, Quincy ! C'est elle ! Ça y est, ils ont dit ce nom-là, maintenant ça me revient ! Nana ! Nana comment, dis-tu ?

— Mous-kou-ri ! Mais elle n'est pas française, idiot, elle est grecque ! Et je la connais très bien, figure-toi. Très, très bien. On a même fait un disque ensemble.

— Non ! Je ne te crois pas !

— Elle était ici, à New York, avec moi, l'été dernier. Le disque vient de sortir.

— Alors ça, c'est formidable ! Donc, tu es d'accord, c'est une vraie chanteuse.

— Tu crois que j'aurais fait un disque avec elle, sinon ?

— Envoie-moi le disque, s'il te plaît. Envoie-moi tout ce que tu as sur cette fille.

Harry Belafonte vient alors de se séparer de Myriam Makeba avec laquelle il avait fait plusieurs tournées à travers les États-Unis, et il cherche une nouvelle partenaire artistique. Il le dit à Quincy, en lui demandant de tenir sa langue pour le moment. Avant d'engager quoi que ce soit, il souhaite écouter tout ce que j'ai fait jusqu'à présent et se renseigner, passer des coups de fil à droite à gauche...

Il appelle en particulier Louis Hazan, qui garde le secret, puis Irving Green, le patron de Mercury, que j'avais rencontré à New York lorsque j'enregistrais avec Quincy.

Enfin, après quelque temps, Belafonte demande à Quincy et à Irving Green de me faire venir à New York. Alors, pour la première fois, Quincy me raconte un peu ce qui se trame. « Harry s'intéresse à toi, me dit-il. Il t'a vue à l'Eurovision, il voudrait te connaître. Viens passer quelques jours à New York, on va discuter, et on en profitera pour enregistrer un autre disque... »

Il ne m'en dit pas plus, mais c'est largement suffisant pour m'assommer debout. Comment Harry Belafonte, que j'écoutais dix ans plus tôt dans notre petit appartement d'Athènes, peut-il *s'intéresser à moi* ? Belafonte, dont j'ai tous les albums, et que j'ai même vu jouer dans *Le Coup de l'escalier*, de Robert Wise... Se peut-il vraiment que je me retrouve demain assise en face de ce géant ?

Quincy Jones et Irving Green m'attendent à l'aéroport. Quincy, direct et joyeux, « *Hi, baby !* » comme d'habitude. Irving Green attentionné, affectueux, protecteur, déjà dans la peau du *père américain* qu'il va devenir pour moi. La nuit est tombée sur New York, nous avons rendez-vous pour dîner avec Harry Belafonte et sa femme, Julie, au *Trader Vic's* du *Plaza*, un restaurant asiatique. Tout le long du trajet, j'ai bien du mal à contrôler mon émotion, à écouter avec calme ce que me disent l'un et l'autre. Mon Dieu, est-ce que je vais seulement trouver la force de regarder ce Belafonte dans les yeux ?

Il est d'une beauté à couper le souffle, très grand, élégant, et sa femme et lui font un couple magnifique. Sans doute ma timidité leur saute-t-elle aux yeux, parce qu'ils m'accueillent très amicalement, se mettant aussitôt à bavarder en toute simplicité comme si nous nous connaissions depuis toujours. Insensiblement, nous en venons à parler de la musique, notre passion commune, puis plus singulièrement de la musique grecque. Il est curieux de savoir d'où je viens, qui m'a appris à chanter, et je raconte le conservatoire, mon amour du jazz, Ella Fitzgerald, le *Rex*, puis Manos et Nikos, et nos nuits au *Floka*... Quand nous nous séparons, j'ai l'impression d'avoir beaucoup parlé, beaucoup trop peut-être, mais je me sens heureuse et en confiance. Cependant, je ne sais toujours pas pourquoi Harry Belafonte s'intéresse à moi. Est-ce qu'il me le confiera demain ? me dis-je en me couchant. Je dois le retrouver au milieu de la matinée, à son bureau, sur la 67ᵉ Avenue...

En fait de bureau, on me fait entrer dans une salle immense où discutent une soixantaine de personnes, seulement des hommes, me semble-t-il. Certains sont assis autour de petites tables, d'autres bavardent, debout, le brouhaha est intense. Tout au fond, il y a une estrade, comme une petite scène, et je vois que deux hommes y patientent avec des bouzoukis. Alors, avant même que quiconque m'ait adressé la parole, je me fais déjà le scénario de ce qui va se passer : ils ont fait venir ces musiciens pour moi, me dis-je, ils vont donc me demander de chanter, or je n'ai rien préparé, ma voix est encore ensommeillée...

À ce moment, un homme, qui se présente comme le chef d'orchestre de Harry Belafonte, vient m'accueillir avec un large sourire.

— Harry est désolé, il ne peut pas être là, un imprévu... Mais venez, je vais vous présenter, on va bavarder un moment.

Je découvre que tous ces gens travaillent pour Belafonte. Ce sont ses musiciens, ses assistants, ses ingénieurs du son, ses techniciens, ses attachés de presse, son imprésario... Pour la plupart, des Noirs, les Blancs se comptent sur les doigts d'une main.

Puis cet homme chaleureux s'enquiert de savoir qui je suis, et, comme la veille au soir, je me raconte un peu.

— Je savais que vous étiez grecque, me dit-il au détour d'une phrase, c'est pourquoi j'ai fait venir deux joueurs de bouzouki. Ça vous dirait de nous chanter quelque chose ?

— Ah non, sûrement pas ! Je ne suis pas venue dans l'intention de chanter.

— Oh ! Harry m'avait dit qu'au contraire...

— Mais non, voyons ! Il n'était pas entendu que je chanterais. Jamais !

— Quel dommage ! Nous avons les bouzoukis, ils peuvent vous jouer ce que vous voulez, vous savez...

— Ça ne veut rien dire, les bouzoukis. Je ne suis pas du tout certaine qu'ils sauraient jouer la musique que je chante.

— Venez, on va le leur demander...

Par un drôle de hasard, les deux musiciens me connaissent. Non seulement ils sauraient m'accompagner sur des mélodies de Manos, mais ils connaissent toutes les vieilles chansons que chantait ma mère.

— Alors, vous allez bien nous en chanter une ou deux ! s'exclame le chef d'orchestre.

— Non, je n'aime pas chanter sans avoir pris le temps de répéter avec les musiciens.

— Est-ce que je peux me permettre d'insister ?

Et soudain, je devine que je mets cet homme dans l'embarras. Peut-être tous ces gens se sont-ils réunis simplement pour m'écouter... Peut-être n'ai-je pas bien compris ce que m'a dit Harry Belafonte, la veille au soir... Je ne sais pas, mais je sens qu'à m'obstiner, je commence à blesser mon interlocuteur.

— Pardonnez-moi, dis-je, je ne voulais pas me faire prier. Je vais chanter, oui, mais sans les bouzoukis, sans personne. Je préfère cela.

— Ah, très bien. Alors je vous remercie du fond du cœur, mademoiselle.

Il n'a qu'un geste à faire pour que l'assemblée se taise, et, aussitôt, tous les regards se tournent vers moi.

Les yeux fermés, debout au bord de cette petite estrade, j'entonne *a capella Yia sena tin agapi mou (Pour toi, mon amour)*, puis *Manoula mou (Pauvre petite maman chérie)*, une autre chanson de Manos qui me touche infiniment. Je vois combien les regards ont changé dans l'assistance, comme si tous ces hommes, préoccupés de mille choses un instant plus tôt, s'intéressaient soudain à moi. Ils applaudissent, puis se taisent, mais en souriant aux anges, un peu comme les enfants. Alors je leur chante *Les Feuilles mortes*, la chanson de Prévert, en français naturellement. Puis je reviens au grec pour *La Lune de papier*, peut-être ma préférée, parce que j'entends encore la voix de Nikos Gatsos me dire, un soir au *Dzaki* : « Tu as raison, c'est exactement comme cela qu'il faut la chanter. Pourquoi ai-je mis tant de temps à le comprendre ? »

Voilà, j'ai fini, et maintenant ils sont tous debout, et ils m'applaudissent. Alors j'ose lever les yeux, et je vois Harry Belafonte planté de toute sa haute taille au fond de la salle. Son blouson, sa casquette... complètement différent de l'homme en costume trois pièces que j'avais vu la veille. Il croise mon regard, me sourit. Depuis quand est-il là ? À quel moment est-il entré ?

Plus tard, on me dira que ce prétendu *imprévu* n'était qu'un prétexte pour ne pas avoir à me congédier si je l'avais déçu. Qu'il était installé dans la pièce à côté, avec tout le matériel nécessaire pour m'écouter. Convaincu, il serait apparu aux premières notes de *La Lune de papier*.

Il s'approche, me prend dans ses bras, me souffle à l'oreille quelques mots gentils.

— Et maintenant, dit-il, tu ne crois pas que tu pourrais faire quelque chose avec mes musiciens ?

— Je n'ai rien préparé !

— Je sais, mais Quincy m'a dit que tu connaissais tous les standards...

— D'accord, on peut essayer.

Il ne faut pas plus d'un quart d'heure à ses musiciens pour me rejoindre. Je ne sais plus lequel d'entre nous propose de prendre *Sometimes I feel like a motherless child*, mais trois secondes d'hésitation et nous sommes dans le rythme, comme si nous l'avions répétée la veille. Puis je lance la première phrase de *I get a kick out of you*, et les musiciens me rattrapent au vol, avec soudain tellement de plaisir, que je les vois sourire, et je ferme les yeux pour ne pas perdre l'ivresse.

Quand je les rouvre, je remarque que Belafonte, lui, ne chante pas.

— Pourquoi vous ne chantez pas avec nous ? lui dis-je à la fin.

Il fait non de la tête, ne répond rien. Alors, complètement dégelée par la musique, je m'entends dire :

— Si c'est comme ça, je vais vous apprendre une chanson grecque !

J'appelle les deux joueurs de bouzouki. Par chance, ils connaissent *Nanourisma (Quatre soleils)*, une berceuse écrite par Nikos et Manos. J'apprends les premières phrases à Harry, les bouzoukis nous donnent la mélodie, et bientôt nous chantons ensemble, à la stupéfaction de l'assistance. Il faut voir comment tous regardent Belafonte !

— Harry ne chante que ses chansons, jamais celles des autres, m'expliquera plus tard son chef d'orchestre. Vous avez dû beaucoup l'impressionner pour qu'il se mette au grec !

Maintenant, nous sommes dans son bureau, et je l'écoute m'expliquer très calmement qu'il souhaite m'avoir auprès de lui pour ses prochaines tournées. Que je puisse succéder à Myriam Makeba, la plus grande chanteuse africaine, me paraît tellement incroyable que je le laisse dire, comme si son discours ne s'adressait pas à moi. Pendant un moment, je flotte entre rêve et réalité. Suis-je vraiment dans le bureau de Harry Belafonte à New York ? Est-il réellement en train de me proposer d'être sa partenaire pour les deux ou trois années à venir ? D'un coup, cela me paraît si extravagant, si énorme, que je l'interromps d'une voix qui n'est pas tout à fait la mienne, plutôt celle de l'adolescente qui écoutait autrefois Radio-Tanger :

— Excusez-moi, je ne comprends pas... Vous voulez vraiment que je chante avec vous ?

— C'est ce que je suis en train de te proposer, oui.

— Mais... Je veux dire... Vous êtes sûr ? Vous n'allez pas...

— Changer d'avis, tu veux dire ? Non. Sinon je ne t'aurais pas demandé de t'asseoir là, en face de moi.

Alors, peut-être à cause de ma tête, je le vois sourire. Puis, comme s'il était soudain traversé d'un doute :

— Mais tu ne me dis pas si tu es d'accord...

— C'est la plus belle proposition qu'on m'ait jamais faite, monsieur.

« Lorsque j'entendis Mlle Mouskouri pour la première fois, devait-il écrire quarante ans plus tard, alors que nous nous apprêtions à remonter sur la même scène, je sus tout de suite que c'était elle que je cherchais. Quelle voix remarquable elle possédait ! Si poignante et dégagée, si fluide... »

Cette nuit-là, je ne parviens pas à trouver le sommeil. Bien sûr, je suis torturée à l'idée du défi qu'il va me falloir relever. Bien sûr, je suis folle d'inquiétude à la perspective de décevoir cet homme. Mais à ces questions qui se posent désormais à chaque fois qu'une nouvelle porte s'ouvre s'en mêle une autre, plus secrète, plus intime : comment Georges va-t-il supporter de si longues absences ? Quelque temps avant ce voyage à New York, nous avons pris la décision d'acheter un petit appartement à Paris, à Boulogne-Billancourt plus précisément. M. Hazan m'y a encouragé, et il a même accepté de m'avancer une grande partie de l'argent nécessaire. Cette fois, je m'ancre donc plus solidement en France, comme le souhaitent tous ceux qui gravitent autour de moi. Sauf Georges ! Je sais bien qu'en son for intérieur, lui aurait préféré ne jamais quitter la Grèce... Mais il a accepté l'idée de cet appartement, une façon de me signifier combien il tient à moi, et je me suis envolée pour New York pleine de reconnaissance envers lui, pleine de confiance en notre avenir. Comment lui assener ce nouveau coup ?

L'inquiétude m'inspire la solution au milieu de la nuit, et, le lendemain matin, lorsque je me retrouve en tête à tête avec Harry Belafonte, je trouve la force, ou plutôt le culot, devrais-je écrire, de lui proposer mon *arrangement* :

— Si je viens avec vous, accepteriez-vous d'embaucher un musicien grec ?

— Non, j'ai peur que ça ne soit pas possible. J'ai mes propres musiciens, je n'ai pas de quoi payer une personne de plus. C'est qui, ce musicien ?

— Mon mari, Georges. C'est un très bon guitariste.

— Ah ! Je comprends... Écoute, je vais en parler à Irving Green, on peut peut-être trouver un compromis.

Et je rentre en France, mon compromis en poche. C'est entendu, Georges sera de toutes nos tournées, et nous partagerons en deux mon cachet, tout simplement. Je suis heureuse pour lui, pour nous. Une fois l'accord trouvé, Belafonte s'est félicité de ce que Georges pourrait apporter à ses musiciens. J'ai bien vu, moi-même, à quel point ils étaient curieux de découvrir d'autres sonorités, et je me dis qu'ils accueilleront Georges comme ils m'ont accueillie, avec le même désir de jouer ensemble.

Je me dis... J'imagine... Le seul à la place duquel je ne me mets pas, finalement, c'est Georges, sans doute persuadée qu'il va sauter de joie. Et c'est évidemment le contraire qui se passe.

Georges est abasourdi. Comment ai-je pu oser citer son nom devant Harry Belafonte ! Il n'est qu'un amateur, un petit guitariste grec, et je voudrais qu'il se mêle à l'orchestre d'une des plus grandes stars américaines ! Mais c'est de la folie ! Il va être la risée de toute l'Amérique, je vais le ridiculiser, l'humilier... Il faut rappeler Belafonte tout de suite, s'excuser, lui dire qu'il ne viendra pas...

— Tu as tort, Georges, moi je n'ai pas honte de toi, j'aime tellement t'écouter jouer...

— Mais je ne suis pas à la hauteur d'un orchestre professionnel !

— Si tu travailles un peu, tu le seras très vite.

Il y a un avantage à refuser les disputes, les cris, à tenter à tout prix de désamorcer les conflits, c'est qu'on se donne le temps de la réflexion.

Deux ou trois jours plus tard, Georges ne parle plus d'annuler, et je le surprends en train d'écouter les disques de Belafonte...

Puis le tourbillon reprend. Je poursuis au Studio Blanqui l'enregistrement de *Mes plus belles chansons grecques*. Je pars enregistrer aux Pays-Bas, puis en Italie, puis en Allemagne où sort mon premier album. Je chante ici ou là, dans des clubs, dans de petites salles, et c'est comme cela qu'un soir, sortant de la scène du casino de Megève, je tombe sur le couturier Guy Laroche que j'ai déjà croisé à Paris dans le sillage d'Odile Hazan.

— Nana, venez prendre un verre avec nous, je suis avec Alain Delon, on vous a écoutée chanter, il aimerait vous connaître...

— C'est impossible, je dois redescendre à Genève pour prendre l'avion demain matin à la première heure. Mon pianiste m'attend.

— Cinq minutes seulement !

Je me laisse convaincre. J'ai encore la tête pleine des répliques, et des yeux du beau Tancrède, dans *Le Guépard*, de Visconti, mais le Delon que je croise ce soir-là est plutôt celui de *Mélodie en sous-sol*, le film d'Henri Verneuil, sorti quelques mois plus tôt.

Delon est curieux, effronté, charmant, charmeur, et après seulement dix minutes, il se lève et me tend la main :

— Venez, je vous emmène faire un poker.

— Pas question ! Je ne joue jamais.

— Ah bon ! Pourquoi ?

— Mon pianiste m'attend, je dois partir.

— Laissez tomber votre pianiste, je vous y descendrai, moi, à Genève.

— Je ne crois pas, non. Quand on se met à jouer, on oublie l'heure...

— Comment le savez-vous puisque vous ne jouez jamais ?

— Je ne vais pas vous raconter ma vie.

— Si, accompagnez-moi !

Pourquoi est-ce que je cède, priant mon pianiste de m'attendre encore un peu ? Sûrement pas pour raconter à Alain Delon comment mon père a oublié l'heure, le jour de ma naissance... Non, mais je suis prise d'un délicieux frisson, comme au temps où Jenny et moi croquions du chocolat dans le lit des parents, tandis que les hommes fumaient et jouaient de l'autre côté de la porte. Envie d'être une enfant, de revivre ce moment...

Alain Delon joue, et il gagne, il gagne, et moi, insensiblement, je sens monter cette fièvre que je connais trop bien.

Alors, je dis :

— Bon, maintenant, il faut que je parte.

— Non, vous me portez chance, restez !

Je reste encore. Je balance entre émotion et fascination. Peut-être n'ai-je jamais été aussi près de jouer moi-même, aussi près de mon père. Grâce à cet homme, mi-dieu mi-diable. Cependant, je n'oublie pas l'heure, comme si l'enfant survivait en moi.

— Cette fois je m'en vais, dis-je.

— Non ! Vous ne voyez pas que je gagne !

— Si, mais je vais rater mon avion.

— Alors donnez-moi quelque chose à quoi vous êtes attachée. Vite !

Je fouille fébrilement dans mon sac, et je tombe sur la médaille qu'on m'avait remise au concours de Barcelone, accrochée à mon porte-clés.

— Tenez, je suis certaine qu'elle va vous porter bonheur.

— Merci ! Si je gagne, je vous envoie une gerbe de fleurs, et je passe vous prendre un soir pour dîner. Si je perds, je disparais. Au revoir, laissez-moi maintenant.

Quelques jours plus tard, je suis seule dans notre appartement de Boulogne, assise par terre, car je n'ai plus un sou pour acheter un canapé, quand on sonne à la porte. Ce sont des fleurs, un bouquet magnifique. Cependant, sur la carte qui les accompagne, Alain Delon a écrit : « Merci. Malgré tout, j'ai perdu. »

Cet appartement de Boulogne ! Voilà six ou sept ans que je chante, et c'est le premier espace qui m'appartient en propre sur cette terre. Quatre-vingts mètres carrés, au rez-de-chaussée d'un petit immeuble moderne, derrière la piscine Molitor. Le salon s'ouvre sur un jardin minuscule qui m'appartient également. Je me revois, assise en tailleur au milieu de ce salon, me répétant inlassablement : « C'est à

moi ! C'est à moi ! Tout ce qui est là est à moi ! Et je l'ai gagné toute seule, avec mon travail, avec mes chansons... »
Me remémorant ce moment, aujourd'hui, je sens mon cœur battre plus vite, comme si la joie de ce premier appartement ne m'avait jamais vraiment quittée.

L'Amérique s'annonce, on parle aussi de mon prochain passage à Bobino, mon imprésario, Roland Ribet, serait tout près de signer... En attendant, la vie n'est pas toujours facile. Quand je ne fais pas mille kilomètres pour un gala d'un soir, je passe entre deux vedettes, ou brièvement, en première partie, comme à *La Tête de l'art*, la luxueuse boîte de l'avenue de l'Opéra où Fernand Raynaud tient l'affiche. Devenu un mythe vivant, l'inventeur du *22 à Asnières*, de l'inoubliable *Allô, tonton, pourquoi tu tousses*, ou encore du fameux *Y'a comme un défaut*, s'est mis à boire de plus en plus pour tromper son angoisse. Et il n'a qu'une hâte, c'est de passer sur scène, avant d'être trop éméché pour tenir debout.

— Comment s'appelle cette petite mignonne grecque, qui chante pas mal, d'ailleurs ? feint-il de demander en me cherchant dans les coulisses, chapeau sur la nuque, imperméable trois quarts et nœud papillon.

— Nana Mouskouri, monsieur Fernand, elle doit être dans sa loge.

— Ah, c'est ça... c'est ça...

Il frappe à ma porte, j'ouvre.

— Qui c'est qui va laisser papy Fernand passer en premier ? C'est la gentille petite Grecque...

— Ah non, sûrement pas !

— Et pourquoi elle veut pas lui arranger son affaire ?

— Je voudrais bien ! Je voudrais tellement vous faire plaisir, monsieur Raynaud ! Mais c'est impossible de passer sur scène après vous. Vous le savez bien, n'est-ce pas ? Les gens se racontent vos sketches et ils continuent de rire. Ils pleurent de rire, même. Qu'est-ce que je peux faire, moi, avec mes petites chansons, en face d'une salle qui pleure de rire ?

# 13

# Du palais royal à la fête de l'Huma

Entre mon premier Olympia, dans l'ombre du grand Brassens, et mon passage à Bobino, que je prépare au début de cette année 1964, la presse française me découvre. Je donne quelques entretiens, au fil desquels je raconte maladroitement qui je suis, d'où je viens. « Parce qu'elle a dû renoncer à l'opéra, la petite chanteuse grecque est devenue vedette internationale », titre *Femmes d'aujourd'hui* [1]. Tout ce que j'ai dit est fidèlement retranscrit, et cependant ce n'est pas exactement comme cela que les choses se sont passées. J'ai un peu honte d'avoir laissé croire que j'aurais pu être une grande cantatrice. Certes, nous n'étions pas riches, mais je passe, sans l'avoir voulu, pour une victime de la pauvreté. Mon Dieu, comme il est compliqué de parler de soi, de ne pas prêter le flanc aux raccourcis, aux contes de fées... Pour la première fois, je m'en fais la réflexion.

Et puis, comme les portraits qu'on dresse alors de moi me semblent loin de la réalité! « C'est maintenant une vedette internationale, polyglotte, millionnaire du disque » écrit par exemple *TV Moustique*. « On l'attrape entre deux avions, elle s'échappe entre deux enregistrements. Bas noirs et souliers plats, jupe et pull d'écolière, et ces lunettes carrées qu'elle n'a pas quittées depuis l'âge de dix ans. Pas même pour la scène (...). Malgré tous ses voyages,

---

1. *Femmes d'aujourd'hui*, 15 août 1963.

elle n'a jamais voulu apprendre à faire une valise. Parce qu'elle se sait faite pour vivre dans une maison. Toutes ses chansons disent d'ailleurs l'attente du jour heureux où, comme la belle paysanne de sa chanson, après avoir glané palmes et lauriers aux pleins feux du succès, elle courra chercher, dans l'ombre, la douceur de s'asseoir aux pieds de celui qui l'attend [1]. »

Vedette internationale, moi ? Cela me paraît très exagéré. Et puis je suis confuse qu'on me fasse passer pour une de ces stars quasi hollywoodiennes qu'on doit attraper entre deux avions. Comment ai-je pu suggérer de tels emballements ? J'enregistre beaucoup, c'est vrai, mais je vis bien plus dans le métro, parfois le taxi, que dans l'avion. Quant à aspirer à rentrer au pays, comme la jolie paysanne de ma chanson, cela me fait tristement sourire. S'ils savaient ! me dis-je. La veille, c'est Georges qui a émis timidement l'idée de repartir un jour pour la Grèce, et c'est moi qui ai répondu, un peu trop vivement : « Non, je m'éteindrais si nous rentrions. Georges, il ne faut pas m'empêcher d'aller plus loin, de vouloir chanter encore et encore... »

Je vais être sur la scène de Bobino après les plus grands, Juliette Gréco, Serge Reggiani, Léo Ferré... C'est un événement, j'en suis bien consciente, et toute la maison Philips est sur le pied de guerre. Pour m'adapter au public de cette petite salle, plus *intellectuel*, dit-on, que celui de l'Olympia, je n'apparaîtrai pas en robe longue, mais jupe au-dessus du genou, à la pointe de la mode.

— Et sans lunettes ! tranche Gérard Côte, mon directeur artistique.

Cela décidé avec une telle autorité que je n'ose pas protester. Louis Hazan acquiesce silencieusement, l'air d'apprécier que Gérard Côte dise tout haut ce que lui pense tout bas.

Sans lunettes, donc. La chose me précipite dans un profond désarroi. Durant l'après-midi qui précède la

---

1. *TV Moustique*, 23 mai 1963.

première, je suis prise de bouffées d'angoisse, comme si on me demandait de me présenter sur scène à moitié nue. C'est à cette occasion que je prends conscience combien ces lunettes, qui m'avaient paru, à l'adolescence, parachever le désastre de mon visage, me sont devenues un réconfort. Petite fille, je pensais que ce qui n'allait pas, c'était que mes yeux étaient trop écartés. Or, il me semble que les lunettes corrigent ce vilain défaut, de sorte que je ne songe plus qu'à lui aussitôt que je les enlève. Mes yeux trop écartés... Comme si l'on me ramenait à mes quatorze ans. Comment avouer de tels secrets, de tels enfantillages, à des hommes qui vous consacrent toute leur énergie ?

Avec les années, ces lunettes sont devenues comme un masque qui me déroberait à la cruauté de certains. Derrière elles, je me sens intouchable d'une certaine façon, et je peux fermer les yeux...

Deux soirs durant, je chante sans lunettes. Fragile, vulnérable, à fleur de peau, presque honteuse. Et puis je dis à M. Hazan qu'il n'y aura pas de troisième récital sans lunettes, c'est trop dur : ce sera avec, ou je ne sortirai pas de mon lit. Et le troisième soir, c'est avec.

Les critiques ont-ils été sensibles à mes efforts pour plaire au public, puisque c'est en ces termes que Gérard Côte posait la question ? Ils ne relèvent même pas l'épisode des lunettes, disent apprécier mes chansons grecques, mais me reprochent la pauvreté de mon répertoire en langue française.

« Qu'il est dommage que les paroliers professionnels, écrit l'un d'eux, croient indispensable, lorsqu'ils adaptent une chanson grecque, ou portugaise, ou italienne, de l'affubler de couplets passe-partout, au lieu de lui garder sa vérité, son parfum. Ne sont-ce pas les meilleures chansons de Nana, celles qui nous parlent des petites rues de Corfou ? Ou bien encore des moissons, sous le soleil incandescent, lorsque la fille, un peu lasse, guette la fin de la journée, le moment de courir vers les bras qui l'attendent ? Mais qu'importe. Ce qui demeure et qui nous retient, c'est la voix de Nana Mouskouri et son étrange résonance. L'accord profond entre l'inspiration et l'interprétation. »

Le reproche ne tombe pas dans l'oreille d'un sourd, et, au lendemain de Bobino, Claude Dejacques devient mon nouveau directeur artistique, en remplacement de Gérard Côte. Claude est une personnalité importante chez Philips, il est déjà responsable de plusieurs artistes, tous beaucoup plus connus que moi, tels qu'Yves Montand, et je crains, cette fois, de passer carrément aux oubliettes. Mais une bonne nouvelle m'arrive presque aussitôt : André Chapelle, le jeune homme qui m'avait tellement encouragée pendant l'enregistrement de mes chansons grecques, devient l'adjoint de Claude Dejacques ! Personne ne me précise s'il s'occupera de moi ou non, mais je devine de telles affinités artistiques entre lui et moi que son arrivée me réconforte.

Et c'est André qui a l'idée de me faire rencontrer Michel Legrand, l'homme qui m'avait appelée pour me féliciter le soir de ma victoire au Festival de Barcelone. Michel vient de finir avec Jacques Demy *Les Parapluies de Cherbourg*, une comédie musicale qui enthousiasme les uns, agace les autres, mais dont on parle déjà pour le prochain Festival de Cannes. Grand jeune homme au génie flamboyant, regard pétillant et tendre, Michel se demande comment nous avons fait, durant toutes ces années, pour ne pas nous croiser. Mais lui travaille sans arrêt, et quand il n'est pas devant son piano, occupé à composer, puis à chanter *La Valse des lilas*, *Quand ça balance*, *1964*... eh bien, il est à New York où son album, *I love Paris*, a fait de lui un phénomène.

Il me fait écouter *Les Parapluies de Cherbourg*, sa dernière œuvre, merveilleusement interprétée dans le film de Demy par Danielle Licari, et sans doute devine-t-il aussitôt mon désir de la chanter à mon tour, car je crois me souvenir que c'est lui qui me le propose.

— Je crois que j'adorerais, dis-je dans un souffle.

— Eh bien, viens, on va faire un petit essai, juste pour voir...

Et le voilà au piano, et me voilà debout à côté de lui, le livret en main, comme à la fin de cette nuit mémorable où j'avais chanté pour Manos Hadjidakis les premières phrases musicales des *Enfants du Pirée*. Cette fois, l'œuvre m'a largement précédée, je ne suis pas la première à poser ma voix sur des notes tout juste jetées sur le papier, mais ça ne fait rien, l'émotion est là.

Nous commençons tout juste à répéter en studio, quand Michel Legrand me demande de l'accompagner au Festival de Cannes où toute l'équipe du film doit se retrouver. André Chapelle me pousse à y aller, lui-même y sera, et il y aura, me dit-il, Louis Nucera, mon attaché de presse, avec lequel j'entretiens une grande complicité. Est-ce la présence de Nucera qui me décide ? En tout cas, j'accepte de partir, sans me douter que ces quelques jours à Cannes vont marquer un tournant dans ma relation avec la France.

Nous descendons tous à l'hôtel *Martinez*, et, dès le premier soir, je me retrouve au milieu d'hommes dont l'intelligence, la sensibilité, les affinités culturelles, m'ouvrent des horizons que je ne soupçonnais pas. Louis Nucera n'est pas encore l'écrivain qu'il va bientôt devenir, mais il est l'ami de Joseph Kessel, de Georges Brassens, de Jean Cocteau, qui vient de mourir. Il a de drôles de conversations, en même temps tendres et passionnées, avec André Asséo, ancien journaliste comme lui, devenu chef de promotion, et très proche également de Kessel et de Romain Gary. Asséo parle de ces deux écrivains comme de ses maîtres à penser, et je l'écoute nous raconter le monde avec cet appétit, cette bienveillance qu'on trouve en effet dans les romans de Joseph Kessel, et qui me donnent plus envie encore de voyager. Et puis Nucera me présente un autre de ses amis, le peintre Raymond Moretti, qui a travaillé avec Cocteau et qui évoque à présent Picasso, son maître, avec des accents qui me touchent au plus profond. C'est exactement en ces termes, me dis-je, que j'aimerais leur parler de Nikos Gatsos. Gérard Davoust est également présent. À l'époque directeur de production, il est déjà un étonnant découvreur de talents. L'écouter bavarder avec Michel Legrand nous entraîne du Bronx au fond de l'Afrique, en passant par l'Amérique latine. Enfin, André Chapelle complète notre petit cénacle, attentif aux autres, à tout ce qui s'échange, mais ne se mettant jamais en avant.

En trois ou quatre soirées, il se noue entre nous tous une complicité artistique, des liens essentiels, et je ne peux pas m'empêcher de comparer ces rencontres de Cannes à nos réunions au *Floka*, cinq ou six ans plus tôt. Pour la première fois depuis mon arrivée en France, j'éprouve le sentiment de faire partie d'une famille spirituelle. Je ne suis plus la petite paysanne grecque déracinée qu'avait accueillie Louis Hazan à Orly, je suis admise à prendre ma place parmi des gens que j'admire, et qui ont confiance en moi. Tous resteront mes amis, et bientôt c'est moi qui aurai la fierté de leur présenter Manos Hadjidakis, chassé de Grèce par la dictature des colonels et soucieux de trouver des artistes avec lesquels travailler.

*Les Parapluies de Cherbourg* décrochent la Palme d'or, en ce printemps 1964, et nous rentrons tous de Cannes sur un petit nuage.

Je crois que c'est encore Michel Legrand qui a l'idée de faire un disque en duo avec moi, alors que nous terminons tout juste l'enregistrement des *Parapluies*. Le projet enthousiasme Eddy Marnay qui écrit avec lui les quatre chansons. Un an plus tard, au retour de ma première tournée américaine avec Harry Belafonte, nous enregistrerons ce disque dont l'une des chansons, *Quand on s'aime*, délicieusement jazzy, sera bientôt sur toutes les lèvres :

> *On peut marcher sous la pluie,*
> *Prendre le thé à minuit,*
> *Passer l'été à Paris,*
> *Quand on s'aime.*

Oui, mais entre-temps je connais un nouveau succès en Allemagne où je décroche le deuxième prix au Festival de Baden-Baden avec une jolie chanson nostalgique : *Où est le bonheur des années passées ?* Entre-temps, je suis primée au Marathon de la chanson avec *À force de prier*, qui ne m'avait pas porté chance à l'Eurovision. Entre-temps encore, j'enregistre *Nana Mouskouri in Italia*, ainsi que plusieurs singles en Grande-Bretagne, dont *The White Roses of Athens* qui sera exporté et me fera connaître jusqu'en Afrique du Sud...

Et puis un jour, le jeune roi Constantin II de Grèce se souvient de moi. J'avais chanté pour les fiançailles de sa sœur aînée, la princesse Sophie, avec le prince Juan Carlos, futur roi d'Espagne. Constantin II, fils de Paul Ier, qui règne depuis quelques mois seulement, s'apprête à épouser la princesse Anne-Marie de Danemark, et le palais royal me fait savoir qu'il aimerait que je chante à l'occasion d'une réception donnée à Copenhague, pour fêter le départ d'Anne-Marie pour Athènes. Très vite, je me rends compte que la date de la réception n'entre pas facilement dans mon emploi du temps : le lendemain même, je suis attendue à la fête de *L'Humanité* ! La seule solution pour y être est de louer un avion privé, et c'est ce à quoi je me résous. Je n'envisage pas une seconde de faire faux bond au Parti communiste français, ni de dire non au roi de Grèce.

La réception se déroule dans les salons du palais royal de Copenhague, en présence des parents d'Anne-Marie, le roi Frédéric IX et son épouse, la reine Ingrid. Je suis frappée par la simplicité de leur accueil. On m'avait prévenue que le protocole n'était pas celui de la cour d'Angleterre, que les souverains du Danemark circulaient sans façon en ville, parfois même à bicyclette, mais tout de même, je suis agréablement surprise... Avant que je rejoigne la petite scène, sur laquelle a été amené un piano, l'assemblée écoute sagement les amis de la princesse Anne-Marie lui lire de petits poèmes, ou des contes, écrits en son honneur. Alors le roi et la reine du Danemark, auprès desquels on m'a fait asseoir et qui devinent sans doute que je ne comprends pas ce qui se dit, s'enquièrent à voix basse, et très aimablement, de la vie quotidienne en Grèce. Puis, insensiblement, ils en viennent à me poser des questions sur l'image de la monarchie. Les gens, là-bas, aiment-ils leur roi ? En quels termes les journaux parlent-ils de lui ? Et le palais, est-il bien situé ? N'est-il pas trop loin du centre d'Athènes ?

Je réponds comme je le peux, transie de timidité, mais soucieuse, malgré tout, de dire les choses comme elles sont. Et puis je comprends que ces souverains, si puissants qu'ils soient, sont comme tous les parents du monde : ils s'inquiètent pour leur fille si jeune – Anne-Marie n'a que dix-huit ans –, ils veulent savoir si elle se sentira aimée, protégée, et je ressens soudain une telle tendresse pour eux que je m'entends dire : « Je crois que tout le monde aime le jeune roi Constantin, Majestés, et je suis certaine qu'il en ira de même pour la reine Anne-Marie. » Quand les souverains de Grèce devront s'exiler, trois ans plus tard, après avoir accusé les colonels de « mener la Grèce au désastre », je repenserai à cette soirée, me figurant le chagrin des parents de la jeune reine Anne-Marie...

Puis vient le moment de chanter. Des chansons grecques, naturellement, puis quelques-uns de mes succès français et anglais. Je ne suis venue qu'avec mon pianiste, et ce dénuement confère à ce récital une étonnante émotion. D'ailleurs, les conversations s'estompent, petit à petit, et, bientôt, toute cette jeunesse élégante, venue pour fêter la future reine de Grèce, se retrouve silencieusement assise sur les tapis du grand salon, au pied de la scène, m'écoutant religieusement.

C'est un tout autre spectacle qui s'offre à moi, le lendemain après-midi, en débarquant à la fête de *L'Humanité* : deux cent mille personnes pressées sur l'herbe du parc de La Courneuve, au seuil d'une scène immense drapée de rouge, équipée d'une sono monumentale. Je n'ai encore jamais chanté devant une telle foule, et j'ai bien du mal à ne pas trembler à l'instant où j'ajuste le micro pour dire bonjour – quelques mots, « je suis heureuse d'être ici, parmi vous » – et que cette marée humaine semble soudain retenir son souffle... Mon Dieu, est-ce que je vais parvenir à les toucher, alors qu'un moment plus tôt ils applaudissaient leur nouveau secrétaire général, ce M. Waldeck-

Rochet qui m'a accueillie d'un sourire glacial, et qu'ils chantaient avec lui *L'Internationale*, le poing levé ?

Oui, après une quinzaine de minutes, j'ai la sensation que l'émotion est là, et, quand je rouvre les yeux, je vois qu'on s'assoit déjà dans les premiers rangs. Insensiblement, les gens se laissent donc gagner par la musique, la foule s'étire, se distend, pour permettre à chacun de trouver son espace et de revenir à soi. Je crois que tous sont assis à la fin, dans ce même silence qui avait gagné les jeunes invités du palais royal, la veille, et alors au fond de moi je remercie la musique. On se bat pour des idées, parfois même on s'entretue entre communistes et monarchistes, comme je l'ai vécu adolescente, dans mon propre pays, mais la musique accomplit ce miracle d'apaiser un moment les colères, de faire taire les haines. Et dans cette parenthèse inespérée, qui ne voit pas que tous les hommes se ressemblent ? Qu'ils méritent également attention et compassion ?

J'évoque l'attention, la compassion, et, au même moment, je suis aveugle et sourde au désarroi de Georges. Engagé malgré lui dans l'orchestre de Harry Belafonte, alors qu'il ne connaît ni le chanteur ni les musiciens, alors même qu'il n'a jamais mis les pieds aux États-Unis, Georges traverse une période très difficile. Il s'est éloigné de son groupe pour se familiariser seul aux rythmes et à la musique de Belafonte. Il n'est plus porté par ses trois amis, il ne se produit plus avec eux dans les clubs d'Amsterdam ou d'Athènes, et il se retrouve cloîtré dans notre petit appartement de Boulogne. Sans doute joue-t-il de la guitare quelques heures par jour, oui, mais, en vérité, il tourne en rond, tandis que de mon côté, durant cet automne 1964 qui précède notre départ en Amérique, j'enregistre fiévreusement un nouveau disque au Studio Blanqui, quand je ne suis pas à La Courneuve ou à Copenhague... Désœuvré, angoissé par ce qui l'attend, et sûrement secrètement humilié d'être devenu un homme au foyer, Georges s'enferme petit à petit dans le ressentiment et la mélancolie. Où ai-je la tête pour ne pas m'en rendre compte ? Quand il aura tenté de se donner la mort, une nuit, à New York, et que le veillant à l'hôpital je me repasserai en mémoire les événements de ces derniers mois, il me reviendra que M. Hazan lui-même m'avait mise en garde. « Nana, m'avait-il dit, tu as fait venir ton mari à Paris, et maintenant tu le laisses seul, et sans travail. Beaucoup trop seul. Fais attention, je pense que ça n'est bien ni pour lui ni pour toi. »

# 14

## Sur les routes de l'Amérique
## avec Harry Belafonte

Si j'avais eu des doutes sur mon idée d'embarquer Georges dans la caravane de Harry Belafonte, l'accueil qui nous est réservé à New York les aurait balayés. Harry nous ouvre grands ses bras, fait une fête incroyable à Georges, exigeant qu'il lui joue aussitôt un air de guitare et quelques vieux refrains de Manos. Quant aux musiciens, chaleureux et curieux comme savent l'être les Américains, ils l'entourent, le pressent de jouer, l'écoutent avec des expressions d'émerveillement et d'excitation qui nous donnent envie de les embrasser, d'éclater de rire. Après ces longs mois d'angoisse, Georges paraît se détendre. Non seulement personne ne le regarde de haut, mais il fait un peu figure de mascotte avec son bouzouki et ses sonorités d'ailleurs, en même temps joyeuses et mélancoliques.

Très vite, les répétitions commencent. Ensemble, Harry et moi chanterons le si beau et nostalgique *Try to remember* (qui deviendra l'un de mes standards français, deux ans plus tard, sous le titre *Au cœur de septembre*), et une chanson traditionnelle grecque, *Erini*. Exigeant et perfectionniste, Belafonte ne part pas se coucher tant que chacun n'a pas donné le meilleur de lui-même. Il nous faut apprendre à nous accorder, et l'orchestre doit se familiariser avec une musique méditerranéenne qu'il découvre. Georges apparaît alors comme l'homme providentiel, il joue merveilleusement et je suis très fière qu'il soit là.

Puis il est entendu que je chanterai seule quatre chansons. Une française, *Les Parapluies de Cherbourg*, que tout le monde adore, deux grecques, choisies parmi les plus belles œuvres de Manos et Nikos, puis une chanson plutôt folk-rock, ou gospel, selon mon inspiration du moment et la région où nous nous trouverons. Mais toutes doivent être répétées avec l'orchestre, et nous passons près d'un mois à travailler.

Harry Belafonte répète de son côté, je sais que son spectacle est complètement nouveau, complètement différent de celui qu'il donnait avec Myriam Makeba. Deux vieux musiciens de La Nouvelle-Orléans, un duo extraordinaire, seront eux aussi de la partie. L'un, Brownie McGhee, est boiteux, et chante du blues en grattant merveilleusement sa guitare, accoudé à une canne. L'autre, Sonny Terry, est aveugle, et il accompagne Brownie à l'harmonica. À eux seuls, ces deux-là valent de traverser l'Atlantique, puis toute l'Amérique...

Toute la troupe s'ébranle un matin, en autocar. Nous partons pour cinq ou six mois, sans trop savoir, en vérité, car tout dépendra du succès, des prolongations. Nous serons à Phoenix, à Chicago, à Los Angeles (six semaines!), nous visiterons le Canada, Victoria, Calgary, Toronto, Montréal...

Jamais je n'avais prêté la moindre attention au racisme, qu'on disait alors si prégnant aux États-Unis, et c'est en grimpant dans ce car que, pour la première fois, j'en ai l'intuition. Il ne me choque pas que Georges et moi soyons les deux seuls Blancs de la compagnie, avec deux autres guitaristes, mais je ressens curieusement la phrase lancée par un des musiciens de l'orchestre, à l'instant où il grimpe et nous aperçoit parmi tous les visages noirs : « *Oh, still the white man is on the lead!* » (« Oh, l'homme blanc est encore au pouvoir! ») Cela dit en forme de blague, bien sûr, mais il y a des blagues qui prennent rapidement la densité du plomb, surtout si elles se répètent tous les matins...

Que nous réservent ces allusions ? En vérité, elles dissimulent un violent sentiment d'injustice dont Harry

Belafonte se fera l'écho, un soir où nous bavardons, après le spectacle. Harry me raccompagne à mon hôtel, heureux de la soirée, de notre succès, et soudain il dit :

— Toi et Myriam, vous êtes deux grandes chanteuses, deux rossignols, mais tu iras plus loin qu'elle.

— Pourquoi dis-tu ça ? Myriam Makeba est connue dans le monde entier, et moi j'en suis encore très loin...

— Oui, mais toi tu es blanche !

Cela me précipite dans une telle colère que nous ne sommes pas loin de nous disputer. Et cependant, son amertume est légitime, mais je vais mettre des semaines à le comprendre. Je ne sais rien de l'Amérique profonde, et c'est en écoutant Harry que je découvre le long combat du pasteur Martin Luther King, qui, en 1964, vient de recevoir le prix Nobel de la paix. Harry est un de ses proches, un de ceux qui ont soutenu la marche sur Washington, un an plus tôt, pour obtenir l'égalité des droits civiques entre Blancs et Noirs. Je ne savais pas que dans le bus, un Noir était tenu de céder sa place à un Blanc...

Le spectacle est réglé comme du papier à musique. C'est Harry qui commence, bien sûr, quelques notes de blues à vous briser le cœur, sans orchestre. Puis entre l'orchestre, et la salle s'échauffe. Après trois ou quatre chansons, apparaissent Brownie et Sonny, magnifiques, bouleversants. Harry les laisse seuls en scène, puis il les rejoint et chante avec eux pour terminer la première partie.

Moi, je chante au milieu de la seconde partie, rejoignant Belafonte pour entonner avec lui *Try to remember*. Puis nous chantons *Erini*, et je suis à mon tour seule en scène.

Harry finit seul, nous rappelant tous pour saluer et recevoir les ovations du public.

Sa maîtrise de la scène me fascine, et je passe toute la première partie du spectacle dans les coulisses, à le dévorer des yeux. De Brassens, j'avais appris qu'on pouvait être soi-même sur les planches, et j'avais envié la façon dont il souriait aux gens, si simplement, si naturellement. En ce temps-là, tremblante et transie, je me sentais incapable de sourire.

De Belafonte, j'apprends l'exigence, le souci de la perfection, la maîtrise du geste. Il est l'opposé de Brassens, d'une certaine façon. Lui a tout répété, tout prévu, tout calculé, à l'instar d'un Yves Montand, qu'il admire d'ailleurs plus que tout. En dépit de cela, il suscite une émotion inouïe qui chaque soir me serre le cœur. Comment fait-il ? Lors des répétitions qui précèdent chaque spectacle, nous nous accrochons imperceptiblement. Lui voudrait que je fasse *comme si* le public était là, et moi je dis, agacée :

— Non, Harry, mon émotion dépendra du moment, de celle que me renverra le public, j'ai besoin de me laisser cette petite part d'improvisation.

Il n'est pas content, il dit que l'émotion non plus ne s'improvise pas. Alors est-il un acteur de génie ? Je ne sais pas. En tout cas, chaque soir, sa voix me donne la chair de poule quand nous reprenons ensemble *Try to remember*.

Nous chantons dans des petites salles de trois mille places, comme sur des campus ou dans des stades, devant trente mille personnes. À Pittsburgh, on nous donne l'*Arena* qui peut recevoir quarante-cinq mille personnes, et à Los Angeles le Greek Theatre qui en accueille huit mille. Nous sommes loin des onze cents places de l'Olympia et des six cent cinquante de Bobino... J'apprends à ne plus chanter les mains derrière le dos, à ouvrir les yeux... et même à sourire !

« Elle est revenue mincie, bronzée, coiffée avec une raie au milieu, et, sur scène, l'aisance qui est maintenant la sienne, dira plus tard Louis Hazan. Elle avait trouvé son image ! Elle pouvait conquérir la France [1]. »

La presse nous fait un triomphe, et j'ai presque honte d'en reprendre ici quelques extraits tellement ils me semblent excessivement élogieux.

« Belafonte ne se presse jamais, et c'est peut-être le secret de son charme irrésistible, écrit le critique du *Chicago's American*. Si une chanson roule, il la laisse rou-

---

1. *Pleins feux, op. cit.*

ler. Grâce à cela et à sa capacité à saisir l'air du temps, il nous fait profiter de sa virtuosité de ménestrel le temps d'une soirée inoubliable.

« Nana Mouskouri, petit chaton grec, a fait ses débuts en Amérique hier soir, avec, entre autres, une interprétation très touchante de *Wayfaring Stranger*. On sent tout de suite qu'elle a l'étoffe d'une star. (...) Mouskouri fait désormais partie des meilleures vocalistes du moment.

« Avec des grosses lunettes, habillée en rouge et blanc, on dirait de prime abord une jeune et belle doctorante, qui étudierait les chants grecs folkloriques, écrit *The Gazette*. Mais dès qu'elle commence à chanter, on découvre une voix claire et un style sincère, comme on n'en avait pas entendu depuis longtemps sur scène [1]. »

« Tous les quatre ans, lit-on dans *Les Nouvelles illustrées* de Montréal, Harry Belafonte fait une grande tournée. Et tous les quatre ans, il vient sur scène avec une chanteuse en laquelle il croit éperdument. Ce choix détermine des carrières. Il constitue le rêve de tous les artistes des États-Unis.

« Au cours de ses tournées, avec cette familiarité dont les Américains ont le secret, Harry Belafonte, sur scène, s'arrête de chanter, et dit en substance : "J'ai trouvé une vraie vedette, une chanteuse dont la voix éclipsera tout ce que vous avez pu entendre jusqu'à ce jour..." Et, sans plus tarder, interrompant son propre tour de chant, il demande à l'élue de prendre sa place devant la rampe et de chanter.

« Il y a quatre ans, Belafonte avait "institué" Myriam Makeba. Aujourd'hui, c'est Nana Mouskouri qu'il a choisie, au cours d'un récent voyage de la chanteuse à New York. Cette fulgurante consécration, Nana l'a accueillie avec un calme de berger grec. Ainsi, tous les soirs, Nana chante dans une ville différente des États-Unis. Son succès est considérable, comme le dit ce télégramme de Harry Belafonte reçu à Paris : "Elle casse la baraque !" [2] »

---

1. *The Gazette*, 11 mai 1965. (Traduction.)
2. *Les Nouvelles illustrées*, 1er mai 1965.

« Elle conquiert le public d'emblée, c'est une chanteuse remarquable », écrit *Le Petit Journal* de Montréal [1].

Dans l'ivresse de cette tournée qui n'en finit plus, voilà que Quincy Jones m'appelle, un soir où je sors juste de scène. Il voudrait me présenter un jeune pianiste exceptionnel du nom de Bobby Scott.

— Est-ce que ça ne peut pas attendre, Quincy ?

— Non, c'est assez urgent, prends un avion un jour où tu ne chantes pas, et rejoins-nous à New York.

Irving Green et lui me cueillent à l'aéroport, exactement comme le soir où ils étaient venus me chercher pour me conduire au restaurant où m'attendaient Harry et Julie Belafonte...

Cette fois, il ne s'agit pas de partir en tournée, mais d'enregistrer un disque avec Bobby Scott. Mon second album américain, après *Nana Mouskouri in New York*, produit par Quincy, et enregistré dans la folie lors de mon premier voyage à New York, trois ans plus tôt.

Mon entente avec Bobby Scott est immédiate, et l'on pourrait même parler de *coup de foudre*, si l'expression n'avait pas une forte connotation amoureuse. Je ne suis pas amoureuse de Bobby Scott, non, mais je tombe sous le charme de son talent. Quincy et lui ont déjà pensé à quelques chansons que nous pourrions faire ensemble, comme *I love my man*, *Half a crown*, mais à peine commençons-nous à en parler que Bobby se met au piano et que je chante avec lui...

Comment concilier ma tournée avec Belafonte et la création de ce nouvel album avec Bobby Scott ? Eh bien, en multipliant les allers-retours à New York où Irving Green a mis un studio à notre disposition, chez Mercury, sur la 5e Avenue. Cette seule idée devrait m'épuiser, moi qui déteste l'avion, mais c'est le contraire qui se passe. Je suis tellement heureuse de répéter avec Bobby que cela décuple le plaisir que j'ai à me retrouver sur scène avec

---

1. *Le Petit Journal*, 16 mai 1965.

Belafonte. Comme si, au lieu de me fatiguer, je rechargeais mes batteries en chantant.

Et puis Irving Green est aux petits soins pour moi. La cinquantaine, carrure à la John Wayne, entreprenant et joyeux, Irving me considère visiblement comme sa propre fille. Il m'attend à l'aéroport, me raccompagne à mon hôtel après les répétitions, me réprimande si je me promène toute seule dans les rues de New York après minuit. Quand ce n'est pas lui qui me chaperonne, c'est Quincy Jones, qui ne peut pas s'empêcher d'entrer dans le studio pendant que nous travaillons. Irving et lui sont terriblement excités par ce disque, et ils transmettent leur enthousiasme à toute la maison. Un jour, nous recevons la visite de la grande Sarah Vaughan, à qui ils ont parlé de nous, et j'en reste un moment stupéfaite. Un autre jour, Quincy nous présente la jolie Barbra Streisand, et, cette fois, c'est Bobby Scott qui reste sans voix. En réalité, Irving et Quincy rêvent de me garder aux États-Unis. Ils sont persuadés que j'ai une grande carrière à faire sur le continent américain – et le succès que nous rencontrons avec Belafonte ne peut que les conforter dans cette idée – mais jamais ils ne me le disent. Sans doute espèrent-ils que je vais le comprendre toute seule...

Bon, mais ça n'est pas mon genre de comprendre ces choses-là, et c'est bien plus tard, rentrée en France et considérant la mine sombre de Louis Hazan, que je devinerai à côté de quoi je suis passée. Comment M. Hazan, me dirai-je alors, à qui je dois tout, a-t-il pu craindre sérieusement que je trahisse son amitié et sa confiance pour m'installer aux États-Unis ?

Pour l'heure, j'ai le sentiment de vivre un rêve enchanté, passant des ovations avec Belafonte à l'émotion de la découverte avec Bobby Scott. Fils d'un père cherokee et d'une mère irlandaise, petit-fils d'une squaw noire, d'une grand-mère catholique et d'un grand-père juif, à moins que ça ne soit l'inverse, Bobby est une âme torturée, cherchant à exprimer tout ce qui le traverse dans la création musicale. Il est le pianiste le plus bouleversant, le plus érudit que j'aie connu, et je peux indifféremment l'écouter jouer ou parler, sans m'ennuyer une seconde.

Que devient Georges dans ce tourbillon ? Il a sa place parmi les musiciens de la tournée, mais on dirait que les événements s'acharnent à nous éloigner l'un de l'autre. Notre réussite grandissante, ville après ville, fait que je suis de plus en plus accaparée par Harry Belafonte. Il me veut avec lui dans les conférences de presse, dans les rencontres privées avec les critiques, dans les conversations qu'il a avec son chef d'orchestre, son imprésario ou n'importe quel autre membre de l'état-major impressionnant qui l'accompagne. Il me veut avec lui partout. Et puis, les semaines passant, il se crée entre Harry et moi une complicité qui doit évidemment sauter aux yeux de tous ceux qui nous entourent. Harry est séduisant et charmeur, toujours au bord du flirt, comme s'il voulait se prouver qu'aucune femme ne saurait lui résister. C'est vrai qu'il est très beau, peut-être même irrésistible, en effet, mais, curieusement, l'aventure ne me tente pas, et je crois que l'idée de tromper Georges ne me vient pas une seule seconde à l'esprit. Cependant, je me laisse enlacer, oui, embrasser sur la joue et prendre par la taille dans le feu des fins de spectacle, et sans doute cela blesse-t-il Georges sans que j'en aie conscience.

L'irruption soudaine d'Irving Green, de Quincy Jones et de Bobby Scott aggrave profondément son désarroi, je le comprendrai plus tard. À trois ou quatre reprises, il m'accompagne à New York, mais Irving Green m'enlève aussitôt arrivée, et je n'ai pas une minute à consacrer à Georges. Quel regard porte-t-il sur tous ces hommes qui gravitent autour de moi ? Après le drame, il me dira qu'il vit alors dans la peur que je l'abandonne, que l'un d'entre eux le remplace dans mon cœur. Il n'aimait pas vivre à Paris avec moi car il avait la même angoisse, m'expliquera-t-il, mais l'Amérique, c'est bien pire. Tous ces hommes dont il ne comprend pas la langue, qui le regardent avec sympathie, mais sans plus, le terrorisent. Il ne se sent pas à armes égales pour lutter, il va me perdre, il en est persuadé, et cela le précipite dans un désespoir sans nom. Et puis, sensible et intelligent, il a bien compris qu'Irving Green cherche à me retenir en Amérique, et cela sonne pour lui comme une ultime menace.

Mais Georges est incapable de parler, incapable de me confier ses angoisses. À moins que ce soit moi qui sois incapable de lui prêter attention, de l'écouter, emportée par ma passion pour la musique, et flattée qu'autant de gens de qualité me reconnaissent du talent... Toujours est-il que nous n'échangeons pas un mot sur ce qui le tourmente. Nous partageons le même lit, mais il se noie, et moi je ne vois rien.

Un soir, sortant très tard du studio d'enregistrement, Irving Green et Quincy Jones me raccompagnent. Irving m'a loué un petit appartement à la semaine, plus confortable qu'une chambre d'hôtel, et j'ai maintenant hâte de retrouver Georges, que j'imagine endormi.

J'entre, je me déchausse, j'allume le vestibule, et je tombe alors sur ces quelques mots tracés sur une feuille blanche : « Fais attention à ne pas m'enterrer vivant. »

C'est une sensation effrayante, comme si le sol se dérobait sous moi. Je trouve pourtant la force de courir jusqu'à la chambre, d'allumer, de bondir sur le lit. Georges est profondément endormi, mais il respire. Les boîtes de somnifères éventrées reposent sur la descente de lit. Je le secoue. Je hurle dans mes larmes :

— Georges ! Georges ! Oh non, je t'en supplie...

Alors j'appelle Irving qui a le téléphone dans sa voiture.

— Irving, vite, Georges est très mal en point !

— Descends immédiatement chez la concierge. Dis-lui d'appeler une ambulance et un médecin. Je fais demi-tour, on sera là dans cinq minutes...

Irving et Quincy arrivent hors d'haleine, puis viennent l'ambulance et le médecin qui emportent Georges, puis la police. D'un seul coup, c'est comme si toutes les lumières du joyeux manège qui nous enivrait depuis des mois s'éteignaient. À quoi rime tout cela si Georges disparaît ? Je me sens tomber, tomber, comme aspirée par la profondeur du gouffre.

À l'aube, nous sommes tous à l'hôpital. Georges est sauvé, mais moi j'ai le cœur en miettes. Quelle immense détresse faut-il éprouver pour en arriver là ! Comment n'ai-je rien vu ? Rien pressenti ? Alors, pour la première fois, m'effleure l'idée que *je ne sais pas aimer*, et cela me plonge à mon tour dans une angoisse indicible. Une autre femme aurait vu, entendu. Une autre femme n'aurait pas laissé son mari se perdre. Je me débats seule dans une culpabilité qui me donne envie de me frapper la tête contre les murs, et pour ne pas me donner en spectacle devant Quincy et Irving, l'un et l'autre silencieux et abasourdis, je m'enferme seule dans le petit bureau d'une infirmière pour sangloter.

Est-il stupide de penser qu'on ne sait pas aimer ? Apprend-on à aimer ? Quelle femme suis-je pour inspirer un tel geste au seul homme de ma vie ? Toutes ces questions m'assaillent, et je m'effondre. Je repense au couple que forment mes parents, ces deux êtres qui n'ont cessé de se heurter, de se déchirer, qui jamais n'avaient un geste tendre, et je me dis qu'ils ne m'ont rien appris de l'amour. Oui, sans doute, mais j'ai trente ans, je ne suis plus une enfant à présent, j'aurais pu apprendre toute seule. Quelle femme désincarnée suis-je donc pour être aussi peu attentive à la communion amoureuse, à cet échange subtil de gestes et de regards qui semble suffire aux autres pour se dévoiler, se deviner ? J'aurais terriblement besoin de parler, et c'est à Nikos Gatsos que je pense. Nikos, qui sait si bien lire dans le secret de l'âme. C'est près de lui que je voudrais être ce matin si triste. Aucun homme au monde ne saurait mieux m'écouter, m'apaiser, puis me guider dans ces ténèbres qui se sont abattues sur ma vie.

Nous sommes convoqués par la police, Irving, Quincy, et moi, naturellement. L'inspecteur, lui aussi, veut comprendre. Je crois qu'il soupçonne Quincy, puis Irving... Mais comment expliquer à un homme rompu aux enquêtes criminelles qu'il n'y a rien de tout cela, aucune tromperie, rien de sordide, que j'ai tout simplement honte d'avoir si mal aimé mon mari ? Les mots sont sûrement insuffisants, maladroits, et le chagrin n'arrange rien...

Cette première nuit après le drame, tandis que Georges se remet lentement dans sa chambre d'hôpital, j'appelle enfin Nikos. Quel soulagement de le sentir si solide, si présent. Nous bavardons presque sereinement, en dépit de l'étau qui me serre le cœur. C'est lui qui me fait remarquer à quel point Georges a bien su exprimer son désespoir en quelques mots simples : « Fais attention à ne pas m'enterrer vivant. »

— Je crois qu'en écrivant cela, me dit-il, il ne pensait pas seulement à la mort qu'il appelait de ses vœux.

— Que veux-tu dire ? À quoi pensait-il d'autre ?

— À votre vie, Nana. Peut-être est-ce que je me trompe, mais j'entends la souffrance d'un homme que ton élan vital condamne au silence.

— Que mon élan vital condamne au silence...

— Oui. Tu sais, je crois qu'il faut t'aimer infiniment pour te suivre, et sans doute aller jusqu'à s'oublier soi-même.

Nikos ne m'en dit pas plus, il n'aime pas expliquer, il pense qu'on doit deviner seul ce qui se cache derrière les mots. Et, cette nuit-là, après avoir raccroché, je parviens enfin à regarder notre vie avec les yeux de Georges. Depuis que nous nous connaissons, je n'ai fait qu'avancer en essayant de relever tous les défis qui m'étaient proposés. Jamais je n'ai demandé son avis avant d'accepter une proposition qui m'était faite : Berlin, puis Paris, puis New York, puis l'Amérique... Jamais, parce qu'il me paraissait évident que tout ce qui était bon pour moi l'était également pour lui, puisque nous nous aimions. Au nom de notre mariage, j'avais même constamment cherché à l'associer à mon succès, jusqu'à imposer sa présence à Belafonte... Et soudain, ce hurlement silencieux : « Fais attention à ne pas m'enterrer vivant ! » Mais oui, quel espace est-ce que je laisse à Georges dans cette marche en avant ? Plus ma passion de chanter m'emporte haut, plus il perd pied et manque d'oxygène. Je l'asphyxie petit à petit. Alors je comprends ce qu'a voulu me dire Nikos : « Il faut t'aimer infiniment pour te suivre, et sans doute aller jusqu'à s'oublier soi-même. » Quel homme serait capable d'un tel sacrifice, ou d'une telle passion pour moi ? Georges m'aime, sûrement, mais pas au point de s'oublier et de vivre à travers moi. Lui aussi a besoin d'être aimé, reconnu, considéré.

Par chance, la tournée s'achève, et je n'ai plus qu'à terminer l'enregistrement de mon second album américain avec Bobby Scott, qui sortira bientôt sous le titre : *Nana Mouskouri sings*.

Nos derniers jours à New York, Georges et moi les passons très près l'un de l'autre. Georges me parle enfin, et moi j'ai eu si peur de le perdre que je le presse de questions, tout en lui manifestant cette tendresse qui lui a tant manqué. Il a pu croire que je le trompais avec Irving Green, il me l'avoue, et moi je suis si loin de telles pensées que j'éclate en sanglots.

— Jamais je ne te serai déloyale ! Jamais ! Comment as-tu pu imaginer une chose pareille ?

— Je ne suis pas seul à l'avoir pensé. Tu étais tout le temps avec lui, il te prenait dans ses bras...

— J'aime Irving comme un père, Georges. Ça n'a jamais été plus loin.

Nous pleurons ensemble. Maintenant, nous avons besoin de tout nous dire, et je comprends combien il est humiliant pour Georges, profondément imprégné de notre culture grecque, d'être le mari d'une femme que tant d'hommes se partagent. Non seulement il n'est qu'un *petit guitariste*, comme il se plaît à le répéter, tandis qu'on m'applaudit partout et que ma photo a fait le tour des journaux américains, mais il n'est même pas respecté comme mari, comme homme...

C'est durant ces jours où Georges me bouleverse, où je me sens profondément désireuse de réparer le mal que je lui ai fait, que nous prenons la décision d'avoir un enfant. Quel plus beau serment d'amour, d'appartenance, de loyauté, qu'un enfant ? Je me rappelle alors la joie de Georges quand je me suis trouvée enceinte, deux ans plus tôt, et notre tristesse quand la grossesse s'est brutalement interrompue et que j'ai perdu ce bébé... Je me dis qu'un enfant nous équilibrera, qu'il apportera la sérénité à Georges et m'ancrera dans la vie, moi qui ai tendance à m'échapper dans la musique, à me désincarner...

Et puis nous prenons une autre décision : nous produire désormais ensemble ! Georges a la nostalgie de son groupe, pourquoi ne pas faire revivre *Les Athéniens* ? Et, puisque c'est ça, pourquoi est-ce que je ne deviendrais pas la chanteuse officielle des *Athéniens* ? D'un seul coup, nous refaisons le monde, aussi excités que sept ou huit ans plus tôt, lorsque Mimis Plessas, venant de nous écouter au *Rex*, nous avait lancé : « C'est pas mal, ce que vous faites ensemble... Pourquoi vous ne créez pas un quatuor ? »

Georges a repris confiance, et, marchant avec lui à travers les rues de New York, pour dire un dernier au revoir à cette ville que nous quittons le lendemain, je me demande ce que penseront Louis Hazan et André Chapelle de notre nouvelle organisation...

# 15

## Les chars de nouveau
## dans les rues d'Athènes

Les Hazan, qui me reçoivent à dîner, comme à chaque retour de voyage, sont très impressionnés par la détresse de Georges. Croient-ils au succès de notre futur groupe, *Nana Mouskouri et Les Athéniens* ? Ils pensent, en tout cas, que c'est la meilleure idée possible pour l'harmonie de notre couple. Et, pour le reste, ils me font confiance.

— Je te crois suffisamment entêtée et perfectionniste, Nana, pour tout cesser si ça ne va pas, me dit Louis Hazan.

André Chapelle est à peu près dans les mêmes dispositions. Il avait beaucoup soutenu Georges avant notre départ pour l'Amérique, l'encourageant à travailler et lui prédisant qu'il reviendrait de là-bas riche d'une expérience qui lui ouvrirait toutes les portes. De fait, Georges, qui était éblouissant dans le folklore grec, est capable aujourd'hui de toucher avec talent au jazz, au country américain, au rock...

— Si vous y croyez, il faut absolument le faire, nous dit-il. Le succès dépend toujours de la passion qu'on met à l'obtenir.

De la passion, Georges en a besoin pour convaincre ses amis de le rejoindre à Paris. Il les a lâchés neuf mois plus tôt par ma faute, et, aujourd'hui, il leur propose de tout abandonner pour s'embarquer avec nous. Je suis consciente de la responsabilité que nous prenons : jusqu'ici, nous n'étions que deux à devoir gagner notre vie, désormais nous allons nous retrouver à cinq, et c'est autrement plus lourd. André

216

Chapelle y a pensé, et c'est lui qui me propose très vite d'enregistrer avec mon nouveau groupe un disque de chansons grecques. Le précédent, *Mes plus belles chansons grecques*, réalisé deux ans plus tôt avec l'orchestre de Jacques Denjean, qui avait pris pour l'occasion le pseudonyme de Iakobos Dentjos, a connu un beau succès. Pourquoi ne pas le prolonger ? Manos et Nikos sont d'accord pour y participer, d'autant plus qu'ils ont appris à connaître Georges, et nous établissons ensemble la liste des chansons que nous pourrions interpréter. Nous y ajouterons une ou deux très belles chansons de Mikis Theodorakis, dont l'une écrite avec le poète Yannis Ritsos, et même une chanson écrite et composée par Georges lui-même, *Lune sans cœur (Fengari mou)*.

Le projet séduit les compagnons de Georges, et, bientôt, *Les Athéniens* sont au complet : Spyros Livieratos à la batterie, Kostas Trouptios à la guitare basse, Georges à la guitare et au chant, et Philipos Papatheodorou indifféremment au piano ou à la guitare. Les répétitions peuvent démarrer.

Nous sommes en plein travail quand nous arrive la proposition de revenir au Canada pour une tournée de quatre semaines. C'est Sam Gesser qui nous fait cette offre, un imprésario canadien très sympathique, passionné de folk, qui m'avait approchée quand je chantais à Montréal avec Belafonte. Nous avions passé toute une soirée à parler musique, et, pour une fois, Georges s'était joint à nous.

Sam a entendu dire que j'ai désormais mon propre groupe, et il est persuadé que nous pourrions tenir seuls une tournée.

— Tu sais, lui dis-je, je ne l'ai encore jamais fait. Je me suis produite en Allemagne avec deux autres chanteurs, et en Amérique avec Belafonte, mais jamais je n'ai été la vedette...

— Eh bien, cette fois-ci, tu le seras.

— Et si personne ne vient m'écouter ?

— Fais-moi confiance, les salles seront pleines. Tu as vu les critiques quand tu es passée avec Belafonte ?

— Les gens se sont déplacés pour lui, Sam, je ne sais pas s'ils recommenceront si je reviens toute seule...

Pourtant, en dépit de mes doutes, nous décidons d'accepter. C'est une telle opportunité pour nous qui démarrons tout juste ! Les quatre garçons sont enthousiastes, y compris Georges qui se défiait tellement de l'Amérique un an plus tôt. Mais il est vrai que cette fois il y revient avec son nom en grosses lettres sur l'affiche.

Notre disque grec attendra, et, au début du mois de janvier 1966, nous nous envolons pour le Canada. La première est prévue à la Place des Arts, la célèbre salle de Montréal. Tout au long du vol, je révise silencieusement mon récital. C'est la première fois que je vais devoir tenir seule un spectacle de bout en bout, et je balance entre l'enthousiasme et l'angoisse. Nous avons eu tout le temps de répéter, avec le concours exigeant d'André, mais ça ne fait rien, la peur est là, vertigineuse si je la laisse gagner. Je reprendrai bien sûr les chansons grecques qui m'ont fait connaître, *Roses blanches de Corfou*, *La Procession*, *Les Enfants du Pirée*, mais aussi les chansons françaises de Michel Legrand que tout le monde fredonne alors à Paris, comme *Les Parapluies de Cherbourg*, *Quand on s'aime*, ou encore *L'Enfant au tambour*, enregistré avant ma tournée avec Belafonte, et devenu un tube entre-temps. Dans la première partie, j'apparaîtrai vêtue de clair, très parisienne, dans un petit tailleur de soie, puis habillée de rouge pour mon répertoire grec.

Il me semble que nous avons tout prévu, et la présence de Georges me rassure, même si je le sens devenir de plus en plus nerveux au fil des heures.

Oui, tout prévu, sauf la météo ! Sam Gesser, qui nous accueille à l'aéroport déguisé en trappeur, nous met tout de suite dans le bain. Il a beaucoup neigé ces derniers jours, paraît-il, mais tout va bien, les rues de Montréal sont dégagées.

— Le seul problème, dit-il à la fin, c'est qu'ils annoncent une tempête pour ce soir...

— Pour la première !

— Exactement. Mais ne te fais pas de souci, ici ça finit toujours par s'arranger.

L'hôtel nous accueille avec des fleurs et des chocolats, de quoi nous faire oublier la couleur du ciel, irisé d'un jaune sale qui ne présage rien de bon, et si bas qu'il se confond avec la banquise du Saint-Laurent.

Dans l'après-midi, nous répétons. Sam Gesser est très excité, persuadé de notre succès. D'ailleurs, les journaux, qui se souviennent de moi, ont annoncé ma venue comme si j'étais une star. J'ai encore en mémoire cette phrase, volée au hasard de la revue de presse que Sam est venu agiter sous mon nez, et qui m'a fait battre le cœur : « Le public attend avec impatience la jeune artiste grecque qui chante avec une voix superbe et une grâce souveraine... » Est-ce que je mérite vraiment de tels éloges ? Et comment le journaliste peut-il affirmer que le public m'attend ? Moi, je n'en suis pas si sûre...

Et c'est malheureusement moi qui semble avoir raison. À huit heures moins le quart, quinze minutes avant le lever du rideau, la salle est quasiment vide ! Nous sommes consternés, mais Sam Gesser sourit, lui.

— Viens plutôt voir dehors ce qui tombe !

C'est inimaginable, en effet. Comme jetée avec colère depuis un ciel qui se confond maintenant avec la nuit, la neige s'abat sur Montréal avec une violence que je n'avais jamais vue. Elle paralyse les voitures, enfouit trottoirs et lampadaires, et emporte les derniers piétons dans ses tourbillons furieux. Là-bas, les feux continuent bien à passer vaillamment du rouge au vert, mais ils ne rythment plus aucune circulation, comme si le pouls de la ville avait cessé de battre. Pris dans ce somptueux chaos, voitures et autobus figurent d'étranges caravanes à l'abandon, dont les phares s'estompent petit à petit sous le manteau neigeux.

— C'est une catastrophe ! dis-je. Qui va aller secourir tous ces gens ?

— Ne te fais pas de souci, ils vont très bien s'en sortir tout seuls. Ici, tu sais, on a l'habitude des tempêtes.

— Alors la première est remise, n'est-ce pas ?

— Mais pas du tout ! On va attendre tranquillement de voir ce que décide le ciel...

Une demi-heure plus tard, la neige cesse de tomber, et alors il se passe une chose extraordinaire : de partout, hommes et engins surgissent pour déblayer les rues et les trottoirs. En un instant, cette ville qui semblait s'être résignée à disparaître se remet à fourmiller. Les piétons courent en tous sens, les voitures s'ébrouent, on s'interpelle joyeusement d'un trottoir à l'autre, avec cet accent québécois qui fait sourire quand on arrive de France et qui attire aussitôt la sympathie.

Sans s'affoler, comme s'ils se doutaient bien qu'on les aurait attendus, les gens se présentent au théâtre peu avant dix heures du soir, bavards, emmitouflés et heureux. En un petit quart d'heure la salle est pleine. J'assiste à cela depuis les coulisses, émue aux larmes.

— Regarde, Georges, Sam avait raison, ils ont attendu que la tempête cesse, et ils sont venus. Ils sont tous venus, il n'y a plus une place de libre. C'est incroyable !

Après de telles émotions, et sachant combien on a tous espéré ce moment, comment la musique n'accomplirait-elle pas le miracle de fusionner nos cœurs ? Peu importe que ma voix tremble, au début, car le souffle de la salle est aussitôt là, comme si nous nous retrouvions, émus et complices.

Pour clore mon récital, j'ai décidé de reprendre une vieille chanson québécoise que j'avais découverte lors de ma venue avec Belafonte, et qui m'avait beaucoup émue : *Un Canadien errant*. Écrite par Antoine Gérin-Lajoie en 1839, la chanson raconte le désespoir des Français du Québec, condamnés à l'exil après l'échec de leur soulèvement contre l'autorité britannique, en 1837.

Or, à peine ai-je entonné le premier vers que la salle se lève et chante avec moi. C'est un moment d'une intensité inoubliable, au point qu'à chacun de mes voyages futurs, il se trouvera toujours des gens pour me le rappeler, et me demander de chanter encore une fois cette chanson qui traduit si bien aujourd'hui l'attachement des Canadiens à leur pays.

> *Un Canadien errant*
> *Banni de ses foyers*
> *Parcourait en pleurant*
> *Des pays étrangers.*

*La Fille de la Chauve-souris*

*Un jour, triste et pensif,*
*Assis au bord des flots,*
*Au courant fugitif*
*Il adressa ces mots :*
*Si tu vois mon pays,*
*Mon pays malheureux,*
*Va, dis à mes amis*
*Que je me souviens d'eux.*
*Ô jours si pleins d'appas*
*Vous êtes disparus,*
*Et ma patrie, hélas !*
*Je ne la verrai plus !*
*Non, mais en expirant,*
*Ô mon cher Canada,*
*Mon regard languissant*
*Vers toi se portera.*

Le lendemain, nous ne devions donner qu'un récital, de nouveau le soir à la Place des Arts, mais la demande est si grande que nous décidons de jouer également en matinée. Et le succès nous accompagne ainsi durant toute la tournée. Sam Gesser avait donc raison d'être optimiste !

« L'ovation que s'est méritée Nana Mouskouri n'était pas seulement due à sa francophonie et à son interprétation surprise d'*Un Canadien errant* », écrit gentiment un critique, le dernier jour. Non, c'est vrai, il s'est passé quelque chose de plus entre le Canada et moi, une attirance réciproque, une évidence, qui fera que chaque voyage à venir sera une fête et qu'un jour Pierre Elliott Trudeau, le Premier ministre, ira jusqu'à m'ouvrir les portes du Parlement, à Ottawa, pour m'y entendre chanter dans l'hémicycle *Un Canadien errant...*

Partout, *Les Athéniens* ont été applaudis, et nous regagnons la France autrement plus confiants qu'un mois plus tôt. Cette fin d'hiver, nous la passons enfermés au Studio Blanqui à enregistrer *Chants de mon pays*, mon premier album avec Georges et son groupe.

Georges va beaucoup mieux, j'ai appris à être plus attentive à lui, et je comprends maintenant combien Paris peut

lui peser. Nous venons de passer un mois au Québec, main
dans la main, dans une grande harmonie, et voilà que je suis
reprise par le tourbillon des rencontres. André Chapelle et
Louis Hazan ont sans cesse de nouveaux musiciens à me
faire connaître, quand ce ne sont pas Michel Legrand, Eddy
Marnay ou Pierre Delanoë qui ont une idée neuve pour moi.
Et Georges a le sentiment que je vais une nouvelle fois lui
échapper. Seulement, cette fois, il parvient à l'exprimer, et
moi je suis prête à tous les sacrifices pour le rendre heureux.

— Quittons Paris, si tu veux.

— Pourquoi n'irions-nous pas vivre à Genève ?

C'est à Genève que se sont déjà installés ses trois amis,
deux ou trois ans plus tôt, à l'époque pour se rapprocher
d'Amsterdam où ils jouaient souvent. Tous mariés, ils en
avaient assez d'être si loin de leurs femmes, restées à
Athènes. La proximité de la Suisse avec Amsterdam et Paris
leur permet de préserver leur vie familiale. Oui, pourquoi
n'irions-nous pas vivre à Genève si cela convient mieux à
Georges ?

La décision est prise, et nous déménageons au milieu de ce
printemps 1966, tout en préparant notre été ponctué d'une
dizaine de galas dans plusieurs villes de France. Rien de bien
extraordinaire, à tel point que j'ai le sentiment, cette
année-là, d'être nettement plus appréciée, et aimée, au
Canada, en Allemagne ou aux États-Unis, qu'en France.

Et pourtant, c'est durant cet été sans grand relief que je
vais faire la connaissance d'un homme qui deviendra, trente
ans plus tard, le frère que je n'ai pas eu : Jean-Claude Brialy.

J'avais été invitée par le Festival de la chanson d'Antibes à
venir interpréter quelques chansons durant le dîner officiel
qui devait précéder la remise des prix. Curieusement, cela
m'angoissait beaucoup, et je m'étais d'ailleurs fait la
réflexion que j'avais bien plus le trac quand je chantais en
France que dans d'autres pays. Pourquoi ? Sans doute,
m'étais-je dit, parce que j'étais restée traumatisée par mes
débuts à Paris, et les colères de Pierre Delanoë et de
Louis Hazan contre mon accent. De Pierre Delanoë, surtout. De sorte que devant un public français, je tremblais
encore à l'idée de me remettre à rouler les « r », comme

« une paysanne grecque », ou à la perspective d'écorcher un mot. Pour ne rien arranger, on m'avait prévenue qu'il y aurait de grands artistes pour m'écouter, tels Charles Trenet ou Charles Aznavour...

J'arrive donc très tendue, et frileusement repliée sur moi-même. Mon imprésario, Roland Ribet, qui m'accompagne, et ne manque pourtant pas d'humour, a bien du mal à me dérider. « Orientale, donc d'une culture qui, depuis des millénaires, fait des femmes des êtres soumis et pris en charge, Nana est terrifiée par les embûches de notre monde où chacun doit se battre pour se faire une place », écrira-t-il quelques années plus tard [1]. Terrifiée, oui, ce n'est pas faux, surtout si j'ai la sensation qu'on m'attend au tournant...

Au milieu du dîner, sans avoir touché à mon assiette, je m'éclipse donc discrètement pour aller me réfugier dans les coulisses et soigner mon trac. J'attends qu'on vienne me chercher, et je tourne nerveusement en rond.

C'est alors que je vois venir Jean-Claude Brialy. Il ne me connaît pas, mais moi je l'ai déjà élu dans mon cœur trois ans plus tôt, lors d'un *Cinq colonnes à la une*, la fameuse émission de télévision, dont le plateau était occupé ce jour-là par les trois Jean : Jean-Paul Belmondo, Jean-Pierre Cassel et Jean-Claude Brialy. Des trois, il était celui qui m'avait semblé le plus poète, le plus généreux, et peut-être aussi le plus pétillant. Bon, mais il ne peut pas le deviner à l'instant où il marche vers moi... et pourtant il me sourit ! Oh, ce premier sourire de Jean-Claude ! Comme s'il savait déjà tout sans me connaître. Ma peur de décevoir, ma fierté, mon désir de ne rien céder sur mon physique, mon fol espoir qu'on m'aimera malgré tout pour ce qui se cache derrière mes « affreuses lunettes », comme ils disent tous...

Comme s'il savait déjà, oui. Et il sait, puisqu'il trouve aussitôt les mots justes.

— Ne t'inquiète pas, je sais qu'ici tout le monde t'aime. Ils t'aiment pour tout ce que tu leur donnes de sincère et de beau. Et moi aussi, tu sais. Je ne te connais pas, mais je te

---

1. Dans *Pleins feux*, mai 1972.

connais, *C'est joli la mer*, *Celui que j'aime*... Tu vois ? Viens chanter, maintenant, les gens sont impatients de t'écouter...

Il me tient par la main quand nous entrons sur scène, et alors j'entends comme le murmure du vent dans les herbes hautes, un bruissement doux et bienveillant, qui donne envie d'offrir son visage et de s'abandonner.

Je crois que c'est durant l'automne suivant qu'un coup de fil de M. Hazan me glace un instant le sang. Il m'appelle un matin, à Genève où nous habitons désormais.

— Nana, Claude Dejacques n'a pas suffisamment de temps à te consacrer. J'ai décidé de te donner un nouveau directeur artistique...

— Oh, mon Dieu, non !

C'est vrai que je ne vois pas beaucoup Claude Dejacques, mais André, son assistant, est devenu si important dans mes choix musicaux, si précieux pendant les enregistrements, que j'envisage aussitôt comme une catastrophe de me séparer de lui. Et que je ne cherche même pas à le dissimuler...

— Pourquoi non ? Tu n'es pas d'accord ?

— Monsieur Hazan, vous savez combien j'ai du mal à me séparer des gens avec lesquels j'ai pris l'habitude de travailler...

— Je sais, je sais, alors laisse-moi plutôt finir au lieu de protester sans savoir. Je t'enlève Claude Dejacques, mais c'est André Chapelle qui devient ton nouveau directeur artistique.

— André ! Mais c'est formidable !

— Tu vois bien ! Je crois que lui aussi t'apprécie énormément.

— Merci, c'est une merveilleuse nouvelle...

— Eh bien, si c'est ça, je te le passe, il est à côté de moi.

André est très enthousiaste, et nous bavardons un moment.

— Quand viens-tu à Paris ? J'ai plein de choses à te montrer.

— Pour un nouveau disque ?

— Non, pour l'album qui fera de toi la plus grande chanteuse. Et pas seulement en France !

Quand nous nous retrouvons huit jours plus tard, dans son bureau, c'est en effet de l'or que me présente André. Il a songé pour moi à une chanson de Bob Dylan, *Farewell Angelina*, qui va très vite devenir sous son autorité *Adieu Angelina*. Pierre Delanoë a travaillé pour moi à une adaptation d'une chanson de Manos Hadjidakis dont le titre sera *Mon gentil pêcheur*. De son côté, Eddy Marnay a merveilleusement adapté une chanson traditionnelle, *Aïde to malono*, en *Robe bleue, robe blanche*. Et ce n'est pas fini, André lui-même a retrouvé cette chanson dont je lui avais parlé au téléphone, depuis New York.

C'était un soir tard. Harry Belafonte m'avait raccompagnée dans sa voiture à mon hôtel, et, comme il pianotait sur sa radio tout en conduisant, j'avais attrapé au vol les dernières notes d'une chanson absolument magnifique.

— Mais qu'est-ce que c'est ?

— Je ne sais pas, m'avait rétorqué Harry, jamais entendu...

— C'est très beau, j'adorerais la chanter.

Aussitôt dans ma chambre, j'avais appelé André, lui avais fredonné le peu que j'avais retenu, et répété les deux seuls mots qui m'étaient restés : « *feeling groovy* ».

— Très bien, je vais tout tenter pour te la retrouver, m'avait-il promis.

Et voilà qu'il me la passe. C'est elle, à la seconde je la reconnais.

— *59th Street Bridge song*, de Simon et Garfunkel, me dit-il.

— J'aimerais tellement la chanter !

— Elle est faite pour toi, j'en ai déjà parlé à Pierre Delanoë...

Pour moi, nous la rebaptiserons *C'est bon la vie*.

Nous passons l'après-midi à bavarder, dans cette fièvre que l'on éprouve quand on se sent au seuil d'un grand projet. Et pourquoi est-ce que je ne reprendrais pas également cette chanson qui me lie à jamais à Harry Belafonte, justement : *Try to remember* ? André trouve l'idée excellente, et c'est Eddy Marnay qui en fera *Au cœur de septembre*. Autre chose encore : j'aimerais tellement enregistrer enfin

*Le Temps des cerises* ! Je l'avais découverte avec Georges, un soir où nous étions allés écouter Tino Rossi, et, depuis, il nous arrivait souvent de la chanter ensemble... Eh bien, oui, André est d'accord, et puisque Georges l'aime autant que moi, c'est lui qui en fera l'arrangement musical.

L'album est là, sur le papier, mais il faudra attendre un peu pour l'enregistrer car Sam Gesser nous réclame de nouveau au Québec pour trois ou quatre récitals Place des Arts, et au palais Montcalm.

Au début de cette année 1967, nous repartons donc pour le Canada. Tournée brève et triomphale qui se solde par des critiques qui me touchent plus que les précédentes car, pour la première fois, elles englobent *Les Athéniens*. « Mais comment parler de Nana Mouskouri, écrit ainsi Jean Royer dans *L'Action*, sans dire la musicalité du groupe qui l'accompagne ? Non seulement avec talent, mais avec une présence envoûtante [1]. »

« Parce que Nana est celle qu'on aime d'emblée, ajoute *La Semaine illustrée*, on lui sera toujours reconnaissant d'avoir tant de talent... celui d'une *enfant du Pirée* qui forme pont entre le soleil grec et les neiges de Gilles Vigneault, bien ancrée sur les piliers solides de la chanson d'amour [2]. »

À notre retour, on dirait que l'engouement que nous suscitons outre-Atlantique commence à gagner timidement la France. Pour la première fois, le mensuel *Fantaisie-Variété* me consacre un long portrait sur une double page.

« C'est presque devenu une sorte de lieu commun, écrit le journaliste : quand on prononce le nom de Nana Mouskouri, aussitôt on entend : "Qu'elle chante bien !" À croire que cela étonne les gens que nous ayons en France une chanteuse, au moins une, qui sache chanter. Malheureusement pour notre petite vanité nationale, Nana n'est pas française puisqu'elle est née à Athènes, de parents parfaitement grecs. Mais elle a décidé de rester chez nous, aussi

1. *L'Action*, Québec, 2 février 1967.
2. *La Semaine illustrée*, 23 au 29 janvier 1967.

allons-nous la revendiquer, sans nous laisser impressionner par la charmante petite pointe d'accent dont elle assaisonne ses chansons [1]. »

L'écrivain et philosophe Maurice Clavel, lui-même, ouvre sa chronique dans *Le Nouvel Observateur* par ce superbe compliment : « Dimanche 12. Nuit des élections. Ma première joie fut de découvrir Nana Mouskouri, qui m'exalte, qui me rassure dans mes critiques, qui me confirme que le chant est le chant profond d'un être, avec ses replis [2]. »

Je me rappelle le sourire ravi d'André lorsqu'il me lit ces mots de Clavel. Et son exclamation, aussitôt après : « Nous allons gagner parce que nous sommes les plus forts ! » André n'en a jamais douté, jusqu'à aujourd'hui où il me répète avec malice la même petite phrase tandis que je refais tout le chemin de ma vie, pour ce livre, cette fois. Les plus forts, croit-il... En réalité, lui se sent fort parce qu'il me voue un culte sincère, et moi parce qu'il est à mes côtés. Ainsi nous entretenons-nous mutuellement dans cette illusion que le monde est à notre portée.

Ça y est, nous avons commencé l'enregistrement du disque qui doit nous faire « gagner ». *C'est bon la vie* est gravée, ainsi que *Robe bleue, robe blanche*. Mais c'est déjà avril, et, le 21, nous avons décidé de partir pour Athènes célébrer les fêtes de Pâques chez mes parents. Pour l'occasion, nos deux familles seront réunies, et puis il y aura Jenny, son mari, et ma nièce Aliki que j'ai hâte de revoir. Quelque temps plus tôt, j'ai offert à Georges, que les voitures passionnent, une très belle Mercedes, et c'est à son bord que nous nous apprêtons à faire ce long voyage pour qu'il ait tout le loisir d'en profiter. Georges est secrètement fier de retourner chez lui en Mercedes, et cela me touche...

Nous sommes sur le point de quitter notre appartement de Genève quand le téléphone sonne. C'est Odile Hazan.

---

1. *Fantaisie-Variété*, janvier-février 1967.
2. *Le Nouvel Observateur*, 22 mars 1967 à propos des élections législatives.

— Je viens d'écouter la radio, Nana, on parle d'un coup d'État militaire en Grèce, il paraît que les chars d'assaut auraient bouclé Athènes...

— Oh ! Seigneur !

— Surtout, ne partez pas avant d'en savoir plus.

Quand je parviens à joindre maman, je reconnais à peine sa voix tant l'émotion l'étreint.

— Personne ne nous explique ce qui se passe, me dit-elle, les rues sont vides, les magasins n'ont pas ouvert...

— Ici, on raconte qu'Athènes serait en état de siège.

— Oui, ton père me dit qu'il y a des militaires partout. Pourquoi le roi ne prend-il pas la parole ? Il n'est pas mort, au moins ?

— Il va sûrement parler, maman, il faut attendre.

Mais le roi, que nous aimons, comme l'aiment beaucoup de gens simples en Grèce, uniquement parce qu'il est le roi, eh bien, le roi se tait. Et tout ce que l'on apprend au fil des heures nous replonge au plus noir de la guerre civile : des officiers auraient pris le pouvoir, il y aurait déjà des centaines d'arrestations, des artistes, des hommes politiques... Beaucoup de gens chercheraient à quitter le pays dans une grande panique, mais les frontières auraient été bouclées, et l'aéroport momentanément fermé.

Comment la Grèce a-t-elle pu basculer dans cette horreur d'un autre temps alors que ses voisins occidentaux, la France et l'Allemagne fédérale en particulier, non seulement ont su se réconcilier depuis la guerre, mais sont devenus le socle d'une Europe démocratique et ouverte ? Plus les nouvelles nous parviennent, plus j'éprouve un sentiment de honte. Comme rattrapé par son archaïsme, ses haines et ses vieux démons, voici que mon pays tourne brusquement le dos à la démocratie, à la culture, à la lumière, pour tomber sous le joug de *colonels* ! Qu'avons-nous fait pour mériter un tel châtiment ?

Le roi Constantin II en serait le premier responsable, disent bientôt les commentateurs. En renvoyant deux ans plus tôt le Premier ministre de gauche, Georges Papandréou, pourtant choisi par les électeurs, il aurait lui-même bafoué la démocratie, ouvrant la voie aux *colonels*. De fait, le roi ne condamne pas tout de suite le coup d'État, et quand il tentera de rétablir son autorité, six ou sept mois plus tard, estimant que les officiers « mènent le pays au désastre », il sera trop tard. Constantin II échouera et devra quitter le pays à son tour, prenant le chemin de l'exil qu'auront alors emprunté avant lui la plupart des leaders démocrates, dont celui que je tiens en plus grande estime, Constantin Caramanlis.

La Grèce s'enfonce dans la nuit, et, pour Georges et moi, c'est un déchirement. Comment continuer à chanter, à rire, à se faire plaisir, quand ceux qui nous sont les plus chers se retrouvent prisonniers d'une « dictature sanglante et bouf-fonne », comme l'écrira justement Jean-Paul Sartre ? On se réjouit chaque matin en ouvrant les yeux de se réveiller dans un pays libre, mais la minute suivante on songe au chagrin des siens et on se reproche de ne pas être près d'eux, de les avoir abandonnés. Maintenant, je n'ai plus une conversation avec mes parents sans qu'il y soit question de l'arrestation de tel ou tel. Le poète Yannis Ritsos, dont j'ai chanté les vers, a été déporté à Yaros, de même que le dra-maturge Yannis Negrepontis. Manos Hadjidakis est parvenu à s'enfuir, nous nous sommes longuement vus à Paris, puis il s'est envolé pour les États-Unis. Nikos Gatsos, lui, a refusé de quitter sa maison, ses livres, son pays, et nous avons de longues conversations à travers lesquelles je devine combien la poésie lui permet de fuir l'oppression et la bêtise, comme il avait su le faire, avec *Amorgos*, durant l'Occupation.

*Prends la bannière de la vie pour y ensevelir la mort*
*Et que ton cœur demeure ferme*
*Que tes larmes ne mouillent pas cette terre sans pitié*
*Comme les larmes du pingouin mouillèrent jadis la*
*    banquise*
*Se plaindre est inutile*
*La vie est partout identique sur la terre des spectres...*

Paradoxalement, c'est durant ce premier printemps de la dictature, quand nous devrions désespérer, que la vie nous fait le cadeau que nous attendons depuis si longtemps : enfin, je suis enceinte ! Dans le secret de ma foi, j'y vois un don du Ciel, une façon pour le Seigneur de nous signifier qu'une lumière nouvelle se lèvera un jour sur la Grèce, pour cet enfant à venir, comme pour tous ceux qui naîtront demain.

Ce soir-là, au téléphone, j'ai le bonheur d'entendre les exclamations joyeuses de mes parents, et c'est comme si cet événement encore minuscule nous permettait déjà d'échapper à la nuit. Quand nous reverrons-nous ? Mes parents pourront-ils venir pour la naissance ? Quant à moi, j'ai décidé de ne plus retourner en Grèce tant que des dictateurs y seront au pouvoir.

Le mois de mai s'achève, et Georges et moi avons une décision grave à prendre très vite : faisons-nous comme prévu notre tournée d'été à travers toute la France, moi enceinte, ou y renonçons-nous ? C'est la première fois que l'opportunité m'est offerte de chanter dans les grandes stations balnéaires et de rencontrer ainsi un public qui ne m'a jamais vue sur scène, et peut-être même jamais entendue. Jusqu'ici, je n'étais pas assez connue en France pour risquer une véritable tournée, et je m'en tenais à quelques galas. Annuler serait donc un gros sacrifice, pour moi naturellement, mais aussi pour *Les Athéniens* qui ont impérativement besoin de travailler.

Comme souvent dans de telles situations, nous décidons de nous en remettre à l'avis du médecin. Et nous ne lui cachons rien : ni les milliers de kilomètres à parcourir en voiture, ni les trois heures de scène quasi quotidiennes, ni les nuits trop courtes et les jours sans sieste. Et tout cela, huit semaines durant...

— Est-ce qu'il n'y a pas un risque que je perde mon bébé, docteur ?

Si, le risque existe. Le médecin m'examine, tergiverse, réfléchit.

— Ça va être très dur, dit-il à la fin. Mais je me demande si ça ne serait pas encore plus dur de vous condamner à rester au lit tout l'été. Je vous imagine alors tournant en rond, malheureuse et dépitée, et je ne sais pas si ça ne serait pas pire pour votre grossesse...

— Que faire, alors ?

— Y aller ! Je crois que vous pouvez tenter l'aventure, à condition de prendre quelques précautions.

Je ressors de là avec une liste de conseils et une prescription pour trois piqûres par semaine. Je suis en même temps folle de joie et terriblement inquiète.

Pourtant, très vite, j'ai la certitude que le médecin a fait pour nous le bon choix. L'enthousiasme qui me porte, et l'accueil que nous réservent les gens dès le premier soir, me procurent une telle confiance en moi, et en cet enfant, que j'ai la certitude que nous ne courons aucun risque. Je lui parle beaucoup, de ma joie de le savoir là pendant que je chante, de mes émotions, de ma fatigue aussi, et je le sens si présent, si *confortable*, que je sais que nous n'allons plus nous quitter. Et puis Georges est avec moi, prévenant, attentionné, du soir au matin sur son petit nuage, et c'est un réconfort de pouvoir compter sur lui. Cet enfant, il l'attend depuis notre mariage, sept ans plus tôt, et il est le premier à le remercier chaque soir d'être là, quand nous nous retrouvons enfin dans notre chambre d'hôtel, épuisés et ravis. Le premier à l'écouter, à lui parler...

Partout, les salles sont pleines, les gens chaleureux, émus, reconnaissants, et la presse extraordinaire. « Le triomphe de Nana Mouskouri dont la perfection a émerveillé », titre *La Marseillaise*, donnant enfin raison à André qui ne laisse pas passer une journée sans prendre de nos nouvelles depuis Paris. C'est aussi son succès, cette tournée, puisque je chante toutes les nouvelles chansons que nous avons enregistrées au printemps : *Adieu Angélina*, *C'est bon la vie*, *Mon gentil pêcheur,* ainsi que la très belle chanson d'Eddy Marnay et Nachum Heiman qui donnera bientôt son titre à mon disque, *Le jour où la colombe*... « Elle chante l'amour, les fleurs, les enfants, la guerre, et l'on est comme envoûtés, fascinés par le charme qui se dégage de ses interprétations », écrit le quotidien marseillais.

C'est au milieu de cet été, passant par Cannes où je suis l'invitée d'une émission de télévision, que je découvre que j'ai déjà vendu huit millions de disques à travers le monde.

Huit millions de disques, dont bien peu en France, en comparaison des États-Unis, du Canada et de l'Allemagne.

— Vous ne le saviez pas ? me demande le journaliste, un peu surpris.

— Non, je n'ai jamais osé demander si mes disques se vendaient bien.

Et c'est vrai que j'ai un tel rapport de confiance avec Louis Hazan, de confiance et de reconnaissance surtout, que jamais je ne lui pose la moindre question, comme si je craignais de le blesser en lui réclamant des comptes. Et lui ne se précipite pas pour vanter mes succès. J'en comprendrai la raison plus tard, quand je commencerai à m'émanciper : durant toutes ces années, Louis Hazan craint que je ne le trahisse pour passer à la concurrence, en France ou à l'étranger surtout, moi qui finalement ne quitterai jamais Philips, devenu aujourd'hui Universal...

Cependant, mes huit millions de disques vendus ne m'empêchent pas d'avoir un jour la nausée, et le lendemain des envies dévorantes de femme enceinte. Georges veut bien se plier à tous mes caprices, mais à une seule condition : que je ne fasse pas de taches sur les sièges de sa jolie Mercedes. Il me trouve tous les fruits que je veux, y compris les plus exotiques, mais je suis priée de les manger sur le bas-côté, et j'ai le souvenir de quelques curieux ralentissant, intrigués sans doute par la ressemblance entre cette fille croquant un ananas sur le bord de la route, entre Cannes et Saint-Raphaël, et cette Nana Mouskouri dont on trouve des affiches jusque sur les platanes. Les lunettes, sûrement...

Nous sommes dans les derniers jours de la tournée quand, un soir, à peine arrivée à l'hôtel, on me demande au téléphone.

— André Chapelle pour vous.

— Ah, André !

— J'ai quelque chose de très important à te dire. Tu es assise ?

— Oui, voilà. C'est grave ?

— Non, mais très sérieux.

— Alors vas-y, je suis prête.

— Bruno Coquatrix te propose l'Olympia en vedette !

— Oh ! Mais... Mais ça serait quand ?

— Là, tout de suite, en octobre.

— En octobre ! Mais André, je serai enceinte de cinq mois !

— Je sais, j'y ai pensé.

— C'est impossible !

— Ne dis pas ça, Nana, c'est une chance extraordinaire.

— C'est peut-être une chance, oui, mais moi je ne veux pas arriver sur scène avec un ventre comme ça. Déjà, on se moque de mes lunettes, alors imagine un peu ce qu'on va dire...

— Écoute, j'entends ce que tu dis, mais il faut qu'on réfléchisse avant de refuser. Tu ne veux pas que je descende sur la côte vous rejoindre ? Comme ça, on pourrait en discuter calmement tous les trois, avec Georges.

— Viens si tu veux, mais pour moi c'est non, André. De toute façon, je ne me sens pas encore prête pour affronter seule l'Olympia. Alors enceinte, tu imagines...

Je suis complètement bouleversée en raccrochant, tellement perturbée que je tourne en rond une heure avant de pouvoir annoncer la nouvelle à Georges. Lui semble d'abord émerveillé, puis, voyant ma tête, il s'en va retrouver ses amis, l'air de penser que la décision n'appartient qu'à moi.

Durant les trois jours qui suivent, mon imprésario, Roland Ribet, me laisse quinze messages, me suppliant de le rappeler d'urgence, ce que j'évite soigneusement de faire. Je sais très bien ce qu'il veut : me convaincre d'accepter la proposition de Coquatrix, et je n'ai pas envie d'écouter ses arguments. Pas avant d'avoir vu André qui vient passer le week-end avec nous.

André, qui n'est jamais pressant, dont le calme et la sérénité me réconfortent.

Par sa bouche, j'apprends que je ne dois pas cet Olympia à mon talent, mais à Gilbert Bécaud qui a brusquement annulé son tour de chant. Bruno Coquatrix s'est ainsi retrouvé avec trois semaines de vacances au beau milieu de l'automne. Pourquoi a-t-il songé à moi pour sauver sa saison, lui qui ne m'a pas refait signe depuis mon passage en première partie de Brassens, quatre ans plus tôt ? Roland Ribet ne doit pas y être pour rien.

— Ne te soucie pas de Coquatrix, me dit André, ne pense qu'à toi, et nous l'appellerons quand tu auras pris ta décision. Donne-toi le temps de réfléchir, mais sache que c'est une opportunité formidable et que, si tu acceptes, tu n'auras rien à perdre.

— Et si tout le monde se moque de moi ?

— Non, personne ne se moquera de toi. Si c'est le bébé qui t'inquiète, Nana, rassure-toi. Les critiques y feront sans doute allusion, mais ce ne sera sûrement pas méchant. Et tu auras toutes les mamans de ton côté...

— Et puis je ne suis pas prête pour tenir la vedette.

— Nana, tu manques peut-être de confiance en toi, mais pour moi qui te suis depuis quelques années maintenant, tu n'as jamais si bien chanté qu'en ce moment. Et tu disposes pour la première fois d'un répertoire français extra-ordinaire.

André a raison, je m'en fais la réflexion cette nuit-là, ne trouvant pas le sommeil : ma voix n'a jamais été si pleine, si épanouie, que depuis que je suis enceinte. Quant à mes dernières chansons, dont l'album est sur le point de sortir, elles m'ont déjà valu de très beaux compliments. « Achetez son prochain 30 cm, a écrit René Bourdier dans *Les Lettres françaises*, vous prendrez à l'écouter le plus rare des plaisirs, celui que seuls procurent les très grands interprètes. »

Le lendemain, je suis moins sûre de mon refus, et je me décide à appeler timidement Bruno Coquatrix.

— Vous savez, lui dis-je, j'ai peur de vous conduire à la catastrophe. Qu'allez-vous penser de moi si la salle est à moitié vide ?

Et lui, imperturbable :

— Je sais bien, Nana, que vous n'êtes pas assez forte pour me remplir toute seule l'Olympia. Je ne suis pas fou. J'ai donc engagé une très belle première partie : nous aurons Jacques Martin en vedette américaine, et Serge Lama qui fera son retour sur scène. Ne vous faites pas de souci, ces deux-là vont déjà nous vendre pas mal de fauteuils... Alors c'est oui, ma petite ?

— C'est oui, monsieur Coquatrix.

# 16

## « Une femme enceinte
## vêtue de velours rouge à l'Olympia »

Je voudrais parler de ce moment d'*agonie* – je ne trouve pas d'autre mot – ce moment d'*agonie* qui précède mon entrée en scène, ce 26 octobre 1967, pour ma première à l'Olympia.

Je me suis enfermée dans ma loge, et, par instants, je peux croire que mon cœur va se rompre tant je l'entends cogner. Puis, curieusement, je l'oublie, je m'oublie, j'observe avec indifférence la jeune femme brune à lunettes, au cafetan de velours rouge, dont la glace me renvoie l'image. Je flotte dans une forme d'anesthésie. Que faisons-nous là, toutes les deux, dans cette petite pièce trop violemment éclairée, au milieu de ce désordre ? Suis-je bien vivante, ou sur le point de mourir ? Alors, avec la fulgurance d'un coup de poing en pleine poitrine, me revient le sort épouvantable qui m'attend. Dans une heure... Dans quarante-cinq minutes... Oh non ! Jamais je n'aurai la force. Je songe à ces condamnés qui patientent aux États-Unis dans les couloirs de la mort. À un moment, quelqu'un va frapper, et ce sera l'heure, et il faudra dire : « Voilà, je suis prête. » Il ne faudra pas se mettre à trembler, à sangloter, à supplier, il faudra tenir, c'est une affaire de dignité, n'est-ce pas ? Soutenir le regard du bourreau, lui tendre la main, et se laisser conduire.

Parfois, les secondes passent très vite. « Mon Dieu, me dis-je silencieusement, ce n'est pas possible, cinq minutes d'un seul coup, est-ce que l'horloge ne serait pas détraquée, par hasard ? » Mais non, l'affreux tic-tac est bien audible, implacable, oppressant. À d'autres moments, c'est le contraire, les secondes n'en finissent pas de s'égrener, et alors tous les bruits de la vraie vie me sautent au visage. Georges qui est si nerveux, dans la pièce à côté, qu'il casse toutes les cordes de sa guitare. Les techniciens qui s'interpellent, dans les couloirs. Les applaudissements lointains de la salle, comme une soudaine averse de grêle sur un toit de zinc. Est-ce pour Jacques Martin ? Est-ce pour Serge Lama ? Et si c'était l'entracte ?

Odile et Louis Hazan sont passés en coup de vent tout à l'heure : « Nana, c'est formidable, la salle est pleine, et il y a encore la queue dehors... » Leurs sourires, leurs yeux ravis...

Et moi :

— Ah, très bien, très bien.

— C'est tout ce que ça te fait ? s'est exclamée Odile. Même pour Brassens, il n'y avait pas autant de monde !

Odile m'a embrassée, M. Hazan m'a dit quelques mots. Quoi ? Je n'ai pas retenu, c'était un moment où les battements de mon cœur étaient assourdissants. Ils ne sont pas restés, et c'est maintenant que leur visite me revient à l'esprit. Combien de temps s'est écoulé depuis ?

On frappe ! Mes jambes ne me portent plus, je vais tomber...

— Entrez !

C'était bien ma voix, mais où ai-je trouvé la force ?

— Ça va être à vous, ma petite. La salle est formidable, je vous prédis un triomphe !

Bruno Coquatrix, nœud papillon rouge, costume aux reflets d'argent, m'offre son bras. C'est la coutume. Pour les premières, le patron de l'Olympia conduit lui-même *sa* vedette jusqu'à la scène.

Un petit attroupement s'est formé devant la porte de ma loge. Je croise le sourire d'Odile Hazan, le regard grave et encourageant d'André, l'œil surpris de Serge Lama... Je n'ai pas un mot pour quiconque, même pas un sourire. Je me sens vidée, transie, au bord du gouffre.

« Quand je t'ai vue passer, me dira plus tard Serge Lama, devenu l'un de mes plus proches amis, j'ai eu l'impression d'un mouton qu'on menait à l'abattoir. »

Mais à peine apparaissons-nous sur scène, la silhouette mythique de Coquatrix, et moi dans cet ample cafetan rouge incrusté de pierres écarlates sur la poitrine et aux poignets, œuvre de Per Spook, que les applaudissements parcourent fébrilement la salle, comme un long frisson d'impatience et de plaisir.

Alors j'entonne *Adieu Angélina*, et la musique est enfin là, qui m'arrache au trac, qui me fait tout oublier de ces quelques heures atroces que je viens de vivre. Je ne suis plus ce pauvre corps transi, ce cœur affolé, je chante, et c'est comme si le ciel s'entrouvrait enfin pour me prêter des ailes. Je n'ai plus peur, comme s'il ne restait plus de moi que ma voix, et cet enfant qui m'inspire tant d'émotion.

C'est à lui que je pense, à lui et à notre pays si malheureux, lorsque je reprends *Le jour où la colombe*. Cette chanson, que nous avons enregistrée parmi les dernières, au début de septembre, dit tout le chagrin qui nous accable depuis ce 21 avril 1967 où la vie s'est soudainement détournée de la Grèce.

> *Je ne sais pas où sont partis ces hommes*
> *Que d'autres sont venus chercher.*
> *Ils ont disparu par un matin de Pâques,*
> *Des chaînes à leurs poignets.*
> *Combien d'entre eux vivront encore*
> *Le jour où la colombe reviendra sur l'olivier?*

Comment raconter cet instant où j'ai la certitude que la salle est avec moi, que nous sommes maintenant un millier à partager cette émotion que je portais seule un instant plus tôt? Alors je repense à Judy Garland, à l'étonnement de mon père lorsque je lui assurais que les gens n'étaient plus les mêmes entre le début et la fin du film, et je remercie le Ciel de m'avoir donné ce pouvoir mystérieux de bouleverser les cœurs. À l'époque, papa ne comprenait pas ce que je cherchais à lui dire. S'il était là, ce soir, me dis-je, je crois qu'il comprendrait. Il y a cent façons d'applaudir, n'est-ce pas, mais il n'y en a qu'une, que je reconnais, et qui me touche infiniment, car elle sait exprimer la ferveur.

À la fin, la salle est debout pour nous ovationner. Combien de rappels faisons-nous ? Combien de rideaux ? Je ne sais plus. Mais nous ne parvenons plus à nous quitter, et je termine en reprenant *La Lune de papier, a capella*, toute seule sur scène, comme un lointain baiser à Nikos Gatsos, prisonnier là-bas du couvre-feu.

« Avec Nana Mouskouri, écrit le lendemain Claude Sarraute dans *Le Monde*, l'Olympia prend l'allure de Pleyel. Sa voix est un cristal, une source, un velours ; ses chansons sont belles, simples et passionnées. Elle leur ressemble d'ailleurs, assumant avec une tranquille assurance sa myopie et sa prochaine maternité, sûre de la qualité de son chant et de celle de son public. Elle a été formée au conservatoire d'Athènes et, toquée de jazz, a préféré à la Scala les tavernes du Pirée.

« C'est une artiste de concert, merveilleusement soutenue par son mari et par trois de leurs amis ; c'est une patriote que les événements ont servie, en arrachant les refrains folkloriques de son pays aux charmes faciles des dépliants touristiques, en les chargeant d'une émotion qui en transforme la portée et l'accent. »

« Elle est la musique, donnant aux mots un sens supérieur », écrit le même jour Paul Carrière dans *Le Figaro*.

« Elle chante comme Rudolf Noureev danse, parce qu'elle est née pour cela », écrit Jacqueline Cartier dans *France-Soir*.

« Il faut aller l'applaudir, conseille encore *Paris Match* : c'est un enchantement pour les yeux, les oreilles. Et le cœur. Merci, Nana. »

Pas de doute, cette première à l'Olympia marque une révolution dans ma vie d'artiste. D'ailleurs, le surlendemain, toutes les places sont vendues jusqu'à l'ultime représentation, le 13 novembre. Heureux et confus, Bruno Coquatrix me prédit désormais « une immense carrière ». Louis Hazan m'avoue que, jusqu'à cette soirée, il doutait que je parvienne à remplir l'Olympia, lui qui m'avait pourtant promis qu'un jour mon nom serait accroché à ce fronton, en grosses lettres rouges, comme pour Édith Piaf. André seul n'est pas surpris. « Nous avons gagné parce que nous sommes les plus forts », m'écrit-il sur la petite carte qui accompagne ses fleurs.

En réalité, la France me découvre soudain, ce qu'explique Juliette Boisriveaud dans *Candide*, bien mieux que je ne saurais le faire :

« Ce serait trop facile, écrit-elle, d'arriver un soir de générale à l'Olympia, d'être bouleversés par une femme enceinte vêtue de velours rouge, de se rendre compte que c'est l'une des plus grandes chanteuses de son époque et d'imaginer en plus que c'est nous qui l'avons découverte.

« Parce qu'elle chante en français. Parce qu'elle vit à Paris depuis 1962. Parce que nous lui avons collé une étiquette anthropométrique : *la chanteuse grecque à lunettes*. Parce que nous sommes plus sensibles aux "tubes" qu'à une présence, nous aurons été les derniers à découvrir Nana Mouskouri, à savoir qui elle est.

« L'Amérique, la Russie, l'Allemagne, le Japon, le monde entier, et même la province, l'auront su avant Paris. Nous en sommes à nous émerveiller de voir arriver en vedette à l'Olympia une jeune femme dont nous ne connaissions qu'un visage parmi les autres, et une voix plus belle au milieu des rengaines quotidiennes.

« Mais en Amérique, elle donne des récitals devant 16 000 personnes à Kansas Lawrence, 15 000 étudiants à l'université de l'UCLA, ou pendant quarante jours au Greek Theatre de Los Angeles. En Allemagne, elle est la plus forte vente de disques depuis 1962.

« Ses *Roses blanches de Corfou* détiennent un record européen : 1 200 000 exemplaires.

« Voilà pour ceux qui mesurent la beauté en chiffres, qui ont besoin de passer le succès à la toise pour être sûrs que c'est ça qu'il faut aimer. C'est sans doute pour cela que la présence parmi nous de Nana Mouskouri nous a échappé si longtemps.

« Une voix. Une présence. Et des instants où le temps s'arrête. Cette description s'applique à Ella Fitzgerald, à Martin Anderson, à Édith Piaf, à Amalia Rodriguez, à Judy Garland, à quelques autres, seulement aux plus grandes, et à Nana Mouskouri. »

*Rock and Folk* me consacre à son tour un long article qui se termine par cette phrase : « Aujourd'hui, aujourd'hui où enfin, en France, l'on écoute Nana chanter, juste trois mots : Bienvenue Nana et... mille pardons pour le retard ! »

La reconnaissance est là, enfin ! Et cependant, à peine retombé le rideau sur la dernière représentation, Georges et moi nous enfuyons comme des voleurs. Maintenant, nous avons hâte d'être chez nous, à Genève. Nous sommes à trois mois de mon accouchement et nous voudrions suspendre la marche du temps pour profiter enfin, dans le silence, de cet enfant qui grandit en moi, qui maintenant s'agite, et que nous n'avons pas suffisamment caressé, écouté. Et puis il faut lui aménager sa chambre, songer à trouver une nurse pour les mois qui suivront la naissance, se préparer sereinement à cet événement qui va profondément bouleverser notre vie, nous le savons.

Comment apprend-on à devenir parents ? En revisitant son enfance, sans doute, en se souvenant de ses propres parents. Ces dernières semaines, je passe beaucoup plus de temps au téléphone avec ma mère. Et voilà que mon père, qui avait oublié ma naissance, se passionne pour celle de son petit-enfant. Au point que ça y est, c'est décidé, ils vont venir en Suisse ! Ils arriveront pour passer Noël avec nous, et ils resteront jusqu'à l'arrivée du bébé, et même au-delà. Alors les parents de Georges s'annoncent également, et la venue de cet enfant est comme un défi aux barbelés qui enferment la Grèce : elle sera une fête, malgré tout, en attendant le jour où la colombe...

Presque toutes les nuits, je fais le même cauchemar : j'erre dans une maison vide, paniquée à l'idée de la nais-

**Théâtre Herode Atticus, 1984**

© X-D.R.

Pour mon retour en Grèce après vingt années d'absence, je chante au théâtre Hérode Atticus. J'ai la sensation d'être arrivée au bout d'un long voyage commencé sur la scène du petit cinéma de mon père. J'ai cessé d'être encombrée par mes mains que je cachais autrefois dans mon dos. J'ai cessé de songer à mon corps, à mes lunettes, à mes yeux trop écartés, pour devenir… oserai-je l'écrire ? la musique elle-même.

# Olympia, 1962

On m'attend à l'Olympia ! La vedette sera Georges Brassens (à gauche), je passerai en première partie. Le premier retour me viendra de Brassens lui-même, qui aura ce commentaire, bien dans son style, après m'avoir écoutée : « Elle ira loin, cette Grecque-là ! »

# BBC-Londres

## Yvonne Littlewood

En 1972, Yvonne Littlewood, réalisatrice et productrice de plusieurs émissions sur la BBC, m'invite à son émission musicale du samedi soir. Yvonne m'a découverte lors de mon Eurovision sept ans plus tôt et m'a ouvert les portes du Commonwealth. À gauche, Marinella, une chanteuse grecque très populaire.

# En tournée aux États-Unis

**Harry Belafonte**

Suis-je vraiment avec Harry Belafonte à New York ? Est-il réellement en train de me proposer d'être sa partenaire pour les deux ou trois années à venir ? C'est la plus belle proposition qu'on ne m'ait jamais faite... Nous partons pour cinq ou six mois à Phoenix, à Chicago, à Los Angeles (six semaines !), nous visiterons le Canada, Victoria, Calgary, Toronto, Montréal…

# Dans les rues de New York

C'est entendu, Georges sera de toutes nos tournées, et nous partagerons en deux mon cachet, tout simplement. Je suis heureuse pour lui, pour nous. Une fois l'accord trouvé, Belafonte s'est félicité de ce que Georges pourrait apporter à ses musiciens.

# Broadway Theatre

« Hier soir au Broadway Theatre, lors de la première de Nana Mouskouri à Broadway […]. Mme Mouskouri véhicule toujours quelque chose de fort et de positif. Ses chansons françaises dégagent une intensité qui rappelle Piaf. En anglais, ses chansons sont plus douces, plus contenues, parfois agrémentées d'un soupçon de chant populaire. Et lors de ses interprétations en grec, d'une manière ou d'une autre, tout le monde finit par taper des mains en rythme. » *The New York Times*, 27 avril 1977, (Extraits traduits).

# Maman

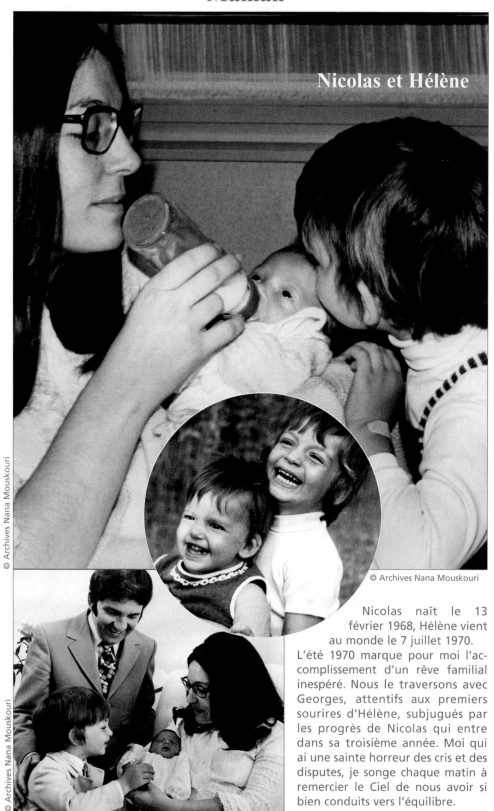

## Nicolas et Hélène

© Archives Nana Mouskouri

© Archives Nana Mouskouri

© Archives Nana Mouskouri

Nicolas naît le 13 février 1968, Hélène vient au monde le 7 juillet 1970. L'été 1970 marque pour moi l'accomplissement d'un rêve familial inespéré. Nous le traversons avec Georges, attentifs aux premiers sourires d'Hélène, subjugués par les progrès de Nicolas qui entre dans sa troisième année. Moi qui ai une sainte horreur des cris et des disputes, je songe chaque matin à remercier le Ciel de nous avoir si bien conduits vers l'équilibre.

# Antibes

## Jean-Claude Brialy

Durant l'été 1966, je suis invitée par le Festival de la chanson d'Antibes. C'est alors que je fais la connaissance d'un homme qui deviendra, trente ans plus tard, le frère que je n'ai pas eu : Jean-Claude Brialy. Il me tient par la main quand nous entrons sur scène, et alors j'entends comme le murmure du vent dans les herbes hautes, un bruissement doux et bienveillant, qui donne envie d'offrir son visage et de s'abandonner.

Au festival de Cannes, en 1969, je suis la proie des photographes et d'une foule joyeuse à laquelle je dois distribuer des signatures. André Asseo (à droite), qui dirige le service de presse de Philips, est ravi de se prêter au petit manège des stars.

Avec Serge Lama et Julio Iglesias. J'aime tendrement Julio, qui s'est lancé comme moi, avec son seul talent pour bagage. Voilà vingt ans que nous nous connaissons, et vingt ans que nous nous promettons de chanter ensemble.

# Olympia 1969

Mon troisième Olympia en 1969 reste pour moi la découverte par Nicolas que je suis chanteuse. C'est son adorable visage d'enfant que j'ai à l'esprit dans les minutes terribles qui précèdent mon entrée. Que va-t-il penser en me voyant ?

© Archives Nana Mouskouri

# Johnny Carson Show 1969

© Archives Nana Mouskouri

À New York, je suis invitée au *talk show* très populaire de Johnny Carson. Il me demande de raconter d'où je viens, qui je suis, mes tournées avec Harry Belafonte, puis, ce soir-là, je chante en direct *Prélude*.

# WHERE HAS THE PILGRIM GONE?

Where has the pilgrim gone
Tossing her raven head
Arching her brow
Will the winds of the west
Waken her now?

Frank Hardy

"c'est bon la vie"

*Où donc a disparu la vagabonde,*
*Dressant son cou d'oiseau,*
*Arquant les sourcils ?*
*Le vent de l'ouest*
*L'a-t-il révélée à elle-même ?*

Frank Hardy est australien, écrivain, intelligent et sensible. Nous aurons pendant plusieurs années une relation tendre et platonique. À mon retour d'Australie, je trouverai son premier poème : *Where has the pilgrim gone ?* Espère-t-il que les vents d'ouest me ramèneront un jour à lui ? Nous entretiendrons une correspondance assidue sans bien savoir ce que nous réserve le destin.

Au Greek Theatre de Los Angeles, je rencontre enfin l'homme dont la poésie m'habite depuis tant d'années : Bob Dylan !
C'est Leonard Cohen qui nous présente. Nous nous aimons beaucoup, et nous pouvons passer la nuit, après un concert, à parler de la façon d'interpréter telle ou telle chanson. Un moment avant mon spectacle, il frappe à la porte de ma loge et je le vois entrer avec Bob Dylan (ci-dessous).

Leonard Cohen

À Auckland, avec le roi de Grèce Constantin II, alors en exil. J'ai connu le souverain bien des années avant, quand il s'apprêtait à épouser la princesse Anne-Marie de Danemark. Le palais royal m'avait fait savoir qu'il aimerait que je chante à l'occasion d'une réception donnée à Copenhague, pour fêter le départ d'Anne-Marie pour Athènes.

Au Royal Variety Show à Londres, Drury Lane Theatre, en présence de la reine mère pour sa soirée annuelle de bienfaisance.

# La Grèce me rend hommage

La Grèce se rappelle à mon cœur. Je vais bientôt fêter mes cinquante ans, j'ai chanté sur toutes les scènes du monde, mais la dictature m'a détournée de mon pays, puis, la démocratie restaurée, j'ai pensé qu'on m'avait oubliée. C'est pourquoi je perds un instant le souffle quand on me propose de donner un grand récital à Athènes pour célébrer les dix ans du rétablissement de la démocratie, le 24 juillet 1984. Pour la circonstance, on me donnera l'extraordinaire théâtre antique Hérode Atticus, au pied de l'Acropole.

**Mélina Mercouri**

© X-D.R.

Sous la dictature, Mélina Mercouri avait fait le tour des capitales européennes pour alerter les chancelleries sur les chagrins de la Grèce. Je l'avais connue comédienne et chanteuse à mes débuts, je la retrouve ministre de la Culture dans la démocratie restaurée. Elle est alors l'une des plus prestigieuses personnalités du pays et est devenue, au fil des années, une amie très proche.

**Constantin Caramanlis**

© X-D.R.

Je retrouve à Athènes le président Constantin Caramanlis que j'avais rencontré à plusieurs reprises en exil. Je veux lui dire ma joie d'être là ce soir, dans ce théâtre, sous notre ciel, après tant de guerres, tant de souffrances. J'admire énormément cet homme qui a su rétablir la démocratie sans faire couler une goutte de sang.

# Mes engagements politiques

J'ai connu Miltos Evert (à droite) grâce à Constantin Caramanlis, dont il est un proche. Il est l'homme qui va me pousser, me forcer, devrais-je plutôt écrire, à devenir députée européenne en 1994 (photo de droite).

L'Unicef me propose de défendre les droits des enfants à travers le monde. Je m'engage dans cette entreprise avec toute la passion dont je suis capable et deviens officiellement ambassadrice de bonne volonté en 1993 (photo de gauche). En 1992, j'étais déjà partie en mission au Mexique parmi les enfants des rues (photo en bas à droite). Quatre années plus tard, l'Unicef m'invite au Vietnam pour célébrer son cinquantième anniversaire (photo en haut à droite).

Après plusieurs initiatives au sein du Parlement européen en faveur d'un rapprochement entre les religions, j'ai rencontré le patriarche Bartholomeos en Turquie. C'est lui qui me présente le pape Jean-Paul II dans le cadre de ces discussions.

© X-D.R.

Je reçois la Légion d'honneur le 7 septembre 1997 des mains du président de la République française, Jacques Chirac.

© X-D.R.

Le commandant des troupes françaises à Berlin me demande solennellement si j'accepterais de venir chanter *Liberté* devant le mur de Berlin, à l'occasion des célébrations du 14 juillet 1982. Évidemment, j'accepte de chanter la liberté devant le mur qui emprisonne les Berlinois de l'Est. À cette occasion, je suis temporairement promue au rang d'officier de l'armée.

© Archives Nana Mouskouri

**André** est entré dans ma vie petit à petit. Je l'ai connu au tout début des années 1960, alors qu'il était ingénieur du son (photo de droite, André à 22 ans, au Studio Blanqui). Je crois que je me suis laissée tomber amoureuse, oui, comme on s'émerveille de la venue du printemps. À l'automne 1988, nous osons pour la première fois dire tout haut que nous voulons nous marier. Voilà dix ans que nous nous aimons quasi clandestinement, et nous nous donnons enfin le droit de nous dévoiler. J'imagine une grande fête qui rassemblera tous ceux que nous aimons. Mais finalement, nous ne nous marierons… qu'en 2003 !

# Jean-Claude, mon ami, mon frère

Voilà bien des années que Jean-Claude et moi nous connaissons mais, chacun très absorbé, nous n'avons pas eu le temps de nous découvrir. C'est grâce à Bruno, le compagnon de Jean-Claude, que nous allons apprendre à nous connaître, jusqu'à devenir inséparables.

Au Danemark, avec mes enfants, dans les années 1990. Ils m'ont rejointe pour un spectacle à Copenhague. Lénou montre ici la Petite Sirène qui a donné sa voix pour avoir des jambes et séduire le prince charmant.

Jean-Claude Brialy est mort le 30 mai 2007, alors que je venais d'achever ce livre sur ma vie. À Cuba, au Caire, à Moscou, à New York, j'ai appris en l'écoutant que derrière chaque chose, chaque événement, même le plus désespérant ou le plus laid, se cache de la beauté. Il m'a appris à voir, à profiter des moments, à aimer tout simplement.

sance qui approche, me demandant où trouver le petit lit, le nécessaire pour les soins, la layette, les chaussons... C'est une angoisse qui me vide le cœur et me jette hors du lit.

— Est-ce que tu as fait de tels rêves, maman ?

Elle sourit, mais c'est un faux sourire.

— Nous, tu sais, ça n'était pas un rêve, nous n'avions *vraiment* rien.

Alors pourquoi est-ce que je me torture, moi qui suis tellement plus gâtée par la vie ?

— Est-ce que tu le sais, toi, Nikos ?

Il m'écoute, il me laisse parler, dérangé par le téléphone dans son travail, même s'il prétend que jamais je ne le dérange, ni ne le dérangerai.

— Parle-moi encore de cette maison vide.

— J'aimerais tant qu'elle soit plus petite, Nikos ! Mais elle est bien plus grande que notre appartement, et c'est cette immensité qui me rend folle d'angoisse...

Il réfléchit, et puis de sa voix grave et tranquille :

— C'est ta nouvelle vie de maman, cette maison. Elle s'offre à toi, immense et vide, et tu as peut-être peur de t'y perdre, qui sait ? Ou peur de ne pas savoir comment la meubler... Mais tu as toujours appris à bien faire les choses, finalement. Regarde, voilà dix ans que nous nous connaissons, et tu t'avances de plus en plus loin sur les océans. Si tu n'étais pas capable d'apaiser les dragons, crois-tu que la mer ne t'aurait pas déjà engloutie ?

C'est la presse qui menace de m'engloutir lorsque j'entre à la clinique. S'il est exact qu'on mesure sa popularité au nombre de photographes et de caméras qui assiègent les lieux d'accouchement, la mienne doit être considérable car la clinique est très vite en état d'alerte. L'Olympia m'a subitement catapultée en couverture des grands journaux populaires, qui se passionnent désormais pour ma vie privée. Le succès de mon dernier album, *Le jour où la colombe*, devenu rapidement disque d'or en France, ne fait qu'aiguiser cette curiosité nouvelle. Il faut apprendre à la gérer, et je ne suis sûrement pas la mieux placée. Encore touchée par les éloges qui ont accompagné mon dernier tour de chant, je me sens incapable de ne pas recevoir les journalistes avec sympathie.

Nicolas naît le 13 février 1968, et je crois que sa photo dans mes bras fait le tour du monde. Mais je n'en suis pas malheureuse, car cela n'entame en rien la tendresse qui nous submerge lorsque nous nous retrouvons tous les trois, Georges et moi le veillant, puis tous les sept, les visages émus et lumineux de ses grands-parents penchés pour la première fois sur son sommeil.

C'est alors que nous apparaît Fernande Schweitzer, qui va tellement compter dans la vie de Nicolas, dans celle de sa petite sœur, Hélène, et dans la mienne, naturellement.

C'est la sage-femme qui me parle un matin de Fernande.

— Maintenant, il vous faut une nurse en qui vous ayez toute confiance, me dit-elle.

— Je sais, mais je n'imagine pas de laisser mon bébé à qui que ce soit.

— Vous n'allez pas arrêter de chanter ?

— Non, mais je préfère ne pas penser au jour où je vais devoir confier Nicolas à une étrangère.

— Vous avez tort, il faut y réfléchir dès à présent, au contraire.

— Alors trouvez-moi quelqu'un, s'il vous plaît.

— Je ne connais qu'une femme vraiment formidable, mais elle est déjà prise...

— Vous ne voulez pas l'appeler ? On ne sait jamais...

C'est comme ça que Fernande se présente à la clinique pour me rencontrer. Par politesse, me dit-elle, car elle a décidé de ne plus s'occuper d'enfants.

— Ah bon ! Mais pourquoi ?

— Parce que je m'attache, madame. Après six mois, ou un an, c'est très dur d'abandonner ces petits pour recommencer dans une autre maison.

— Mais moi ça ne serait pas pour six mois. Si nous nous entendions bien, vous pourriez rester...

— Il viendra un jour où je devrai partir. Non, je suis désolée, mais je ne veux plus.

Nous nous quittons là-dessus, et je rentre à la maison où les deux grand-mères se disputent Nicolas, ce qui me laisse tout le temps pour me reposer.

Quelques jours passent, et je songe à embaucher une jeune fille, quand Fernande me rappelle.

— L'autre jour, j'ai bien regardé le petit, me dit-elle. Il m'a fait pitié, cet enfant, il est si mignon...

— Voulez-vous dire que vous accepteriez de venir ?

— C'est-à-dire, madame, que je n'aimerais pas que n'importe qui s'occupe de lui.

Et voilà comment Fernande, que Nicolas appellera bientôt Féfé, entre dans la famille. Nicolas a trois semaines le jour de son arrivée. Quand Fernande nous quittera, pour rejoindre le Seigneur, il aura vingt-cinq ans...

La parenthèse s'achève au début de ce mois de mai 1968. Voilà pratiquement six mois que nous vivons reclus, dans l'impatience, puis l'émerveillement de cet enfant. André nous attend à Paris pour enregistrer un nouveau disque auquel il réfléchit depuis l'Olympia. Roland Ribet a signé pour moi plusieurs engagements, à la télévision comme sur différentes scènes, à Paris, Bruxelles, Amsterdam... Il est temps pour nous de retourner dans le tourbillon, et pour nos parents de retrouver le lugubre quotidien d'Athènes.

Seulement, je ne veux pas abandonner Nicolas, et nous nous envolons pour Paris avec lui et Fernande, flanqués de tout le nécessaire, biberons, lait en poudre Guigoz, layette, couches-culottes, pharmacie... Est-ce que l'appartement de Boulogne sera suffisamment grand pour nous accueillir tous ?

Fernande est extraordinaire, discrète et présente, attentive, scrupuleuse, et par-dessus tout d'une tendresse avec Nicolas qui allège mon chagrin de devoir le quitter chaque jour pour quelques heures.

Après ces longs mois d'inactivité, *Les Athéniens* sont impatients de jouer, et, entre mai et juin, nous enregistrons mon prochain album, *Je me souviens*, qui comporte quelques chansons qui feront bientôt le tour du monde, telles que *Puisque tu m'aimes*, de Pierre Delanoë et Manos Hadjidakis, ou encore *Roule s'enroule*, une chanson traditionnelle dont Georges a fait lui-même l'arrangement.

Pendant ce temps-là, à Paris, les étudiants sont dans la rue, et je me sens spontanément de leur côté. Chaque matin, j'écoute à la radio le compte rendu des événements de la nuit, et je ne peux pas m'empêcher de me réjouir quand je les entends hurler qu'il est désormais *interdit d'interdire*, quand je les entends parler avec feu, depuis le théâtre de l'Odéon, de liberté, de solidarité, de partage... Odile Hazan est furieuse, elle, et c'est en l'écoutant protester que je comprends combien mon engouement pour ce soulèvement, et même pour la grève générale qui commence à paralyser la France, est déplacé, décalé. C'est évidemment à la Grèce que je songe inconsciemment, opérant sans le vouloir un transfert d'un pays sur l'autre, comme si les étudiants français exprimaient ici ce que ne peuvent pas dire tout haut leurs camarades d'Athènes.

Depuis sa publication, pour le premier anniversaire du coup d'État, je garde sur moi, comme une blessure ouverte, un article du professeur de droit, Maurice Duverger, titré : « La Grèce de notre honte ». « Seize mille arrestations dans l'ensemble du pays, écrit-il, des dizaines de personnes abattues dans les rues, des exécutions sommaires dans les camps de concentration (dont celle du héros de la Résistance, Panayotis Ellis, s'il faut en croire le *Times* de Londres) : ce jour ne peut être oublié. » Je suis au-delà de la honte, en ce qui me concerne, dans le chagrin et l'incrédulité, et je crois que la colère vivante et joyeuse des étudiants m'empêche de me noyer.

D'ailleurs, comme s'ils l'avaient deviné, je me retrouve un jour embarquée par ces mêmes étudiants dans une scène qui me fait encore rire, près de quarante ans plus tard.

Ce jour-là, Odile a insisté pour que je l'accompagne faire les boutiques, puis prendre un verre quelque part.

— Pourquoi pas ? Mais alors à pied.

Non, depuis que son mari a droit à une voiture avec chauffeur, Odile a très envie d'en profiter.

— Il y a des barricades partout, Odile.

— Ça ne fait rien, on se débrouillera !

Mais on ne se débrouille pas du tout et à hauteur du Luxembourg, on se retrouve pris à partie par une bande de jeunes. Ils ne sont pas méchants, je crois plutôt qu'ils n'en reviennent pas de voir une limousine avec chauffeur au beau milieu de leur terrain de jeux, ce Quartier latin hérissé de barricades. Nous sommes bloqués, impossible d'avancer ni de reculer.

— Descendons, dis-je.

Et joignant le geste à la parole, j'ouvre la portière.

Alors peut-être les étudiants me reconnaissent-ils, je ne sais pas. En tout cas, ils me tirent en arrière, comme s'ils voulaient me protéger, referment la portière et se mettent à déverser sur la voiture des kilos de farine. En quelques secondes, elle est méconnaissable, le pare-brise a complètement disparu, et je ne peux pas m'empêcher d'éclater de rire.

Et puis ils s'en vont en nous abandonnant là. Quand je rouvre la porte, Odile est blême de rage. Et comme elle ne veut pas y ajouter le ridicule, elle refuse absolument de sortir. Mais le chauffeur, lui, ne peut pas faire autrement, et il s'emploie à déneiger tout seul la belle voiture au milieu des ricanements.

Puis l'été arrive très vite, et avec lui une tournée en France comme je n'en ai encore jamais fait. L'Olympia est passé par là et, cette fois, on me veut partout. *Les Athéniens* sont ravis, moi beaucoup moins, prise entre ma souffrance secrète de devoir quitter Nicolas et l'engagement que j'ai pris d'offrir à mes musiciens le plus de contrats possible. Par ma faute, ils n'ont rien fait cet hiver, et je me sens déjà coupable. Finalement, nous trouvons un compromis : chaque semaine, je volerai deux jours pour filer à Genève, et, sinon, nous nous produirons tous les soirs.

C'est durant cette longue tournée qu'Yvonne Little-wood me recontacte. Depuis l'Eurovision, elle m'a de temps en temps invitée à venir chanter sur l'un de ses plateaux de la BBC, à Londres, mais, cette fois, c'est tout autre chose qu'elle veut me proposer : une émission par semaine durant six semaines !

— Six semaines pour moi toute seule... Mais c'est énorme ! Jamais je n'aurai assez de chansons.

— Ne t'inquiète pas pour ça, j'y ai réfléchi, tu as un répertoire formidable. Et puis tu auras un invité à chaque émission. Qu'est-ce que tu penserais d'octobre ?

André est enthousiaste. Je crois que dans la seconde où je le lui dis, il a déjà pressenti l'impact mondial qu'auront ces émissions, quand moi j'en suis encore à établir la liste de mes chansons. Pour *Les Athéniens* aussi, c'est une opportunité extraordinaire.

Dès la mi-septembre, nous voici donc installés à Londres pour deux bons mois avec le temps des répétitions. Nous avons loué une de ces charmantes petites maisons londoniennes de deux étages, avec un jardin. Nicolas et Féfé ont des chambres voisines à l'étage, Georges et moi sommes au rez-de-chaussée, avec un petit salon s'il nous prend l'envie de jouer un peu de musique.

Les émissions, de cinquante minutes chacune, ne sont pas en direct, ce qui nous permet d'être beaucoup plus décontractés sur le plateau. Pour la première, Yvonne et moi avons décidé d'inviter Amalia Rodriguez, à qui je voue le même culte qu'à Maria Callas. Tant de choses me rapprochent de cette femme ! Elle est née, comme moi, dans un quartier populaire, à Lisbonne. Elle aussi a démarré en chantant ici ou là, dans des bars, des night-clubs, et bientôt dans ce qu'on appelait à l'époque les *maisons de fado*. Alors, très vite, elle se découvre en communion profonde avec le fado qu'elle ne va plus cesser d'incarner. Le fado, c'est l'âme secrète du Portugal, ces chants de toujours empreints de poésie et de nostalgie. Longtemps ignorée, Amalia Rodriguez est révélée au monde grâce à son passage à l'Olympia, en 1956. Elle entame alors une carrière internationale qui va faire d'elle une étoile mondiale.

Nous chantons l'une et l'autre, mêlant les chagrins et les légendes de nos deux petits pays, étrangement accrochés aux deux extrémités de l'Europe occidentale, et l'un comme l'autre soustraits à la lumière par des militaires. Pour l'occasion, *Les Athéniens* se sont même mis au fado...

Yvonne Littlewood n'en espérait pas tant. Cette première émission la comble, et du coup nous enchaînons les suivantes dans le bonheur et la confiance. Charles Aznavour sera mon invité, puis le guitariste John Williams, Shirley Bassey, Donovan, Olivia Newton-John, Cliff Richard...

Tandis que nous regagnons Paris, ces émissions, elles, s'envolent vers tous les pays du Commonwealth, jusqu'en Australie et en Nouvelle-Zélande. Elles sont également reprises en Scandinavie, aux Pays-Bas, dans différents pays d'Asie, et même dans plusieurs pays de l'Europe communiste, derrière cette frontière que l'on appelle alors le *rideau de fer*.

Par le biais de la BBC, Yvonne Littlewood est en train de nous faire connaître dans le monde entier.

J'en ressens les premiers effets lorsqu'un jeune producteur du nom de Robert Paterson me propose de revenir à Londres, mais cette fois pour donner un grand récital... au Royal Albert Hall !

— À l'Albert Hall ! Mais c'est une salle immense !

— Huit mille places.

— Et vous croyez vraiment...

— J'ai vu toutes vos émissions à la BBC, Nana. Les gens ont beaucoup aimé, ils vous ont découverte. Faites-moi confiance, si vous acceptez, je vous promets que le théâtre sera plein.

Si vous acceptez ! Comment pourrais-je dire non ? Quel artiste refuserait de se produire au prestigieux Albert Hall ?

Cependant, j'ai besoin de me rendre compte, de voir la salle, et je vais passer pour cela une journée à Londres.

Ce que je découvre est stupéfiant. Le parterre seul compte quatre mille places, soit quatre fois l'Olympia.

Mais autant de personnes tiennent sur les gradins dont les balcons de velours rouge surplombent la scène, grimpant jusqu'au dôme. C'est impressionnant, vertigineux, et, seule au milieu de cette cathédrale, étrangement silencieuse, j'essaie de me projeter sans trembler jusqu'au soir où j'entrerai en scène. Se peut-il qu'un jour tant de personnes se pressent ici, rien que pour moi ? Se peut-il qu'un jour, pour deux ou trois heures, ma voix seule habite ce lieu qu'ont occupé avant moi les plus grands artistes ? Alors c'est le visage de ma mère qui m'apparaît. Parce qu'il y a quelque chose de religieux dans ce silence, dans tant de solennité figée. J'aimerais qu'elle soit là, ce grand soir, elle qui ne m'a jamais vue sur scène. N'est-ce pas exactement cela dont elle rêvait pour nous, pour Jenny et moi, lorsqu'elle nous conduisait au conservatoire ? Je me sens fière d'avoir su incarner ses espoirs, et, en même temps, l'idée de sa présence me bouleverse. Comme si, soudain, je craignais bien plus son regard que celui des huit mille autres spectateurs. Non, me dis-je tout bas, je préfère qu'elle ne soit pas là. Une autre fois, une autre fois peut-être, si j'en trouve le courage...

Le sourire de Robert Paterson, lorsque, quatre mois plus tard, je franchis les portes de l'Albert Hall !

— Félicitations, vous allez chanter *sold-out* !

Huit mille personnes seront donc là ce soir, toutes les places ont été vendues, et le concert sera retransmis en direct sur Europe 1 grâce à Pierre Bouteiller qui s'est déplacé pour l'occasion.

Je l'ignorais, mais remplir l'Albert Hall vous entoure aussitôt d'un prestige, d'une aura, qui se lit dans les yeux de tous ceux qui vont participer à la soirée, du directeur aux ouvreuses, en passant par les techniciens. Jamais je ne me suis sentie aussi soutenue, aimée, encouragée que dans ce théâtre durant l'ultime répétition.

Et il me semble que dès les premières notes, la salle est conquise. Comme si nous nous connaissions depuis longtemps. Se peut-il que tous m'aient entendue à la radio ? Oui, j'ai le sentiment que certaines de mes chansons leur sont déjà familières, cela s'entend au bruissement léger qui parcourt les gradins, soudain, comme un soupir d'émotion qu'on laisserait échapper malgré soi.

Le plus beau moment vient à la fin. Dix fois nous avons été rappelés, et dix fois nous sommes revenus. Alors, puisque maintenant il faut vraiment se dire au revoir, je réapparais seule sur scène, dans l'unique faisceau d'un projecteur. Le théâtre est plongé dans la nuit et l'on n'entend plus un souffle. Dans ce silence, comme si le temps lui-même était suspendu, j'entonne *a capella Amazing grace*, l'un des plus émouvants chants protestants, dont les paroles auraient été écrites, vers 1760, par John Newton, capitaine d'un bateau négrier, converti par la grâce durant une tempête et devenu par la suite pasteur et fervent abolitionniste. On dit que la mélodie, poignante, viendrait, elle, de chants anciens colportés par les esclaves.

> *La Grâce du Ciel est descendue*
> *Me sauver de l'enfer.*
> *J'étais perdue, je suis retrouvée,*
> *Aveugle, et je vois clair* [1].

La dernière note envolée, la salle semble comme tétanisée durant un centième de seconde, puis, soudain, les applaudissements explosent, comme un fulgurant orage, comme si le ciel se déchirait d'un seul coup, et, dans le même instant, tout le théâtre se lève, tout le théâtre est debout. On me porte des fleurs, on m'ovationne, et je crois que durant vingt minutes je demeure là, en larmes, trop émue pour faire quoi que ce soit, recevant ces applaudissements qui n'en finissent plus comme le plus bel hommage qui m'ait jamais été rendu.

« Ce soir, vous avez habité cette salle, me dira un peu plus tard Robert Paterson. Désormais, cette maison est la vôtre. »

---

1. Traduction française.

Dans les mois qui ont précédé mon récital à l'Albert Hall, donné en avril 1969, j'ai bien senti que les choses se précipitaient pour moi.

Alors que je viens de regagner Paris après mes six grandes émissions sur la BBC, voilà que le nouveau directeur de Philips à Londres, Olaf Wiper, appelle Louis Hazan.

— Vous avez une chanteuse qui s'appelle Nana, lui dit-il. J'aimerais faire un album avec elle pour l'Angleterre, avec des chansons internationales.

Je suppose que M. Hazan sourit discrètement derrière ses fines lunettes. Car c'est le prédécesseur de cet homme qui l'avait appelé, cinq ans plus tôt, pour lui expliquer qu'il perdait son argent avec moi. « Elle chante bien, lui avait-il dit, mais elle n'a aucune chance de percer dans ce pays. »

Cette fois, on croit en mon avenir à Londres, et André et moi nous mettons aussitôt à réfléchir à ce que pourrait être ce disque. Nous retenons *Try to remember*, *Over and over* (la version originale de *Roule s'enroule*), *Coucourroucoucou Paloma*... Cet album, que nous allons enregistrer à Londres dans le courant de l'année 1969, connaîtra un tel succès qu'il se soldera pour moi par une seconde série d'émissions sur la BBC, suivie de ma première tournée en Grande-Bretagne durant l'hiver 1970.

De la même façon, toujours avant l'Albert Hall, Sam Gesser nous réclame de nouveau au Canada. Aux premiers jours de janvier 1969, nous voici donc encore une fois en route pour Montréal. La tournée est prévue sur six semaines, de sorte que Nicolas et Féfé sont également du voyage. Ni Georges ni moi ne pouvons envisager de nous séparer si longtemps de notre petit garçon. C'est d'ailleurs à l'occasion de son premier anniversaire, le 13 février, que je vais mesurer combien les Canadiens sont attentionnés et généreux.

Nous nous étions produits dans le nord du Québec, à Baie-Comeau, sur le Saint-Laurent, et, le jour suivant, je ne chantais pas. J'avais gardé la journée pour rejoindre Nicolas à Montréal et lui fêter son anniversaire.

Un bel anniversaire, grâce en particulier à la femme de Sam Gesser, venue avec leurs enfants, des fleurs et des cadeaux plein les bras.

Le lendemain, je dois reprendre un petit avion pour Rimouski, situé en face de Baie-Comeau, sur la rive opposée du Saint-Laurent, où je suis attendue pour un récital. Georges et *Les Athéniens*, qui n'ont eu qu'à traverser le fleuve à bord d'un bateau brise-glace, y sont déjà.

Je suis sur le point de rejoindre l'aéroport, quand Québec-Air m'appelle : une tempête de neige est imminente, mon vol est annulé ! Paniquée, je téléphone aussitôt à Sam Gesser.

— Ne te fais pas de souci, me dit-il, je vais te conduire en voiture de Montréal à Québec, et là je te mettrai dans un taxi qui te mènera jusqu'à Rimouski. Tu y seras à temps pour chanter.

Nous partons. La route est enneigée, ce qui est normal en cette saison, mais il fait un soleil radieux et nous plaisantons sur cette improbable tempête.

Le chauffeur de taxi, qui me prend en charge à Québec, n'est pas moins optimiste.

— Ne vous inquiétez pas, Rimouski c'est rien du tout, vous y serez à temps.

Les premiers kilomètres sont magnifiques sous ce pâle soleil d'hiver dont les rayons obliques nimbent les glaces du Saint-Laurent de reflets dorés. Puis le ciel se voile et petit à petit, il commence à neiger.

— Est-ce que ça n'est pas inquiétant ? m'enquiers-je auprès du chauffeur.

— Pensez-vous ! Et puis si ça doit s'aggraver, on mettra les chaînes !

Cela dit avec ce bel accent qui prête à l'optimisme.

Mais, soudain, les petits flocons semblent pris de folie, une drôle de brise se lève, et il se passe un phénomène que je n'avais jamais observé : au lieu de se poser sagement sur la route, la couche neigeuse a l'air de danser dans le faisceau des phares, comme si des vagues d'écume venaient à notre rencontre.

— Aïe, dit doucement le chauffeur, je crois que c'est en train de se gâter...

Il s'arrête, fixe les chaînes, et remonte dans la voiture entièrement recouverte d'une croûte de glace. Cette fois, il n'a plus envie de rire.

— Comme je vois les choses, me dit-il, on ne va pas pouvoir aller plus loin que Rivière-du-Loup. Mais là-bas, je vous déposerai dans le train...

Rivière-du-Loup est exactement à mi-chemin entre Québec et Rimouski, et c'est là que je dois chanter le lendemain, après le récital de Rimouski.

Je me mets à espérer en la fiabilité du train. Cependant, nous atteignons péniblement Rivière-du-Loup et je demande à mon taxi, qui n'en peut plus, de passer par l'hôtel qui m'a été réservé pour le lendemain soir. Mon idée est de téléphoner à Georges pour le rassurer, puis de me faire conduire à la gare.

L'hôtel est extraordinaire, en bois, survivant de la ruée vers l'or. À peine ai-je poussé la porte, que j'entends qu'on s'exclame :

— Ah, Nana Mouskouri ! On vous attendait ! Les gens nous téléphonent de partout pour savoir si vous êtes bien arrivée...

— Vous m'attendiez ! Mais ça n'est pas ce soir que je chante chez vous, c'est demain !

— Bien sûr, c'est demain, mais les gens s'inquiètent, avec ce temps...

Et déjà, on m'enlève mon manteau, on m'apporte du thé brûlant.

— J'ai promis de l'amener à Rimouski, dit alors le chauffeur, la route n'est plus praticable, il faut l'aider, la conduire au train...

— Le train ! Mais il ne circule plus, l'interrompt l'hôtelier. Madame Mouskouri, les gens de Rimouski nous ont appelés, votre spectacle est annulé, là-bas plus personne ne peut sortir de chez soi... Venez vite vous réchauffer près du feu !

C'est incroyable, sortant de cette tempête, de rencontrer une telle chaleur. Toute la soirée, des gens viennent aux nouvelles. Ils ont eu si peur que je n'atteigne jamais Rivière-du-Loup, me disent-ils, qu'ils ne savent comment me manifester leur reconnaissance. Comment leur faire comprendre que c'est moi qui leur suis reconnaissante ? Il me semble que je ne me suis jamais sentie si précieuse que dans cette petite ville coupée, ce soir-là, du reste du monde.

Quelques jours plus tard, nous sommes à Ottawa, et cette fois c'est Pierre Elliott Trudeau, le nouveau Premier ministre, qui me reçoit pour un souper au Parlement. Beaucoup de ses collègues, ministres et députés, sont présents autour de la table. Vers la fin du dîner, Trudeau se lève et m'offre son bras :

— Venez, je vais vous montrer quelque chose.

Il me conduit dans l'hémicycle, puis jusqu'à la place de l'orateur.

— Voulez-vous me faire un grand plaisir ? me demande-t-il alors.

— Oui, certainement.

— Eh bien, chantez-moi *Un Canadien errant*, et puis *Le Temps des cerises*. Parmi toutes vos chansons, ce sont celles que je préfère...

Ce soir-là, tout me semble si simple et naturel que je n'ai pas un instant d'hésitation. Et dans cet hémicycle désert, je chante *a capella* pour M. Trudeau, assis seul au banc du gouvernement.

La tournée est finie, mais à présent on m'attend à New York, au prestigieux Carnegie Hall. Cette invitation, je la dois à Sam Gesser. Un jour, il a parlé de moi au plus grand manager des artistes du classique, Sol Hurok. À quatre-vingts ans, Sol Hurok, élégant et raffiné, représente à travers le monde des étoiles mythiques, telles que Maria Callas, Karajan ou Bernstein. Il est venu un jour m'écouter, et m'a demandé si j'accepterais de prendre le lendemain mon petit déjeuner avec lui, à condition toutefois, a-t-il aussitôt ajouté, que mon mari n'en prenne pas ombrage. Et c'est durant ce petit déjeuner qu'il m'a fait part de son désir de s'occuper de moi aux États-Unis.

C'est donc à lui, en réalité, que je dois ce récital exceptionnel au Carnegie Hall. J'en ai établi le programme toute seule. Je chanterai *Try to remember, The 59ᵗʰ Street Bridge song, The White Roses of Athens, The Lily of the West, Over and over*, et aussi quelques-uns de mes succès grecs et français.

De ce premier passage à New York, le 18 mars 1969, j'ai conservé cet article, en forme d'invitation à conquérir l'Amérique, paru quelques jours plus tard dans *Cash Box* :

« Nana Mouskouri est déjà une star internationale, pourtant son impact n'est pas encore palpable aux États-Unis. À en juger par le succès de son premier concert en solo dans le pays à Carnegie Hall, où elle a chanté à guichets fermés, elle ne va pas tarder à percer.

« Née en Grèce et très connue dans son pays, Nana est surtout célèbre en France. Si Nana connaît un immense succès là-bas et s'apprête probablement à en faire de même ici, c'est non seulement parce qu'elle chante dans la langue de ses pays d'accueil, mais aussi parce qu'elle la ressent et choisit ses chansons avec soin. Sa voix est aussi angélique que celle de Joan Baez, mais elle a en plus son propre style, très personnel [1]. »

---

1. *Cash Box*, 29 mars 1969. (Traduction.)

# 17

# Marlene Dietrich :
# « Vous êtes un vrai rossignol ! »

On parle beaucoup de la Grèce durant cette année 1969. Mélina Mercouri fait le tour des capitales européennes pour alerter les chancelleries et chanter Theodorakis, alors interné au camp de concentration d'Oropos. Le régime des colonels est une honte aux yeux de l'Europe occidentale, unanimement dénoncé par tous les démocrates, qu'ils soient responsables politiques, artistes ou intellectuels. En France, *Les Temps modernes* consacre un dossier spécial à la Grèce où poètes et écrivains en exil évoquent ceux dont les voix se sont momentanément tues, des hommes que j'aime et admire infiniment : Yannis Ritsos, Odysseas Elytis, Nikos Gatsos... Le cinéaste grec Costa-Gavras vient d'achever *Z*, avec Jean-Louis Trintignant et Yves Montand, qui raconte dans quelles circonstances fut assassiné le député et médecin Grigoris Lambrakis, le 23 mai 1963. On comprend que ses tueurs, un groupuscule d'extrême droite, annonçaient ainsi au monde entier l'imminence du coup d'État militaire.

Cette année-là, *Z* est en compétition au Festival de Cannes (il recevra le Prix du jury), et puisque la Grèce est ainsi tristement à l'honneur, c'est vers moi que l'on se tourne : accepterais-je de venir exceptionnellement représenter l'âme de mon pays sur la scène du festival ? Oui, bien sûr, je suis touchée et fière que l'on ait pensé à moi. Durant la soirée de clôture, pendant que le jury délibérera, je chanterai donc quelques-unes de ces chansons qui font vibrer le cœur de tous ceux qui partagent notre chagrin.

Je suis heureuse de retourner à Cannes dont le festival est associé pour moi à de beaux souvenirs. En 1960, c'était la consécration du film de Jules Dassin, *Jamais le dimanche*, avec Mélina Mercouri, et le succès immédiat des *Enfants du Pirée*. En 1964, c'était la Palme d'or aux *Parapluies de Cherbourg*, le film de Jacques Demy, et j'accompagnais Michel Legrand qui en avait écrit la musique. Aujourd'hui, j'y suis invitée pour chanter la Grèce...

Passée inaperçue cinq ans plus tôt, je suis, cette fois, la proie des photographes, et d'une foule joyeuse à laquelle je dois distribuer des signatures. Les difficultés commencent au seuil des célèbres marches : qui va bien vouloir m'offrir son bras ? Georges se désiste, il ne veut à aucun prix se donner en spectacle. André Chapelle est également bien trop modeste pour s'afficher à mon côté. Reste André Asséo, que j'avais connu à Cannes, justement, qui dirige à présent le service de presse de Philips, et qui, lui, est ravi de se prêter au petit manège des stars.

Et cependant, cette soirée qui s'annonce sous les meilleurs auspices, va virer pour moi au cauchemar.

J'ai pris soin, naturellement, d'indiquer à la direction du festival les chansons que j'ai l'intention d'interpréter. La première est de Manos Hadjidakis, les deux suivantes de Mikis Theodorakis, puis il est entendu que je chanterai *Try to remember*, et clôturerai ce mini récital par une troisième chanson de Theodorakis, dont les vers, difficiles à traduire, sont magnifiques, quelque chose comme *Il pleut dehors autant que dans mon cœur...*

Le silence est religieux lorsque j'apparais sur scène. À cet instant, tout ce que le cinéma compte de têtes couronnées à travers le monde s'apprête à célébrer une sorte de grande messe en hommage à la Grèce. L'émotion est palpable et j'en ai le cœur étreint.

Des applaudissements intenses saluent cette première chanson, et je suis sur le point d'entonner Theodorakis, lorsque Irène Papas, grande tragédienne, qui joue dans Z et que j'ai repérée au troisième rang assise juste devant Costa-Gavras, bondit de son siège et se met à hurler :

— S'il te plaît, chante-nous Theodorakis !

Aussitôt, Costa-Gavras abonde dans le même sens, lui aussi debout, et bientôt soutenu par une dizaine de personnes dont Simone Signoret et Yves Montand.

— Theodorakis ! Theodorakis ! hurlent-ils.

Comment décrire l'humiliation et la détresse qui me gagnent ? Ils sont debout, poings levés, comme s'ils étaient les figures vivantes de la morale, les héros de la Résistance grecque, et moi je suis figée sur scène, publiquement immolée, accusée devant tous de ne pas en faire assez pour notre grande cause. C'est un sentiment effroyable, profondément blessant, profondément salissant, et je dois mobiliser tout mon courage pour refouler les sanglots que je sens monter, et trouver la force de dire avec calme :

— J'allais chanter Theodorakis. Je regrette que vous n'ayez pas eu l'élégance de me laisser mener ce récital dans l'émotion que nous partagions un instant plus tôt.

Alors toute la salle comprend, je crois, et une brève salve d'applaudissements clôt l'incident. Mais la grâce du début s'est évanouie, et je ne suis pas certaine d'avoir chanté ce soir-là Theodorakis comme j'aurais aimé le chanter.

En sortant de scène, je fonds en larmes, et il faut tout le tact et l'intelligence d'André pour me persuader de ne pas rentrer tout de suite à Paris, et d'assister à l'ultime soirée.

Je pense qu'Irène Papas guette mon arrivée, car à peine ai-je franchi le seuil du salon de réception qu'elle éclate en sanglots tout en m'étreignant. C'est une scène ahurissante, évidemment immortalisée par les photographes qui se trouvent là, et qui incarne pour moi tout ce qui me fait horreur : l'hypocrisie, le manichéisme, la manipulation. Car tandis qu'Irène feint l'émotion, je lui dis, moi, ce que je pense :

— Tu aurais voulu me tuer, Irène, que tu ne t'y serais pas prise autrement.

Et elle :

— Pardonne-moi, il fallait le faire. Pour la cause, tu comprends ? Pour la cause !

— Non, je ne comprends pas. À mes yeux, aucune cause ne justifie qu'on humilie qui que ce soit.

De cet épisode, je conserverai ma vie durant méfiance et dégoût pour l'emphase. Est-on plus efficace dans la lutte le poing levé, drapé dans l'outrance et la tragédie ? Peut-être, je n'en sais rien. Quant à moi, je suis fidèle à ma nature, qui me pousse à agir discrètement. Je n'ai pas oublié mon pays durant les sombres années de la dictature, mais je n'ai jamais pu m'associer à ceux qui s'en étaient autoproclamés les porte-drapeaux. Sans doute certains m'ont-ils trouvée bien silencieuse comparée à Irène Papas, ou à Mikis Theodorakis, libéré en avril 1970 et accueilli à Paris comme le symbole vivant de la Résistance. Oui, c'est vrai qu'on ne m'a pas beaucoup entendue, mais je crois que dans la vie chacun se bat à sa façon, selon ce que lui inspirent son cœur et sa raison.

Les journaux ont largement relaté l'incident de Cannes, et, quelques jours plus tard, je reçois de Constantin Caramanlis, en exil à Paris, une invitation à dîner. Voilà dix ans que nous nous connaissons, et j'aime de plus en plus cet homme dont l'intelligence et la bienveillance me laissent entrevoir un avenir pour la Grèce. J'ai la certitude qu'il lui incombera un jour de rétablir la démocratie dans notre pays, et c'est évidemment cet espoir qui nourrit notre conversation. Chef de file d'une résistance politique méthodiquement organisée, qui le mène à rencontrer les présidents de toutes les démocraties occidentales, comme les leaders des différentes oppositions, Caramanlis travaille dans une grande discrétion, en diplomate éclairé. Mais ce soir-là, je crois qu'il veut surtout me réconforter.

— J'ai lu les journaux, me dit-il, et je pense que tu as eu raison de ne pas céder à la tentation du tapage. Tu sais, la politique, c'est une chose très dangereuse lorsqu'on est novice, on risque sans le vouloir de se faire récupérer par tel ou tel, et de le regretter par la suite. Continue à agir comme tu le fais.

Quatre mois après ce dîner, j'aurai le bonheur de retrouver Constantin Caramanlis à la générale de mon nouvel Olympia, comme s'il voulait, par sa présence, m'assurer de son soutien, et me faire définitivement oublier l'humiliation de Cannes.

Pour ce troisième Olympia, Bruno Coquatrix est tellement convaincu de mon succès qu'il renonce à faire une
première partie. Cette fois, plus de Jacques Martin pour
remplir la salle, durant six semaines je serai seule en scène
avec *Les Athéniens*, pour un récital de trois heures. Depuis
Édith Piaf, jamais l'expérience n'avait été tentée, et c'est à
moi qu'il revient aujourd'hui de relever ce défi.

Louis Hazan y voit aussitôt une jolie ironie de notre histoire, se souvenant qu'en 1961, sortant du récital de Piaf où
je n'avais fait que pleurer, je lui avais lancé : « Après avoir
entendu ça, je crois que je n'aurai plus jamais l'audace de
monter sur une scène... » Or, non seulement j'ai cette
audace, mais mon nom occupera tout le fronton de l'Olympia, en immenses lettres rouges, exactement comme le nom
d'Édith Piaf l'occupait le fameux soir.

— Qu'est-ce que je t'avais dit ! exulte Louis Hazan, me
prenant par le bras, la nuit de la première. Il nous a fallu dix
ans pour te faire connaître, mais aujourd'hui tu as gagné !

Ce récital, nous l'avons préparé avec André et Georges.
Dans la première partie, j'interpréterai toutes mes nouvelles
chansons, et en particulier *Dans le soleil et dans le vent*,
*Amour moins zéro*, une chanson de Bob Dylan, ou encore
*Je n'ai rien appris*. Mais nous ouvrirons par une superbe
chanson de Manos Hadjidakis qui sonne comme un appel à
continuer à vivre, à s'aimer, dans cette période si noire : *Il
n'est jamais trop tard pour vivre (Pame mia volta sto
fengari)*.

> *Il n'est jamais trop tard pour vivre,*
> *Jamais trop tard pour être libre.*
> *Raison de plus, raison de plus pour vivre ensemble*
> *De ce désert, de cet hiver naîtra la joie*
> *Car le bonheur par-dessus le mur des étoiles*
> *Tisse son fil jusqu'à cette île où tu m'attends*
> *Et notre amour claque au vent de toutes ses voiles,*
> *J'aurai enfin un cœur tout neuf pour le printemps.*

Dans la seconde partie, je reprendrai tous les succès
anciens que les gens me réclament désormais chaque fois

que j'apparais : *L'Enfant au tambour, Le jour où la colombe, Au cœur de septembre...*

Cet Olympia, pour moi, c'est la découverte par Nicolas que je suis chanteuse. Deux ans plus tôt, sur cette même scène, en octobre 1967, je le portais dans mon ventre et je ressentais l'agitation de ses petits pieds lorsque les applaudissements le dérangeaient. Cette fois-ci, il est assis au balcon, sur les genoux de Féfé, je le sais, c'est moi qui ai choisi la place, un peu sur la droite pour qu'il me voie bien, et c'est son adorable visage d'enfant que j'ai à l'esprit dans les minutes terribles qui précèdent mon entrée. Que va-t-il penser en me voyant ?

Dans les premiers instants, et en dépit des explications de Féfé qui lui répète, me dira-t-elle : « Regarde, Nicolas, c'est maman là-bas ! » il ne comprend pas, sans doute bien plus intéressé par les jeux de lumière que par la dame qui s'approche du micro.

Puis je me mets à chanter, et là, soudain, chacun peut entendre sa stupéfaction ravie :

— C'est maman ! C'est maman ! Féfé, c'est maman !

Certains comprennent et rient, d'autres font « chut ! chut ! » et la pauvre Fernande doit quitter précipitamment la salle en l'emportant.

Cet Olympia, c'est aussi pour moi celui du joli compliment que m'adresse l'écrivain Alphonse Boudard, en marge des critiques de la presse, élogieuses et chaleureuses, comme la fois précédente.

« Cette voix qui nous vient du ciel, du vent, de la mer, des étoiles...

Une voix qui roule comme une eau de source dans la montagne...

Une voix qui nous fait redécouvrir le sens de mots oubliés : pureté, beauté, harmonie.

Nana Mouskouri chante et nous sommes tout de suite hors du temps.

Il n'y a plus de mode, plus de goût du jour, cette voix chantait il y a cent ans, il y a deux siècles, et les hommes l'écoutaient, pris sous le charme du plus bel instrument de musique.

Lorsque Nana Mouskouri s'arrête de chanter, il me vient à l'esprit ce que disait Sacha Guitry à propos de Mozart... que le silence qui suit, c'est encore du Mozart. »

Entre-temps, le succès de mon premier album anglais, *Over and over*, classé depuis sa parution dans les meilleures ventes, m'a valu une nouvelle invitation d'Yvonne Little-wood pour une série d'émissions sur la BBC, ainsi que des sollicitations pressantes pour une tournée à travers les principales villes du pays. Quand partir en Angleterre ? Le plus vite possible, me répond André, qui juge opportun de battre le fer pendant qu'il est chaud. Et puis j'ai beaucoup donné à la France depuis quelque temps, ajoute-t-il, et je peux donc m'en aller la conscience tranquille à la conquête d'un autre pays. Et même d'autres continents, devrais-je écrire, puisque c'est encore une fois tout le Commonwealth qui profitera de la BBC...

Je commencerai donc par Yvonne Littlewood, et j'enchaînerai par la tournée, qui tombera ainsi en plein hiver. Mais ni la neige ni le froid ne nous font peur après ce que nous avons vécu au Canada, et, au début de l'année 1970, nous nous envolons pour Londres.

J'ai le sentiment que jamais Georges et moi n'avons été si heureux ensemble. La venue de Nicolas nous a soudés pour l'éternité, c'est en tout cas ce que nous croyons profondément, et, grâce aux *Athéniens*, nous avons trouvé notre mode de fonctionnement. Georges n'a plus cette angoisse qu'on veuille m'arracher à lui, nous ne jouons plus qu'entre nous, dans une intimité quasi familiale, et plus jamais nous ne nous séparons. Il est loin, le temps où Georges se noyait silencieusement tandis que je menais de front mes tours de chant avec Harry Belafonte et des enregistrements avec Quincy Jones et Bobby Scott. Et puis nous quittons la France porteurs d'un secret que nous sommes seuls à partager : je suis de nouveau enceinte !

Désormais, on m'accueille à Londres comme une vedette, photographes et journalistes à l'aéroport, bouquets de fleurs, petit attroupement, et je ne peux pas m'empêcher de sourire en me remémorant mes larmes, sur le ferry-boat, lors de mon premier voyage vers l'Angleterre. En ce temps-là, je craignais qu'on ne veuille jamais de moi. Mais maintenant, on me reconnaît dans la rue, et c'est une étrange sensation, le premier matin, d'entendre le marchand de journaux s'exclamer :

— *Oh, miss Mouskouri! How is the little boy?*

Ainsi ma vie privée ne semble plus avoir de secrets pour personne, comme si nous étions tous d'une même famille. C'est en même temps très rassurant, et très troublant. Est-ce cela, devenir un personnage public ?

En trois ou quatre semaines, mon ventre s'arrondit sensiblement, et, pour la dernière émission, je dois faire reprendre ma robe de telle façon qu'on ne puisse pas deviner ma nouvelle grossesse.

C'est durant cette série d'enregistrements qu'il m'arrive une histoire merveilleuse. Chaque jour, Yvonne Littlewood a la gentillesse de m'envoyer un de ces magnifiques taxis anglais, avec un conducteur coiffé d'une casquette. Un matin, je suis frappée par le sourire de mon chauffeur.

— Vous avez l'air d'un homme heureux, lui dis-je.

— Je le suis, miss Mouskouri. Aujourd'hui, c'est mon anniversaire, et sachant que je vous aime beaucoup, les collègues m'ont fait le cadeau de me désigner pour vous conduire au studio.

— Eh bien alors, si c'est ça, lui dis-je, repassez me prendre ce soir, et entre-temps je vous aurai préparé un cadeau avec mes derniers disques. Et je vous souhaite un très bon anniversaire !

— Merci ! Merci ! Chez moi, tout le monde vous admire, vous savez...

La conversation s'engage, et cet homme commence à me raconter tous les clients illustres qu'il a transportés. C'est un très bon moment, nous rions, et, soudain, je crois reconnaître dans sa bouche le nom de Stewart Granger.

— Pardon, qu'est-ce que vous dites ? Vous connaissez Stewart Granger ?

— Oh, bien sûr que je le connais ! Il me préfère aux autres chauffeurs, voyez-vous. Bien souvent, je l'emmène prendre le thé chez ses petits-enfants...

Stewart Granger ! Le héros des films de mon enfance !
*L'Homme fatal*, du cinéaste Anthony Asquith, bien plus
romantique à mes yeux que Humphrey Bogart ou Robert
Taylor. Stewart Granger, qui fut sûrement mon premier
amour de petite fille...

— Si nous avions le temps, je vous raconterais combien
cet homme a compté pour moi, dis-je. Mon père avait un
cinéma, et Stewart Granger était mon acteur préféré.

Mais nous arrivons au studio et mes confidences
s'arrêtent là.

Le soir, le même chauffeur m'attend pour me rac-
compagner, et je lui remets son cadeau d'anniversaire.

— Attendez, me dit-il, moi aussi j'ai quelque chose pour
vous.

J'ouvre son paquet et je découvre un livre signé de Stewart Granger, son autobiographie.

— Tournez la première page, me dit-il.

Je la tourne, et je lis : « Chère Nana, merci pour toutes
ces heures merveilleuses que vous nous donnez grâce à
votre musique. Stewart Granger. »

— Mon Dieu ! Comment avez-vous fait ?

— Je lui ai téléphoné pour lui dire qu'il comptait beaucoup dans votre vie, et il m'a aussitôt répondu : « Moi
aussi, j'aime beaucoup Nana Mouskouri, passez à la maison, je vais vous remettre une petite chose pour elle. »

Puis c'est le départ en tournée. *Les Athéniens* voyagent
dans un petit bus, tandis que j'ai droit à une confortable
Austin dont les sièges profonds et l'aménagement intérieur
me permettent de vivre comme dans un petit salon. Mon
chauffeur a été mis dans la confidence et il évite soigneusement de me secouer. J'ai le souvenir d'avoir passé de bons
moments dans cette voiture, partageant mon temps entre la
répétition de nouvelles chansons et de longues lettres à
Nikos Gatsos. Les années passent, mais Nikos demeure
mon confident. Celui à qui j'ai besoin de raconter mes
éblouissements, comme mes doutes. Ai-je raison de me laisser enivrer de musique soir après soir ? Suis-je sur le bon
chemin ? Et demain, quelle sera la vie de nos enfants ?

Nous sommes à Glasgow, à Birmingham, à Manchester, et partout les salles sont pleines, et partout la presse nous fait un accueil triomphal. Je revois encore les titres de ces articles que Georges découpe et qu'il me glisse dans la voiture avant de prendre la route : « Encore plus de Mouskouri, s'il vous plaît ! », « Un accueil du tonnerre pour Nana », « Suprême Nana ! ».

Il faut cet enthousiasme pour me donner la force de supporter cette terrible humidité qui m'était étrangère jusqu'à présent. Le froid du Canada n'est rien comparé au *smog* anglais, à cette bruine qui semble monter du sol et vous pénètre jusqu'aux os. Je traverse cette tournée dans l'angoisse d'être malade et de devoir annuler le prochain récital. Et puis les hôtels ne sont pas très confortables dans ces années-là, mal chauffés, parfois pleins de courants d'air, et, bien souvent, je me sens la gorge gonflée en me réveillant le matin...

Cependant, je serai de retour en Grande-Bretagne un an plus tard, rappelée par ce public anglais qui m'a consacrée entre-temps « disque d'or ». Cette seconde tournée, je l'évoque ici car elle se confond dans ma mémoire avec la première : même accueil, même enthousiasme partout où nous jouons, l'un et l'autre si bien résumés dans ce titre de l'*Evening Post* de Bristol : « Reviens vite, Nana, tu étais superbe [1] ! »

Un événement discret, et pourtant extrêmement bouleversant pour moi, rythme cette seconde tournée : l'apparition de Marlene Dietrich ! Car la somptueuse Marlene, qui a si longtemps hanté mon enfance, elle aussi, l'inoubliable *Ange bleu* de Josef von Sternberg, effectue à peu de chose près la même tournée que la mienne. C'est elle qui, la première, m'adresse un petit mot d'encouragement, sachant que je vais chanter le soir même dans la ville qu'elle vient de quitter : « Vous êtes un vrai rossignol ! Marlene. »

Aussitôt, je lui écris en retour pour lui dire combien elle me touche, son visage, sa voix... J'évoque *Shanghaï Express*, *L'Impératrice rouge*, qui m'ont emportée si loin

---

1. *Evening Post*, 20 avril 1971. (Traduction.)

de ma condition lorsque j'étais petite fille et que je ne me voyais aucun destin. Quelques jours plus tard, je trouve sur la glace de ma loge ces trois petits mots tracés au rouge à lèvres incarnat : « Nana, je vous aime ! Marlene. » Alors nous ne cessons plus de nous adresser des signes. Si c'est moi qui chante la première, je laisse un bouquet de fleurs et une petite carte affectueuse à son intention au théâtre. Et si c'est elle, je guette sa signature, inattendue et romantique.

Pas une fois nous ne nous rencontrons, mais quand ma tournée s'achève j'ai le sentiment d'avoir vécu dans son aura. A-t-elle deviné combien je l'aime ? Ai-je une petite place dans sa vie, à présent ?

Bien des années plus tard, c'est en me posant ces mêmes questions que j'irai l'écouter chanter à l'Espace Cardin, sur les Champs-Élysées, dans l'une de ses dernières représentations. André m'accompagne, ce soir-là, et c'est lui qui me pousse à aller l'attendre devant sa loge, à la fin du spectacle, pour le seul bonheur de la voir de près. J'en ai très envie, mais, comme d'habitude, je n'ose pas. Est-ce que je ne vais pas être ridicule ? Est-ce que ça ne va pas être mal interprété ?

Enfin, je me décide, et je me retrouve devant la porte de cette loge parmi la petite foule de ses familiers, dont Zsa Zsa Gabor, l'héroïne du *Moulin-Rouge* de John Huston, que je reconnais immédiatement au bras de son huitième mari. « Madame Dietrich va venir », nous annonce bientôt une voix d'homme, et soudain, elle est là, en effet, irréelle. Naturellement en retrait, je la contemple saluant chacun, souriant, comme flottant sur ce petit nuage qui semble la mettre toujours hors de portée du commun. Mais, subitement, son regard croise le mien. Elle se fige, je vois son visage s'illuminer, et, dans ma confusion, je l'entends dire : « Mon rossignol ! », puis l'instant d'après je suis dans ses bras.

— Quel plaisir ! s'exclame-t-elle. Je suis si heureuse de te voir enfin !

Seulement moi, j'éclate en sanglots. C'est un peu comme si dans un de mes rêves d'enfant, Marlene Dietrich était descendue un instant de l'écran pour me prendre par la main, tout en me soufflant à l'oreille : « Viens, retournons dans le film, c'est avec moi qu'est ta véritable place. » C'est au-delà de l'émotion, oui, comme une apparition.

Et donc je ne peux rien faire d'autre que de pleurer. Zsa Zsa Gabor, nous voyant nous étreindre, et songeant peut-être à un drame caché, éclate également en sanglots, et tandis que Marlene me dit toute sa tendresse, j'entends l'illustre Zsa Zsa ânonner dans ses larmes :

— Chérie, cesse de pleurer, mes faux cils sont en train de tomber...

Entre ces deux tournées anglaises, Hélène vient au monde par césarienne le 7 juillet 1970. Sa naissance était prévue le 13, et déjà Georges et moi nous amusions de ce petit clin d'œil aux astres, puisque ma sœur Jenny est née un 13 juin, Nicolas un 13 février, et moi un 13 octobre, quand le médecin a décidé d'intervenir six jours plus tôt.

L'arrivée de cette petite fille nous donne un sentiment de plénitude. Ainsi, après bien des difficultés, bien des écueils, sommes-nous parvenus à trouver le chemin d'un bonheur insolite, ici, à Genève, dans cette ville un peu à l'écart de l'agitation du monde. Je dis insolite, car il ne ressemble en rien à ce que nous avons connu l'un et l'autre enfants. Nous avons dû tout inventer. J'ai dû apprendre à donner de la tendresse à un homme, tout en défendant ma vie d'artiste. Georges a dû renoncer au modèle de l'homme grec, souvent égoïste et dominateur, tout en découvrant sa place singulière à mon côté. En outre, nous avons dû apprendre à être parents dans un contexte unique : tous deux pris dans un tourbillon permanent, passant la plupart de nos soirées sur scène, et nos journées sur les routes ou dans des avions. Genève est ainsi devenu notre retraite secrète, le lieu où nous déposons nos sacs pour nous retrouver dans le silence et l'intimité. Avant de repartir à travers le monde.

Ce bel été 1970 que nous traversons attentifs aux premiers sourires d'Hélène, subjugués par les progrès de Nicolas qui entre dans sa troisième année, marque pour moi l'accomplissement d'un rêve familial inespéré. Nous avons su l'un comme l'autre faire des compromis pour que notre vie puisse s'épanouir, et de notre amour deux enfants sont nés que nous parvenons à élever dans la concorde et l'harmonie, avec le concours précieux de Fernande. Moi qui ai une sainte horreur des cris et des disputes, je songe chaque matin à remercier le Ciel de nous avoir si bien conduits vers l'équilibre : jamais Georges et moi ne nous disputons, jamais nous n'échangeons un mot plus haut que l'autre. C'est pourquoi nous nous sentons si solides, si sûrs de nous.

Mais la vie est pleine de chausse-trapes, bien plus complexe que nous ne l'imaginons, ou plus têtue, et quand nous nous séparerons, quatre années plus tard, je passerai de longs mois de chagrin à me demander si cette harmonie, difficilement conquise, n'avait pas en réalité servi d'étouffoir à des conflits profonds que nous n'avions pas su résoudre.

La tournée de l'hiver 1971 en Grande-Bretagne nous arrache brutalement à la contemplation de nos deux enfants. Puis c'est une tournée en Hollande, l'enregistrement de nouveaux albums en Angleterre, comme en Hollande et en France, avec *Comme un soleil*, et, enfin, de nouveau l'Olympia en octobre.

« Au fil des saisons et des succès, en jupe longue et chemisier sage, la belle enfant grecque aux yeux noirs a fait beaucoup de chemin et peu de bruit, écrit Claude Sarraute dans *Le Monde*, au lendemain de la générale. Sans tapage et sans publicité, elle collectionne les récompenses, les médailles, les trophées, et sa présence sur scène et sur cire a la légèreté rassurante d'une présence amie [1]. »

Et il est vrai que cette année 1971 se termine pour moi par six disques d'or : un en Angleterre, deux en Hollande (dont un de platine), un en Allemagne, un en France, enfin un en Australie où je n'ai encore jamais mis les pieds. Pour clore ce palmarès, je suis déclarée cette année-là *Chanteuse numéro 1* dans tous les pays anglophones.

---

1. *Le Monde*, 8 octobre 1971.

# 18

## Le ciel est noir

Qu'est-ce qui me pousse à venir chanter à Belfast, en pleine guerre ? Durant ma tournée de 1971 en Grande-Bretagne, j'avais dû renoncer à chanter en Irlande, victime d'une grippe magistrale. Les deux récitals prévus à Cork et Dublin, en Irlande du Sud, avaient été annulés au dernier moment et, vraiment confuse et désolée pour les gens qui m'attendaient, j'étais allée à la télévision leur présenter mes excuses, malgré la fièvre qui me coupait les jambes.

— Reviendrez-vous en Irlande ? m'avait demandé mon producteur, Jim Aiken.

— Oui, avais-je promis, et quand je reviendrai j'irai aussi à Belfast.

Il avait marqué un petit temps de surprise – depuis un an ou deux, les artistes n'allaient plus guère en Irlande du Nord en raison des combats de rue d'une extrême violence qui opposaient catholiques et protestants.

— À Belfast ! avait-il repris. Attention, beaucoup de gens nous regardent ce soir, ils n'oublieront pas ce que vous venez de dire.

— Je ne l'oublierai pas non plus.

Alors, j'avais expliqué combien je ressentais la souffrance des habitants de Belfast, pris dans cette guerre civile, et combien je trouvais triste et injuste de les laisser de côté, de les ignorer, tandis qu'on m'applaudirait ici, à Dublin.

Puis, naturellement, nous avions parlé de ma grippe, et j'avais dit qu'étant habituée au climat sec et ensoleillé de la Grèce, je souffrais beaucoup en Irlande, comme en Angleterre, de cette humidité terrible qui s'infiltre partout, y compris, avais-je précisé, par les portes et les fenêtres.

Que n'avais-je pas dit! On me raccompagne à ma chambre d'hôtel, et là, stupeur : ma fenêtre a été entièrement calfeutrée, deux petits chauffages d'appoint ont été installés, une bouillotte chaude glissée entre mes draps... Et, sur la table de nuit, on a disposé un plateau avec du thé brûlant, accompagné de miel et de citron, exactement selon ce que je venais de me prescrire à la télévision quand on m'avait demandé ce que je prenais pour soigner ma gorge. Tant d'attentions et de gentillesse n'avaient fait que renforcer ma volonté de revenir.

Au début du printemps 1972, me voici donc de nouveau en Irlande avec *Les Athéniens*. Je retrouve avec bonheur Jim Aiken, un homme à part, amoureux des artistes, et capable de passer la nuit à coller des affiches lui-même s'il juge que la promotion n'a pas été bien faite. Jim tient à être mon chauffeur, et, quand je suis là, il s'arrête pratiquement de fumer et de boire de l'alcool pour ne pas m'être désagréable. Avec lui à mes côtés, toujours enthousiaste et prévenant, je crois que je pourrais faire le tour du monde à bord d'une Austin.

Comme prévu, nous nous produisons au National Stadium de Dublin, le 27 avril, et, le lendemain, au Savoy Cinema de Cork. Je garde en mémoire ce gros titre du *Sunday Press* de Dublin, le jour de notre arrivée, qui résume à lui seul toute la gratitude des Irlandais de me voir revenir : « C'est Nana qui a demandé de venir ici [1]. » Les deux salles sont évidemment pleines, et le public d'une ferveur particulière, comme si le poids de la guerre toute proche rendait plus précieux ces moments d'harmonie.

Puis nous prenons la route de Belfast et, très vite, la tension monte. La veille au soir, des extrémistes de l'IRA

---

1. *The Sunday Press*, 23 avril 1972. (Traduction.)

*(Irish Republican Army)* seraient intervenus avant un concert, le groupe qui devait se produire aurait été enlevé, on parle même d'assassinats... Jim, qui avait été le premier à me féliciter de m'être engagée, un an plus tôt, à me rendre à Belfast, se sent maintenant partagé. Ne vaut-il pas mieux renoncer ? Et si nous nous entêtons, et qu'il arrive un drame ? Je le vois très inquiet, mesurant la déception des cinq ou six mille personnes qui nous attendent, mais, d'un autre côté, s'en voulant déjà de m'entraîner dans cette folie.

La route est tortueuse, éprouvante, ponctuée de multiples *check points* tenus par des militaires dont la tension n'est pas vraiment rassurante. Et cependant, nous continuons. Comme si chaque kilomètre parcouru nous dispensait de prendre une décision que nous n'avons pas envie de prendre.

Lorsque nous atteignons l'espèce de halle où doit se tenir le concert, c'est un désordre inextricable. Il était entendu que nous répéterions l'après-midi, puisque le spectacle est prévu le soir même, mais la police a prévenu que les contrôles seraient renforcés, de sorte que beaucoup de gens sont déjà là pour essayer d'entrer avant la cohue. On parvient à nous ouvrir un chemin, et, très vite, nous mettons tout en place, le temps de nous rendre compte que la salle est pleine de courants d'air, et le son exécrable. Les répétitions ont à peine commencé que les contrôles démarrent : la police souhaite fouiller au corps chaque spectateur, de crainte d'un attentat, si bien que l'opération pourrait prendre quatre à cinq heures.

Tout est à la fois insolite et merveilleux. Les visages des premières personnes à venir s'asseoir, comme éblouies de nous trouver là, l'acharnement des techniciens à sauver cette acoustique impossible, le froid qui me fait enfiler un gros pull et oublier mes traditionnelles tenues de scène, enfin, cette impression de braver le destin : eh bien oui, nous jouerons au cœur de la guerre, pour montrer à ceux qui s'entretuent que parfois le désir de vivre peut être plus fort que la haine.

Oserai-je écrire que je me sens largement récompensée de tant de difficultés par l'émotion exceptionnelle qui monte de cette foule dès les premières notes de musique ? Le son est mauvais, la lumière pitoyable, nous avons froid, et cependant jamais je n'ai ressenti tant de recueillement et de solidarité que ce soir-là. Avec le recul, il me semble même que les quelques secondes de panique qui nous ont arraché un cri d'effroi, au beau milieu du concert, quand l'électricité a sauté, n'ont fait que renforcer ce bonheur d'être réunis. Oui, un instant nous avons cru que c'était un attentat, que tout allait finir dans les atrocités qui nous hantaient depuis le matin, et puis non, c'était juste que tout partait en ruine dans cette pauvre ville, et quand l'électricité est revenue, nous avons tous soupiré d'aise de nous découvrir vivants, et toujours ensemble.

C'est seulement en repartant pour Dublin au milieu de la nuit, car il était trop risqué de dormir à Belfast, que j'ai compris pourquoi j'avais tellement tenu à ce récital. En incarnant la musique dans une ville déchirée par la guerre civile, je venais d'accomplir moi-même cet idéal que je prê-tais à l'art dès mon enfance. Pendant qu'en Grèce aussi nous nous entretuions, j'avais d'abord constaté combien le cinéma métamorphosait les hommes. Ils arrivaient sou-cieux et tendus, et ils repartaient un peu ivres, comme si le Ciel leur avait fait un petit signe. Ils n'étaient plus tout à fait les mêmes. Plus tard, j'avais compris, en écoutant Ella Fitzgerald ou Maria Callas, que la musique avait le même pouvoir mystérieux de nous arracher à notre condition. L'art nous révèle des secrets de nous-mêmes et du monde, m'étais-je dit, que nous n'aurions pas découverts sans lui. N'est-ce pas grâce à la musique que je suis née au monde, puis que les gens m'ont aimée ? Et voilà que nous nous retrouvons communiant dans la musique, d'où que nous venions, quelles que soient notre religion ou notre langue, amis ou ennemis. Quel plus bel espoir offrir à des gens en guerre que de les rassembler dans une même salle pour partager un récital ? Ils croyaient se haïr, ils pensaient que tout les opposait, et cependant ils applaudissent ensemble, touchés par la même émotion.

Tandis que je me remémore ce récital de Belfast, me revient mon désarroi quand nous avions été victimes du racisme avec Harry Belafonte. C'était à Los Angeles, au moment des émeutes raciales de l'été 1965 qui devaient faire trente-quatre morts et des centaines de blessés. Harry avait reçu des menaces de mort : la communauté noire ne lui pardonnait pas de chanter avec une Blanche. Du même coup, je m'étais trouvée menacée et nous avions dû prendre l'un et l'autre des gardes du corps. Je n'aime pas évoquer cet épisode, et je sais bien pourquoi : il me signifie les limites de la musique. À quoi bon chanter si c'est entouré de gardes du corps ? La création artistique et les fusils me paraissent tellement antinomiques ! Mais, d'un autre côté, quelle tristesse de renoncer, d'abandonner le terrain à ceux qui ne croient plus qu'à la guerre.

D'où me vient ce besoin profond d'harmonie qui m'entraîne à Belfast, et qui fait que le plus petit conflit me plonge dans le désespoir ? À ce moment de ma vie, je suis au moins capable d'en expliquer l'origine. J'ai ouvert les yeux sur le monde alors qu'éclatait la Seconde Guerre mondiale, puis j'ai grandi sur fond de guerre civile, tandis que royalistes et communistes s'entretuaient. D'une certaine façon, c'était aussi la guerre à la maison, entre mon père, inconséquent et joueur, et ma mère qui avait tant de chagrins sur le cœur à lui faire payer. Je crois que dès mon adolescence j'ai ce mot sur les lèvres : l'harmonie.

L'harmonie musicale, l'harmonie au quotidien. Lycéenne, c'est parce que ce mot existe que je parviens à survivre aux crises épouvantables entre mes parents. Si le mot a été inventé, c'est bien qu'il doit recouvrir une réalité... Je m'accroche à ce rêve que sert si bien la musique, je le vois, moi qui en écoute tous les jours, et je me construis dans le dégoût de la haine, de la rancœur, de la malveillance. Quand Georges entre dans ma vie, je crois que sans même le vouloir j'écarte tout ce qui pourrait être cause de conflits entre nous, pour ne garder de lui que ce qui m'émeut. Ainsi, longtemps, je ne veux pas voir cette peur qu'il a de me perdre, cette *jalousie* que je me garde bien de nommer, jusqu'à ce qu'il tente de se donner la mort. Son geste ruine d'un seul coup l'illusion de bonheur dont je me nourrissais, et alors je sauve notre couple avec l'énergie d'une femme qui se noie. En quelques mois, je parviens à restaurer cette harmonie propice à ma propre survie, et à la venue des enfants. Alors Nicolas, puis Hélène, me donnent la certitude d'avoir enfin trouvé la musique intime de notre vie.

Pourtant, très vite, des petits signes me montrent que les choses ne sont pas si faciles. C'est au retour de Belfast que commencent à s'exprimer les premières tensions entre *Les Athéniens*. L'un d'entre eux envisage de repartir pour la Grèce avec sa femme, et cela suscite à l'intérieur du groupe de vives discussions. Je n'en ai que les échos par Georges, mais plus nous en parlons, plus je pressens que la crise va petit à petit nous atteindre.

— Spyros va nous quitter, me dit un jour Georges. Cette fois, il est décidé.

— Quel dommage ! Qui vas-tu trouver pour le remplacer ?

— Je ne sais pas encore, ça dépend aussi des deux autres.

— Qu'est-ce qu'ils pensent, eux ?

— Je crois qu'ils ne seraient pas mécontents de suivre Spyros.

— Vraiment ? Mais qu'est-ce qui se passe entre vous, Georges ?

— Les gars en ont marre de voyager. Ils ont envie de vivre avec leurs femmes, comme tout le monde.

— Je comprends. Mais je pensais qu'ils étaient heureux de jouer, malgré tout...

— Tu sais, ça fera bientôt vingt ans qu'on joue ensemble.

— Veux-tu dire qu'ils envisagent d'arrêter la musique ?

— Pourquoi pas ? Ils ont gagné suffisamment d'argent pour faire autre chose.

À ce moment de la discussion me revient à l'esprit un échange que j'avais surpris par hasard, entre Georges et ses amis, alors que nous étions en tournée aux États-Unis. L'un d'entre eux avait repéré une machine pour nettoyer les voitures, et ils étaient en train de se demander s'il ne serait pas malin de créer en Grèce une entreprise d'importation de ce genre d'appareil. Je n'avais pas compris comment on pouvait avoir de telles préoccupations en étant musiciens, et cela m'avait laissée perplexe. Avais-je un jour songé à me lancer dans une autre activité que la chanson ? m'étais-je demandé. Non, l'idée ne m'en avait jamais effleuré l'esprit. Quels artistes étaient-ils donc pour préférer les affaires à la musique ? Puis je n'y avais plus pensé, mais à présent cela me trouble.

— Mais toi, Georges, tu pourrais laisser tomber la guitare ?

— Moi, je commence aussi à avoir le mal du pays, tu sais. Et si je me retrouve seul, qu'est-ce que je vais faire ?

Cependant, nous préparons ensemble un spectacle d'une ampleur sans précédent : pour la première fois, je vais chanter au Théâtre des Champs-Élysées !

Pour l'exilée que je suis, les Champs-Élysées sonnent en même temps comme un défi et une consécration. Moi, la petite paysanne grecque, osant me produire sur la plus belle avenue du monde... C'est une idée d'André pour rompre momentanément avec l'Olympia. J'ai mis quelques jours à l'accepter, puis elle m'a enthousiasmée, tout en me glaçant d'effroi : Et si j'échoue ? Et si je ne suis pas à la hauteur ? Alors c'est toute mon histoire d'amour avec la France qui en sortirait écornée. C'est dire si l'enjeu est considérable à mes yeux, en tout cas suffisant pour remobiliser *Les Athéniens*, et oublier l'inquiétude que j'ai perçue dans les propos de Georges.

Pour la première fois, également, mes parents et Jenny seront présents. Chanter devant eux est un autre défi. Je sais qu'il faudra que je les oublie, surtout maman, dont le jugement m'impressionne autant que celui des deux mille spectateurs du théâtre.

J'arrive avec beaucoup de nouvelles chansons françaises, certaines traditionnelles comme *Aux marches du palais*, ou *Plaisir d'amour*, certaines écrites et composées par de jeunes auteurs, comme *La Vague*, de Jean Vallée,

*Que je sois un ange*, de Serge Lama, ou encore *Comme un soleil*, de Pierre Delanoë et Michel Fugain. J'ai de nouvelles chansons grecques, dont *Milisse mou*, de Nikos Gatsos et Manos Hadjidakis, ou *Les Bons Souvenirs*, de Manos seul. Mais la chanson la plus stupéfiante, que j'interpréterai pour la première fois, est sûrement *Le ciel est noir*, une œuvre sombre et magnifique de Bob Dylan *(A hard rain's a-gonna fall)* adaptée pour moi par Pierre Delanoë. *Le ciel est noir* est un bouleversant portrait de notre monde, sur une musique si forte qu'elle en devient parfois oppressante, d'autant plus que la chanson dure près de dix minutes.

*D'où viens-tu mon fils aux yeux si bleus*
*D'où viens-tu mon fils à l'air si malheureux*
*J'entends un tonnerre roulant au bout du monde*
*J'entends claquer des pas qui nous viennent de l'ombre*
*J'entends des musiciens que personne n'écoute*
*J'entends cent mille cris et des gens qui s'en foutent*
*Des voyous qui se moquent d'un petit monsieur triste*
*La chanson d'un poète qui cherche une musique*
*J'entends la voix d'un clown qui pleure sur la piste*
*Le ciel est noir, le ciel est noir*
*Il est noir, il est noir*
*C'est une pluie noire qui va tomber.*

L'émotion de mes parents lorsqu'ils découvrent mes affiches sur la façade du théâtre ! Il est peut-être deux heures de l'après-midi, ils sont venus voir pour se rendre compte, pour avoir tout le temps de se rendre compte avant la grande bousculade de la générale, et maintenant ils demeurent figés sur le trottoir, comme assommés. Ils ne peuvent pas lire ce qui est écrit, mais ils reconnaissent la photo, et ils ne peuvent pas y croire. Cela se devine à leurs visages qui se décomposent, à la façon dont ils se retiennent l'un à l'autre, soudain, eux que je n'ai jamais vus se prendre par la main. Et puis maman se met à pleurer tout doucement et papa la fait entrer. Je les attends dans le hall, mon père m'a aperçue, et peut-être pense-t-il qu'il ne faut pas me faire perdre mon temps, moi qui suis devenue quelqu'un ? Pourtant, j'aurais aimé les regarder encore, encore et encore, eux qui viennent de si loin, elle de Corfou, lui du Péloponnèse, eux qui ont survécu à tant de guerres pour écouter ce soir chanter leur fille cadette.

Ensuite, il y a ce moment où maman découvre la scène, assise au premier rang. Son silence, comme si elle refaisait seule tout le chemin depuis que, femme de chambre chez les Kapodistrias, elle chantait en étendant le linge. Qu'est-ce qui me fait penser que c'est elle qu'elle imagine devant le micro dressé tout seul sur le devant ? Elle, et non moi. Peut-être simplement la culpabilité d'être devenue ce qu'elle rêvait d'être. De lui avoir volé son destin. Sans doute avait-il fallu qu'elle ait ce rêve pour que je l'accomplisse, me dis-je, et en somme, ce soir, nous devrions être toutes les deux sous les feux de la rampe.

J'essaie de ne pas trop penser à elle, à eux, pendant le récital, mais c'est impossible. Je sais exactement où ils sont assis, c'est moi qui ai choisi les trois places, un peu sur le côté, et, par moments, j'ai le sentiment que c'est la voix de maman qui chante à travers moi. Sa voix plus grave, comme rouillée par les chagrins. Mais la musique s'enrichit de cette présence secrète, la musique ne se fâche pas, elle a toujours été notre complice et, ce soir-là, je la sens avec nous, bienveillante, comme désireuse de nous servir, nous qui l'avons tellement servie. Toute la salle aussi est avec nous, je l'entends au silence particulier qui suit les applaudissements, dans cette seconde où je m'approprie la chanson suivante, reconnaissant dans la première note l'émotion qu'elle va susciter en moi et que j'ai le désir ardent de partager.

Oh, le pouvoir de la musique ! Elle me réconcilie avec mon enfance, elle réconcilie mes parents avec eux-mêmes, maman qui réalise son rêve à travers moi, et papa qui oublie enfin qu'il voulait un garçon. Et puis elle fait de cette salle une seule âme qui couvre la scène de fleurs dans le dernier quart d'heure, et qui m'applaudit debout.

Un moment plus tard, dans ma loge, papa et maman me serrent dans leurs bras en pleurant. Désormais, pour eux, il y a un avant et un après le Théâtre des Champs-Élysées. Je crois que ce soir-là ils m'ont découverte.

« Sage, trop sage Nana, écrit le lendemain Jean Macabies dans *France-Soir*. J'ai souvent rêvé, en l'écoutant, d'un événement incongru venant brutalement déranger la tranquille ordonnance de son récital. Que le micro se transforme en homme nu, qu'une bourrasque emporte sa robe, que les musiciens attaquent *L'Internationale* quand elle module ces *Coucourroucoucou*. Bref, qu'un pavé tombe soudain dans cette calme rivière pour voir enfin cette gracieuse colonnade perdre son sang-froid, tempêter, jurer, hurler, s'évanouir, sangloter, que sais-je. Mais vivre un instant cette vie démesurée, torrentielle, passionnée qu'exige la scène.

« Eh bien, pour la première fois, cette Nana-là, nous l'avons vue vivre hier soir [1]. »

Relisant plus tard cette critique de Jean Macabies, je me dirai que ce spectacle du Théâtre des Champs-Élysées, profondément marqué par la chanson de Dylan, *Le ciel est noir*, devait contenir les germes de l'orage dont j'avais perçu les premiers signes, et que j'allais devoir bientôt affronter.

Sans que je me l'avoue, le désarroi de Georges me serre le cœur. Il me ramène aux pires heures de New York, à cette nuit où je l'avais découvert inanimé, aussitôt après avoir lu ses *derniers* mots : « Fais attention à ne pas m'enterrer vivant. » À l'époque, c'est en décidant de reconstituer *Les Athéniens*, et d'en faire le groupe qui allait désormais m'accompagner, que nous avions rendu sa place à Georges, et ainsi sauvé notre couple. Or, voilà que *Les Athéniens* se délitent, et que semblent ressurgir tous les problèmes que nous avions cru résoudre, et en particulier celui de la jalousie.

Au fil des années, deux hommes ont pris une place prépondérante auprès de moi : André Chapelle, mon

---

1. *France-Soir*, 15 décembre 1973.

directeur artistique, qui me guide pas à pas, en qui j'ai une immense confiance, et Serge Lama, grand séducteur, qui vient de m'écrire *Que je sois un ange*, mais qui me rêve plutôt en diable. Serge ne se cache pas d'entretenir une ambiguïté amoureuse avec moi, étonné sans doute que je ne cède pas à ses avances, comme la plupart des femmes, mais je l'aime comme il est, je l'admire, et sa présence me touche en même temps qu'elle m'illumine. Georges se découvre petit à petit jaloux de l'importance qu'ont prise André et Serge dans ma vie. Il y serait peut-être moins sensible si son groupe tenait debout mais, fragilisé par les défections, il se revoit sans doute dans la situation qui l'avait tellement angoissé aux États-Unis, lorsqu'il était persuadé que je le trompais avec Quincy Jones ou Irving Green.

Et puisque ses amis manifestent le désir de rentrer en Grèce, lui aussi se met à évoquer de plus en plus clairement cette possibilité : « Pourquoi on ne rentrerait pas, maintenant que nous avons suffisamment d'argent pour vivre confortablement avec nos deux enfants ? »

La première fois que je l'entends formuler cette chose, je tombe des nues.

— Mais Georges, je n'ai pas chanté toutes ces années pour gagner de l'argent ! Je chante, comme d'autres ont besoin de peindre ou d'écrire, tu comprends ? Je chante pour me sentir vivante, pour avoir ma place dans ce monde, et être aimée.

— On pourrait acheter une maison, voir grandir les enfants, profiter de la vie...

— Ne me demande pas ça, Georges. Tu sais bien comme j'aime chanter, comme j'en ai besoin, qu'est-ce que je deviendrais enfermée dans une maison ?

— Et moi, qu'est-ce que je vais devenir dans ton ombre ?

— Tu n'es pas dans mon ombre, nous avons construit ensemble mon répertoire, aujourd'hui je ne peux plus me passer des *Athéniens*.

— *Les Athéniens* ! Bientôt, il n'en restera plus que moi...

— Eh bien, tu reconstruiras le groupe !
— Je ne sais pas si j'en ai très envie.

Pour la première fois, nous nous disputons, non pas directement sur la question de savoir si nous allons repartir pour la Grèce, mais sur le choix de mes chansons. Et ce sont, bien sûr, celles que me propose Serge Lama qui heurtent Georges. J'ai eu le tort de lui dire un jour que je me reconnaissais dans les paroles de *Que je sois un ange.*

> *Que je sois un ange*
> *Ou que je sois un diable*
> *C'est aussi insupportable*
> *Je ne peux plus changer*
> *Dans mon cœur se mélangent*
> *Toujours*
> *Des larmes noires et blanches*

Depuis, Georges rejette tout ce qui me vient de Serge.
Mais il le fait à sa façon, et je devrais même dire *à notre* façon, puisque c'est moi qui ai imposé de ne jamais crier, de ne jamais nous affronter brutalement. Il dit qu'il n'aime pas cette chanson, et, comme moi je l'aime et ne tiens pas compte de sa remarque, il met beaucoup de mauvaise volonté à la jouer.
— Pourquoi joues-tu si bas, dis-je, je n'entends plus ta guitare ?
Alors il joue trop fort, et je dois de nouveau m'interrompre.
— Georges, tu couvres ma voix...
— Je ne comprends pas ce que tu veux !
— J'aimerais que tu joues comme d'habitude.
— Tu viens de me dire que c'était trop bas.
Bientôt, ce mauvais esprit se répand comme une gangrène dans notre vie. Il se nourrit jour après jour de la crise que vivent *Les Athéniens*, et de l'angoisse qu'en éprouve Georges. L'un des musiciens est déjà reparti pour la Grèce avec sa femme, les autres rêvent d'en faire autant, ils échafaudent des plans, et Georges a le sentiment d'être

le seul dont la femme ne s'enivre pas d'un projet de maison avec piscine dans la banlieue chic d'Athènes, ou sur l'île de Corfou qui aurait sa préférence. Cela renforce sa prévention à l'égard des hommes qui m'entourent, et en particulier à l'égard du premier d'entre eux : André. André Chapelle qui n'envisage pas plus que moi mon retour en Grèce, et avec lequel je continue de travailler à la création de nouvelles chansons.

Je vois bien à quelle allure le fossé se creuse entre ma vie artistique et ma vie sentimentale. Jusqu'ici, les deux étaient étroitement liées grâce à Georges, à mes côtés dans l'intimité comme sur scène. Sa démission implicite, teintée de colère et d'amertume, fait qu'il ne participe plus aux réflexions qu'André et moi avons sur mon prochain disque, comme sur mes prochains spectacles. Cela renforce son ressentiment à l'égard d'André, et l'enferme dans un désespoir contre lequel je me sens impuissante. Au fond de moi, je sais bien ce que me demande Georges – abandonner ma carrière artistique et devenir la femme au foyer dont il n'a jamais cessé de rêver –, mais je sais aussi qu'accepter ce sacrifice signerait la fin de notre histoire. On ne construit rien de beau, de durable, sur le renoncement à soi-même. Oui, mais en attendant, n'est-ce pas Georges qui est en train de se sacrifier ?

Je me sens prise dans un dilemme impossible, et, petit à petit, le désespoir de Georges me contamine. Qu'allons-nous devenir ? Quel sombre avenir sommes-nous en train de préparer à nos enfants ? C'est surtout leur sort à eux qui m'angoisse.

Je tombe de plus en plus souvent malade durant ces années 1973-1974, des angines, des trachéites, des bronchites, et, au début, je ne fais pas le lien avec la maladie qui mine notre relation amoureuse. Je crois à une mauvaise coïncidence – ne dit-on pas qu'un malheur n'arrive jamais seul ? Incapable de chanter, je dois multiplier les annulations, moi qui déteste tant trahir mes engagements. Un soir où l'on m'attend à Londres, au fameux Royal variety show présidé par la reine Elizabeth II, je dois déclarer forfait au dernier moment. « Nana quitte le show royal », titre *The Sun*, et un hebdomadaire français tire de l'événement ce titre énorme, sur cinq colonnes : « Nana Mouskouri accusée d'offense à la reine [1]. » J'annule également à Rennes, à Arras... « Vaincue par la fatigue après un extraordinaire tour de chant, titre gentiment *Nord Matin*, Nana Mouskouri a promis de revenir chanter gratuitement pour les Arrageois [2]. » Du coup, les journaux à sensation se lancent dans de laborieuses explications sur la prétendue fragilité de mes cordes vocales, et on évoque le risque que je devienne carrément muette. « Sa voix d'or si pure, si modulée, écrit un de ces quotidiens, est plus fragile que le cristal. À tout instant, ses cordes vocales risquent de se casser ! »

Mes cordes vocales ne se cassent pas, non, mais un jour où je suis sur RTL, invitée par Philippe Bouvard, ma voix s'éteint irrémédiablement et des milliers de personnes assistent ainsi, en direct, au naufrage annoncé depuis quelques mois. André, Georges et Serge Lama sont en régie ce jour-là, venus me soutenir, et c'est André qui fait signe derrière la vitre à Philippe Bouvard de tout arrêter : je suis devenue pratiquement inaudible. Serge propose de me remplacer au pied levé pour sauver l'émission, et Philippe Bouvard ne se le fait pas répéter.

Entre-temps, Odile Hazan nous a rejoints devant le studio. Elle m'écoutait tranquillement chez elle et a compris qu'il se passait quelque chose de grave. Elle a tout compris, en réalité, puisqu'elle nous embarque tous les trois dans sa voiture, André, Georges et moi, et nous conduit chez un médecin de ses amis, allergologue et... psychothérapeute ! Allergologue, car depuis des mois j'attribue mes problèmes de gorge à de prétendues allergies...

Le médecin me reçoit seule et les laisse patienter tous les trois dans le salon d'attente. Il me fait des tests pour tenter de comprendre d'où peut provenir l'extinction de ma voix. Puis, les tests finis, il se met à m'interroger, comme s'il avait tout son temps.

---

1. *France Dimanche*, 9 décembre 1973.
2. *Nord Matin*, 23 février 1973.

— Qui est ce monsieur qui est assis avec votre mari dans la salle d'attente ?

— André Chapelle, mon directeur artistique.

— Ah ! Et votre mari trouve normal qu'André patiente avec lui tandis que sa femme est chez le médecin ?

— Nous travaillons tous ensemble depuis des années. Nous sommes constamment ensemble.

— Je comprends. Mais qu'est-ce qu'il en pense, votre mari ?

— Mon mari aimerait m'avoir pour lui tout seul.

— Et vous n'êtes pas d'accord.

— Si, je n'appartiens qu'à Georges et à mes enfants, mais je partage avec André, et avec d'autres, ma passion pour la musique.

— Alors qu'est-ce qui ne va pas ?

— C'est ma gorge qui ne va pas. Ou mes poumons, je ne sais pas. En tout cas, je suis de plus en plus souvent malade et j'ai dû annuler plusieurs récitals. Je viens de quitter une émission de radio parce que je n'avais plus de voix...

— Je vous ai auscultée, je n'ai rien trouvé de particulier. À peine votre gorge est-elle un peu irritée.

— Alors pourquoi est-ce que je n'ai plus de voix ?

— Vous souhaitez vraiment que je vous le dise ?

— Oui, s'il vous plaît.

— Parce que vous ne *voulez plus* chanter.

— Comment pouvez-vous dire une chose pareille ? Georges aimerait peut-être que j'arrête de chanter, oui, mais moi je ne peux pas l'envisager sans me sentir mourir.

— Voilà. Et comme il vous est impossible de choisir entre votre vie de famille et votre amour pour la musique, vous avez provisoirement décidé de perdre la voix. Peut-être pour vous punir de ne pas choisir Georges, de lui préférer la musique d'une certaine façon.

Au moins ai-je compris une chose en quittant cet homme : ça n'est pas mon corps qui est malade, c'est ma vie qui s'est arrêtée à l'intersection de deux chemins, et moi qui suis incapable d'en choisir un, car ce serait aussitôt renoncer à l'autre.

Par chance, l'Australie nous offre une extraordinaire diversion. André, Georges et moi avons trop longtemps repoussé le moment de découvrir ce pays, sans cesse pris par d'autres, plus pressants que les Australiens. Mais cette fois, eux aussi insistent par la bouche d'un producteur, Pat Condon, qui nous promet une tournée triomphale.

— Vous rendez-vous compte, me dit-il, que dix-neuf de vos albums sont là-bas disques d'or ?

Eh bien non, je ne m'en rendais pas compte. Je ne pensais pas que les Australiens m'aimaient à ce point.

# 19

## J'ai volé la vedette à Sinatra

Le 24 juin 1974, après vingt-cinq heures de vol et une escale à Bombay, notre avion survole enfin les rives occidentales de l'Australie. C'est à Perth, la grande ville de la côte ouest, que nous avons décidé de commencer une tournée qui doit durer trois semaines et nous conduire jusqu'à Brisbane, sur la côte est, en passant par Adélaïde, Melbourne, et, naturellement, Sydney. Puis ce seront la Nouvelle-Zélande et le Japon, où je donnerai cinq récitals.

Pour un tel exode, nous nous déplaçons au complet : Hélène et Nicolas sont du voyage, chaperonnés par Fernande. Georges et ses *Athéniens* également. Le groupe n'est plus tout à fait le même, mais son enthousiasme fait illusion. Pourtant, c'est notre dernière grande tournée ensemble. Peu après notre retour en France, Georges et moi nous séparerons, et *Les Athéniens* disparaîtront de la vie musicale.

L'accueil de l'Australie ! Jamais encore on ne nous avait déroulé le fameux tapis rouge, eh bien, Perth le fait. À tel point qu'apercevant par le hublot la petite foule porteuse de gerbes de fleurs, disposée en arc de cercle sur le tarmac, je m'enquiers discrètement auprès de l'hôtesse du nom de la personnalité qui est attendue.

— Mais c'est vous, madame Mouskouri ! Ici, vous savez, les journaux annoncent votre venue depuis plusieurs semaines.

C'est une singulière émotion d'être reçue comme une reine dans un pays que vous ne connaissez pas, où vous n'êtes jamais allée. Ces gens m'aiment depuis des années, me dis-je, mais qu'ai-je fait de remarquable, de généreux, pour mériter leur affection ? Pour moi, qui ai toujours tendance à me culpabiliser, c'est aussitôt un motif de repentir : pourquoi ne suis-je pas venue plus tôt ? Comment ai-je pu les laisser m'attendre sans leur adresser au moins un signe de sympathie ? Oh, pourvu qu'ils n'aient pas pensé que je les ignorais volontairement !

Ce sont toutes ces questions qui me traversent l'esprit tandis qu'on me lit des compliments de bienvenue, tandis qu'on m'embrasse, tandis qu'on nous couvre de fleurs, les enfants, Georges et moi, et que les photographes n'en perdent pas une miette, comme de bien entendu.

Mais une conférence de presse est prévue au *Sheraton* où nous attendent, paraît-il, les représentants de tous les journaux australiens, et j'y vois aussitôt une occasion de me racheter. Dans le cortège qui nous emmène à travers la ville, je réfléchis déjà aux quelques mots de sympathie que je vais pouvoir adresser à ce pays qui m'a découverte grâce à la BBC et qui, depuis, attend la sortie de chacun de mes disques.

C'est un long débat qui s'ouvre cette après-midi-là entre les journalistes et moi. Ils me parlent de la mélancolie de mes chansons, de la nostalgie, et ils veulent savoir, comme beaucoup l'écriront le lendemain, « ce qui se cache derrière mon sourire », *« behind the Mouskouri smile »*. Alors nous parlons de la Grèce, de mes parents, de la guerre, de mon enfance, d'une certaine mélancolie que je garde en moi, oui.

Et pendant que nous prenons tout notre temps, il se passe à l'aéroport un drôle d'événement.

Deux heures après nous, environ, Frank Sinatra atterrit à son tour à Perth. La star américaine entreprend également une tournée en Australie. Nul doute que la presse a largement annoncé sa venue, et, cependant, plus un photographe ne se trouve sur le tarmac. La stupéfaction de Sinatra nous sera rapportée par son imprésario, ami du mien.

— Eh bien, où sont les journalistes ? s'étonne-t-il. Ils n'ont pas été prévenus de mon arrivée ?

— Bien sûr que si, mais ils ont une autre conférence de presse, vous les rencontrerez plus tard.

— Comment ça, une autre conférence ? Avec qui ?

— Nana Mouskouri.

— Nana qui ?

— Mouskouri, Frank. C'est une chanteuse européenne d'origine grecque.

— Jamais entendu parler...

Un peu agacé, sans doute, Sinatra se fait conduire lui aussi au *Sheraton*. Il vient souvent en Australie, et connaît bien cet hôtel où il a l'habitude de louer tout l'étage supérieur de façon à loger son entourage au même niveau que sa propre suite.

— Ah, monsieur Sinatra ! l'accueille le directeur. Quel plaisir de vous revoir dans nos murs !

— Vous m'avez donné la suite habituelle ?

— Non, je suis désolé.

— Comment ça, non ? Attendez un peu, il y a quelque chose que je ne comprends pas aujourd'hui : à l'aéroport il n'y a plus de journalistes et ici il n'y a plus de chambres ! Vous pouvez m'expliquer le truc ?

— C'est que nous avons dû donner votre étage à Nana Mouskouri, monsieur Sinatra. C'est la première fois qu'elle vient en Australie avec toute son équipe et...

— Encore elle ! Mais qui est-ce, à la fin, cette Nana ?

Le directeur n'essaie pas d'expliquer, il se confond en excuses, et installe Frank Sinatra et son état-major au niveau en dessous. Mais le lendemain, il accourt au-devant de la star en brandissant *The West Australian*, le grand quotidien de Perth :

— Hier, vous m'avez demandé qui était Nana Mouskouri, eh bien regardez, c'est elle !

Sinatra s'empare du journal dont il partage la une avec moi ! À gauche, sa photo, à droite, la mienne, l'une et l'autre strictement de la même taille.

— OK, dites à cette fille que j'aimerais la rencontrer.

Le lendemain soir, il chante au club de l'hôtel, et il m'invite ensuite à prendre un verre. Un peu froid, comme encore agacé que je lui aie volé la vedette. Alors je lui rappelle que nous nous sommes croisés à Athènes, au début des années 1960. J'avais assisté à un de ses spectacles, puis, comme je commençais à être un peu connue, on m'avait invitée à la réception donnée en son honneur à l'ambassade des États-Unis. Nous avions été présentés.

— Aucun souvenir ! s'exclame-t-il.

— Moi, si !

Et je lui cite de mémoire tous les films où je l'ai vu jouer, *Tant qu'il y aura des hommes*, de Fred Zinnemann, *Comme un torrent*, de Vincente Minnelli, *Un trou dans la tête*, de Frank Capra... J'essaie de lui dire combien je l'admire, mais ça ne réchauffe pas vraiment l'atmosphère.

Ce qui l'étonne, lui, c'est que je puisse être aussi connue en Australie sans l'être aux États-Unis. Je lui raconte tout de même mes tournées avec Belafonte, mais il ne m'écoute que d'une oreille, et je comprends à ce moment-là que je ne compterai jamais à ses yeux, qu'il est désormais prisonnier de son personnage, comme condamné à ne s'intéresser qu'à lui. Car de ces tournées, j'avais parlé avec Mia Farrow, qui était venue nous écouter, avec laquelle j'avais beaucoup sympathisé, et qui était sa femme à l'époque... Mia Farrow, toujours si proche des autres, et lui tellement indifférent, glacial. Est-ce cela, devenir une star internationale ? En le quittant, je jure en moi-même de ne jamais oublier qui je suis, d'où je viens.

Qui je suis... Tandis que je quitte Frank Sinatra, que je recroiserai de loin en loin durant cette tournée, mais qui n'aura jamais la curiosité de venir m'écouter chanter, un autre Frank, à l'opposé de lui, se met à me rechercher fébrilement. Celui-ci s'appelle Hardy, Frank Hardy, il est australien, écrivain, et il s'est fait connaître dans son pays, puis à l'étranger, par un roman sombre et pessimiste sur les classes les plus misérables des faubourgs de Melbourne, *Puissance sans gloire* [1].

Frank Hardy est tombé par hasard sur un compte rendu de ma conférence de presse à l'hôtel *Sheraton*, et, depuis, il est en colère contre moi. Il est au milieu d'un roman, il n'a pas de temps à perdre, mais chaque soir, après sa journée d'écriture, la colère le reprend et il s'empare de son téléphone. Il me cherche à Perth, puis à Brisbane, puis à Sydney, il appelle tous les hôtels, mais jamais on ne me le passe parce qu'à cette heure-là je suis dans ma loge, ou déjà sur scène. Et sa colère monte car cet homme, qui va bientôt devenir pour moi une sorte de Nikos Gatsos australien, est un enflammé, révolté, fiévreux, qui peut mettre le monde à feu et à sang s'il n'obtient pas justice.

Une nuit, le téléphone sonne dans ma chambre d'hôtel, à Sydney.

— Nana Mouskouri ?

— Oui, c'est moi.

— Vous ne me connaissez pas, mon nom est Frank Hardy. J'ai lu un entretien que vous avez donné au *Sydney Morning Herald*. Vous parlez de la pauvreté, du chagrin, mais qu'est-ce que vous savez de ces choses-là ? Vous êtes très connue, tout le monde vous admire, partout où vous chantez les salles sont pleines, on m'a dit que vous étiez mariée et que vous aviez deux jeunes enfants, comment pouvez-vous avoir un quelconque avis sur la misère et l'injustice ?

— J'ai quarante ans, vous savez, et je n'ai pas toujours été la femme que vous décrivez. Mais pourquoi me dites-vous cela ?

— Parce que vous avez expliqué que tant qu'on n'a pas connu le chagrin on ne peut pas vraiment apprécier la beauté de la vie. J'ai connu le chagrin, et la vie m'est devenue insupportable.

— Oh, je comprends. Pardonnez-moi, je ne voulais pas donner de leçons à qui que ce soit. Toutes les souffrances ne sont pas les mêmes, certaines sont sûrement trop abso-

---

1. Frank J. Hardy, *Puissance sans gloire*, traduit de l'anglais par Michel Zéraffa, Les éditeurs français réunis, 1956.

lues pour laisser une petite chance à l'espoir. Je voulais seulement parler du bonheur éphémère de vivre, vous savez, celui qui vous emporte malgré vous, à certains moments, en dépit de tout ce que vous avez traversé...

Il est très tard, nous sommes au milieu de la nuit, nous ne nous connaissons pas, et cependant nous nous surprenons à parler ensemble de ces choses lourdes et graves qu'on aborde rarement au fil de la vie. Mais cet homme me touche, sa voix, son désespoir, sa sincérité, son désir insatiable d'expliquer l'inexplicable...

— Il faut que je vous voie, me dit-il à la fin. Il le faut absolument.

— D'où m'appelez-vous ?

— D'Adélaïde.

— Alors c'est impossible, je pars demain matin pour le Japon.

— Je viendrai en Europe. Vous souviendrez-vous de moi ?

— Quand nous nous verrons, j'aurai lu tous vos livres.

Notre première rencontre aura lieu au *Flore*, à Paris, peut-être deux ans plus tard. Mais entre-temps j'aurai compris à demi-mot de quoi était fait son inconsolable chagrin. Un mélange de drames, comme si les siens étaient maudits : un frère condamné pour des faits qu'il n'aurait pas commis et qui se serait pendu en prison, des histoires d'amour impossibles, ou extraordinairement douloureuses... Et alors j'aurai compris l'univers noir et torturé de toute son œuvre.

Mais revenons à Perth, aux premiers jours de cette tournée australienne où je fais de l'ombre, sans le vouloir, au grand Sinatra. Tout se passe comme si nous avions laissé nos problèmes en Europe et, l'accueil des Australiens aidant, l'ambiance est assez joyeuse à l'intérieur de l'équipe. Alors je suggère d'organiser une fête pour les trente ans de notre *company manager*, Andrew Miller, tout le monde est d'accord et nous réservons pour l'occasion un des salons du *Sheraton*. Inoubliable fête qui a bien failli faire de moi l'héroïne d'un fait-divers à sensation qui aurait pu, pour le coup, reléguer Frank Sinatra en dernière page.

L'anniversaire est commencé quand je quitte l'assemblée pour aller coucher les enfants.

— Le temps de leur faire un câlin, et je suis là dans un quart d'heure, dis-je.

Je rejoins par l'ascenseur le vingt-cinquième étage où se trouvent nos appartements. Pour passer de notre suite à celle des enfants, j'ai pris l'habitude d'emprunter l'issue de secours qui m'évite de faire tout le tour de l'étage par les longs couloirs moquettés. C'est ce que je fais ce soir-là, trouvant les portes pare-feu grandes ouvertes, comme elles le sont dans la journée.

Fernande termine juste de les faire dîner. Je brosse les dents d'Hélène, lui raconte une histoire, m'assure que Nicolas est content de son après-midi... et je repars par le même chemin. Entre-temps, les portes pare-feu ont été fermées, mais je n'y prête pas attention, et j'ouvre machinalement la première qui se referme aussitôt derrière moi. Seulement, quand je veux pousser celle qui me permet d'accéder à l'autre côté du couloir, je constate que ces portes ne s'ouvrent pas de l'extérieur.

Petit instant de panique. En somme, je suis enfermée au sommet de l'escalier de secours, qui n'est pas chauffé, alors qu'ici c'est le plein hiver, et dont l'éclairage rappelle celui d'une cave. Bon, me dis-je, avec un peu de chance, les portes en dessous seront restées ouvertes, et je commence à descendre, me retenant prudemment à la rampe d'acier pour ne pas rater une de ces marches en béton brut qui me précipiterait dans le vide.

Mais à l'étage du dessous, les portes sont également fermées.

— Oh mon Dieu !

J'ai quelques secondes d'incrédulité, figée sur ce palier glacé, en robe de soirée et chaussures à talon, songeant à toute mon équipe, vingt-quatre étages plus bas, qui doit commencer à se demander ce que je fabrique. Puis à l'incrédulité succède la colère, et je me mets à frapper désespérément de mes poings cette porte en acier, épaisse comme un blindage, qui ne répercute pas le moindre son.

Que faire ? Je n'ai aucun moyen de prévenir qui que ce soit, et, si je reste là, je serai selon toute vraisemblance morte de froid avant qu'on vienne à mon secours. Alors je me résous à descendre un étage encore, mue par l'espoir de trouver une porte mal fermée. C'est un calvaire avec mes talons, mais je n'envisage pas encore de me déchausser, comme s'il y avait une gradation dans l'acceptation de sa propre détresse.

Prisonnière ! Je suis prisonnière de cette cage d'escalier lugubre, et condamnée à essayer tous les étages sans même avoir la certitude qu'arrivée en bas je pourrai sortir. Qu'arrivera-t-il si je ne parviens pas à m'échapper ? Est-il raisonnablement possible que je passe la nuit ici ?

— Mon Dieu, si vous m'entendez, si vous me voyez, faites quelque chose pour moi.

Je sens la panique me gagner, et, le souffle court, les jambes en coton, j'entreprends malgré tout de descendre.

Combien de temps me faut-il pour dévaler tout l'hôtel, consciente que je dois prendre garde à ne pas me blesser, pour Hélène et Nicolas qui ont besoin de moi et me réclameront demain matin ? Combien de temps ? Une heure et demie, peut-être, durant laquelle je me bats contre moi-même pour ne pas tomber assise et pleurer.

Tous les étages du bas, en lesquels j'avais mis tous mes espoirs, sont hermétiquement clos. C'est pourquoi je crois devenir folle quand je découvre les portes du rez-de-chaussée également fermées. Je suis transie de froid, épuisée, et je ne sais pas où je trouve l'inspiration de continuer à descendre. Où mène donc cet escalier, à la fin ? J'ai peur de ne pas avoir la force de le remonter, j'ai peur de me perdre dans un dédale de caves, mais s'il reste une petite chance, je préfère la tenter.

Et, soudain, je tombe sur une porte ouverte ! Mais ouverte sur la nuit... Je la franchis. Là-bas, j'entends des voix, et puis j'aperçois des faisceaux de lampes électriques. Il y a des voitures, je suis dans un parking souterrain. Alors que font ces gens ? J'hésite à marcher vers eux, les parkings m'ont toujours fait peur. J'avance encore, je n'ai plus de souffle, et, d'un coup, je suis prise dans le faisceau d'une lampe :

— Qui va là ? s'exclame une voix.

La police ! Ils vont m'arrêter, me dis-je aussitôt, j'ai dû faire une chose interdite, je n'ai pas à me trouver là. Et dans la panique qui me saisit, je bégaie :

— Excusez-moi... je suis une cliente de l'hôtel...

— Madame Mouskouri !

L'homme abaisse aussitôt sa lampe, vient à ma rencontre.

— Seigneur, d'où sortez-vous ? Que vous est-il arrivé ? fait-il en me découvrant pieds nus et grelottante.

— L'escalier... Enfermée...

Très vite, dix policiers m'entourent, l'un d'eux me met une vareuse sur les épaules.

— L'hôtel a donné l'alerte, on vous croyait enlevée, on vient de bloquer tout le périmètre...

Bien plus tard, rentrée en France et songeant à quelle allure j'étais passée cette nuit-là du tapis rouge à la détresse, je me dirai qu'à travers cette expérience si étrange, le Ciel avait sans doute voulu me montrer combien nous demeurions seuls et vulnérables sur la terre, en dépit du succès et de la reconnaissance des autres hommes.

Par chance, les journalistes ne sauront jamais rien de mon aventure et, le lendemain soir, beaucoup sont dans la salle pour mon premier récital. On me remet à cette occasion un trophée pour mon vingtième disque d'or en Australie, et le *Daily Telegraph*, qui a bien compris que tant de tapage agace Frank Sinatra, a ce joli titre au-dessus d'une photo de moi : « Pendant que Frankie boude, Nana s'amuse... »

J'ai rarement rencontré, au fil de mes tours du monde, un peuple aussi enjoué et bienveillant que les Australiens. Durant ces quelques jours à Perth, j'essaie de profiter de la présence des enfants, et nous nous promenons beaucoup en famille, sur les larges avenues pour faire du shopping, au zoo, dans les parcs d'attraction. Partout, les gens nous sourient, m'interpellent par mon prénom, nous demandent si nous nous plaisons chez eux. Dans les boutiques ou les restaurants, il est bien rare que les enfants ne repartent pas avec un cadeau, et moi avec un bouquet de fleurs.

« Pendant que Frank Sinatra se tenait à l'écart dans sa suite au 23ᵉ étage de son hôtel, écrira d'ailleurs le *Daily Telegraph*, Nana Mouskouri, la charmeuse chanteuse grecque, allait à la rencontre du public.

« C'est la première apparition de Nana et des *Athéniens*, et la chanteuse ne cache pas qu'elle apprécie chaque minute de sa tournée. Avec son mari Georges et leurs deux enfants, ils ont visité l'Australie autant que possible entre les concerts. »

Le grand moment de cette tournée australienne, comme des suivantes, est bien sûr mon apparition sur la scène du prestigieux Opéra de Sydney pour les deux derniers récitals. Comme à l'Albert Hall, ou au Carnegie Hall, j'ai conscience de l'honneur que l'on me fait en m'offrant ces salles mythiques qui ont reçu avant moi les plus belles voix du monde. Et comment ne pas être bouleversée quand, après plusieurs rappels, le théâtre tout entier est debout pour me rendre hommage...

« Une chaleur grecque vibrante », titrera le lendemain *The Sydney Morning Herald*.

« Doucement mais sûrement, écrira le critique musical Jill Sykes, Nana Mouskouri met tout son être dans ses chansons et atteint les cœurs de ses auditeurs. »

« Pour son premier concert à Sydney, le public l'a suivie tout du long. Toutes les nationalités et tous les âges étaient représentés, des grands-mères tout en noir aux bébés en barboteuse. Et Nana Mouskouri a donné du plaisir à chacun d'entre eux.

« J'ai particulièrement apprécié ses chansons grecques – elle en extrait la chaleur typique et vibrante sans pour autant devenir criarde –, ses paroles intelligentes et la musicalité sensuelle qui se dégage de chansons comme *Try to remember*, *Seasons in the sun* et *The first time ever I saw your face*.

« *Les Athéniens*, qui l'accompagnent sur scène, jouent un rôle central dans son succès, à la fois en tant que musiciens et qu'interprètes [1]. »

En Nouvelle-Zélande, je chante à Auckland, Wellington, puis Christchurch, la capitale de l'île du sud. Pour le récital de Christchurch, sachant que l'île est largement peuplée de Maoris, j'ai pris soin d'apprendre une chanson maorie qui résume l'âme de ce peuple, un peu dans la veine de *Un Canadien errant*, pour les Québécois. Je ne vois pas de plus belle façon de rendre à tous ces gens qui viennent m'écouter un peu de l'affection qu'ils me donnent sans compter. En plus, c'est une occasion unique de se faire plaisir tous ensemble car, dès les premières notes, la salle se met à chanter avec moi...

Ce soir-là, à Christchurch, en plein récital, on me porte un télégramme signé d'une équipe de chercheurs en expédition au pôle Sud : « Chère Nana, nous sommes tristes de ne pas pouvoir être dans la salle avec vous, ce soir, mais si heureux que vous soyez si près de nous, à seulement deux heures d'avion. Nous vous écoutons en direct, vous chantez pour nous ! S'il vous plaît, n'oubliez pas *Plaisir d'amour*, l'*Ave Maria* de Gounod, et *Four and twenty hours*. » Alors je relis à voix haute le télégramme, la salle applaudit à tout rompre, et, pour ces chercheurs, nous bouleversons aussitôt notre programme pour y intégrer *Plaisir d'amour* dont j'imagine les notes s'élevant pour la première fois sur les glaces désolées de l'Antarctique.

Ensuite, c'est le retour vers Sydney et le départ pour le Japon. Le Japon m'intimide parce que je n'ai pas eu encore le temps d'apprendre sa langue. Jusqu'à présent, j'ai pris soin de parler toutes les langues des pays qui m'ont accueillie : l'anglais, le français, l'allemand, l'espagnol, un peu d'italien... Mais le Japon, qui m'a découverte avec *Les Enfants du Pirée* il y a déjà longtemps, puis qui a beaucoup aimé *Les Parapluies de Cherbourg* et *Plaisir*

---

1. *The Sydney Morning Herald*, 10 juillet 1974. (Traduction.)

*d'amour*, le Japon m'invite, et je n'ai pas le cœur de repousser ce voyage.

Pourtant, j'ai bien raison de me sentir intimidée, et je vais faire les frais de mon ignorance dès mon arrivée à Tokyo.

Avec le concours de l'ambassade de Grèce et de ma maison de disques, mon producteur a organisé une conférence de presse à ma descente d'avion. On me prévient que la plupart des médias sont présents, presse écrite, radios et télévisions, et je suis contente car c'est à travers eux que je vais pouvoir me raconter un peu, nouer une première relation avec ces gens qui m'écoutent sans me connaître. On me présente mon interprète, un jeune homme élégant et raffiné comme savent l'être les Japonais, et le débat s'engage.

Dès mes premiers mots, je suis étonnée par le temps de traduction, comme si pour chacune de mes phrases il en fallait trois ou quatre en japonais. Pendant le premier quart d'heure, je laisse faire, puis, soudain, j'ai des doutes.

— Excusez-moi, dis-je au jeune homme, mais pouvez-vous me répéter ce que vous venez de dire ?

Je le vois confus, mais muet, comme bien décidé à ne pas me répondre. Alors, sentant monter la colère, je reprends plus vivement :

— Je vous prie de me répéter ce que vous venez de dire aux journalistes en mon nom.

À ce moment, je vois l'ambassadeur se rapprocher de moi, comme s'il craignait un incident diplomatique, et mon producteur s'empourprer. Mais mon ton a eu raison de l'interprète.

— J'ai rapporté aux journalistes les vœux de l'honorable madame Mouskouri au peuple japonais, mais je les ai formulés comme nous avons l'habitude de le faire chez nous.

— Vous ne pensez pas qu'il serait préférable de traduire *exactement* ce que je dis ? C'est peut-être différent, mais c'est ma façon à moi de dire les choses, et je pense que les Japonais peuvent très bien comprendre que nos cultures soient différentes.

Nouvelle confusion. L'ambassadeur est manifestement gêné, et mon producteur se met en devoir d'expliquer les choses à l'interprète. La salle, pendant ce temps-là, se tient coite. Comprend-elle ce qui se passe ?

— Il va essayer de traduire comme vous le souhaitez, me lance finalement mon producteur.

Ai-je bien fait de m'énerver ? Du Japon, j'apprends d'autres coutumes, que je me résous à accepter. Ainsi, en plein récital, un interprète intervient-il, toutes les deux ou trois chansons, pour en expliquer le contenu et peut-être dire ce qu'on peut en penser. De mon point de vue, cela interrompt la continuité du spectacle, la montée de l'émotion, sonnant comme un rappel brutal à la réalité. Cependant, les Japonais sont habitués à cette façon de faire.

Comme ils ont une manière bien à eux d'applaudir, les mains très à plat, produisant un son mesuré, sans déchaînements d'aucune sorte.

— Je pense qu'ils n'ont pas aimé, dis-je la première fois à mon producteur en sortant de scène.

— Comment pouvez-vous dire une chose pareille ? J'ai rarement entendu une salle aussi enthousiaste !

Il a raison, et dès mon second récital j'aurai appris à interpréter leur bonheur, et cela me touchera comme si, petit à petit, nous apprenions à nous connaître.

Je suis encore à Tokyo, le 23 juillet 1974, lorsque la nouvelle tombe sur toutes les radios : le général Ghizikis, chef de la junte militaire au pouvoir en Grèce depuis plus de sept ans, vient de remettre sa démission aux autorités civiles. Humilié à Chypre par les Turcs, le régime des *colonels*, unanimement rejeté, s'effondre dans la honte. Et déjà on parle du retour à Athènes de Constantin Caramanlis !

À l'intérieur de notre groupe, c'est de la folie. Nous partons aussitôt pour l'ambassade de Grèce où l'événement est fêté avec des rires et des larmes. Je tombe dans les bras de l'ambassadeur, et aussitôt je contacte mes parents, puis Jenny. Là-bas aussi, les gens sont partagés entre l'euphorie et les sanglots. Les militaires ont déserté les rues, envahies par des gens incrédules qui se promènent, paraît-il, le transistor sur l'oreille. Oui, on dit que Constantin Caramanlis pourrait très vite rentrer d'exil.

Je cherche à le joindre, pour lui dire combien je pense à lui en ce jour historique, et je parviens finalement à trouver son frère. L'ancien président du Conseil est bien attendu le lendemain à Athènes, me confirme-t-il, pour former un gouvernement dont la première tâche sera de rétablir la démocratie.

# 20

## Ma vie déchirée

J'avais espéré au fond de moi que ce tour du monde nous rendrait l'enthousiasme de jouer ensemble, mais au retour d'Australie, Georges est très vite repris par ses démons. Tandis que je me lance dans la préparation d'un nouvel album, toujours avec le concours d'André, je le vois petit à petit se renfermer sur lui-même, mutique et sombre.

Allons-nous revivre les mois épouvantables qui ont précédé notre départ ? Ils m'ont au moins permis de comprendre que je ne peux pas continuer à chanter dans le climat de tension qu'installe Georges entre nous. Je tombe malade, je me rapetisse comme une peau de chagrin, et puis je m'éteins jusqu'à perdre complètement la voix. Alors, me remémorant dans quel état de désespoir j'étais arrivée chez le médecin après avoir dû abandonner le studio de Philippe Bouvard en pleine émission, je suis prise de cette colère entêtante que l'on éprouve lorsqu'on se sent injustement soupçonné. Qu'ai-je fait, à la fin, pour mériter les reproches de Georges ? Voilà quinze ans que je partage sa vie, nous avons eu deux enfants, nous avons fui Paris pour le tranquilliser, je tiens à lui au point de n'avoir jamais regardé un autre homme... Que peut-il me demander de plus ?

C'est cette colère qui me pousse à le provoquer, moi qui suis pourtant paralysée par les conflits.

— Nous ne sommes plus heureux ensemble, Georges, je le vois, mais je ne sais plus quoi faire. Je ne sais plus ce qui dépend de moi.

— Je te l'ai dit, je n'aime plus notre vie.

— Je ne peux pas envisager d'arrêter de chanter. Est-ce que tu peux comprendre cela ?

— Je ne te demande pas d'arrêter de chanter.

— Tu me demandes de repartir pour la Grèce, comme le font tes amis.

— Et de redevenir une chanteuse grecque, oui. Là-bas, tout le monde t'aime, et avec le retour de la démocratie tu pourrais chanter autant que tu le veux.

— Comme un oiseau en cage... Nous avons voyagé dans le monde entier, pourquoi veux-tu maintenant me mettre derrière des barreaux ?

— Quels barreaux ? On vivrait dans une grande maison, plus près l'un de l'autre, plus près des enfants...

— Mais si loin du monde !

— Qu'est-ce que tu en as à faire, du monde ? Maintenant, on a suffisamment d'argent pour se passer de voyager.

— Je me fiche de l'argent, je te l'ai dit, mais je ne pourrai jamais me passer de ces moments extraordinaires que m'apporte la musique. Ces moments où tout un théâtre partage la même fièvre. Souviens-toi du Royal Albert Hall, de la Place des Arts à Montréal, du Théâtre des Champs-Élysées... Quand on aime la musique comme je l'aime, Georges, le monde entier semble presque trop petit pour contenir tous nos rêves.

Peut-être est-ce lors de cette longue discussion que je me fais pour la première fois la réflexion que si Georges m'aimait vraiment, il m'encouragerait à être toujours plus ambitieuse, au lieu de me vouloir recluse. Quelle est donc cette sorte d'amour qui exige de l'autre qu'il se sacrifie ?

Je crois que la question fait son chemin en moi, durant cet automne 1974, en soulevant beaucoup d'autres au passage, et contribuant à m'éloigner de Georges, en dépit du profond chagrin que j'en ressens par moments. Nous avons décidé provisoirement que lui vivrait à Genève et moi à Paris. Un an plus tôt, son ressentiment contre moi m'aurait sans doute rendue malade, mais à présent je le supporte. Insensiblement, j'ai perdu de l'estime pour cet homme dont l'égoïsme et l'esprit possessif me sautent aux yeux à présent, et cela m'aide à me protéger.

En tout cas, je ne perds plus ma voix. Et la question se pose donc de savoir avec quels musiciens je vais enregistrer puisque *Les Athéniens* n'existent plus. Nous en parlons avec Louis Hazan et André, et c'est ensemble qu'ils prennent la décision de me présenter Alain Goraguer. Alain travaille déjà avec Serge Gainsbourg, Isabelle Aubret, Jean Ferrat, c'est un musicien sensible et talentueux, et dès la première rencontre je me sens en confiance avec lui.

Cet automne-là, nous enregistrons ensemble l'album *Que je sois un ange*, qui comprend plusieurs chansons appelées à devenir des classiques, telles que *Soledad, Nous ne serons jamais plus seuls*, ou encore *Il est passé*, toutes arrangées par Alain Goraguer et accompagnées par son orchestre.

Et puis le chagrin me rattrape et, pendant six ou sept mois, je disparais des studios d'enregistrement comme des salles de spectacle. Comment les événements s'enchaînent-ils ? J'ai bien du mal, aujourd'hui, à revisiter cette période qui reste l'une des plus tristes de ma vie.

Georges se radicalise, et, lors d'un de mes séjours à Genève, il revient sur notre départ pour la Grèce.

— Je t'ai expliqué ce que j'en pensais, dis-je.

— Alors, si c'est comme ça, on va se séparer. J'ai décidé de partir.

— Georges, nous avons deux enfants. On ne peut pas se séparer comme ça, du jour au lendemain.

— J'emmène les enfants, toi tu fais ce que tu veux, ça te regarde.

Deux ans plus tôt, nous avons acheté un terrain sur l'île de Corfou, et Georges envisage maintenant d'y faire construire très vite une maison pour s'y installer. Comment transplanter nos enfants si brutalement de Genève à Corfou ? Hélène n'a que cinq ans, Nicolas démarre tout juste à l'école primaire, comment supporteront-ils un tel dépaysement ? Comment supporteront-ils surtout d'être privés de moi ?

Les parents de Georges interviennent et l'on parvient finalement à un compromis : les enfants continueront à vivre à Genève entre Fernande et moi, et ils retrouveront leur père en Grèce durant les vacances scolaires, accompagnés par Fernande.

Les premiers temps, bien que lui soit en Grèce et moi à Genève, je crois que nous avons l'un comme l'autre l'espoir de nous retrouver. Je traverse les journées hébétée, groggy, ne comprenant pas comment on a pu en arriver là. J'ai le souvenir obsédant de ma mère nous répétant, enfants : « J'attends que vous grandissiez pour quitter votre père. Tant que vous êtes petites, vous avez besoin de lui, je n'ai pas le droit de vous en priver. » Et moi, comment ai-je pu me donner ce droit ? Certains jours, je me sens accablée : nous sommes séparés par ma faute, me dis-je, je n'avais qu'à renoncer à ma carrière artistique, et aujourd'hui nous serions tous les quatre réunis sous le ciel généreux de Corfou. Je fais le malheur de mes enfants, et le désespoir d'un homme qui ne demande, après tout, qu'à vivre avec sa femme... D'autres jours, je suis pleine de colère contre sa jalousie maladive, son étroitesse d'esprit, son mercantilisme qui a fini, me dis-je, par étouffer son sens artistique. Mais soudain, la nostalgie chasse la colère, et sa guitare me manque au point de me précipiter au bord des larmes. Avec quelle délicatesse ses notes me touchaient le cœur ! Un moment plus tôt, je lui reprochais silencieusement d'avoir vendu son âme, et là je serais prête à proclamer que je n'ai jamais éprouvé une telle émotion devant une guitare. Oui, mais en y songeant, je dois bien m'avouer que c'est plus la guitare que l'homme qui me manque. Comme si l'homme, à force de me décevoir, de se renfermer, commençait à m'être indifférent.

D'ailleurs, je me découvre étonnamment insensible, et même soulagée, le jour où Odile Hazan vient m'annoncer que Georges a rencontré *quelqu'un*. Comme si cette nouvelle me déchargeait d'un seul coup de toute ma culpabilité à son égard.

— Ah, dis-je, très bien.

— C'est tout ce que ça te fait ?

— Non, je suis contente pour lui, je crois que je supportais très mal de l'imaginer seul, et triste.

— Tu sais, j'ai beaucoup parlé avec lui. Si tu ne veux pas divorcer, il est encore temps.

— Comment ça ?

— Je crois qu'avant de se remarier, il aimerait être sûr qu'il n'y a plus aucun espoir de ton côté.

— Je ne comprends pas. Si tu aimes sincèrement quelqu'un, tu peux choisir de l'attendre, mais alors tu ne t'engages pas ailleurs...

— Tu devrais plutôt en être flattée.

Je n'en suis pas flattée, non. Et plutôt que de me faire revenir en arrière, cela achève de m'éloigner de Georges.

Maintenant, c'est écrit, nous allons divorcer, et je porte ce mot en travers du cœur comme un parjure. Il heurte ma conscience, l'idée que je me fais de l'engagement, de la loyauté. Il signe l'échec de ma vie amoureuse, de ma vie familiale aussi. Dans le déchirement des premiers temps, je me surprends à douter de toute notre histoire. Ai-je jamais aimé Georges ? Il me semble par moments que je perds plus un ami qu'un mari. Mais alors de quoi parle-t-on lorsqu'on parle d'amour ? Je n'en avais aucune idée en rencontrant Georges, et nos premières années me semblent soudain étonnamment dénuées de cette flamme qu'on prête à l'amour, à la *passion amoureuse* selon Flaubert ou Stendhal. Se peut-il qu'élevée entre des parents qui ne s'aimaient plus, ne sachant rien de l'attirance, du désir, j'aie confondu amour et amitié ? En somme, nous n'aurons pas fait mieux que mes parents, me dis-je, entraînant nos deux enfants dans notre échec.

C'est le désir de ne pas perdre pied, de ne pas nous laisser ensevelir sous les ruines, qui me pousse alors à nous faire construire un chalet. Ç'aurait pu être un moulin à vent, une villa au bord de l'eau, n'importe quoi, mais il me fallait à tout prix reconstruire quelque chose pour me donner le sentiment que nous étions bel et bien vivants, toujours capables de nous inventer des lendemains, malgré le drame que nous traversions. C'est un chalet, parce que nous habitons la Suisse, et qu'un ami me parle d'un terrain à vendre du côté de Villars-sur-Ollon. J'achète le terrain, et je m'accroche fiévreusement à ce projet. Au moins, me dis-je, nos enfants ne manqueront pas d'un toit, puisque tandis qu'on creuse les fondations du chalet, Georges surveille le chantier de la maison de Corfou...

Et puis je m'envole pour la Grèce. Toute seule. J'éprouve le besoin de mettre mes parents au courant, de parler à Nikos, et, plus confusément, de retrouver des souvenirs d'avant Georges, comme s'il me fallait renouer avec mes premières racines, mes premiers désirs, pour trouver la force de repartir.

Mes parents ne m'aident pas beaucoup.

— Comment oses-tu me faire ça ! s'écrie ma mère.

Sur le moment, je ne comprends pas, et je ne pense qu'à la rassurer.

— Pour vous, ça ne va rien changer, je serai toujours là, vous ne manquerez de rien.

— Mais je ne vais plus oser sortir, voyons !

— Parce que je divorce, tu ne vas plus oser sortir ?

— Nana, je t'en supplie, réfléchis...

— C'est toi, maman, qui me disais que Georges n'était pas fait pour moi. Et aujourd'hui, tu voudrais que je vive avec un homme que je n'aime plus, et qui ne m'aime plus ?

— On ne rompt pas comme ça un mariage, pense aux enfants.

— Toi-même, tu as voulu quitter papa, maman.

— C'était différent, je ne voulais pas divorcer. D'ailleurs, nous sommes toujours ensemble.

— J'ai bien réfléchi, tu sais, je ne reviendrai pas en arrière.

— Eh bien, par ta faute, nous allons vivre dans la honte.

Mon père ne prête pas plus attention à mon chagrin, comme si le qu'en dira-t-on l'emportait désormais à leurs yeux sur tout ce qui fait la tristesse et la beauté de la vie. Et avec lui aussi, je me retrouve dans la situation de devoir défendre mon divorce, moi qui en suis tellement blessée.

— On va me poser des questions, et qu'est-ce que je vais répondre ?

— Tu diras que j'ai quarante ans, que j'élève mes enfants toute seule, et que je gagne ma vie.

Avec quelle émotion je revois Nikos ! Il s'est un peu voûté, son visage s'est creusé, mais il a traversé debout ces années difficiles et il est le même homme, érudit, méditatif, ennemi des compromis et des postures, et cependant à l'écoute, bienveillant. Nikos a suivi mon travail depuis mes premiers pas en France, et je retrouve chez lui cette exigence que j'apprécie tellement chez André.

— Tu es une artiste, Nana, ne te laisse pas enfouir dans les petites choses du quotidien. Travaille, ne t'arrête jamais, tu verras que l'on n'a pas assez de toute une vie pour exprimer les sentiments qui nous traversent.

Nous parlons, nous nous promenons ensemble dans les rues d'Athènes, et je l'emmène au *Floka*. J'ai besoin de me souvenir avec lui de ces premières années où, admise dans leur cercle, Manos et lui m'ont ouvert les yeux sur le monde. Que serais-je devenue si ma route n'avait pas croisé la leur ? Qui m'aurait enseigné la passion, la beauté ?

Nikos me réconcilie avec mes premiers élans, quand je passais mes nuits à courir les night-clubs, après avoir moi-même chanté, pour le seul plaisir de repérer les meilleurs musiciens. Et je me reprends au jeu. Le bouzouki me manque, la guitare de Georges me manque, et je retourne avec quelques vieux amis faire le tour des tavernes. Pourquoi est-ce que je ne ramènerais pas en France trois ou quatre de ces musiciens ? Pourquoi est-ce que je ne reconstituerais pas un nouveau groupe, de la même qualité que *Les Athéniens*, mais animé du désir de jouer ? Je découvre quelques artistes, nous bavardons, nous échangeons nos numéros de téléphone, et moi je rêve d'un nouveau départ.

Qu'en penserait André ? Maintenant, c'est la question qui me préoccupe. Je sais qu'il se fait du souci pour moi, et il y a de quoi : en l'espace de quelques mois, j'ai perdu tous mes musiciens, puis mon mari. Et puis je me suis mise aux abonnés absents. André respecte mon silence, mais je sais bien, le connaissant, qu'il doit chaque jour réfléchir à mon prochain album, au prochain Olympia, aux tournées qui m'attendent au Canada, en Angleterre, en Allemagne...

André trouve que c'est une bonne idée. Mais ne trouverait-il pas n'importe quelle idée bonne du moment qu'elle me sortirait de ma tristesse ? L'hypothèse m'effleure, sans me décourager, et j'entreprends, cette fois, de solliciter plus directement des musiciens grecs. Ceux qui acceptent sont finalement des amis, plus professionnels que ne l'étaient *Les Athéniens*, et je me retrouve au milieu de l'automne 1975 en position de me produire avec un nouveau groupe.

Alors j'appelle Yvonne Littlewood. Je voudrais commencer par des shows télévisés, avant d'affronter la scène ou les studios d'enregistrement. Je raconte mes dernières aventures artistiques à Yvonne, qui est maintenant une amie, avant de lui demander ce qu'elle penserait de nous recevoir sur son plateau.

— Quand tu veux, me répond-elle. Ici, en Angleterre, tout le monde te réclame, et je suis très curieuse d'entendre tes nouveaux musiciens.

Nous sommes en pleine préparation de ces émissions, programmées sur la BBC pour les fêtes de fin d'année, quand Louis Hazan et moi nous disputons pour la première fois. L'anecdote n'aurait pas beaucoup d'importance si elle ne précédait un drame qui va bouleverser la vie des Hazan, et faire que nous ne retrouverons plus jamais l'amitié et la confiance qui nous unissaient depuis quinze ans. De passage à Londres, j'ai appris par le directeur de Philips qu'il était question de faire ici une compilation de tous mes succès.

— Je ne veux pas, lui ai-je dit. Je n'aime pas le principe de la compilation. D'abord, ça prolonge la vie de certaines chansons qui ne m'intéressent plus aujourd'hui, et puis ça fait de l'ombre aux créations récentes.

— Eh bien, tu le diras à M. Hazan, la décision lui appartient.

Justement, je dois dîner chez les Hazan. Je répète donc mon opposition à cette compilation anglaise.

— Que tu le veuilles ou non, me rétorque sèchement M. Hazan, nous allons la faire.

— Pardon ? Je ne comprends pas.

Jamais il ne m'a parlé sur ce ton.

— Cette compilation est réclamée par le public, Nana, nous allons la vendre énormément, j'ai donc décidé de la faire, et j'en ai le droit.

— Même si je ne suis pas d'accord, voulez-vous dire ?

— Exactement. Je n'ai même pas à te demander ton avis. C'est écrit noir sur blanc sur ton contrat, tu n'avais qu'à le lire.

Sonnée, j'en suis réduite à murmurer cette pauvre phrase, empreinte d'une grande tristesse :

— C'est vrai que jusqu'à présent je ne lisais pas mes contrats, monsieur Hazan, mais parce que je vous faisais une confiance aveugle. Jamais je n'aurais pensé à vous soupçonner d'y mettre quoi que ce soit qui pourrait un jour se retourner contre moi.

Il ne relève pas, et la soirée se termine dans un climat glacial.

Que s'est-il passé ? Qu'ai-je fait pour mériter cette humiliation ? Il me revient qu'après deux contrats de sept ans avec Philips, j'ai récemment suggéré l'idée de me produire moi-même depuis la Suisse, tout en restant distribuée par Philips. M. Hazan l'aurait-il interprété comme un geste inamical après tout ce qu'il a fait pour moi ? Je ne vois pas d'autres raisons pour expliquer son subit revirement, et je me promets de lever ce malentendu lors d'un prochain dîner. C'est alors que se produit le drame qui va durablement nous éloigner.

Nous sommes en pleine répétition, ce 31 décembre 1975, lorsqu'on vient me chercher au studio : un appel urgent de Paris. Je reconnais aussitôt la voix de Simone, la secrétaire de Louis Hazan.

— Nana, Odile a besoin de vous, pouvez-vous rentrer immédiatement à Paris ?

— Mon Dieu, mais qu'est-ce qu'il se passe, Simone ? Il est arrivé quelque chose ?

— Je ne peux rien vous dire par téléphone, mais c'est très grave. Odile vous réclame.

— Dites-lui que j'arrive. Je rentre par le prochain avion.

J'abandonne mes musiciens qui n'ont pas encore l'habitude de travailler avec moi et qui me regardent comme si je venais de perdre la tête, et je me fais conduire à l'aéroport sans même repasser par mon hôtel. Si Odile me demande par l'intermédiaire de Simone, c'est qu'un événement imprévisible touche son mari. Si cela concernait la santé de Louis Hazan, Simone n'aurait pas invoqué le secret pour ne rien me dire. Alors, de quoi peut-il s'agir ? Qu'est-ce qui peut être assez grave pour interrompre le travail de toute une équipe et mettre en péril une émission importante ? Je traverse ce voyage comme une somnambule, folle d'inquiétude.

Je sais qu'André, le seul qui pourrait tout me dire, ne sera pas à Orly. Ce sont les vacances de Noël et il a rejoint les siens en Bourgogne. Cependant, on a pensé à m'envoyer une voiture – un homme que je ne connais pas, froid et mutique, qui m'entraîne à toute allure à travers le grand hall, m'ouvre la portière et démarre en trombe.

— Où allons-nous ?

— Chez les Hazan, madame. Vous êtes attendue.

Je franchis seule le porche de cet immeuble que je connais si bien, et grimpe au septième étage. La porte s'ouvre, et je découvre tout l'état-major de la maison Philips, une dizaine d'hommes, disposés de part et d'autre de la pièce comme s'ils n'attendaient plus que moi, en effet.

— Mon Dieu, ne me dites pas...

À voir leurs têtes, c'est le pire qui m'effleure dans la seconde : la mort de Louis Hazan. Alors Jacques Caillard, son bras droit, s'approche :

— Entrez, Nana, et asseyez-vous. Voilà, M. Hazan a été enlevé.

— Enlevé ?

— Oui, en pleine réunion de direction. Des hommes armés et masqués. Nous n'avons rien pu faire.

— Oh Seigneur ! Comment est-ce possible ? Où est Odile ?

— Elle vous attend.

Je la trouve en larmes, perdue, ne parvenant pas à croire que ça puisse être vrai. Louis, si généreux, si attentif aux autres, entre les mains de tueurs... Qui peut lui vouloir du mal ? Je passe un long moment à tenter de la réconforter, mais au fond je suis aussi perdue qu'elle.

Un moment plus tard, comme les directeurs nous ont rejointes, je surprends cette phrase dans la bouche de M. Caillard : « Ça nous apprendra à travailler avec des gens douteux. » À qui pense-t-il ? Que veut-il dire ? Je me rappellerai ses mots quand il apparaîtra que le patron de l'entreprise de nettoyage des locaux de Philips se trouve impliqué dans le rapt. Mais dans cette ambiance dramatique, cela ne fait qu'ajouter à la confusion, et le chagrin d'Odile me préoccupe plus que tout le reste.

Je passe la nuit auprès d'elle, à préparer du thé et à tâcher de la convaincre qu'on retrouvera Louis indemne. Même s'ils ne se sont pas encore manifestés, lui dis-je, les ravisseurs veulent vraisemblablement de l'argent, ils n'ont aucune raison d'en vouloir personnellement à un homme dont l'intégrité ne fait aucun doute.

Le lendemain matin, je dois repartir pour Londres, et je me sens coupable d'abandonner Odile en pleine détresse.

Une semaine s'écoule. J'appelle Odile plusieurs fois par jour. Toutes les polices de France sont mobilisées, mais on ne sait toujours rien de précis.

Enfin, c'est André qui m'appelle.

— Les choses se précipitent, ça peut être très grave, il vaudrait mieux que tu rentres.

— J'essaie d'attraper le prochain avion.

Cette fois, André m'attend à l'aéroport. La police serait sur le point d'arrêter les ravisseurs ; cependant, selon certaines rumeurs, Louis Hazan aurait été tué. Les enquêteurs seraient incapables d'infirmer ou de confirmer cette nouvelle épouvantable, laissant Odile dans une profonde angoisse. Mais le dénouement serait très proche.

En arrivant rue de Montalembert, c'est un spectacle hallucinant qui s'offre à nous. Dans le soir qui tombe, une foule compacte bloque toute la rue. On devine des grappes de photographes sur les toits, des curieux à toutes les fenêtres, et la police semble impuissante à endiguer les gens qui affluent. Il faut deux motards pour nous ouvrir la route, et les policiers en faction devant l'immeuble doivent pratiquement me prendre dans leurs bras pour me déposer dans le hall. Mais les journalistes ont bloqué l'ascenseur, et je dois monter les sept étages à pied entre une forêt de micros et le crépitement des flashs.

— Nana, Nana, qu'est-ce que vous pensez ? On dit que Louis Hazan serait mort. Avez-vous de ses nouvelles ? Qu'allez-vous dire à sa femme ?

Jamais je n'ai vécu un moment pareil, prise à partie comme si nous assistions à une course de chevaux sur l'hippodrome de Vincennes, dans la même fièvre, dans la même excitation, tandis que l'homme dont on parle, dont je devrais commenter le calvaire, m'est aussi précieux qu'un père. Évidemment, je suis bien trop bouleversée pour dire quoi que ce soit, et je ne peux pas retenir mes larmes quand la porte des Hazan se referme enfin sur toute cette folie.

Beaucoup d'amis sont là, silencieux et tendus. On me conduit auprès d'Odile qui est méconnaissable, amaigrie, le visage ravagé, les paupières gonflées.

— Oh, Nana ! On ne sait rien, c'est à perdre la tête, il n'y a peut-être plus aucun espoir...

Nous tombons dans les bras l'une de l'autre. Odile sanglote, et moi j'ai tellement de chagrin que je ne trouve pas les mots pour lui dire qu'il faut au moins continuer d'espérer.

Et c'est à ce moment-là que le téléphone sonne.

Odile décroche.

Je vois son visage se détendre comme par miracle, s'illuminer.

— Il est vivant ! Il est vivant ! crie-t-elle dans ses larmes. Vite, on nous attend quai des Orfèvres.

Entre-temps, une voiture de police est parvenue à se garer au pied de l'immeuble. Nous nous y engouffrons, et comme il n'y pas suffisamment de place, je me retrouve sur les genoux d'un inspecteur. Peu importe, maintenant nous avons tous envie de rire.

— Quand je dirai à ma femme que j'ai voyagé avec Nana Mouskouri sur mes genoux, elle ne va pas me croire! s'exclame d'ailleurs l'inspecteur.

En quelques minutes, nous rejoignons le siège de la police judiciaire. Un escalier aux marches usées, un dédale de couloirs éclairés d'une lumière sale, et soudain on nous prie d'entrer dans un bureau : M. Hazan se tient sur une chaise, livide, les traits marqués comme s'il avait dix ans de plus. Il n'a pas la force de sourire, tout juste celle de se lever pour étreindre Odile.

Ce soir-là, je ne passe pas plus de dix minutes avec eux. Mais comme je dois repartir pour Londres dès le lendemain après-midi, il est entendu que je viendrai les embrasser le matin, rue de Montalembert.

J'achète des croissants au passage, et je les trouve, comme je l'espérais, en train de prendre le petit déjeuner au salon. Lui est dans un fauteuil, encore très pâle, visiblement choqué. Odile, qui est venue m'ouvrir, se rassoit en tailleur devant la table basse, et j'en fais autant. Louis Hazan raconte sa détention. Durant huit jours, on l'a tenu enfermé dans un placard, recroquevillé sur lui-même. On lui donnait tout juste de quoi survivre, et pas une fois il n'a pu s'allonger. Il parle de sa souffrance physique, et puis de tout ce qui l'a traversé durant ces jours et ces nuits où il ne parvenait plus à trouver le sommeil.

— Je ne savais pas ce que ces gens me voulaient, pourquoi ils me torturaient, et j'ai fini par penser que je n'y survivrais pas. Que je ne reverrais pas la lumière, que je ne te reverrais plus, Odile.

C'est profondément bouleversant de l'écouter, lui qui vient d'échapper à la mort, après avoir eu tout le temps de la regarder en face.

Et à la fin, il se tourne vers moi.

— Ça n'a pas été facile de survivre, entravé dans ce placard, mais pourtant j'ai beaucoup pensé à ce que tu m'as dit la dernière fois, Nana, que jamais tu ne m'aurais soupçonné de mettre dans un de tes contrats quoi que ce soit qui pourrait se retourner contre toi. J'en ai été profondément blessé, je tiens à te le dire.

Aurais-je dû m'excuser, alors qu'à mes yeux c'est moi, et non lui, qui avais été trahie ? Je n'ai pas trouvé les mots pour dissiper le malentendu, lui dire combien je continuais de lui faire confiance, en dépit de cette clause étrange qui lui permettait d'éditer une compilation de mes chansons contre mon gré. Je n'ai pas trouvé les mots, et puis ça n'était sûrement pas le moment de revenir sur cette dispute stupide. Nous nous sommes donc quittés avec cette blessure sur le cœur, pour toujours, allais-je écrire, puisque nous n'en avons plus jamais reparlé.

# 21

# Maman ne chantera plus

Je ne saurais pas dire à quel moment André est entré dans ma vie. Quand je me retourne sur toutes ces années, il me semble qu'André a *toujours* été dans ma vie. En même temps exigeant et bienveillant, effacé et sûr de ses choix artistiques. Il y a pourtant eu un jour où je me suis mise à le regarder différemment, non plus simplement comme un ami précieux, généreux, lumineux, mais comme un homme susceptible de me faire battre le cœur. Oui, seulement ce jour a peut-être duré un an, dix ans, jusqu'à ce que mon amour pour lui me saute aux yeux, comme l'éclosion soudaine du printemps après l'hiver.

Il faudrait que je dise quel homme est André, si singulier parmi tous ceux qui n'ont cessé d'accompagner ma carrière artistique. Tous ont beaucoup compté pour moi, de Manos Hadjidakis à Louis Hazan, de Quincy Jones à Michel Legrand, sans oublier bien sûr Nikos Gatsos, Harry Belafonte, Georges, Pierre Delanoë, Claude Lemesle, Alain Goraguer... Mais chez aucun je n'ai ressenti, lorsque je chantais, l'émotion que j'ai si souvent croisée dans le regard d'André. Je crois qu'avant d'être mon directeur artistique, André fut très profondément touché par quelque chose de mystérieux qui devait émaner de moi, et qu'il était le seul à voir, à *entendre*, devrais-je plutôt écrire. Je crois que notre relation se situa d'emblée loin des codes professionnels, dans un coin reculé de son âme où ma voix toucha sans le vouloir une corde lointaine, mais si sensible qu'André me donna aussitôt une place à part. Je le dis sans orgueil, mais avec une infinie reconnaissance. Et tellement d'amour aujourd'hui ! « Toute la semaine, je serai en studio avec la chanteuse », disait-il. Il ne disait pas Nana, mais *la chanteuse*. Et à présent que je partage sa vie depuis trente ans, et que nous sommes enfin mariés, c'est encore comme cela qu'il m'appelle, *la chanteuse*, avec ce mélange d'élégance et de dévotion dont il n'a jamais cessé de m'entourer.

C'est au cours d'un récital au palais des Beaux-Arts, à Bruxelles, au tout début des années 1970, que j'ai soudain compris qu'André ne ressemblait à aucun autre. Il nous avait accompagnés pour la générale, et lui, si discret, s'était retrouvé assis dans les premiers rangs, exactement au milieu, de telle sorte que je ne voyais que lui depuis la scène. Or, pendant que je chantais, j'avais d'abord été surprise, puis attendrie, de constater combien il était ému, au point de sécher discrètement ses larmes quand la salle applaudissait. Le lendemain matin, alors qu'il était en route pour Paris, j'avais trouvé sous la porte de ma chambre d'hôtel un petit mot dans lequel il m'écrivait qu'il n'oublierait jamais cette soirée, qu'il avait été bouleversé par mes interprétations. Quand la facilité paraissait être un critère de sélection largement répandu chez les éditeurs de musique, dans ces années yé-yé, lui semblait privilégier sa propre sensibilité. « Tu es une grande artiste, me répétait-il, tu peux chanter ce que tu veux, alors soyons ambitieux. Le succès viendra sans que tu aies à le chercher. »

Les premières années, quand je butais encore sur la prononciation de certains mots et que j'éclatais en sanglots, ou jetais le micro par terre, jamais André ne se décourageait, jamais il n'avait un mot plus haut que l'autre. Le studio se vidait, musiciens et techniciens sortaient plaisanter dans les couloirs, André ne sortait pas, lui. Je crois qu'il ne se vivait pas *au travail*, comme n'importe quel autre directeur de la maison Philips, mais spectateur d'une œuvre que je devais accomplir et qu'il était là pour accompagner. Enfant violoniste, mélomane, il avait quitté sa Bourgogne natale à vingt ans pour se mettre au service de la musique, et il était là à son affaire, je veux dire à l'œuvre de sa vie. « Si tu veux, on peut reprendre tranquillement demain, je serai là, on a tout notre temps. » Je perdais pied, mais lui non. Lui savait exactement où se situait la chanson qu'il attendait, il savait quelle distance m'en séparait encore, et moi je savais que je pouvais compter sur lui pour me soutenir tout au long du chemin. Jamais personne n'avait eu une telle foi en moi. Je croisais son regard, et je lisais : « Tu vas y arriver ! Bien sûr que tu vas y arriver ! Nous sommes les plus forts. » Cette confiance qu'il me faisait, c'était comme d'être touchée par la grâce...

Il incarnait la patience, le respect. Quand, au milieu d'une répétition, je m'interrompais brusquement parce que plus rien ne me plaisait, et que l'instant d'après je me sentais confuse d'avoir fait perdre leur temps à tous ces gens qui n'étaient là que pour moi, il était toujours celui qui disait : « C'est bien, ne t'en veux pas, tu as le droit, ce n'est pas nous qui monterons sur scène tout à l'heure. »

Quand Georges et moi nous séparons, que Georges repart pour la Grèce et que durant plusieurs mois je ne chante plus, André se tient absolument silencieux. Je crois qu'il a deviné qu'un geste de sa part pourrait être interprété comme de l'impatience – l'impatience d'un directeur artistique qui se demande à quand le prochain disque – et il se tait. Mais quand j'annonce ma venue à Paris, je le trouve à Orly avec un bouquet de fleurs.

Je viens pour deux ou trois jours seulement, le temps qu'il me montre les chansons qu'il a découvertes pour moi.

— Regarde, j'ai pensé à celle-ci.

Nous l'écoutons, dans sa version anglaise ou allemande.

— Ça me plaît beaucoup.

— N'est-ce pas ? Je crois que tu la chanterais magnifiquement. J'ai envie de demander à Pierre Delanoë d'en faire l'adaptation...

De nouveau, je n'ai plus de musiciens. Ceux qui m'avaient accompagnée à Londres sur les plateaux de la

BBC vont repartir pour la Grèce. J'enregistrerai donc mon prochain disque avec Alain Goraguer et son orchestre.

— Que dirais-tu de cet été ? propose-t-il.

— Aussitôt après l'Australie, alors.

— Ça ne te tiendra pas trop éloignée des enfants ?

— Non, ils seront avec moi en Australie, et ensuite à Corfou chez Georges...

Je me laisse doucement reprendre par la musique. En juillet de cette année 1976, je repartirai donc en Australie pour une deuxième tournée. Et, aussitôt après, j'enregistrerai ce nouvel album : *Quand tu chantes.*

Depuis le départ de Georges, la vie s'est organisée différemment à Genève. Imperceptiblement, Fernande a pris les choses en main, et moi je me suis reposée sur elle avec soulagement. Maintenant, je sais que je peux disparaître plusieurs jours, la maison ne va pas s'effondrer. Elle veille avec un soin jaloux aux horaires des enfants, à ce qu'ils soient toujours impeccables, et elle leur donne une tendresse qui achève de me rassurer.

J'ai parfois le sentiment qu'elle n'est pas mécontente qu'il n'y ait plus d'homme à la maison, comme si Georges l'avait empêchée d'étendre son autorité. Et de l'autorité, justement, il lui en faut de plus en plus, puisque désormais Hélène aussi va à l'école. Il est loin le temps où nous partions en tournée en famille. À présent, à l'exception des périodes de vacances, je pars seule, laissant toute la responsabilité des enfants à Fernande.

Bientôt, il m'arrivera d'avoir l'impression de perturber l'ordre et la quiétude de la maison en rentrant de mes longs voyages. Hélène et Nicolas, qui ne m'ont pas vue depuis parfois trois semaines ou un mois, m'assaillent de questions, le petit déjeuner se prolonge, et Féfé s'énerve.

— Vous voyez, les enfants, leur dit-elle dans la voiture en les conduisant à l'école, quand maman est là, on est chaque fois en retard !

Et aux professeurs :

— Excusez-nous, mais la maman était là ce matin...

Ça n'est pas méchant de la part de Fernande, et même si, au fond, cela me blesse, comme si j'étais un peu devenue l'intruse dans ma propre maison, jamais je ne lui en ferai le reproche. Mais aujourd'hui, avec le recul, je m'en veux de m'être tue, car ces réflexions innocentes annonçaient, en réalité, les douloureux conflits qui devaient par la suite m'opposer à Fernande. Sans qu'elle en ait conscience, ni moi non plus, elle allait, petit à petit, m'éloigner de mes enfants, creusant entre nous un fossé que nous mettrions des années à combler.

Je suis dans la préparation de ma tournée en Australie quand Frank Hardy m'annonce son passage à Paris. Depuis notre première conversation téléphonique à Sydney, au milieu de la nuit, j'ai lu plusieurs de ses livres et nous n'avons plus cessé de nous parler. Il m'a beaucoup appelée pour me confier les souffrances dans lesquelles le plonge le départ de sa femme. C'est un nouveau drame dans sa vie, et, par une coïncidence qui nous trouble l'un et l'autre, cet événement intervient au moment même où Georges et moi nous séparons.

Je lui ai donné rendez-vous au *Flore*, et j'y arrive la première. Voilà des mois que nous échangeons des sentiments très intimes sans nous être jamais vus, et j'ai la gorge nouée. Enfin, il apparaît, grand, une allure de bûcheron dans sa chemise à carreaux, un visage hâlé et profondément marqué. Lui aussi doit être intimidé, car durant les premières minutes il ne s'assoit pas, il me parle debout, me dominant de ses larges épaules, très agité, un peu essoufflé, ne lâchant pas sa pipe.

— Je n'aime pas la pipe, lui dis-je, ça ne vous ennuierait pas de la ranger ?

Alors il s'assoit, et toute cette violence qu'il a en lui m'impressionne beaucoup. Elle transparaît dans ses yeux, sur son front, dans ses gestes...

Pourtant, c'est son chagrin qui nous préoccupe ce jour-là. Il veut comprendre ce qui traverse une femme lorsqu'elle rompt avec un homme, et il m'interroge fébrilement, passionnément. Sans le vouloir, je lui parle de ma relation avec Georges, de l'idée que je me fais de l'amour au regard de cet échec, et, bientôt, c'est inévitablement de nous deux que nous parlons. L'un et l'autre seuls, l'un et l'autre blessés. Suis-je en train de céder à une attirance confuse ? Cet homme me touche, et en même temps la véhémence qu'il met en tout me fait peur. Maintenant, il veut me revoir, très vite, il dit que j'incarne peut-être la femme qu'il attend puisque je suis capable de répondre avec sensibilité à toutes les questions qui le torturent. Il dit des choses absolues, démesurées, qui m'effraient. Je le lui dis. Je dis que je n'aime pas être bousculée, que j'ai besoin d'harmonie. Comprenez-vous ? Alors je le sens un peu perdu, peut-être désolé de m'avoir affolée. Il va m'écrire, est-ce que je lui répondrai ?

— Oh oui, naturellement !

Quand je le vois se fondre dans la foule du boulevard Saint-Germain, puis disparaître, je me sens brusquement rattrapée par toute l'émotion que j'ai retenue durant cette rencontre. Ai-je bien fait d'être si raisonnable devant tant de rêves, tant de désirs ? Où se situe la vie, mon Dieu ? Dans la raison ou la folie ? Avec Georges, c'était moi qui incarnais la folie, et voilà qu'avec cet homme, sans doute bien plus fou que moi, je prends peur et recule.

Mais nous nous reverrons dans un peu plus d'un mois à Adélaïde, et j'aime cette idée que le temps décidera peut-être pour moi, pour nous.

Les Australiens m'avaient découverte avec Georges et *Les Athéniens*, je reviens sans mari et avec des musiciens grecs qu'ils ne connaissent pas (le groupe constitué pour Londres, dont ce sera le dernier voyage avec moi). Inévitablement, ma vie privée fait l'objet de commentaires dans tous les journaux. « Nana la joue cool », titre *The West Australian* de Perth, dont l'article commence ainsi : « "Me remarier ?" demande Nana Mouskouri, charmeuse, en fronçant ses sourcils. "Pourquoi, je suis toujours mariée", ajoute-t-elle mystérieusement. » Et il est vrai que je ne suis toujours pas officiellement divorcée. « Nana Mouskouri préfère la voix de la liberté », titre de son côté *The Australian*.

J'ai profondément bouleversé mon récital par rapport à la première tournée. Deux ans plus tôt, *Les Athéniens* démarraient seuls en scène, puis j'apparaissais. Cette fois, c'est moi qui ouvre toute seule, *a capella*, avec *Amazing Grace*. Je le fais par défi personnel, car c'est véritablement vertigineux de se lancer devant une salle dont on entend le silence avec la présence unique de sa voix. Mais je le fais aussi pour *couvrir* mes musiciens, qui n'ont pas l'habitude de la scène, et qui souhaitent rester beaucoup plus en retrait que ne le faisaient *Les Athéniens*. Pour moi, c'est enfin un pas de plus vers la solitude, et cette tournée, où tout repose sur mes seules épaules, me donne un sentiment d'assurance que je n'avais pas connu au temps de Georges.

Et puis je revois Frank Hardy. Nous dînons ensemble après mon récital, et nous passons le reste de la nuit à bavarder. Il est bouleversé, me dit-il, par la façon dont je viens d'interpréter *Waltzing Matilda*, l'une des plus célèbres chansons du folklore australien, dont certains voudraient même faire l'hymne national, en remplacement d'*Advance Australia Fair*. *Waltzing Matilda* raconte l'histoire d'un vagabond qui vole un mouton pour ne pas mourir de faim, et qui préfère se noyer plutôt que de tomber aux mains des gendarmes.

— Qui es-tu donc pour arriver à me faire pleurer sur cette chanson qu'on me chantait enfant ? me demande Frank.

— Je sais ce que c'est que d'être pauvre et de devoir quitter sa maison avec un balluchon sur le dos.

— Oui, ce soir, j'ai compris que tu savais.

Bien sûr, nous parlons de son frère mort en prison, de cette inextinguible colère qu'il éprouve depuis contre le monde entier, de son enfance, de la mienne, mais nous en parlons gravement, avec le souci de comprendre où se cache la fatalité, et pourquoi tant de femmes ou d'hommes traversent la vie sans jamais découvrir pour quelle raison ils ont été mis au monde. Frank est intelligent et sensible, et je retrouve à certains moments le climat de mes conversations avec Nikos.

Pourtant, quelque chose continue de me faire peur en lui, et c'est peut-être justement la véhémence de cet amour qu'il évoque maintenant sans détour. Je ne me sens pas prête. Il me semble que si je cédais maintenant à l'embrasement passionné de cet homme, je pourrais me perdre, ne plus entendre, dans tout ce tumulte, la petite voix intérieure qui me guide depuis l'enfance, et puis finalement disparaître, emportée par sa colère.

Accepterais-je au moins qu'il m'écrive des chansons ? Qu'il continue de me lire au téléphone son roman en cours ? Oh oui ! Comment lui dire que j'aime entendre sa voix, tout en éprouvant le besoin de me protéger de lui ?

Une fois encore, il s'en va un peu dépité dans le jour qui se lève.

À mon retour en France, je trouverai son premier poème : *Where has the pilgrim gone ?*

> *Où donc a disparu la vagabonde,*
> *Dressant son cou d'oiseau,*
> *Arquant les sourcils ?*
> *Le vent de l'ouest*
> *L'a-t-il révélée à elle-même* [1] *?*

Désormais, il ne m'appellera plus que *pilgrim (vagabonde)*. Espère-t-il que les vents d'ouest me ramènent un jour à lui ? J'en ai le sentiment, et nous entretenons une correspondance assidue sans bien savoir ce que nous réserve le destin.

Comme souvent dans la vie, il faut l'épreuve d'un grand chagrin pour que je comprenne soudain combien je tiens à André. J'ai terminé l'année 1976 par un tour de chant à l'Olympia, et l'année 1977 promet d'être extraordinaire : tournée en Belgique et Hollande en janvier, en France en février, en Allemagne en mars, aux États-Unis, où l'on m'attend à Broadway, en avril, au Canada en mai, et ainsi de suite...

---

1. Adaptation libre de l'anglais. Texte original : *Where has the pilgrim gone, tossing her raven head, arching her brow? Will the winds of the west waken her now?*

Je voyage désormais avec une quinzaine de personnes autour de moi, entre les musiciens, les éclairagistes, les techniciens du son, mon habilleuse, mon producteur, et c'est une pression considérable de les sentir tous dans l'attente de ce que je vais décider. Même si je suis proche de chacun d'entre eux, je n'ai plus la complicité que j'entretenais avec *Les Athéniens*. C'est un peu trop pour mes épaules, et André, qui en a conscience, a pris l'habitude de m'accompagner durant les deux ou trois premiers jours de chaque tournée. Voilà quinze ans qu'il me dirige, il peut donc parler en mon nom et prendre à ma place la plupart des décisions.

Belgique et Hollande, comme d'habitude, me réservent un accueil exceptionnel. « Qu'elle évoque les larmes de sang d'un expatrié qui lance un dernier regard vers le drapeau de son pays, qu'elle dénonce avec pudeur les excès meurtriers de notre monde, qu'elle effleure les plaies d'une blessure d'amour, Nana Mouskouri trouve d'instinct le ton et les gestes qui conviennent », écrit ainsi le critique du *Soir* de Bruxelles [1].

Puis je sillonne la France où l'accueil est aussi chaleureux.

Le défi réside pour moi en Allemagne, où je vais faire ma première grande tournée depuis celle de mes débuts. Un mois, durant lequel je dois chanter dans toutes les grandes villes.

Le matin de mon départ pour Francfort, où je dois donner le soir même mon premier récital, Jenny me téléphone d'Athènes :

— Nana, je ne veux pas t'inquiéter inutilement, mais maman vient de faire un petit infarctus, elle est à l'hôpital.

— Oh mon Dieu ! J'essaie d'avoir une place sur le prochain avion, dis-lui que j'arrive.

— Non, non, ne précipite rien, les médecins ne sont pas inquiets.

---

1. *Le Soir*, 26 janvier 1977.

— J'allais partir pour l'aéroport, je commence une tournée en Allemagne, tu risques d'avoir beaucoup de mal à me joindre s'il arrive quelque chose.

— Je sais, c'est pour ça que je t'appelle si tôt. Mais n'annule rien pour le moment. Téléphone-moi ce soir, et je te donnerai des nouvelles.

Après avoir raccroché, j'hésite un moment à tout ajourner pour m'envoler vers Athènes sur-le-champ. Mais Jenny ne m'a vraiment pas donné l'impression d'être inquiète, et je me résous à partir pour Francfort, le cœur un peu lourd.

André m'accompagne, ainsi qu'une partie de mon équipe. En débarquant à Francfort, nous nous rendons directement à la salle de spectacle, située loin du centre-ville, au bord de l'autoroute. Les répétitions démarrent aussitôt. Quand je m'enquiers de savoir où trouver un téléphone, on m'explique qu'il faut rejoindre la cafétéria, à l'autre bout du bâtiment, et je renonce pour ne pas laisser en panne musiciens et techniciens qui ne peuvent pas avancer sans ma présence.

En fin d'après-midi, je parviens tout de même à m'échapper.

C'est mon père qui décroche. Il a laissé ma mère à l'hôpital sous la surveillance de Jenny. Il semble complètement perdu de se retrouver seul à la maison, et je parle longuement avec lui, je n'imagine pas de l'abandonner dans cet état. Enfin, je le laisse un peu rasséréné, et j'appelle aussitôt l'hôpital pour tenter de joindre ma sœur.

Quand on me la passe, ce sont d'abord ses sanglots que j'entends.

— Oh! Nana, c'est fini! C'est fini!

— Jenny!

Je comprends dans ses larmes que maman est morte seule, pendant qu'elle-même reconduisait papa à la maison. Et c'est une telle souffrance que nous restons un long moment à pleurer toutes les deux silencieusement, de part et d'autre de la ligne, sans parvenir à dire quoi que ce soit.

Puis je remonte vers la salle de concert, hébétée, et André comprend immédiatement en me voyant. En quelques minutes, la décision est prise : il ajourne les deux récitals prévus à Francfort, dont celui qui doit commencer deux heures plus tard, et se renseigne sur le prochain avion pour Athènes. Malheureusement, je dois attendre le lendemain matin.

Cette nuit-là, incapable de dormir, je confie à André combien je me sens triste de n'avoir pas eu avec ma mère cette explication qui aurait dû nous libérer l'une et l'autre : elle du chagrin d'avoir sacrifié sa vie à un homme qui ne le méritait peut-être pas, moi de la culpabilité de lui avoir volé son destin. Cette explication dont chaque enfant rêve, devenu adulte, et que la mort s'arrange toujours pour escamoter, lui laissant dans le cœur des remords inconsolables.

J'aurais voulu la convaincre que sans ce rêve qu'elle avait entretenu, en dépit de toutes les guerres qui avaient entravé sa vie, je ne serais jamais devenue l'artiste repérée par Manos Hadjidakis. J'aurais voulu lui dire que dans la famille, c'est elle qui avait été la flamme. Que sans son entêtement à déjouer le désespoir, à tromper la fatalité, ni Jenny ni moi n'aurions trouvé la force de construire nos vies. Elle s'était mise à fumer et à jouer aux cartes après nos mariages respectifs, comme rattrapée par la mélancolie, et nous n'étions pas venues lui rendre hommage, nous n'étions pas venues la remercier tout simplement. Aurait-elle vieilli plus gaiement si nous l'avions fait ?

J'aurais voulu l'entendre me dire une fois, une seule fois, qu'elle était fière de ce que j'étais devenue. Alors j'aurais pu lui souffler tout bas à l'oreille : « Mais c'est grâce à toi, maman ! » et il me semble que ces six petits mots auraient eu le pouvoir miraculeux de nous apporter la paix à l'une et à l'autre. Son sacrifice aurait eu un sens, et moi je me serais enfin acquittée de ma dette à son égard.

Mais cette nuit-là, c'est à André que je confie tout cela. Jamais je ne lui ai parlé avec un tel souci de vérité, et cette attention qu'il me porte depuis si longtemps dans ma vie artistique, je la vois soudain à l'épreuve d'un chagrin qui me dépasse. Peut-être est-ce dans ces moments-là qu'on découvre le mieux de quoi sont faites les âmes. Celle d'André est lumineuse, et infiniment généreuse. Je découvre avec quelle délicatesse cet homme qui parle peu, et ne se met jamais en avant, trouve maintenant les mots justes pour me réconforter. Et plus nous parlons, plus se tissent entre nous ces liens secrets qui font qu'on se reconnaît dans ce que dit l'autre, et que bientôt on a le sentiment de ne plus être tout seul au bord du gouffre. Je crois qu'André entre dans mon cœur cette nuit-là. Et que, bien qu'aveuglée par les larmes, je le regarde pour la première fois comme un compagnon que m'envoie le Ciel.

Le lendemain matin, je m'envole pour Athènes. En Grèce, les enterrements ont lieu très vite après la mort, et celui de maman est prévu le matin même. Son corps est déjà à l'église, me dit Jenny lorsque j'arrive à la maison. Et avec cette attention qu'on prête chez nous au qu'en dira-t-on, y compris dans les plus grands chagrins, le débat s'engage aussitôt sur ma tenue. Je me suis mise tout en noir, mais je porte un pantalon...

— Tu ne peux pas entrer dans l'église en pantalon.

— Mais si, ça ira très bien.

— Nana, c'est impossible! Tu ne te rends pas compte, tu vas beaucoup choquer.

Et c'est finalement ma nièce, Aliki, qu'on envoie m'acheter une jupe noire de toute urgence.

Papa est très mal. Comme chaque fois que la vie le met en face d'un événement qui l'angoisse et le dépasse, il se réfugie dans le silence, paralysé. Je le vois s'enfermer dans la salle de bains, puis revenir livide, étouffé par les sanglots.

Au dernier moment, alors que nous nous apprêtons à partir pour l'église, il se tourne soudain vers nous:

— C'est tellement dur de la voir partir comme ça, murmure-t-il, tellement dur, sans avoir eu le temps de parler, après tout ce qu'elle a souffert, la guerre... la guerre... répète-t-il.

Et puis il se tait, comme s'il n'avait plus la force de continuer, et Jenny et moi devinons alors combien il regrette surtout de n'avoir pas eu le temps de lui demander pardon. Non pas pour la guerre, bien sûr, mais pour la vie si douloureuse qu'il lui a fait mener.

Pauvre papa ! Combien de fois lui avions-nous expliqué, Jenny et moi, qu'il ne faut jamais s'endormir le soir sans avoir pris la peine de faire la paix avec ceux que l'on aime. « Quel que soit ton âge, tu ne sais jamais si tu te réveilleras le lendemain matin, et imagine ton remords, et le chagrin de ceux qui restent, si tu pars sur des mots, ou des gestes, que tu regrettes déjà... » Et voilà que maman est partie la première, sans lui laisser le temps d'épancher son cœur... Nous voit-elle de là-haut ? Trouvera-t-elle le moyen de lui adresser son pardon ? C'est ce que je lui demande tout au long de cette messe d'adieu.

Pendant deux jours, nous restons tous les trois ensemble, avec le désir insatiable de parler d'elle, de ne pas se lâcher, comme si nous pouvions par nos mots, par nos larmes et notre affection, la garder encore un peu parmi nous. Puis je dois repartir pour l'Allemagne, mais au moment de les quitter, voyant le désarroi de mon père, j'ai soudain cette idée de le prendre avec moi.

— Papa, pourquoi tu ne m'accompagnerais pas ? Ça va être une étrange tournée avec cette absence de maman, tu me donnerais un peu de ta présence et je te donnerais un peu de la mienne...

Il se noyait et ma proposition semble lui rendre un petit espoir.

Eh bien oui, il accepte de me rejoindre, mais seulement après le neuvième jour du deuil. Alors, sans perdre un instant, je lui prends un billet pour Berlin où je chanterai à ce moment-là.

Après Francfort, dont les récitals ont été repoussés à la fin de la tournée, c'était Hambourg, et c'est donc là-bas que je rejoins André et toute mon équipe.

Pour une fois, je n'ai pas le cœur à chanter, non, c'est vrai, mais je suis bien trop consciencieuse pour m'accorder le droit de disparaître. Je pense aux musiciens et aux techniciens qui ne travailleraient pas à cause de moi, et à l'imaginer seulement j'ai déjà honte. Je pense aux personnes qui ont acheté leurs billets depuis longtemps et qui se réjouissent de cette soirée. Je ne peux pas profiter de leur affection quand ça va bien, me dis-je, m'enivrer de leur plaisir et de leurs applaudissements, et subitement leur tourner le dos quand ça ne va plus.

Oh, ce spectacle de Hambourg ! Dans toute ma vie d'artiste, je ne crois pas avoir vécu une telle émotion. Bien sûr, après l'annulation de Francfort, les journaux allemands ont parlé de mon deuil. En ouverture, j'ai donc décidé d'en dire quelques mots, mais je n'ai rien changé à mon récital, j'aimerais qu'il soit aussi juste et joyeux que tous les précédents.

Toute l'équipe est plus attentionnée que d'habitude, et jusqu'au dernier moment, André veille à tout. Sa sérénité me fait du bien. J'étais arrivée en miettes, mais dans les minutes qui précèdent le lever de rideau, je me sens portée par cette confiance qu'ils me font tous.

Enfin, j'apparais sur scène, et il se passe alors une chose que je n'avais jamais vue : toute la salle, debout, se met à applaudir. Les salles ont un langage à elles pour s'exprimer, un langage qui se passe de mots, mais qui emprunte à la spontanéité, au cœur, au souffle, et celle-ci a trouvé cette forme d'ovation pour me dire qu'elle sait, et qu'elle partage à sa façon ma peine.

Et les applaudissements se prolongent, et inévitablement je me mets à pleurer, moi qui m'étais pourtant promis... Mais comment ne pas pleurer ? D'émotion, de reconnaissance, de tout ce qui nous attache les uns aux autres et dont ces applaudissements sont le témoignage. Figée au milieu de la scène, je laisse aller mes larmes, et eux continuent. Vu du ciel, ce doit être un étrange face-à-face que le nôtre, moi en larmes, impuissante à dire quoi que ce soit, toute seule au milieu de la scène, et eux debout. Combien de temps est-ce que cela dure ? Peut-être une dizaine de minutes, au fil desquelles je finis par comprendre qu'eux aussi pleurent, que nous pleurons ensemble.

Puis je trouve la force de demander qu'on s'arrête, et bientôt un silence impressionnant tombe sur cette salle immense.

— Ma mère était très fière que je sois devenue chanteuse, dis-je. Ce soir, je vais chanter pour elle, et je vous remercie d'être là, avec moi.

Une salve d'applaudissements, et j'entonne aussitôt *Der Lindenbaum*, de Schubert. Entre les larmes et la joie. Est-ce que maman m'entend, nous regarde ? Je le jurerais tant je me sens portée, inspirée. Jamais je n'ai chanté dans cet état d'ivresse, comme si je ne m'appartenais plus, comme si je m'étais incarnée dans la musique et que les notes m'emportaient vers cet ailleurs où la souffrance se dissout dans un lumineux sentiment d'éternité. S'il y a bien une vie après la mort, comme je le crois, j'aimerais qu'elle ressemble à cela.

C'est une soirée inoubliable, et toute cette tournée allemande, si douloureusement commencée, demeure inoubliable, comme frappée d'une grâce particulière.

Mon père nous rejoint à Berlin. Cette fois, je chante dans une salle de cinq mille places, métallique, rock'n roll, depuis une scène démesurée sur laquelle s'engouffrent les camions énormes de la sono, et papa ne parvient pas à croire qu'une telle chose soit possible. Il a vu les Champs-Élysées, il n'imaginait pas plus impressionnant. J'ai encore trois musiciens grecs dans mon groupe, ils l'emmènent en ville, et il en rentre halluciné par tout ce qu'il a vu, la majesté des avenues, les immeubles de verre, les lumières qui embrasent tout le ciel. Et mes affiches ! Mes affiches qu'il a comptées, n'en revenant pas que sa fille cadette, qui lui chantait *Le Magicien d'Oz* trente ans plus tôt, soit à présent sur tous les murs de Berlin.

Après, nous partons pour Munich, où je chante au Philharmonique. Et puis c'est Vienne, le Concert-Hall, l'un des plus beaux théâtres au monde, et là papa s'effondre en sanglots.

Encore une fois, l'émotion a été d'une intensité exceptionnelle, et la salle ne veut plus me laisser partir. Les rappels succèdent aux rappels, et je termine en chantant Mozart. Puis je rejoins ma loge, et je suis en peignoir quand on vient me supplier de revenir, les applaudissements redoublent, il est devenu impossible de ne pas y répondre. Mais je n'ai plus le temps de me rhabiller, et comme l'avait fait Jacques Brel à l'Olympia, en 1963, je réapparais sur scène en peignoir. Alors, d'un seul coup, la salle bascule dans le silence. On dirait qu'elle retient son souffle, stupéfaite de ce moment arraché au temps, de cet ultime moment que l'on va se donner encore, sachant bien qu'il n'y en aura pas d'autres.

Et j'entonne *Hartino to fegaraki (La Lune de papier)*, *a capella*, sans même le micro qui a été coupé. À la fin, la salle se lève, et il y a comme une seconde de silence avant l'explosion des applaudissements.

Alors je m'en vais, en nage, en larmes, et dans la galerie qui me permet de rejoindre ma loge, je tombe sur mon père qui courait à ma rencontre, le visage inondé lui aussi.

— Mais regarde-toi, regarde-toi, bégaie-t-il, tu es épuisée... Tu n'aurais pas dû revenir, c'est trop, c'est trop...

Et brusquement, il me prend dans ses bras, secoué de sanglots.

— Oh mon Dieu, j'aurais tellement voulu qu'elle soit là ! J'aurais tellement voulu ! Toute la soirée, tu sais, j'ai pensé à elle. Je me disais : si seulement elle entendait ça ! Si seulement elle voyait ça !

Deux semaines plus tard, je suis à New York, au Broadway Theatre.

« Quand Nana Mouskouri, la chanteuse grecque, est apparue pour la première fois aux États-Unis il y a une douzaine d'années, rappelle John S. Wilson du *New York Times*, Harry Belafonte la présentait au public américain à l'occasion de l'une de ses tournées. Depuis, Mme Mouskouri a fait plusieurs tournées solo en Amérique. Hier soir au Broadway Theatre, lors de la première de *Nana Mouskouri à Broadway* – concert qui se poursuit jusqu'à dimanche prochain –, M. Belafonte est venu l'applaudir à nouveau, mais cette fois en tant que spectateur. L'une des chansons qui a fait le plus d'effet sur le public fut une mélodie d'une beauté envoûtante sur un rythme lancinant, *Coucourroucoucou*", chanson qu'elle avait déjà chantée avec M. Belafonte lors de son premier spectacle (...).

« Quelles que soient la langue et l'ambiance, Mme Mouskouri véhicule toujours quelque chose de fort et de positif. Ses chansons françaises dégagent une intensité qui rappelle Piaf. En anglais, ses chansons sont plus douces, plus contenues, parfois agrémentées d'un soupçon de chant populaire. Et lors de ses interprétations en grec, d'une manière ou d'une autre, tout le monde finit par taper des mains en rythme [1]. »

_____

1. *The New York Times*, 27 avril 1977. (Traduction.)

# 22

# André, comme le retour du printemps

J'étais depuis longtemps la bienvenue au Canada et aux États-Unis, mais c'est un nouvel album, *Roses and sunshine*, qui m'apporte une forme de consécration.

L'histoire de cet album est insolite. C'est une jeune compagnie canadienne, Cachet Records, spécialisée dans la musique country folk, qui nous le suggère. André est enthousiaste, moi aussi bien sûr qui suis déjà une inconditionnelle de Bob Dylan et de Joan Baez. Quant à Alain Goraguer, devenu mon ami et mon chef d'orchestre préféré, il abonde aussitôt dans ce sens. En quelques semaines, nous établissons la liste des chansons que nous pourrions adapter : *Even now*, *Down by the greenwood side*, *Love is a rose*, *Autumn leaves*...

Emballé par notre projet, Cachet Records nous presse : ils veulent à tout prix lancer ce disque à l'automne 1978, et nous relevons le défi. Dans une ambiance de folie, nous ne mettons que deux ou trois jours pour enregistrer tout l'album. Pour chaque chanson, deux ou trois prises seulement sont nécessaires, tant est étroite la complicité qui nous lie les uns aux autres. C'est dans ces moments-là que l'on mesure combien l'amitié et la confiance permettent parfois de soulever des montagnes.

Le disque sort, formidablement soutenu par Cachet Records, et je prends conscience là, pour la première fois, de ce qu'est la popularité. On me demande à Toronto pour une signature dans un grand magasin, et lorsque je

me présente je tombe des nues : le bâtiment est littérale-
ment assiégé par une foule qui s'étire à travers tous les
étages, bloquant les escaliers et s'étendant jusque dans la
rue... Je crois que je ne mets que quelques heures pour
signer plus de trois mille albums. « La main la plus rapide
de l'Ouest », me surnommera d'ailleurs le directeur du
magasin, sidéré qu'on soit parvenus à satisfaire la plus
grande partie de ses clients.

Dans la foulée, naturellement, je repars en tournée
à travers tout le continent nord-américain. Je chante
à Toronto, Winnipeg, Calgary, Vancouver, Edmonton.
« Mouskouri, c'est de la magie pure [1] », écrit le quotidien
*Winnipeg Free Press*, tandis que *The Edmonton Sun* se
demande : « Nana est-elle trop parfaite [2] ? » Puis je repars
à la conquête des États-Unis. Et c'est au Greek Theatre de
Los Angeles, où je m'étais produite quinze ans plus tôt
avec Harry Belafonte, que je rencontre enfin l'homme
dont la poésie m'habite depuis tant d'années : Bob Dylan !

C'est Leonard Cohen qui nous présente. Cohen habite
Montréal, et à chacun de mes passages nous nous voyons.
Il vient à mes récitals, et je vais aux siens. Nous avons le
même respect pour la musique, nous nous aimons beaucoup, et nous pouvons passer la nuit, après un concert, à
parler de la façon d'interpréter telle ou telle chanson. Un
moment avant mon spectacle, il frappe à la porte de ma
loge et je le vois entrer avec Bob Dylan et une amie
commune, Malka.

— Bob, voici Nana...

Et s'adressant à moi :

— Je lui ai parlé de ta voix, de ta musique. Il aimerait
beaucoup assister à ton récital mais malheureusement, il
n'est pas libre ce soir.

J'aime être seule dans les moments qui précèdent la
scène, cependant, recevoir Bob Dylan est un tel honneur,
une telle joie, que je reste un instant comme éblouie et
paralysée.

---

1. *Winnipeg Free Press*, 8 septembre 1978.
2. *The Edmonton Sun*, 21 septembre 1978.

— Comment ça se fait que je ne te connaisse pas! s'exclame Dylan. Montre-moi ce que tu chantes.

Je lui offre mon dernier album, et puis je lui parle de la place qu'il tient dans ma vie, des chansons que je lui ai empruntées, du *Ciel est noir*, bien sûr, que j'ai chanté au Théâtre des Champs-Élysées et qui est resté dans les mémoires. M'écoute-t-il? Je n'en suis pas certaine. Il semble ailleurs, perdu dans ses rêves.

— J'ai une interview à donner pendant ton récital, m'interrompt-il brusquement. Si tu veux, on peut se retrouver après chez *Alice*, c'est un petit restaurant, on pourra parler...

Ils s'en vont, et j'essaie de ne plus penser à Dylan pour me remettre dans l'ambiance de mon récital.

Je chante avec passion la première partie, décidément heureuse dans cette tournée, mais quand je sors de scène pour l'entracte, je tombe sur Bob Dylan dans les coulisses.

— Tu es encore là! Je croyais que tu avais une interview...

Et lui, comme si je le réveillais subitement.

— Ah oui... oui... Je leur ai fait dire de m'attendre.

Et Bob me suit jusque dans ma loge. De façon un peu fiévreuse et précipitée, il commence à m'interroger sur les gens qui m'ont influencée, sur la place de la musique grecque dans mes mélodies, sur la manière dont je chante telle ou telle de ses œuvres. Je réponds comme je le peux dans un tel moment. Et puis je vois que mon habilleuse s'impatiente, et je dois presque le mettre à la porte.

— Maintenant, je dois me préparer, tu sais. Changer de robe, etc. Je retourne sur scène dans dix minutes...

— Bon, alors on se retrouve après.

En ouverture de la seconde partie, justement, je chante *Le ciel est noir*. Mais j'ai la certitude qu'il n'est plus là, cette fois, et je le regrette. Cependant, quand je sors de scène après tous les rappels, Bob Dylan m'attend exactement à la même place dans les coulisses. Il n'a pas bougé, mais il n'a pas l'air très content.

— Je t'ai écoutée chanter *Le ciel est noir*.

— Et tu n'as pas aimé...

— Non. Moi je ne la chante pas du tout comme ça.

— Je sais, mais c'est ma façon à moi de l'aimer, et elle a beaucoup touché les Français.

Et de nouveau, nous repartons ensemble pour ma loge. Aurons-nous assez de la nuit pour nous mettre d'accord ?

Il expédie finalement son interview et nous rejoint chez *Alice*. Maintenant, il veut que je lui parle de mes chanteuses préférées, et j'ai le sentiment qu'il cherche à comprendre sur quelles influences je me suis construite. Je parle longuement d'Ella Fitzgerald, de Billie Holiday, de Mahalia Jackson, puis de Maria Callas, bien sûr. Maria Callas, morte un an plus tôt, la même année que ma mère, et à laquelle je pense beaucoup durant cette tournée.

— C'est qui, celle-ci ?

— Tu ne connais pas *la* Callas ?

— Non, jamais entendu parler.

— Eh bien alors, je vais te la faire découvrir. Elle est la plus grande chanteuse au monde, la plus talentueuse, la plus bouleversante. Elle aussi est grecque, et j'aime penser que je suis faite un peu de son âme.

— Et qui tu aimes encore ?

— Oum Kalsoum.

— Ah ! Elle, c'est autre chose. Oum Kalsoum est ma chanteuse préférée. Je l'adore ! Elle est la plus grande !

Peut-être une semaine plus tard, je tombe sur un long entretien de Bob Dylan dans *Rolling-Stones*. Le journaliste lui demande quelles sont ses chanteuses préférées, et j'ai la surprise de lire : « Nana Mouskouri et Oum Kalsoum » !

D'ailleurs, très vite, Bob Dylan m'appelle.

— Nana, je t'ai écrit une chanson, *Every grain of sand*. Je crois qu'elle te ressemble...

Cette chanson, je l'enregistrerai non seulement en anglais avec Alain Goraguer, mais également en allemand.

Mon amitié avec Bob Dylan s'est ainsi poursuivie en pointillés, jusqu'à ce que le temps, et un petit malentendu, nous éloignent l'un de l'autre.

Quand il passe à Bercy, dans les années 1980, André et moi faisons le voyage depuis Genève pour venir l'écouter.

À l'entracte, je tente d'approcher sa loge pour lui dire un mot. Une foule impressionnante se presse à sa porte, et je tombe sur son imprésario qui m'expédie un peu vertement :

— Bob ne veut voir personne, il renvoie tout le monde, c'est inutile d'insister.

— Très bien, je comprends. Dites-lui simplement que je suis dans la salle et que je pense à lui.

Je rejoins tout juste ma place, quand le même imprésario me court après.

— Excusez-moi, Bob aimerait vous dire un mot, tout de suite...

Nous repartons pour la loge. Je retrouve Dylan dans le même état d'excitation que chez *Alice*, à Los Angeles.

— Qu'est-ce que tu fais après le spectacle ? me demande-t-il.

— Des tas de personnes t'attendent, Bob. Je suppose qu'il y a une soirée de prévue, je préfère te laisser, je suis un peu fatiguée...

— Non, il n'y a rien du tout de prévu, tu vas venir dîner avec moi, on a besoin de parler tous les deux.

— D'accord, on verra, ne te fais pas de souci.

Il termine son récital, et comme je me sens, en effet, un peu malade, je ne retourne pas à sa loge, et nous rentrons à la maison nous mettre au lit.

Vers quatre heures du matin, le téléphone me tire du sommeil. C'est de nouveau son imprésario qui me cherche.

— Nana ? Bob vous attend, il est furieux. Pouvez-vous nous rejoindre tout de suite ?

— Non, je suis désolée mais je ne suis pas bien. Dites-lui que je l'appellerai demain.

— Demain, il rentre aux États-Unis, vous ne pourrez pas le joindre.

— Eh bien, dites-lui que je l'appellerai aux États-Unis.

Mais j'ai blessé Bob sans le vouloir, et lorsque nous nous croiserons en Australie, en 2001, il ne répondra pas au petit message que je lui adresserai.

Le succès considérable de l'album *Roses and sunshine* m'a ouvert les portes de la country en Amérique du Nord, et je rentre en Europe pour fêter à l'Olympia mes vingt ans de carrière artistique. Les journaux relèvent à cette occasion que j'ai déjà accumulé soixante-sept disques d'or à travers le monde, ce qui fait de moi, écrivent-ils, « la plus internationale des chanteuses de langue française ».

Je suis une artiste comblée, oui, mais suis-je pour autant une femme heureuse ? Après trois années de grande solitude, André est entré dans ma vie petit à petit. Pourquoi nous a-t-il fallu tant de temps pour nous trouver ? J'ai déjà dit combien l'intelligence et la sensibilité de cet homme me touchaient, mais il était marié, et cela m'interdisait de penser à lui autrement que comme à un ami. Frank Hardy était libre, lui, et tellement pressant ! Ses lettres passionnées, ses poèmes, ses coups de téléphone au milieu de la nuit... Lui aussi me touchait, mais je n'éprouvais pas d'émotion amoureuse à son égard. Sans doute parce que je me sentais incapable de lui donner tout ce qu'il attendait de moi. Son désespoir était immense, insondable, et où aurais-je été puiser la force de le réconcilier avec le bonheur, moi qui avais tellement besoin d'être aimée, réconfortée ? Son désespoir m'a fait peur, je me suis vue m'y perdant, m'y noyant, et petit à petit je me suis dressée contre ce grand révolté dont la véhémence finissait par m'entamer. Je veux bien me battre, mais à ma façon, en offrant des fleurs aux soldats. Je ne suis pas une révolutionnaire, j'ai trop souffert de la haine, trop côtoyé la mort pendant la guerre pour brandir à mon tour des menaces contre le monde.

André n'a jamais été pressant, lui. André ne m'a jamais rien demandé. Pas une fois, pendant ces trois années, il ne m'a parlé de lui. J'arrivais, et je le trouvais à Orly avec des fleurs, souriant et réservé. Il savait combien j'étais triste de quitter mes enfants, et ces fleurs étaient sa façon à lui de me le signifier. Un jour, il m'a dit qu'il avait divorcé, rien de plus, et j'ai mis quelque temps à comprendre qu'il était un homme libre, désormais. Insensiblement, j'ai dû me mettre à le regarder différemment. André est beau, romantique, et nous avons cette passion commune pour la musique. Puis il y a eu la mort de ma mère, et les mots d'André. Cette générosité que je connaissais de lui dans la création artistique, soudain élargie à toute la vie.

Je crois que je me suis laissée tomber amoureuse, oui, comme on s'émerveille de la venue du printemps. Depuis quand André l'était-il de moi ? Nous n'en avons pas parlé, nous avons pris ce bonheur inespéré sans nous poser de questions. Pour une fois, je ne me sentais coupable de rien, sinon d'être heureuse. Ni lui ni moi n'avons imaginé qu'on nous reprocherait cet amour. Et cependant, nous nous trompions.

Depuis notre séparation, Georges entretenait une sourde haine contre André. Je le savais sans le savoir. Lorsque, dans les premiers mois, j'étais allée à Athènes annoncer à mes parents notre intention de divorcer, j'avais appris par la bouche de tous nos amis que Georges s'était répandu contre André, disant aux uns et aux autres qu'il était la cause de notre séparation. C'était idiot. Mais Georges avait soupçonné de la même façon Quincy Jones, Irving Green, Serge Lama, et j'avais donc mis cette calomnie sur le compte de son désarroi, avant de la chasser de mon esprit. Trois années passent, André et moi sommes maintenant au début d'une histoire d'amour qui promet de durer, et je veux évidemment l'annoncer à mes enfants, à Fernande. Je rêve de reconstruire une famille autour d'André. Je n'imagine pas que cet homme si sensible et discret, si porté sur l'art, puisse déplaire à Nicolas et Hélène.

Avec mille précautions, et un peu confuse malgré tout de devoir leur dévoiler ma vie de femme – ils n'ont respectivement que neuf et sept ans –, je leur annonce qu'André et moi songeons à nous marier. Et, tout de suite, je pressens le mauvais écho que ce seul prénom provoque en eux. Se peut-il que Georges leur ait parlé d'André ? Alors seulement les calomnies passées me reviennent, et je me tourne vers Fernande. S'il s'est produit quoi que ce soit, Féfé le saura, elle qui reste toutes les vacances scolaires dans la maison de Corfou, entre les enfants et le couple que forment Georges et sa seconde femme.

Cependant, à peine ai-je prononcé le nom d'André que je vois le visage de Fernande se fermer. Il n'est pas difficile de deviner l'image épouvantable qu'elle a de lui. Quel portrait en a donc dressé Georges ? Fernande accueille tout ce que je lui dis dans un silence glacial, l'air d'en savoir bien plus long que moi.

Je m'étais présentée aux miens pleine d'illusions, et j'en reviens abasourdie. J'ai la certitude qu'on les a volontairement induits en erreur, je trouve cela injuste et cruel, pour André, pour nous deux, pour mes enfants qui risquent ainsi de passer à côté d'un homme exceptionnel, mais je ne parviens pas à comprendre comment on peut faire autant de mal, et pourquoi ? Ni André ni moi n'avons jamais trahi la confiance de Georges, pourquoi nous poursuit-il de sa haine ?

Je me débats seule dans un cauchemar silencieux, cherchant à apprendre ce qui a été dit, dans l'espoir confus de corriger les choses, puis de trouver les mots qui sauront présenter André sous son véritable jour.

Mais la réalité est bien plus complexe que je ne l'imagine sur le moment. Peu avant sa mort, en 1992, Fernande me révélera que de nombreuses lettres furent échangées quand il fut annoncé qu'André et moi allions vivre ensemble. De nombreuses lettres entre la première femme d'André et Odile Hazan, entre Odile Hazan et Fernande, tout cela s'ajoutant aux calomnies de Georges et contribuant à faire d'André l'homme qui aurait détruit deux familles, et plongé plusieurs enfants dans le malheur.

Bien qu'ignorante de tous ces échanges, j'ai la sensation d'un complot, et je renonce très vite à me battre contre le veto silencieux de Fernande. C'est cette passivité, ma *propre* passivité, qui me surprend le plus aujourd'hui, tandis que je déroule pour ce livre le long fil de ma vie. Pourquoi ne me suis-je pas battue contre Fernande pour imposer chez moi la présence d'André ? Pourquoi me suis-je laissé terroriser par cette femme ? Est-ce la peur de la perdre ? Est-ce ma terreur ancestrale des conflits ? Tout se passe comme si, ayant laissé le pouvoir à Fernande depuis longtemps, je me sentais à présent tenue de lui obéir. En y réfléchissant, je crois que je paie là mon tribut pour cette obsédante culpabilité de lui avoir abandonné mes enfants. Tandis que je chante à travers le monde, c'est elle qui me supplée, c'est elle qui leur donne la tendresse que je ne peux plus leur donner, et, au fond, je trouve sûrement légitime de me punir.

Tant pis pour moi, tant pis pour nous. André ne viendra à la maison qu'après la mort de Fernande, et encore, avec parcimonie, comme si nous avions l'un et l'autre le sentiment de violer un tabou. Alors seulement, à vingt ans passés, Hélène et Nicolas découvriront l'homme de ma vie. Et j'aurai la délicieuse surprise de les entendre me dire : « Pourquoi tu ne nous l'as pas présenté plus tôt ? Tu as vu, on s'intéresse aux mêmes choses, c'est tellement bien de parler avec lui... »

Toutes ces années, nous sommes donc des amoureux clandestins. Nous ne nous voyons que lorsque je passe à Paris, et dans la folie des premiers jours de tournée. Mais c'est suffisant pour que je découvre combien l'amour peut être différent, épanouissant, s'il est guidé par le désir de faire le bonheur de l'autre, et non plus seulement par celui de se rassurer sur soi-même. C'est André qui m'ouvre ce nouvel horizon. André, dont le regard exigeant me pousse sans cesse à me dépasser. Et plus je réussis, plus je le vois s'illuminer. Quand l'amour exclusif et angoissé de Georges m'incitait à m'arc-bouter pour échapper à l'enfermement, celui d'André me projette sans cesse vers la lumière, et plus je brille, plus je le sens s'épanouir à son tour. Quand, jeune fille, je pensais que mes parents *ne savaient pas* aimer, tout simplement parce qu'on ne le leur avait pas appris, je crois que j'avais l'intuition de cet amour-là. Et cependant, ni moi ni Georges n'avions su en trouver la clé...

Oui, André cherche la lumière pour moi, et c'est comme cela qu'il m'offre une chanson qui va faire le tour du monde au début des années 1980 : *Je chante avec toi, liberté*.

Depuis des années, déjà, André a cette ambition de m'ouvrir les portes du classique. Il m'a fait enregistrer les *Ave Maria* de Gounod et de Schubert en 1972. Il m'a poussée à chanter Mozart et certains lieder de Schubert.

Cette fois, il a l'idée de me faire interpréter le *Chœur des esclaves* du *Nabucco* de Verdi. Cela me paraît démesuré, et en même temps je suis touchée par une coïncidence : *Nabucco* est l'opéra préféré de mon père, et voilà qu'André imagine de m'en faire chanter l'extrait le plus célèbre...

— Mais il va nous falloir un chœur ! À qui as-tu pensé ?

— Tu auras celui de l'Opéra de Paris.

— Tu crois ?

— J'en suis sûr.

Cependant, avant de songer au chœur, il faut mettre des paroles sur cette éblouissante composition de Verdi en forme d'hymne.

Comme nous en avons désormais l'habitude, nous tenons nos réunions de travail dans mon petit appartement de Boulogne. André a fait venir Pierre Delanoë, Claude Lemesle et Alain Goraguer pour réfléchir à cette adaptation qui me paraît terriblement osée. Nous y travaillons ensemble, puis nous nous séparons, et je vois bien ce soir-là que Delanoë et Lemesle sont soucieux. Est-il possible, un siècle après la création d'une œuvre de cette dimension, de trouver des mots contemporains qui soient à sa hauteur ? Qui ne la dévalorisent pas ? Je me dis qu'ils n'ont peut-être jamais été confrontés à un tel défi, et je songe que ni eux ni moi n'avons le droit à la moindre erreur.

Nouvelle réunion quelques jours plus tard. Ils ont découvert le début, nous ont-ils prévenus, ils semblent très excités, et nous nous retrouvons l'après-midi même à Boulogne, André, Alain, Claude et moi. Nous n'attendons plus que Pierre Delanoë. Enfin, il sonne, et nous apparaît un peu essoufflé, peut-être plus ému qu'il ne veut le laisser paraître.

Aussitôt, Alain Goraguer se met au piano, et Pierre Delanoë entonne le premier couplet :

*Quand tu chantes, je chante avec toi, liberté,*
*Quand tu pleures, je pleure aussi ta peine,*
*Quand tu trembles, je prie pour toi, liberté,*
*Dans la joie ou les larmes, je t'aime...*

Et puis il s'interrompt, ils n'ont pas encore trouvé la suite, mais peu importe. À la seconde où il a lancé *Quand tu chantes, je chante avec toi, liberté*, j'ai senti bondir mon cœur, et nous avons tous été saisis d'une telle émotion que nous avons les larmes aux yeux quand il se tait.

— C'est magnifique, c'est exactement ça, souffle André.

Et nous nous embrassons tous avant de laisser éclater notre joie.

Avec un début pareil, nous le savons désormais, il n'est plus possible d'échouer.

Comme me l'avait prédit André, le chœur de l'Opéra accepte volontiers de m'accompagner, et, au milieu de l'année 1981, nous enregistrons *Je chante avec toi, liberté*. Dans notre esprit, cette chanson sera évidemment le titre de mon nouvel album, mais Louis Hazan n'est pas convaincu, et, sur son conseil, c'est une autre chanson, *Qu'il est loin l'amour*, de Claude Lemesle et Alain Goraguer, qui donne finalement son titre au disque.

Quelques jours après la sortie de cet album, je suis invitée à participer à l'une de ces grandes émissions musicales organisées à la télévision par Maritie et Gilbert Carpentier. Joan Baez est également présente, et nous avons décidé de chanter en duo *Plaisir d'amour*, la chanson qui m'a donné mon identité française. Quand les Carpentier m'ont demandé deux jours plus tôt quelle chanson de mon nouvel album je souhaitais interpréter, j'ai hésité un instant, sans doute marquée par les réserves de Louis Hazan. Puis j'ai choisi malgré tout *Je chante avec toi, liberté*, et, ce soir-là, je l'interprète donc pour la première fois sur un plateau de télévision.

Il se passe alors un phénomène stupéfiant : dans les minutes qui suivent, le standard de la première chaîne de télévision est complètement saturé d'appels. Des centaines, voire des milliers, de personnes veulent connaître le titre de cette chanson, apparemment subjuguées, ou bouleversées...

Le lendemain, le premier tirage de mon album est épuisé en quelques heures. La compagnie se trouve en rupture et s'empresse de réimprimer. Mais l'engouement est tel qu'il semble impossible de satisfaire la demande et que plusieurs fabricants doivent être mis à contribution. Il arrive un moment où nous écoulons près de soixante-dix mille albums par jour ! Rapidement disque d'or, mon dix-neuvième album français devient triple platine en quelques semaines.

Alors j'enregistre *Liberté* en allemand *(Lied der Freiheit)*, en anglais *(Song for liberty)*, en espagnol *(Libertad)*, en portugais *(Liberdade)*, et partout la chanson rencontre le même accueil. Elle signe mon retour en Espagne et me permet de conquérir l'Amérique latine. Elle me fait connaître au Portugal et m'ouvre les portes du Brésil. Je vends deux millions d'albums en France, plus encore en Angleterre et dans tout le Commonwealth, et je suis en tête de tous les palmarès en Allemagne.

J'ai plaisir à penser que Giuseppe Verdi ne fut pas choqué du destin particulier que connut *Liberté* à Berlin. Au milieu du XIX^e siècle, Verdi s'était battu pour l'unité de l'Italie, au côté des patriotes du *Risorgimento*, or voilà que le commandant des troupes françaises à Berlin me demande solennellement si j'accepterais de venir chanter *Liberté* devant le mur de Berlin, à l'occasion des célébrations du 14 juillet 1982. Sept ans avant la chute du Mur et la réunification des deux Allemagnes, le général Jean-Pierre Liron semble vouloir ainsi forcer le destin avec le concours du grand Verdi, et des paroles que nous avons eu l'audace de prêter à sa musique.

Évidemment j'accepte, c'est même la seule façon de protester, de *faire la guerre*, qui puisse avoir mon consentement. Chanter la liberté devant le mur qui emprisonne les Berlinois de l'Est, ce mur sur lequel ont trouvé la mort tant d'Allemands épris de liberté, je suis d'accord. Pour l'occasion, on me confectionnera donc un uniforme d'officier, je serai l'invitée du général et de son épouse, et je bénéficierai des services d'un aide de camp. Je devrai aussi chanter *La Marseillaise*, ce qui m'intimide, me rappelant opportunément que je ne suis pas française en dépit de l'honneur que l'on me fait.

Le lendemain de cet événement, le général me fera remettre la pleine page que me consacre le quotidien *Bild-Zeitung*, où l'on me voit en uniforme, au garde-à-vous, chantant les yeux fermés devant un micro, et qui relate sûrement plus justement que je ne saurais le faire le sentiment laissé par ma première interprétation de l'hymne national français.

« Le secret des trois antisèches : pourquoi la star internationale Nana Mouskouri avait-elle les yeux baissés quand elle a chanté l'hymne national français lors du défilé à Berlin ?

« La star grecque de 45 ans Nana Mouskouri *(Roses blanches de Corfou)* s'est servie d'une petite astuce pour chanter le texte sans l'écorcher, lors de la parade des forces de défense françaises, à Berlin. Sur trois énormes fiches manuscrites disposées à ses pieds, elle pouvait lire instantanément le texte exact de *La Marseillaise* qu'elle a interprétée devant les invités du défilé. Vêtue de l'uniforme français, Nana baissait continuellement les yeux. De nombreux spectateurs de la tribune d'honneur croyaient qu'elle fermait les yeux d'émotion. Bien que vivant à Paris, Nana craignait de bafouiller en chantant l'hymne national. Sa nervosité retomba seulement lorsqu'elle fut soutenue par les 300 gendarmes du défilé. Les invités de la tribune d'honneur ainsi que les 3 000 spectateurs berlinois ont couvert la chanteuse d'applaudissements [1]. »

---

1. *Bild-Zeitung*, 15 juillet 1982. (Traduction.)

# 23

## « Tu incarnes l'âme de la Grèce »

Et soudain, la Grèce se rappelle à mon cœur. Je vais bientôt fêter mes cinquante ans, j'ai chanté sur toutes les scènes du monde, mais voilà plus de vingt ans que je n'ai pas chanté en Grèce. La dictature m'a détournée de mon pays, puis, la démocratie restaurée, j'ai pensé qu'on m'avait oubliée, qu'on ne me connaissait plus. C'est pourquoi je perds un instant le souffle quand on m'annonce que Constantin Caramanlis, devenu entre-temps président de la jeune République grecque, me fait demander. Mon admiration pour cet homme, que j'ai connu dans l'exil et qui a su nous rendre la dignité sans qu'une goutte de sang soit versée, est immense. De quelle façon puis-je servir son action ? Je crois qu'avant même de savoir ce qu'il attend de moi, j'ai décidé d'accepter, de me plier à ses vœux.

Ce qu'il attend de moi ? Que je donne un grand récital à Athènes pour célébrer précisément les dix ans du rétablissement de la démocratie, le 24 juillet 1984. C'est un tel honneur, et en même temps une telle responsabilité, que je passe plusieurs jours à balancer intérieurement entre émotion et angoisse. Serai-je à la hauteur d'un événement de cette ampleur ? Et si les gens ne viennent pas ? Et si, par ma faute, le peuple grec n'est pas au rendez-vous ?

Pour la circonstance, on me donnera l'extraordinaire théâtre antique Hérode Atticus, au pied de l'Acropole, habituellement réservé aux spectacles lyriques et à la tragédie. Ainsi, tout se passe comme si la Grèce, qui ne m'a connue qu'à mes débuts, petite chanteuse dans les night-clubs d'Athènes, me faisait subitement brûler les étapes, soucieuse de rattraper tant d'années perdues...

Puis-je rêver d'un plus beau cadeau ? Passé le moment du doute, je m'engage dans cette grande entreprise avec l'enthousiasme juvénile d'une enfant prodigue. Et comment en serait-il autrement alors que je vais revenir à mes premières chansons, ces poèmes de Nikos Gatsos, de Yannis Ritsos, d'Elytis, merveilleusement mis en musique par Manos Hadjidakis ou Mikis Theodorakis ? *La Lune de papier, Le Jeune Cyprès, Il existe dans le monde un homme qui m'aimera...* Depuis quand n'ai-je pas consacré un récital à la musique dont je suis issue ? À cette poésie qui m'était si familière avant que je ne découvre Paris et le reste du monde. Bien sûr, j'interpréterai également *Je chante avec toi, liberté,* qu'on pourrait croire écrite pour ce grand jour tant elle l'illustre avec force, et puis aussi *Amazing Grace* et l'*Ave Maria* de Schubert.

Depuis mon précédent Olympia, c'est Mine Barral-Vergez qui m'habille. Mine, qui va devenir une amie intime et qui a ce talent extraordinaire, cette générosité, d'habiller les artistes selon ce qu'elle devine de leur âme. Elle est la couturière de Juliette Gréco, de Dalida, de Barbara... Je sais qu'avec elle, moi qui ai tant de mal à m'aimer, je vais me sentir en paix avec moi-même, légère et sublimée.

Nous sommes à la fin des répétitions, et nous nous apprêtons à nous envoler pour Athènes, quand l'un de mes guitaristes grecs vient me trouver, confus et catastrophé : il a fui le pays à la veille de son service militaire, quelques années plus tôt, et aujourd'hui considéré comme déserteur, il pense qu'il pourrait être arrêté à son arrivée en Grèce.

— Et c'est maintenant que tu me dis ça, huit jours avant le concert !

— Nana, je suis désolé, je n'ai pas trouvé le courage de t'avertir plus tôt...

J'essaie de réfléchir calmement. Il est trop tard pour le remplacer, et, d'un autre côté, je ne peux pas prendre le risque de l'envoyer en prison et de mettre en péril mon récital. Alors, la seule solution qui me vient à l'esprit est d'appeler au secours Mélina Mercouri, devenue ministre de la Culture. Je me souviens d'elle en robe de chambre, au côté de Jules Dassin, cette nuit où Manos Hadjidakis avait composé *Les Enfants du Pirée*... Depuis, nous ne nous sommes jamais perdues de vue.

— Mélina, c'est une catastrophe, j'apprends à l'instant qu'un de mes musiciens est déserteur !

— Ne te fais pas de souci, chérie, je vais tout arranger. Dis-lui simplement de m'envoyer ses papiers.

Deux jours plus tard, je la rappelle.

— Pour ton petit guitariste, me dit-elle, tout est en ordre. Quelqu'un le prendra en charge à l'aéroport et le remettra à l'avion trois jours plus tard. Il bénéficiera d'un sauf-conduit.

Et si ça ne marche pas ? Et si l'armée, qui ne doit pas porter Mélina Mercouri dans son cœur après ses campagnes internationales contre les colonels, ne veut en faire qu'à sa tête ? Angoissée, comme de bien entendu, je passe la nuit à imaginer le pire.

Le lendemain matin, j'ai pris la décision d'appeler moi-même les autorités militaires. J'ai besoin d'en avoir le cœur net, sinon durant tout le voyage je vais me ronger les sangs. Mais alors c'est une autre peur qui me submerge : et s'ils refusent de me prendre au téléphone ? Et s'ils me raccrochent au nez ? Aussitôt, je me figure déclinant mon identité, la standardiste me faisant épeler mon nom trois fois de suite, puis me promenant dans le dédale glacial d'une caserne, frappant ici ou là, avant de m'annoncer que le commandant est en rendez-vous et qu'il vaudrait mieux essayer de rappeler le lendemain.

Mais c'est exactement l'inverse qui se passe. À peine ai-je prononcé mon nom que j'entends un blanc :

— Madame Mouskouri ! C'est vraiment vous au téléphone ?

— C'est moi, oui. J'ai un petit souci avec l'un de mes musiciens...

— Je vous passe tout de suite le colonel, madame.

Et le colonel :

— Madame Mouskouri! C'est un tel honneur d'entendre votre voix!

— Merci, merci beaucoup. Pardonnez-moi de vous déranger, mais l'un de mes guitaristes grecs...

— Nous sommes au courant, madame. Nous avons fait le nécessaire pour que vous n'ayez aucun problème. Mais je vous passe le général, il sera tellement flatté de vous entendre.

Alors j'ai le sentiment, comme dans certains films comiques, de voir le colonel claquer des talons devant le combiné du téléphone.

Et le général, à son tour, me confirme qu'on ne touchera pas un cheveu de mon guitariste.

— Je serai au théâtre avec mon épouse. Votre retour est un grand événement qui nous honore, madame Mouskouri.

— Oh, merci, général!

Et moi qui craignais qu'on ne m'ait oubliée... En réalité, les cinq mille places du théâtre Hérode Atticus ont été vendues en quelques heures (au bénéfice des œuvres culturelles du pays) et je me félicite d'en avoir acheté moi-même quelques-unes pour mes proches, car beaucoup de gens en cherchent fébrilement, me dit-on.

Il y aura bien sûr mon père, ma sœur Jenny et ma nièce Aliki, et puis Nikos Gatsos et André, les deux hommes de ma vie. Cependant, les invités que j'attends avec le plus d'impatience sont Hélène et Nicolas. Ils se trouvent alors en vacances à Corfou, chez leur père, accompagnés comme d'habitude par Fernande. Nicolas a seize ans, Hélène quatorze, ils sont largement en âge de comprendre l'importance que revêt pour moi ce récital exceptionnel, dans mon pays, au pied de l'Acropole, et je n'imagine pas qu'ils n'y assistent pas.

Est-ce la présence d'André qui contrarie Georges? Il semble, en tout cas, chercher tous les prétextes possibles pour ne pas m'envoyer les enfants.

— Tous les avions sont pleins vers Athènes, me dit-il. Je n'ai pas trouvé de billets avant le 25 juillet.

— Alors laisse-moi faire, je vais leur trouver des places.

— C'est inutile, j'ai tout essayé.

Je déniche rapidement trois places que je leur fais déli-
vrer à Corfou. Georges va-t-il les laisser partir, cette fois ?
Jusqu'au dernier moment, je l'espère de toutes mes forces.
Pourtant leurs places au théâtre resteront vides, et plus de
vingt ans après, je peux écrire que cette absence est l'un
des plus profonds chagrins de ma vie. Et peut-être la seule
faute que je ne peux pas pardonner à Georges. J'aurais
tout donné pour qu'Hélène et Nicolas soient présents à
Athènes le jour où la Grèce me rendait enfin hommage.
J'avais conquis le monde, chanté dans la plupart des
grandes capitales, mais il me manquait la reconnaissance
des miens, et d'un seul coup c'était comme si j'avais entrepris tout cela dans le seul but d'attirer le regard de ce petit
pays qui m'avait mise au monde et avait paru ensuite
m'oublier. Dans mon esprit, ce récital devait nous réconcilier avec la Grèce, montrer à Hélène et Nicolas qu'ils
n'étaient pas de nulle part, mais d'ici, de cette terre aride et
ensoleillée où l'on me fêtait, où l'on m'aimait.

Le président Constantin Caramanlis est assis au premier rang. La plupart des membres du gouvernement
l'entourent, dont Mélina Mercouri, bien sûr. Je voudrais
leur dire ma joie d'être là ce soir, dans ce théâtre, sous
notre ciel, après tant de guerres, tant de souffrances, mais
lorsque j'apparais sur scène et que les applaudissements
déferlent, du haut en bas de cette muraille antique, comme
une joyeuse pluie d'été après l'orage, j'ai soudain peur de
me mettre à pleurer et je me réfugie aussitôt dans la
musique. Un jour, Manos Hadjidakis a confié à Nikos que
lorsqu'il me regardait chanter il avait le sentiment de
contempler une femme en train de se déshabiller. Ça n'est
pas Nikos qui me l'a répété, mais un ingénieur du son qui
les écoutait bavarder. Eh bien, ce soir-là, où je porte une
robe immaculée, j'ai plus que jamais la sensation d'être
nue, que mon âme est nue.

La sensation d'être arrivée au bout de ce long voyage
commencé quarante ans plus tôt sur la scène du petit
cinéma de mon père. J'ai cessé d'être encombrée par mes

mains que je cachais autrefois dans mon dos, vous vous en souvenez, n'est-ce pas ? J'ai cessé de songer à mon corps, à mes lunettes, à mes yeux trop écartés, à tout ce qu'on me reprochait et que je me reprochais moi-même, pour devenir... oserai-je l'écrire ? la musique elle-même. C'était exactement ce à quoi j'aspirais à douze ans, à quatorze ans, qu'on oublierait un jour ma silhouette pour ne retenir que ma voix. Eh bien voilà, c'est accompli. Cette nuit-là, si j'en avais eu le courage, j'aurais pu quitter la scène pour toujours.

D'ailleurs, je paie ostensiblement ma dette affective à Constantin Caramanlis, comme si nous ne devions plus jamais nous revoir. Vers la fin du récital, je descends de la scène pour me placer devant lui, et alors j'entonne *Kapou iparhi agapi mou (Il existe dans le monde un homme qui m'aimera)*, sa chanson préférée, celle qui m'avait permis de remporter le premier Festival de la chanson grecque, en 1959, et dont il m'avait dit : « Aucune chanson ne me touche comme celle-ci. Manos Hadjidakis a un immense talent, mais il a de la chance de t'avoir. »

Le lendemain matin, le président me téléphonera pour me remercier. « Je te connais depuis toujours, me dira-t-il, et pourtant hier soir tu m'as bouleversé. Merci, Nana ! Merci ! Continue à nous enchanter, à enchanter le monde, et n'oublie pas la Grèce. Tu incarnes l'âme de notre pays. »

J'avais rêvé de présenter mes deux enfants à Constantin Caramanlis, et ils arrivent le lendemain de la fête... Après une telle blessure, ça ne pouvait sans doute pas bien se passer, et ça se passe épouvantablement mal. Ils sont glacials, boudeurs, fermés, et Fernande n'ouvre pas la bouche. L'hôtel que j'ai réservé ne leur plaît pas, la plage où nous allons ne leur plaît pas non plus, de sorte que je finis par exploser.

— Fernande, vous pourriez au moins faire un effort pour être aimable. J'ai essayé d'organiser les choses pour vous faire plaisir à tous les trois, et rien ne va. On dirait que vous n'avez qu'une hâte, c'est de repartir.

— Eh bien, oui, madame. Si vous voulez le savoir, je n'ai aucun plaisir à être ici. Et je crois que les enfants pensent la même chose que moi.

Cette fois, c'est la goutte d'eau de trop. De quel droit Fernande parle-t-elle au nom de mes enfants ? Comment ose-t-elle me traiter de cette façon ? Tout critiquer, bouder, conforter les enfants dans cette attitude exécrable... Pour la première fois depuis qu'elle est entrée chez moi, je lui dis tout ce que j'ai sur le cœur. Et je vais sûrement trop loin, ma colère attisée par le chagrin de leur absence, la veille au soir. Alors il arrive une chose qui me laisse atterrée, abasourdie : Hélène et Nicolas prennent aussitôt la défense de Fernande ! Tous les trois se liguent contre moi, et à leur tour ils me disent ce qu'ils ont sur le cœur. Eh bien oui, c'est vrai, ils ne voulaient pas venir.

— Mais pourquoi ? S'il y avait un récital où vous deviez être présents, c'était bien celui-ci.

— C'est ta faute si on n'est pas venus.

— Pourquoi ? Qu'ai-je fait au Ciel pour mériter ça ?

— On ne veut pas voir André, maman, il n'est pas notre père, et c'est à cause de lui que papa est malheureux, que nous sommes tous malheureux aujourd'hui.

Je reconnais les mots de Georges, sa rancœur contre André, cette espèce de haine dont il le poursuit. Il n'est pas difficile de deviner tout le mal qu'il a dit de lui aux enfants, et à Fernande qui n'a jamais admis notre divorce, même si elle est heureuse de régner seule à la maison.

— Les enfants ne veulent pas connaître cet homme qui vous a séparée de leur père, ajoute-t-elle d'ailleurs, en avocate zélée de Georges.

C'est faux. André ne m'a pas séparée de Georges, nous nous sommes quittés parce que Georges allait m'étouffer, que j'allais petit à petit mourir dans l'univers qu'il me promettait, mais comment expliquer cela aux enfants dans ce climat d'hystérie ? Je mesure d'un seul coup combien j'ai eu tort de laisser Fernande creuser ce fossé entre eux et moi. J'aurais dû trouver les mots pour leur expliquer les raisons profondes de notre divorce, et trouver le courage de leur imposer mon amour pour André. Alors, ils auraient eu une vision juste des responsabilités et de la place de chacun. Au lieu de cela, je me suis laissé intimider par la sourde opposition de Fernande à l'arrivée d'un nouvel homme, et j'ai laissé le champ libre à Georges qui récrit à présent l'histoire, hanté par le vieux démon de sa jalousie.

— Fernande, mêlez-vous de ce qui vous regarde ! Vous répétez stupidement ce que dit Georges, et au lieu d'aider les enfants à y voir plus clair vous les induisez en erreur.

Jamais je ne lui ai parlé sur ce ton, et elle éclate en sanglots.

— Si c'est ça, madame, bredouille-t-elle dans ses larmes, je rentre tout de suite à Genève, et j'emmène les enfants.

Et il ne m'en faut pas plus pour abdiquer. N'importe quelle femme lui aurait évidemment rétorqué : « Vous rentrez si vous voulez, Fernande, mais toute seule. Les enfants sont à moi, vous n'avez pas à décider de leur destin. » Mais moi je n'ai pas cette liberté, je me sens bien trop coupable. Coupable d'avoir fait passer par-dessus tout ma vie d'artiste, ma passion pour la musique, pour la scène... Alors, pitoyablement, je renonce à ma colère, et j'essaie de la convaincre de rester, que tout peut encore s'arranger avec un peu de bonne volonté.

Et c'est elle qui reprend le pouvoir, si elle l'a jamais perdu... Le lendemain, elle repart pour Genève avec Hélène et Nicolas, me laissant complètement désemparée.

Quelques mois avant mon retour en Grèce, j'ai chanté pour la première fois, durant quatre semaines, au palais des Congrès, à Paris. Et au lendemain de la Grèce, je repars pour une troisième tournée dans le Pacifique, en commençant par la Nouvelle-Zélande.

Nous arrivons au milieu de la nuit à Auckland, épuisés par nos vingt-quatre heures d'avion. Vers six heures du matin, le téléphone me tire d'un profond sommeil. Mais où suis-je ? Je ne reconnais rien. Pendant un moment, ahurie par la fatigue et le décalage horaire, je peine à reconstituer les derniers événements. Ah oui, la Nouvelle-Zélande, l'hôtel, mon Dieu que je me sens fatiguée... Et cette sonnerie stridente... Qui peut savoir que je suis ici, à part les enfants et André... Les enfants ! Alors, aussitôt folle d'angoisse, je décroche. Mais c'est une voix d'homme qui m'interpelle, et cet homme-là s'exprime en grec.

— Madame Mouskouri ?

— Oui, c'est moi. Qui est à l'appareil ?

— Le roi.

— Le roi ? Quel roi ? Vous vous moquez de moi...

— Pas du tout. Est-ce que je peux vous parler ?

— Écoutez, je ne sais pas qui vous êtes, mais nous sommes arrivés d'Europe au milieu de la nuit et je voudrais que vous me laissiez dormir.

— Je suis confus d'insister, mais je repars moi-même pour Los Angeles en début d'après-midi, et j'aurais absolument besoin de vous rencontrer avant.

— Mais qui êtes-vous, à la fin ?

— Je vous l'ai dit, je suis le roi, Constantin. Vous ne reconnaissez pas ma voix ?

— Oh, Majesté ! C'est vous, vraiment ?

— Absolument, c'est moi ! Je suis tellement désolé de vous sortir du sommeil...

— Non, non, c'est moi qui suis confuse ! Je vous ai si mal parlé...

— Aucune importance, c'est ma faute. Puis-je compter sur vous vers midi ?

— Bien sûr ! Dites-moi où, j'y serai.

Quelques heures plus tard, je retrouve en effet Constantin et son aide de camp à la terrasse de mon hôtel. Il n'a pas pris ombrage de la façon dont je l'ai reçu, et même il me rejoue la scène, éclatant de rire en se remémorant ma stupéfaction. Avant de partir, il veut me demander un service. Il a créé une école grecque à Londres, accepterais-je de donner un gala de bienfaisance en sa faveur ? J'accepte avec plaisir, et nous nous donnons rendez-vous à Londres. Je ne me doute pas que de fil en aiguille, ces liens que je renoue avec notre monarque en exil vont bientôt me conduire jusqu'à la table de la reine d'Angleterre...

Après la Nouvelle-Zélande, je pars pour l'Australie, et de nouveau je chante à l'Opéra de Sydney, puis je suis à

Melbourne, Canberra, Hobart, Adélaïde et Perth. Comme d'habitude, l'accueil que me réservent les Australiens est très touchant. Des salles pleines, des fleurs, des rappels, et partout dans la rue une gentillesse à fondre. « Superbe Mouskouri », titre *The Camberra Times*. « Difficile d'oublier Nana », lui répond, comme en écho, *The West Australian,* de Perth.

La presse a découvert l'amitié qui me lie à Frank Hardy, avec lequel je n'ai pas cessé de correspondre depuis dix ans – « Frank et Nana : les meilleurs amis du monde » titre un hebdomadaire de Sydney. Et j'ai l'émotion de lire cet hommage, sous la plume d'une journaliste, Helen Trikilis, qui est allée interviewer mon ami écrivain :

« Frank attribue en grande partie à Nana ses progrès des dix dernières années en tant qu'écrivain.

« "Elle a eu une influence bénéfique sur moi. Si j'écris mieux maintenant qu'avant, c'est en partie dû à ma rencontre avec Nana", dit-il.

« "Elle a une certaine sagesse qui lui vient de sa tristesse", dit-il encore. L'une des citations préférées de Nana, c'est celle où Frank écrit en pensant à elle : "La tristesse est proche de l'amour."

« Frank affirme : "La tristesse est une émotion très saine, à l'inverse de la jalousie ou même de l'amour. Elle ne peut venir que de quelqu'un qui a bon cœur – comme Nana." »

Quelque temps plus tard, le gala de bienfaisance en faveur de l'école du roi Constantin, au *St James Palace*, est une réussite, et, au moment de nous séparer, le souverain exilé me prend à part : il songe à organiser une grande soirée pour les quarante ans de son épouse, la reine Anne-Marie, et aimerait que je chante à cette occasion.

— Avec beaucoup de plaisir !

— Vous savez, me dit Constantin, elle n'a jamais oublié cette soirée où vous étiez venue chanter à Copenhague, devant tous ses amis d'enfance, la veille de son départ pour Athènes.

— Moi non plus, je n'ai pas oublié, c'était très émouvant. Et le lendemain, je chantais à la Fête de *L'Humanité* ! À l'époque, je n'avais pas osé vous le dire...

Constantin éclate de rire.

— Eh bien, cette fois, reprend-il, il y aura beaucoup de têtes couronnées pour vous applaudir. Il y aura ma sœur, la reine Sophie d'Espagne, ma belle-sœur, la reine Margrethe II du Danemark, la reine Noor de Jordanie, l'impératrice d'Iran, Farah Diba... Mais ne soyez pas inquiète, je ne vous laisserai pas toute seule, nous serons en famille à la table de ma tante.

— Ah, très bien ! Très bien !

Je ne sais pas qui est sa tante, mais j'imagine aussitôt une vieille dame bienveillante et drôle auprès de laquelle je trouverai sûrement tout le réconfort voulu.

Le grand jour arrive, et je porte ce soir-là une robe que m'avait créée Per Spook pour cette soirée à la télévision où j'avais interprété pour la première fois *Je chante avec toi, liberté*. Elle est toute scintillante de perles, magnifique, le seul problème est que j'ai un peu grossi entre-temps, de sorte que je m'y sens à l'étroit et que je me promets bien de ne rien avaler pour ne pas aggraver les choses. D'ailleurs, j'ai l'habitude de ne rien prendre avant de chanter.

La réception a lieu au *Claridge*, devant lequel patiente une petite foule de curieux, légitimement fascinés par le ballet des limousines devant le palace. Devinent-ils le prestige des invités qui en descendent ? À l'intérieur, il faut prendre son tour dans la file d'attente des convives, en attendant d'être officiellement présentés aux souverains de Grèce. La reine Anne-Marie m'embrasse, touchée de me revoir, me dit-elle, le roi Constantin me glisse un petit mot d'encouragement, et me voilà soudain perdue parmi des visages qui me donnent le vertige. Le prince Charles est là, accompagné de Lady Di, Juan Carlos d'Espagne et la reine Sophie échangent quelques amabilités avec les souverains de Suède... Par bonheur, Farah Diba me reconnaît, me sourit, et avec quel soulagement je cours me mettre sous sa protection ! Elle se souvient parfaitement de mon apparition sur la scène du palais de Chaillot, vingt-cinq ans plus tôt, lors de son premier voyage officiel dans la France du général de Gaulle, au côté de son jeune époux, le shah d'Iran. Et moi je n'ai pas oublié ses fleurs, le soir de mon premier tour de chant à l'Olympia... Par la suite, Farah a cherché à plusieurs reprises à m'inviter à Téhéran, mais je n'étais jamais libre, et je trouve enfin l'occasion de lui dire combien je le regrette.

Puis on annonce que le dîner est servi, et le roi Constantin vient interrompre notre conversation.

— Venez, Nana, me dit-il, vous êtes avec moi à la table de ma tante. Et vous aussi, Farah...

Je me laisse conduire, curieuse de découvrir enfin qui peut bien être cette *tante*. Nous saluons au passage quelques têtes couronnées que me présente Constantin, dans cette agitation où chacun cherche sa place. Les tables sont nombreuses et nous progressons lentement. Enfin voilà, c'est ici, la table ronde la plus en vue, à vrai dire c'est tout ce que je remarque, avec une certaine confusion. À ce moment-là, j'ai croisé tant de visages que je n'en vois plus aucun, si bien que lorsque Constantin se tourne solennellement vers moi pour me dire : « Nana, je vous présente ma tante », j'arbore un sourire poli, presque distrait.

Je saisis la main élégante qui se tend vers moi, et, levant les yeux, je croise alors un sourire que je mets un centième de seconde à reconnaître... Mon Dieu, la reine d'Angleterre ! Sur le coup, je crois que je chancelle. Suis-je en train de rêver, ou est-ce vraiment Elizabeth II dont je vois le sourire s'élargir tandis qu'elle retient ma main dans la sienne ?

— Ah, ma petite, je suis si contente de vous connaître ! Chaque fois que Constantin me parle de vous, il a une expression charmante. Je sais que vous avez chanté au palais royal de Copenhague, et en Grèce, n'est-ce pas, pour les fiançailles de Sophie...

J'entends, mais je suis tellement émue que les mots ne portent pas, je ne suis plus capable ni d'écouter ni de parler, et je crois que je bafouille deux ou trois pitoyables « merci » avant que Constantin ne vienne à mon secours.

La reine d'Angleterre préside donc notre table, autour de laquelle ont pris place la reine Noor, Farah Diba, le roi Constantin, l'ambassadeur des États-Unis, Michel de

Grèce... et moi. Et quand je pense que Constantin avait voulu me rassurer avec sa *tante*! Maintenant, je donnerais beaucoup pour être à une autre table, dans le coin le plus reculé du salon...

Le premier plat nous est servi. C'est un petit hors-d'œuvre grec, un peu de tarama, quelques olives, et deux boulettes de viande. J'adore les boulettes. Je me dis : je ne vais manger que ça, et je sauterai discrètement les autres plats de façon à ne pas avoir l'estomac plein au moment de chanter. Mais alors je vois combien l'ambassadeur des États-Unis doit lutter pour parvenir à piquer ses boulettes. Elles semblent très dures, échappent à sa fourchette, et à deux ou trois reprises elles manquent de peu de bondir hors de son assiette. Immédiatement, j'imagine le pire : je rate mon coup, et expédie ma boulette jusque dans l'assiette d'Elizabeth II qui est assise exactement en face de moi... Quelle honte ce serait! Je n'aurais plus qu'à disparaître. Bon, me dis-je, les boulettes, c'est exclu, définitivement exclu, et je pose mes couverts sans plus toucher à rien.

Mais alors le garçon insiste gentiment :

— Miss Mouskouri, vous n'avez rien mangé! Il faut prendre quelque chose si vous voulez avoir la force de chanter...

Je devine que tous les garçons ont dû se donner le mot, et qu'ils doivent attendre avec impatience ce moment de la soirée.

— Merci, mais je ne dois pas manger avant de chanter.

Du coup, on se tourne vers moi, et me voilà contrainte de me justifier, à moitié morte de honte. Pour ne pas contrarier la reine d'Angleterre, qui me regarde maintenant avec tendresse comme on contemple une petite chose fragile, j'avale un peu plus tard quelques bouchées d'épinards, qui me restent d'ailleurs sur le cœur tant je sens monter le trac. Il me semble soudain que l'Opéra de Sydney, ou le palais des Congrès, ne sont plus rien du tout en comparaison de ce parterre de monarques. Mon Dieu, me dis-je, vivement que l'on m'appelle, chaque minute est une torture!

Enfin, ça y est. Je chante en grec, puis en anglais, et je termine en français avec *Plaisir d'amour*. Ce mini-récital ne devait pas excéder les quarante-cinq minutes, mais à ma grande surprise les applaudissements redoublent à la fin et je reviens sur la petite scène pour une dernière chanson, *Amazing grace*. Alors le roi Constantin m'offre un énorme bouquet de fleurs et tous les convives se lèvent pour aller danser.

C'est à ce moment qu'arrive le duc d'Édimbourg, vêtu d'un smoking, mais curieusement chaussé de baskets.

— Oh, Philippe ! s'écrie la reine d'Angleterre. Vous avez raté Mlle Mouskouri, elle est merveilleuse...

Le duc me salue, et puis il me prie de l'excuser pour ses baskets : il est venu, me dit-il, au volant de sa Jeep qu'il aime conduire lui-même.

Avant de m'éclipser, j'emporte cette dernière image de cette extraordinaire soirée : le roi Constantin offrant son bras à Lady Di, Juan Carlos valsant élégamment avec Farah Diba, Caroline de Monaco dans les bras du grand-duc de Luxembourg, et la reine Sophie dans ceux du prince Michel de Grèce...

Cette année 1986, je fais mon retour à l'Olympia. Thierry Le Luron est malade depuis quelque temps, et je profite de mon long séjour à Paris, durant les répétitions, pour partager des moments avec lui. Voilà seulement cinq ou six ans que nous nous connaissons, mais j'ai le sentiment qu'avec moi, ce petit homme dont l'humour peut être assassin montre toute sa sensibilité. Nous avons de drôles de conversations sur l'amour, sur ce que c'est qu'une vie réussie, sur la sagesse, sur la musique.

Singeant Gilbert Bécaud, Thierry est celui qui est parvenu à faire chanter à la France entière, au milieu du long règne de François Mitterrand, dont le symbole était une rose, « *L'emmerdant, c'est la rose* ». Dalida, Mireille Mathieu, Brigitte Bardot, François Mitterrand, et beaucoup d'autres, ont fait les frais de son talent d'imitateur.

— Et pourquoi, moi, tu ne m'as jamais imitée ? lui ai-je demandé un jour.

— Parce que je n'y arrive pas.

— Je ne te crois pas.

Je devine qu'il m'imite très bien, au contraire, tout seul devant sa glace, chaussant mes lunettes carrées et fermant les yeux, seulement maintenant que nous sommes amis, il a peur de me faire du tort.

Certains jours, il est épuisé, d'autres il se sent ressuscité, dit-il. Alors il me promet de venir à ma première, et c'est même devenu un sujet d'amusement entre nous.

— Tu te reposes bien pour être en forme ce soir-là, Thierry.

— J'y serai, je te le promets !

Cependant, la veille, il retire sa promesse.

— J'ai peur de ne pas pouvoir venir, Nana. Je me sens épuisé.

— Alors prends bien soin de toi pour être là un autre soir.

Je suis dans ma loge, une heure avant la générale, quand on frappe à ma porte. C'est André, qu'accompagne Roland Hubert, l'imprésario de Thierry. Tous les deux sont blêmes.

— Nana, Thierry... Thierry vient de nous quitter.

— Oh non !

Dans ces moments-là, on se sent précipité dans ce néant ahurissant qu'est l'absence, et on cherche aussitôt à se rac-crocher à ce qu'on s'était dit, à ce qu'on s'était promis. Comme si les mots avaient encore un sens. On dit des choses idiotes. On dit : « Non, c'est impossible, hier encore... » J'éprouve la même hébétude qu'à l'instant où Jenny m'avait annoncé la mort de maman, dans cette grande salle près de Francfort, au bord de l'autoroute. Et encore une fois, je répète : « C'est impossible... c'est impossible... » Et puis l'on prend petit à petit la mesure du vide, la mesure de notre impuissance, et l'on se met à san-gloter parce qu'il n'y a plus que le chagrin où se réfugier.

— André, je ne veux pas chanter ce soir... Va dire aux gens que je n'ai pas la force. S'il te plaît ! S'il te plaît !

— La salle est pleine, Nana, tu ne peux pas faire ça.

— Mais je n'y arriverai pas... Tu vois bien... Comment est-ce que je pourrais chanter dans cet état ?

— Fais-le pour Thierry. Les gens vont apprendre la nouvelle en sortant, alors il vaut mieux que tu la leur donnes là, tout de suite. La plupart l'aimaient et le connaissaient personnellement. Ils comprendront. Ce sera une soirée particulière, à sa mémoire.

Accourue entre-temps, Patricia Coquatrix abonde dans ce sens. On ne peut plus ajourner, je dois chanter, et je décide alors de dédier cette première à Thierry, comme vient de le suggérer André.

Je n'ai plus le souvenir des mots que je prononce en entrant sur scène. J'essaie surtout de ne pas pleurer, d'annoncer dignement la mort de Thierry, et de dire que ce soir je chanterai pour lui dont le fauteuil est vide, au premier rang.

Et puis je chante, oui, et encore une fois la musique vient à mon secours. Comme si elle était la langue unique à pouvoir transcender la mort, à savoir nous parler d'un autre monde où le temps ne nous serait plus compté.

Je ne fais pas de rappels à la fin, mais je reviens seule sur scène pour chanter *a capella* l'*Ave Maria* de Schubert. Ça n'était pas prévu, bien sûr, mais j'en ressens le besoin, comme on peut éprouver le désir d'entrer dans une église pour pleurer silencieusement.

« Face à Nana Mouskouri, qui chantait sans musiciens, écrira le lendemain Jacqueline Cartier, dans *France-Soir*, le public, debout, pleurait et applaudissait [1]. »

Pourquoi est-ce que j'accepte de chanter de nouveau l'*Ave Maria*, à la Madeleine, pour les obsèques de Thierry ? Quand je sors de scène, tous accourent dans ma loge pour me le demander : André, Jean-Claude Brialy, Roland Hubert, la famille Coquatrix...

— Non, je ne pourrai jamais. J'ai failli éclater en sanglots, ne me demandez pas l'impossible...

---

1. *France-Soir*, 15 novembre 1986.

— Fais-le pour Thierry, insiste Jean-Claude. Il t'aimait beaucoup, tu le lui dois.

Et, naturellement, je cède.

Mais ce jour-là, étreinte par l'émotion, je n'ai plus de voix, et c'est un *Ave Maria* noyé dans les larmes que j'offre aux amis de Thierry Le Luron.

Quelques jours plus tard, tourmenté par le remords, Jean-Claude Brialy me glissera gentiment à l'oreille : « Ah, au fait, je viens de faire ajouter à mon testament que je ne veux à aucun prix que tu chantes l'*Ave Maria* à mon enterrement. »

# 24

## Dernier voyage avec Manos et Nikos

La Grèce ne m'avait pas oubliée, non, et mon récital au théâtre Hérode Atticus renoue soudainement les liens interrompus par les sombres années de la dictature. L'album *live* du spectacle est très vite disque d'or, puis disque de platine dans mon pays. Alors Nikos Gatsos, qui ne m'a jamais lâché la main durant toutes ces années, avec lequel je n'ai jamais cessé de parler, parfois des nuits entières suspendue au téléphone, Nikos a cette idée de refaire un disque avec moi. Peut-être y songeait-il depuis longtemps sans oser me le proposer, me sachant un jour à Sydney, l'autre à Montréal et le lendemain à Londres. Mais puisque désormais je reviens volontiers sur les traces de mon enfance, pourquoi est-ce que je ne renouerais pas également avec la poésie de Nikos qui m'avait initiée à la gravité du monde, et à sa splendeur ?

Évidemment, je bondis de joie, et André, qui connaît maintenant Nikos, nous encourage à donner vie à ce projet. Reste à savoir qui mettra en musique les vers de Nikos, puisque Manos Hadjidakis feint d'être brouillé avec moi pour des raisons que je ne m'explique pas – peut-être tout simplement parce qu'il ne me pardonne pas de l'avoir *trahi* avec d'autres compositeurs... Nikos est persuadé que nous nous réconcilierons un jour prochain, et, en attendant, il me présente un jeune compositeur très talentueux, Yorgos Hadjinassios, dont il aime beaucoup la sensibilité, me dit-il.

Tous les deux travaillent avec la même passion, et, lors de mon passage suivant en Grèce, les chansons sont écrites. L'une d'entre elles me bouleverse particulièrement. Nikos lui a donné pour titre *Le Onzième Commandement*. Elle me rappelle par sa force, et le désespoir qui en émane, *Le ciel est noir* de Bob Dylan. Nikos s'interroge sur les raisons des drames qui continuent d'endeuiller le monde, lui qui n'a vécu qu'entre guerres et dictatures, et il se demande à quel commandement nous n'avons pas obéi pour mériter tant de souffrances. Quel est ce onzième commandement que nous n'avons pas voulu entendre, ou que le Ciel nous a caché ?

J'enregistre cet album dans le même état d'enivrement que lorsque je chantais *Les Enfants du Pirée*, debout à côté de Manos dont je voyais les doigts courir sur le clavier du piano. Et, d'un commun accord, nous lui donnons pour titre *Le Onzième Commandement (Endekati endoli)*.

Le disque sort alors que le *live* de mon récital est encore présent dans les esprits. Et, du coup, le succès est immédiat. J'avais repris pour mon récital mes premières chansons grecques, je reviens cette fois-ci avec des compositions nouvelles, et des textes lumineux de Nikos Gatsos, enfin reconnu à travers toutes les générations comme l'un des grands poètes contemporains de notre pays.

C'est l'engouement de la jeunesse pour ce disque qui donne à Miltos Evert, le maire d'Athènes, l'idée d'organiser une grande première : un concert monumental au stade Kallimarmaro d'Athènes qui peut accueillir plus de cent mille personnes !

J'ai connu Miltos Evert grâce à Constantin Caramanlis, dont il est l'un des proches. Comme beaucoup d'hommes politiques, Miltos est extrêmement entreprenant, très imaginatif, et furieusement entêté lorsqu'il veut obtenir quelque chose. Il est l'homme qui va me pousser, me *forcer*, devrais-je plutôt écrire, à devenir députée européenne en 1994. Mais ce soir de l'été 1986, il n'a pas d'autre ambition que de me faire chanter pour la jeunesse d'Athènes. Nous dînons à une terrasse de restaurant, André et Nikos sont là, et soudain Miltos Evert s'enflamme : « Et si on réunissait nos trois plus grands compositeurs, Manos Hadjidakis, Mikis Theodorakis et Stavros Xarhakos, et que tu les chantais tous les trois au milieu du stade Kallimarmaro ! Qu'est-ce que tu en penserais ? »

J'en reste d'abord sidérée. J'ai déjà chanté dans un stade, mais c'était avec Harry Belafonte, et devant vingt mille personnes. Ça n'était pas cent mille ! Et puis Manos ne me parle plus, comment accepterait-il de m'accompagner sur scène ?

— Ça serait extraordinaire, mais je n'imagine pas cela possible, dis-je.

— Commençons par demander à chacun ce qu'il en pense, propose Miltos, toujours dopé par les obstacles.

Mikis Theodorakis décline très vite l'invitation. Mythe vivant de la gauche, j'imagine qu'il ne veut pas être associé à une initiative de Miltos Evert, de centre droit, tout comme Hadjidakis. Ce dernier et Xarhakos ne disent pas non, mais ils n'acceptent qu'à la condition de venir avec leurs propres musiciens, alors que l'idée était d'avoir un orchestre unique, et une seule interprète, en l'occurrence moi.

— Si c'est ça, me propose Miltos, tu n'as qu'à venir toi aussi avec tes musiciens. Au lieu de vous produire ensemble, vous vous produirez successivement. Ça ne sera pas aussi bien, mais ça sera tout de même formidable.

J'accepte. Après tout, le but est de fêter la musique grecque, d'offrir un spectacle exceptionnel, et non de se disputer la vedette. Nous sommes tous bénévoles, et la recette de la soirée ira à la ville d'Athènes.

À propos de vedette, justement, j'apprends que Manos Hadjidakis a une autre exigence : il veut passer le premier avec tous ses musiciens, puis démonter son matériel et disparaître avant mon arrivée. Je trouve cela stupide, punitif pour le public qui devra attendre que chaque groupe réinstalle sa propre sono, et je trouve vraiment dommage qu'on ne se croise pas sur scène alors que les gens n'attendent que ce moment, comme l'écrivent les journaux qui rappellent tous que Manos et moi ne sommes pas apparus ensemble depuis vingt-cinq ans !

Je propose donc d'installer le matériel pour tout le monde – je travaille alors avec une équipe de techniciens allemands qui est peut-être l'une des meilleures au monde – et que Manos et moi nous retrouvions à un moment pour interpréter une chanson ensemble. Et je demande à Miltos d'user de toute son influence auprès de Manos pour parvenir à un compromis.

Le grand jour arrive. Non seulement le stade est plein, mais pour n'abandonner personne dehors, on a laissé entrer sur la prairie, autour de la scène, la foule qui se pressait encore au guichet. Je suis dans ma loge, et je ne sais toujours pas si un accord a pu être trouvé avec Manos. Passe-t-il en premier, ou est-ce moi ? Chanterons-nous ensemble, ou m'évitera-t-il ? Enfin, on frappe à ma porte, c'est Miltos Evert, essoufflé.

— Nana, c'est toi qui commences ! me lance-t-il. Manos enchaînera derrière toi, et il accepte que tu le rejoignes à la fin de sa partie.

— Formidable ! Comment as-tu fait ?

— Il n'est pas très content, il m'a dit qu'aujourd'hui les hommes se laissaient manipuler par les femmes... Mais il a tout de même accepté.

Mon entrée sur le stade avait été millimétrée par l'équipe technique, et je suis heureuse qu'elle coïncide avec l'ouverture du spectacle, car j'en trouve l'idée très belle : j'apparais à l'une des extrémités et, suivie par un projecteur, j'entonne aussitôt *To kiparissaki (Le Jeune Cyprès)*, tout en marchant à travers la foule pour gagner la scène qui se trouve au milieu. C'est le mois de septembre, une nuit de pleine lune, le ciel est d'une beauté biblique, et, comme pour nous enivrer, un vent d'une violence inouïe emporte les notes qu'il fait tourbillonner au-dessus de nos têtes.

*Le Jeune Cyprès*, qui m'avait permis d'être de nouveau lauréate du deuxième Festival de la chanson grecque, en 1960, est un hommage à Manos Hadjidakis qui avait écrit cette chanson pour moi. Je devine à l'ovation qui m'accompagne que les cent mille personnes rassemblées ce soir-là le comprennent immédiatement. Manos, qui suit la retransmission du spectacle depuis son appartement, tout proche du stade, en est-il touché ? Je l'espère. J'aimerais tellement retrouver la confiance et l'amitié qui nous liaient en ce temps-là !

Puis je mêle chansons anciennes et contemporaines, pour terminer par *Le Onzième Commandement* que la jeune génération attend.

Un bref entracte a été prévu entre moi et Manos, juste le temps d'ajouter les instruments supplémentaires dont ses musiciens ont besoin, et de le laisser venir à pied depuis chez lui. Je me glisse en coulisses pour observer son entrée en scène. Inflexible et tendu, il accueille les applaudissements comme s'ils allaient de soi, puis dirige son orchestre avec cette maestria exacerbée que je connais si bien. Il est entendu qu'à la fin je dois me présenter sur le côté de la scène, où il viendra me chercher. Comment m'accueillera-t-il ? Je le sais capable de tout, y compris même de ne pas venir...

C'est dire si j'ai le cœur à l'envers en me présentant timidement sur les planches. Mais Manos ne feint pas de m'oublier, non, il vient vers moi d'un pas décidé, son visage d'enfant boudeur traversé d'une lueur soudaine d'excitation. Que va-t-il inventer ? Il me prend simplement par la main pour me conduire vers le micro, mais nous n'y sommes pas encore arrivés que le stade explose. Un déluge d'applaudissements, comme ni lui ni moi n'en avons recueillis séparément. C'est étrange comme les foules savent exprimer ce qu'elles aiment, ce qu'elles veulent.

— Tu vois, lui dis-je à l'oreille, je savais qu'ils attendaient ce moment.

Peut-être sourit-il intérieurement. En tout cas, il marque un temps d'arrêt devant le micro, nous saluons, et puis il me laisse pour gagner son piano.

Alors, dans l'incroyable silence qui suit soudain cet orage, j'entends les premières notes de *La Lune de papier*, comme si nous étions un quart de siècle plus tôt, seulement tous les deux dans son salon de musique, et, un peu tremblante, je reprends cette chanson qui avait scellé notre amitié pour toujours, pensais-je en ce temps-là.

D'ailleurs, je ne la chante que pour Manos, faisant des spectateurs, qui semblent retenir leur souffle, les témoins de la réconciliation que j'espère.

La dernière note envolée, tout le stade est debout, c'est de la folie. Et les applaudissements se prolongent, et je ne vois vraiment pas comment nous pouvons disparaître en abandonnant les gens dans cet état d'excitation et de bonheur.

— Chantons autre chose, Manos, nous leur devons bien ça.

— Non, c'est bien comme ça.

— Je t'en supplie, celle que tu veux... Je n'ai pas besoin de répéter, je connais toutes tes chansons.

Mais c'est non, définitivement non, et nous abandonnons la scène à Stavros Xarhakos.

Cependant, ça y est, Manos a oublié sa rancœur, et tandis que mes musiciens et moi prolongeons cette soirée dans une taverne d'Athènes, autour de Miltos Evert, j'ai la surprise de le voir arriver. Il n'est plus le même homme, je retrouve le Manos fébrile et taquin de nos premières années. Il s'assoit à côté de moi et commence à se moquer tendrement. Puis Nikos à son tour nous rejoint, et il n'y a plus de doute, ce grand concert a accompli le miracle de nous réconcilier.

Est-ce cette nuit-là que nous évoquons l'hypothèse d'enregistrer un album signé de nos trois noms ? Cette nuit-là, ou le lendemain, je ne sais plus, car nous ne nous séparons plus durant les quelques jours qui suivent, comme si nous pressentions que le temps nous est désormais compté.

Nikos en lance l'idée, et le visage de Manos s'illumine aussitôt. Manos ne se remet pas de la mort de sa mère, qu'il vénérait, et la perspective de ce disque, en le ramenant à la création, semble le ramener à la vie. Tous les deux se mettent au travail pendant que je repars courir le monde.

Quand je les retrouve, quelques mois plus tard, ils sont métamorphosés. Nikos vient d'écrire des textes exceptionnels, peut-être les plus beaux de toute son œuvre, et Manos passe ses nuits devant son piano à composer, comme au bon vieux temps, quand sa mère me glissait à l'oreille en m'ouvrant leur porte : « Venez vite, il vous attend, il est comme fou... »

Oui, Manos est de nouveau fou, et cela me remplit de reconnaissance envers la vie. Il recommence à m'appeler à n'importe quelle heure du jour ou de la nuit, et, comme si j'étais revenue à mes vingt-cinq ans, j'accompagne ses mélodies, debout à côté de son piano.

— Non, dit-il, son éternelle cigarette entre les doigts, ça, tu dois le chanter comme ça. Écoute bien...

J'écoute, et je reprends, en faisant parfois *lalalala*, parce que nous n'avons pas encore les vers définitifs de Nikos.

— Bravo ! Cette fois, c'est très bien.

Je sais qu'il s'étonne auprès de Nikos, qui me le répète, que je sois toujours la même, en dépit de la reconnaissance et du succès.

— Tu sais, dit-il, je pensais qu'elle allait se mettre en colère, mais non, elle est attentive comme autrefois, et elle a toujours l'air aussi heureuse de chanter, c'est ça qui est extraordinaire.

Eux aussi sont heureux, comme portés par la grâce. Ils ont trouvé le titre de l'album, *I mythi mias gynaikas (Légendes d'une femme)*. Les douze chansons constituent un hommage à l'amour, à la beauté du monde, à la nostalgie, à la perte de ceux que nous avons aimés. L'une d'elles évoque Federico Garcia Lorca, le poète andalou fusillé par les franquistes en 1936, que Nikos garde dans son cœur depuis l'enfance, comme un trésor. Une autre, ma préférée peut-être, est un hommage bouleversant à Oum Kalsoum, morte en 1975.

Cependant, à l'enregistrement, l'orchestration me déçoit. Manos n'est plus le musicien inspiré et fantasque qu'il était. Sa musique me paraît maintenant un peu rigide, un peu grandiloquente.

— Manos, lui dis-je, je ne reconnais pas la poésie de ce que tu me jouais au piano quand on répétait...

— C'est différent, mais laisse-moi faire, je sais que tu aimeras.

Je n'aime qu'à moitié, Nikos est également un peu déçu, mais c'est peu de chose au regard de la satisfaction que nous éprouvons à revoir nos trois noms associés.

Et c'est encore Miltos Evert qui trouve le moyen de prolonger cette œuvre commune. Miltos n'est plus maire d'Athènes, il est devenu entre-temps ministre de l'Intérieur, et à chacun de mes passages en Grèce il s'arrange pour organiser une réception où il convie quelques artistes. Comme Constantin Caramanlis, Miltos est passionné par l'expression artistique, et il pense que son rôle est de faire entrer les artistes chez tous les Grecs, y compris les plus pauvres, y compris ceux qui habitent aux quatre bouts du pays.

Un soir, je me retrouve chez lui avec Manos. Il a fait venir un guitariste qui va de petit groupe en petit groupe, comme cela se fait couramment en Grèce. Inévitablement, Manos et moi nous mettons à chanter des airs d'autrefois, puis une ou deux chansons de *Légendes d'une femme* dont l'album vient de sortir. Je vois Miltos s'approcher et s'asseoir discrètement près de nous. Quand nous finissons notre chanson, il s'écrie :

— Que c'est joli ! Pourquoi vous ne feriez pas une tournée en Grèce ? Non pas dans les grandes villes, hein, mais dans toutes nos îles où les gens n'ont guère de chances de vous voir un jour en chair et en os...

— Pour moi, c'est oui tout de suite, dis-je, mais je ne sais pas si Manos...

— Et qui transportera notre matériel d'île en île ? s'exclame Manos. Tu crois qu'on se balade juste avec un sac sur le dos ?

— Et si je mets des gens à votre disposition ? reprend Miltos.

— Si tu trouves des gens assez fous pour nous accompagner, je veux bien y réfléchir...

Ce soir-là, le ministre de la Défense est avec nous, et Miltos l'interpelle aussitôt. L'homme nous rejoint en souriant, son verre à la main.

— Je suis en train de les convaincre de faire une tournée dans les îles, lui explique Miltos. Seulement, il faut trouver un moyen de les transporter avec tous leurs musiciens et le matériel. Tu crois que tu pourrais nous aider ?

— Je peux certainement mettre un ou deux bâtiments de la marine à votre disposition, voire un avion, pourquoi pas ?

Manos éclate de rire.

— Alors, si l'armée s'en mêle, je viens !

Et voilà que cette idée, lancée par Miltos comme un défi, prend soudain corps. Dans les jours suivants, il nous confirme que le ministre de la Défense n'a pas parlé à la légère : des bateaux seront bel et bien mobilisés pour nous transporter. Toujours avec le concours de Miltos Evert, nous commençons donc à imaginer notre itinéraire. Nous chanterons dans toutes ces îles lointaines qui s'égrènent au long des côtes de la Turquie, Lesbos, Chio, Rhodes, Karpathos... Mais nous irons également vers le nord, aux confins de la Bulgarie et de la Macédoine, avant de redescendre jusqu'au Péloponnèse.

Entre mes enregistrements, mes spectacles, et la préparation de cette tournée, je suis donc beaucoup en Grèce à la fin des années 1980, comme si j'éprouvais le besoin impérieux de reprendre ma place parmi les miens, d'éprouver leur affection, de renouer avec la langue de mon enfance. Et si je regarde bien, c'est durant cette période-là que mon père décline, de sorte que c'est peut-être le désir de le retenir qui me pousse inconsciemment à revenir sous notre ciel. Qui sait ce qui nous fait agir ? J'aime penser que le Seigneur guide discrètement nos pas, à condition que nous sachions l'écouter, et que nous nous laissions conduire.

À chacun de mes voyages, je passe autant de temps que je le peux auprès de mon père. Son cœur est fatigué, je vois son visage se creuser, mais il n'est pas malheureux, il me donne le sentiment d'être enfin en paix, lui qui a passé sa vie torturé par la culpabilité.

Un jour, il me dit :

— Quand je ne serai plus là, prends bien soin de ta sœur, Nana, elle n'aura plus que toi.

Et d'un seul coup, je mesure combien il est devenu responsable depuis que maman est morte. Lui qui n'avait pas su aider sa femme, trouve maintenant la force de réconforter Jenny dont le mari s'est éteint prématurément. Et Jenny à son tour le réconforte.

Je ne me console pas de ne pas avoir été au chevet de maman quand elle est partie, et je vis dans l'angoisse d'être loin de mon père quand le moment viendra. Jenny ne le quitte plus, et, vers la fin, elle me tient au courant de chacun de ses gestes. Quand il tombe et perd l'appétit, je reviens. Puis il se remet, et je repars.

Pourtant, ce jour de juin 1989 où papa s'en va pour toujours, je suis de nouveau loin de lui, dans un avion, quelque part au-dessus de l'Atlantique. Alors j'imagine que le Seigneur cherche à me punir d'avoir trop donné à la musique, et peut-être pas suffisamment aux miens. Mais peut-être est-ce que je me trompe, peut-être est-ce seulement le hasard.

En tout cas, c'est en Grèce que j'ai envie de me trouver pour apaiser mon chagrin, et j'accueille donc comme une grâce cette longue tournée aux confins de mon pays. C'est un avion militaire qui nous dépose à Rhodes, et là nous sommes accueillis par la marine. Le ministre de la Défense a bien fait les choses : un croiseur rien que pour Manos et ses musiciens, un destroyer pour moi et les miens, dont André qui m'accompagne. L'amiral qui nous reçoit à Rhodes nous fait comprendre que nous allons être considérés comme des officiers à part entière durant les trois ou quatre semaines de la tournée, et qu'en conséquence nous disposerons chacun d'un aide de camp, et partagerons à bord la vie militaire.

En fait, très vite, tout cela se présente comme un jeu. Puisque je suis officier, je ne peux ni descendre ni monter à bord sans que tous les hommes de pont se mettent immédiatement au garde-à-vous et sifflent. C'est l'usage de siffler, chez nous, mais moi cela me rappelle *Il existe dans le monde un homme qui m'aimera*, où je chante qu'avec l'arrivée du printemps *toutes les nuits j'entends les garçons siffler* et que *cela me fait tourner la tête*.

— J'adore quand ils sifflent sur mon passage, dis-je à Manos.

Et lui, ravi :

— Je ne pensais pas qu'à ton âge ça te faisait encore de l'effet !

Parfois, nous chantons sur des îles minuscules, devant quelques centaines de personnes éblouies par un tel déploiement. Et après le spectacle, quel plaisir d'avoir tout le temps pour bavarder, tout le temps aussi pour découvrir chacun !

Souvent, il faut improviser avec ce qu'on trouve sur place, des bancs, les chaises des uns et des autres, et des spectateurs s'assoient sur l'herbe devant la petite scène que les marins sont parvenus à nous bricoler.

Un soir, il y a tellement de vent sur le port où nous allons chanter, que l'on décide de disposer les deux bateaux de telle façon qu'ils nous abritent. Des navires de guerre servant de paravent pour un récital, j'imagine que les officiers doivent se pincer pour y croire...

Sans doute est-ce la plus jolie tournée qu'il m'ait été donné de faire, tendre et mélancolique, et en même temps joyeuse. J'ai conscience que je partage peut-être l'une des dernières exhibitions de Manos qui se renferme de plus en plus sur lui-même en vieillissant. Quant à Nikos, ni Manos ni moi n'avons réussi à le convaincre de nous accompagner. Il passe toujours davantage de temps chez lui à méditer, à écrire, à voyager dans ses rêves...

Pendant que je reprends racine en Grèce, une autre de mes chansons, *Only love*, devient un succès mondial, équivalent à celui qu'a connu cinq ans plus tôt *Je chante avec toi, liberté*. L'histoire d'*Only love* tient en quelques mots : les Américains préparent une série télévisée de huit heures, *Mistral's daughter* (qui sera diffusée en France sous le titre *L'Amour en héritage*), et comme le film est destiné au monde entier, ils cherchent une chanteuse susceptible d'interpréter dans toutes les langues la musique écrite par Vladimir Cosma. Ce sont mes amis de RTL, Monique Le Marcis et Roger Kreicher, qui pensent à moi. Pierre Delanoë écrit les paroles, puis André supervise l'enregistrement en français. Pour chaque autre langue, je suis chaperonnée par un directeur artistique différent, de façon qu'il n'y ait pas la moindre faute d'accent. Quand la série est diffusée, mon album l'accompagne dans tous les pays du monde, porté par le succès phénoménal de cette saga dont l'histoire se déroule entre l'Amérique et la France, au milieu des années 1930.

Mais la chanson n'aurait sûrement pas connu cette réussite internationale si Alain Lévy, le nouveau patron du groupe, n'avait pas pris son destin en main. Louis Hazan est parti à la retraite, Jacques Caillard lui a succédé, et au moment où je fais cet Olympia, à la mort de Thierry Le Luron, c'est Alain Lévy qui prend la suite de Jacques Caillard. La compagnie ne va pas bien, et Alain Lévy ne se donne même pas la peine de venir à mon récital. Blessée, je lui adresse ce petit mot : « J'ai l'impression que le bateau coule, que les souris s'en vont, et je me sens un peu seule. » Le lendemain, j'ai la surprise de recevoir ces quelques lignes qui me remettent aussitôt d'aplomb : « Contrairement à ce que vous pensez, le bateau ne va pas couler. Il y a un nouveau capitaine, et je vous invite à le rejoindre sur le pont. » La barre est bien tenue, en effet, et à partir de ce jour ma carrière artistique connaît un nouveau souffle, notamment en direction des États-Unis.

Puis en 1988, tandis que j'enregistre en Grèce *Légendes d'une femme*, avec Manos et Nikos, André me prépare à Paris un autre défi. Depuis l'engouement qu'a suscité *Je chante avec toi, liberté*, il rêve de me faire enregistrer un album classique. Si j'ai pu interpréter le *Chœur des esclaves* du *Nabucco* de Verdi, se dit-il, pourquoi est-ce que je ne parviendrais pas à chanter Haendel, Bellini ou Brahms ? Il y fait parfois de discrètes allusions, et devine sûrement que je suis partagée entre le désir d'oser et la peur d'échouer. Je n'ai pas oublié mes années au conservatoire, et l'opprobre qui avait accompagné mon passage à la chanson populaire, comme si j'avais démérité. Après avoir choisi la facilité, comme on me l'avait reproché au conservatoire, serai-je capable de faire le chemin dans l'autre sens ?

C'est la question que je pose à André quand il me parle pour la première fois de ce grand projet. Au fil des mois, et peut-être des années précédentes, il a silencieusement repéré et noté certains extraits d'œuvres classiques que je saurais interpréter, selon lui, et auxquels pourrait adhérer le public populaire que j'affectionne. Figurent notamment dans sa liste l'*Adagio* d'Albinoni, *Habanera*, de la *Carmen* de Bizet, ou encore *Casta diva*, de *la Norma* de Bellini.

— Tu sais combien j'ai confiance en toi, me dit-il. Si je n'avais pas la certitude que tu seras à la hauteur de ces œuvres, je ne te proposerais pas de les chanter.

Si André m'a tellement aidée tout au long de ma carrière artistique, c'est qu'il ne m'a jamais trompée, jamais flattée. En dépit de l'amour qui nous lie, il n'a jamais hésité à me demander de recommencer un enregistrement s'il ne le trouvait pas parfait. Cela a fait de lui un homme en qui j'ai une confiance absolue, le seul homme au monde, sûrement, dont je suis prête à suivre aveuglément les recommandations. Je l'écris ici, parce que je crois que jamais je n'aurais osé ce retour au classique si je n'avais pas été portée par sa foi, et rassurée par la conviction qu'il ne me laisserait pas sortir un album qui ne serait pas au niveau de son attente.

Cela dit, aucun disque ne m'a jamais demandé autant de discipline et de travail que celui-ci. J'y consacre quatre mois entre le printemps et l'été 1988. Mais le travail me rassure, tandis que je suis toujours traversée de doutes et de culpabilité quand un enregistrement me paraît trop vite réussi.

L'album sort à l'automne, et il est accueilli avec respect et bienveillance par la presse française. « La diva de la chanson populaire enregistre vingt grands succès de musique classique », titre *France-Soir*, qui prend plaisir à me photographier devant le mythique Opéra Garnier où je n'ai encore jamais chanté. « Oser Mozart », titre de son côté *Ouest-France*. « Après trente ans de carrière, un palmarès envié de deux cent cinquante disques d'or, des récitals sur toutes les scènes du monde, Nana Mouskouri s'offre une fugue du côté de l'adolescence, écrit le quotidien. Elle rend en quelque sorte la monnaie de leurs pièces aux stars de l'opéra – Berganza, Hendricks, Norman,

Pavarotti, Domingo, Carreras – qui font des incursions dans le chant traditionnel ou la chanson populaire [1]. »

Mais c'est la fierté de mon père qui me touche, plus que toutes les critiques. Il est dans les derniers mois de sa vie lorsque je lui offre mon album. À peine les premières notes de l'*Adagio Notturno* de Schubert s'élèvent-elles, que je vois ses yeux s'embuer. Et lorsqu'il m'entend chanter *Les Noces de Figaro*, il me serre dans ses bras en tremblant, et je devine qu'il pleure. Pauvre papa ! Je crois que pour la première fois de sa longue vie, je lui donne ce jour-là ce qu'il attend secrètement de moi depuis mon entrée au conservatoire, quarante ans plus tôt.

— Merci, ma petite fille, me souffle-t-il, c'est si beau !
Ce sera mon dernier cadeau.

Cet automne 1988, André et moi osons pour la première fois dire tout haut que nous voulons nous marier. Voilà dix ans que nous nous aimons quasi clandestinement, et maintenant que les enfants ont atteint leur majorité, nous nous donnons enfin le droit de nous dévoiler. J'imagine une grande fête qui rassemblera tous ceux que nous aimons, et je pense bien sûr au bonheur de mon père. La nouvelle s'ébruite, inévitablement, et très vite quelques journaux à sensation annoncent l'événement à coups de larges manchettes au-dessus de photos où André et moi, qui maintenant ne nous cachons plus, apparaissons pour la première fois main dans la main. « Il lui a fallu deux ans pour dire enfin *oui* pour toujours », titre l'un de ces quotidiens, qui ne se doute pas que mon *oui* est bien plus ancien. « Je ne veux surtout pas que mon mariage se fasse à la va-vite », rapporte un autre, venu m'interroger entre deux avions.

Que mon mariage ne se fasse pas à la va-vite ? Eh bien, je vais être servie, puisque nous ne nous marierons finalement... qu'en 2003 !

La mort de mon père, suivie de celle des parents d'André, vont nous faire ajourner cette première tentative.

---

1. *Ouest-France*, 24 décembre 1988.

Un mariage doit être célébré dans la félicité, et nous n'avons plus le cœur à nous amuser et à danser. Et puis comment ne pas voir que l'horizon s'assombrit irrémédiablement autour de nous : les médecins ont découvert un cancer à Nikos, Manos se laisse gagner par la mélancolie de l'âge, et voilà que Fernande tombe malade à son tour. Fernande, qui vient de nous donner vingt ans de sa vie, et que j'aime tendrement en dépit de nos conflits...

Alors j'oublie notre mariage et je repars pour une tournée mondiale. Après *Only love*, mon disque classique est sorti sur tous les continents. Je m'envole pour le Canada et les États-Unis. Puis je gagne l'Amérique latine. Je chante au Mexique, au Chili, en Argentine, au Brésil... Je revisite l'Asie, je chante à Hong-Kong, à Tokyo, en Corée du Sud...

Et je termine ce tour du monde à Paris, au Zénith, où je me produis pour la première fois avec plus de cent musiciens sur scène.

« Entre ange et grande prêtresse drapée de blanc à l'antique, accompagnée par l'orchestre et les chœurs des Concerts Colonne, écrit Nicole Duault, la critique de *France-Soir*, Nana Mouskouri, ces trois derniers soirs, a transformé le Zénith, temple du rock et de la variété, en un sanctuaire. Moments somptueux et divins où la ferveur et le recueillement du public d'un côté (pas un fauteuil de vide), le panache, l'élégance et la beauté de l'autre, tenaient du miracle [1]. »

---

1. *France-Soir*, 11 décembre 1989.

# 25

## L'un après l'autre, ils sont partis

L'idée que Nikos est malade, que lui aussi va s'en aller, m'est insupportable, et je multiplie les voyages en Grèce au début de la décennie 1990. J'ai besoin de m'imprégner de sa présence, de l'écouter. André m'accompagne, et nous passons la journée auprès de lui. Nikos est très serein, toujours curieux de ce que je peux lui raconter, des inquiétudes qui me traversent, de mes derniers spectacles.

— Et qu'est-ce que tu as chanté ce soir-là ? me demande-t-il.

J'énumère mes chansons, je le vois acquiescer, le regard lumineux malgré la fatigue.

— Ah, reprend-il, tu as chanté *Pour toi, mon amour...* Quelle belle chanson ! Tu ne veux pas ?

— Si, je vais la chanter rien que pour toi.

Parfois, Manos est là, tellement triste que je lui demande de chanter avec moi.

Et puis je les quitte, mais le lendemain je téléphone depuis Genève. Je ne laisse plus passer un jour sans téléphoner.

Au mois d'avril de l'année 1992, je viens passer toute une semaine à Athènes. Nikos vient de faire un séjour à l'hôpital, il me semble aller mieux. Pendant deux ou trois jours, nous parlons fébrilement. Il me lit des poèmes, je lui chante nos premières chansons.

Puis vient le moment de rentrer à Genève.

— Tu dois partir, n'est-ce pas ? me demande-t-il.

— Oui, je dois partir.

— C'est bien.

D'habitude, il ajoutait aussitôt : « Alors c'est pas grave, on se reverra bientôt. » Cette fois-ci, il ne le dit pas.

— Moi aussi, je vais partir, tu sais, ajoute-t-il avec un sourire. Je vais rentrer à la maison.

Pourquoi est-ce que je n'entends pas ce qu'il veut me dire ? Je comprends qu'il va retourner au village d'Acea où il est né. Je sais qu'il a le désir qu'on l'y conduise, et je le quitte sur cette illusion.

Le lendemain, je suis à Paris, et le surlendemain dans l'avion pour les États-Unis où je vais donner plusieurs récitals.

J'appelle deux ou trois fois par jour durant cette tournée. Un matin, j'apprends par Manos que Nikos vient d'être hospitalisé.

Je lui téléphone dans sa chambre.

— Ah, Nana ! Où es-tu ? Dis-moi le nom de la ville où tu te trouves ?

— Atlanta, Nikos.

— Atlanta ! Eh bien alors, tu n'es pas très loin de moi.

— Mais si, Nikos, je suis très loin. Atlanta est aux États-Unis...

— Je sais, j'ai compris. Mais regarde mieux, Atlanta est tout près d'Athens, en Géorgie.

Toute sa vie, Nikos a voyagé sans jamais quitter la Grèce. Je crois qu'il se fiche bien des distances, qu'il a une autre géographie que la nôtre. Et c'est vrai qu'une centaine de kilomètres seulement séparent Atlanta d'Athens. Curieusement, je suis soulagée qu'il puisse ainsi nous sentir si proches l'un de l'autre.

— Bien sûr, dis-je, c'est toi qui as raison, je suis là, tout près. Alors à demain par téléphone.

Mais le lendemain, Nikos n'est plus là, et je me retiens de hurler dans le combiné. Soudain, je n'ai pas la force d'envisager le monde sans lui, plus la force, et je cherche stupidement le visage de Manos, comme s'il pouvait m'apparaître ici, si loin de la Grèce. Je voudrais qu'on se prenne dans les bras l'un de l'autre. Il me semble que lui seul peut partager mon chagrin. Je parviens à composer son numéro. Longtemps, je laisse sonner, puis enfin on décroche.

— Oh, Manos !

Mais il est muet, j'entends ses sanglots, et je suis incapable de le réconforter.

Deux mois plus tard, je suis à Acea. Nikos repose dans le petit cimetière qui jouxte la chapelle. C'est au faîte d'une colline plantée de cyprès qui se dressent immobiles, ce matin-là, sous un ciel d'été cristallin. De là-haut, la plaine semble figée dans une vapeur dorée, et les hommes, dans les champs, paraissent minuscules.

*Combien je t'ai aimée, moi seul peux le savoir*
*Moi qui parfois t'ai effleurée avec les yeux des astres*
*Étreinte avec la crinière de la lune pour danser avec toi*
*Dans les champs de l'été parmi les chaumes arasés...*

Nikos écrivait cela en 1943, et je veux croire qu'il parlait de la vie.

En ce début des années 1990, la mort bouleverse profondément ma vie. Après mon père, elle vient de nous enlever Nikos. Qui choisira-t-elle demain ? Manos est si affecté par la disparition de son ami qu'il n'a pas eu la force d'aller à son enterrement. Je ne l'ai jamais vu si triste, si abattu, et je prie pour qu'il retrouve le désir de vivre. Atteinte elle aussi d'un cancer, Fernande est en plein désarroi, et à chacun de mes passages à Genève je la retrouve à la maison un peu plus triste et diminuée. Et voilà que Mélina Mercouri, elle aussi, doit affronter la maladie. Mélina, qui est la déesse de Manos depuis toujours, et qui est devenue pour moi une amie précieuse au fil des années.

C'est encore une mort, celle d'Audrey Hepburn, le 20 janvier 1993, qui marque un tournant dans ma vie. Depuis plusieurs mois, déjà, l'Unicef m'a approchée : accepterais-je de devenir ambassadrice de bonne volonté pour défendre les droits des enfants à travers le monde ? Audrey, que j'estime infiniment, a proposé ma candidature pour la remplacer. Elle se donne depuis des années à cette tâche, et doit maintenant se reposer. Je dis immédiatement oui, et avant même de lui succéder, je m'engage dans cette entreprise avec toute la passion dont je suis capable. J'ai gardé de mes premières années la conviction que les enfants sont toujours les premières victimes – des guerres, de la misère, des conflits familiaux – et je me suis toujours sentie concernée par ce combat-là. Jusqu'à présent, je n'allais pas chanter dans un pays déshérité sans m'enquérir avant de ce que je pourrais faire pour les enfants, et sans me rendre dans les hôpitaux ou les écoles pendant mon séjour. Qu'on me confie cette mission donne un sens nouveau à ma carrière artistique : la reconnaissance que m'a apportée la musique va enfin pouvoir être mise au service d'une grande cause, de la plus grande des causes, ai-je envie d'écrire. Cela comble mon désir de prendre part à l'amélioration du monde, moi qui me sens bien trop maladroite pour entrer en politique.

Mais il faut que je raconte comment j'ai connu Audrey Hepburn. C'était au début des années 1980, lors d'une soirée de bienfaisance en faveur du sida organisée par Line Renaud au Paradis Latin, à Paris. Jacques Chirac, qui était alors maire de Paris, en était l'invité vedette. Je m'étais retrouvée assise entre lui et Audrey Hepburn, de sorte qu'elle et moi avions passé une grande partie du dîner à bavarder. À notre table avaient également pris place mes deux complices, Jean-Claude Brialy et Serge Lama, ainsi que l'éblouissante Elizabeth Taylor. C'est durant cette même soirée qu'est née mon amitié pour Jacques Chirac, au gré d'une anecdote qui nous fait encore rire chaque fois que nous avons l'occasion de nous revoir.

J'avais discrètement déposé mon sac à main sous la table, entre nos jambes, quand, soudain, je ne le trouve plus. Je me penche un peu plus, le cherche des yeux, mais non, rien. Mon sac s'est envolé avec tous mes trésors !

Alors Jacques Chirac, qui m'a sûrement vue m'agiter, et me sent un peu fébrile, s'inquiète poliment.

— Vous avez perdu quelque chose ?

— Eh bien, oui, mon sac à main. Il était là, et je ne le trouve plus.

Il se penche à son tour.

— Ça alors ! Mais où était-il exactement ?

— Ici, à nos pieds !

— On a pu le pousser sans le vouloir avec nos jambes. Voyons s'il n'est pas de l'autre côté.

Voilà toute la table alertée, et chacun prié de regarder sous sa chaise. Mais rien, plus aucune trace de mon sac !

— Je crois qu'on peut exclure qu'il puisse se trouver un voleur parmi nous, n'est-ce pas ? me souffle le maire de Paris.

— Cela va de soi, dis-je.

— Alors, comme nous ne croyons ni les uns ni les autres à la magie, il faut parvenir à comprendre ce qui s'est passé.

Entre-temps, Elizabeth Taylor a quitté la table pour faire quelques pas. Elle nous avait prévenus au début du dîner qu'elle souffrait cruellement du dos et se lèverait à intervalles réguliers pour soulager ses vertèbres. Elle porte ce soir-là une somptueuse robe longue à traîne, de sorte que la regarder aller et venir est un spectacle en soi. C'est d'ailleurs ce que nous faisons, Jacques Chirac et moi, tout en échangeant des propos de plus en plus perplexes.

Quand, soudain, je l'entends me dire :

— Attendez, Nana, je crois avoir trouvé...

— Pardon ?

— Je crois avoir trouvé où pourrait être votre sac.

— Vraiment ?

— Il n'y a pas quelque chose qui vous frappe chez Elizabeth Taylor ?

— Je lui envie sa beauté, si... Et peut-être sa robe.

— Sa robe, justement. Pour bien faire... Attendez, ne bougez pas.

Alors je vois le futur président de la République française se lever, glisser quelques mots à l'oreille de la comédienne anglaise, puis, avec des rougeurs d'enfant... soulever sa robe !

Mais comment ose-t-il ? me dis-je, en même temps amusée et stupéfaite. Ça ne dure qu'un centième de seconde, car déjà je reconnais mon sac surgissant de sous les plis voluptueux du long drapé de reine d'Elizabeth Taylor.

La star est confuse, sa traîne avait embarqué mon sac à son insu, Jacques Chirac est hilare, et finalement nous éclatons tous de rire.

J'avais dit à Audrey Hepburn, durant ce dîner, combien je tenais à marcher sur ses traces, et elle m'avait encouragée à me manifester auprès de l'ONU. C'est comme cela qu'en 1987, en particulier, j'avais pu donner un gala de bienfaisance dans la grande salle des Assemblées de l'ONU en faveur des sinistrés de Kalamata, la ville du sud du Péloponnèse qui venait d'être ravagée par un séisme.

En mars 1994, je suis ambassadrice de bonne volonté depuis un an, je me suis déjà rendue en Bolivie, en Colombie, au Mexique, quand soudain Miltos Evert réapparaît dans ma vie. L'ancien maire d'Athènes, devenu ministre de l'Intérieur, est à présent le chef du parti de la Nouvelle Démocratie, de centre droit. Je suis en tournée au Danemark lorsqu'on me le passe au téléphone dans ma chambre d'hôtel.

— Ah, Nana ! Je voudrais que tu prennes le temps de m'écouter. Est-ce que tu es assise, là ?

— Non, mais voilà, je prends un fauteuil et je m'assois.

— Très bien. Qu'est-ce que tu dirais si je te proposais de devenir députée européenne ?

— Tu te moques de moi, Miltos ?

— Non, je suis très sérieux.

— Je ne le crois pas, non. Si tu étais sérieux, tu saurais que je ne suis jamais allée à l'université et que je ne connais rien à la politique. Je suis juste une chanteuse, et je ne pense pas que l'Europe ait besoin d'une chanteuse pour assurer son avenir.

— Excuse-moi, mais c'est complètement idiot ce que tu dis. L'Europe a bien assez de professionnels de la politique comme ça. Si je fais appel à toi, c'est pour ton rayonnement dans la société civile. Tu es connue dans tous les pays d'Europe, dans le monde entier, tu parles pratiquement toutes les langues, tu peux être une formidable ambassadrice de la Grèce et de nos idées.

— Je parle plusieurs langues, c'est vrai. Mais je ne sais pas comment marche le monde, Miltos, et je n'ai aucune idée personnelle pour améliorer le sort des plus pauvres, à part organiser des galas de bienfaisance.

— Les idées, nous les avons, et tu auras des assistants pour t'expliquer comment marche l'Europe. Écoute, Nana, il faut le faire, j'ai besoin de toi, la Grèce a besoin de toi, c'est tout ce que j'ai à te dire. Je te donne vingt-quatre heures pour réfléchir et je te rappelle demain. Mais je t'interdis de me dire non. D'accord ?

Il raccroche, et je reste un long moment abasourdie, à me demander si tout cela est bien réel. Puis, petit à petit, mes idées se remettent en place. Aucun doute, c'était bien Miltos qui vient de m'appeler, et, le connaissant, je dois réfléchir vite, et surtout trouver de bons arguments pour l'envoyer promener. La première idée qui me vient est évidemment d'appeler Constantin Caramanlis, dont je me rappelle les conseils durant son exil à Paris : « Nana, ne te mêle jamais de politique. Quand on n'y connaît rien, on risque de se faire manipuler et d'y perdre son âme. » Caramanlis est encore président de la République, et je me promets d'essayer de le joindre le lendemain.

Seulement Miltos ne m'en laisse pas le temps. Au moment où je m'apprête à appeler le palais présidentiel, mon téléphone sonne.

— Nana, quel plaisir ! C'est Yorgos Levendarios à l'appareil. Comment vas-tu ?

Yorgos est un vieil ami, ami de Nikos et de Manos également, qui s'est souvent occupé de mes relations avec la presse.

— Ça me fait plaisir de t'entendre, lui dis-je.

— Et moi donc ! Tu sais qu'on va de nouveau travailler ensemble ?

— Ah bon ? Mais à quelle occasion ?

— Eh bien tu es sur la liste de la Nouvelle Démocratie, et c'est moi qui suis chargé de la communication !

— Pardon ? Je suis sur la liste de la Nouvelle Démocratie, moi ?

— Absolument ! Tu es même en troisième position si tu veux savoir...

— Quoi ! Mais Miltos est fou, on devait se rappeler aujourd'hui. Hier, je lui ai dit qu'il n'en était pas question !

— Nana, tu le connais, c'est un bulldozer. Quand il veut quelque chose, il l'obtient toujours. Tu ne peux pas dire non, avec lui. Mais ne t'inquiète pas, on sera tous là, on t'aidera.

À peine ai-je raccroché avec Yorgos, je parviens à joindre Miltos Evert.

— Miltos, ce que tu viens de faire est très grave. Tu ne m'as même pas laissé le temps d'en parler à André, de demander conseil à Caramanlis. Je ne suis pas décidée à abandonner mon métier !

— Ça n'aurait servi à rien que tu appelles Caramanlis, il t'aurait dit de ne pas y aller, de toute façon. Et puis qui te parle d'abandonner ton métier ? Au contraire, il faut que tu continues à chanter, c'est comme cela que tu serviras le mieux l'image de la Grèce. Tu n'auras pas besoin d'être souvent au Parlement.

— Ne me dis pas ça ! Tu sais très bien que quand j'accepte une responsabilité, je ne peux pas faire les choses à moitié. Si par ta faute je deviens députée, je serai tous les jours à mon bureau. Sans compter que j'ai tout à apprendre... Tu t'es moqué de moi, Miltos, tu n'es pas mon ami.

— Nana, tu devrais me remercier au lieu de m'insulter. Si tu étais un peu patriote...

— Je ne t'insulte pas, Miltos. Je te dis seulement que tu m'as manqué de respect en prenant à ma place une décision qui engage tout mon avenir. Et c'est pourquoi je considère que ce que tu viens de faire ne me concerne pas. Écoute-moi bien : à l'heure où je te parle, je ne suis pas candidate.

— Comment oses-tu te défiler alors que le pays a besoin de toi ? Comment oses-tu ? La Grèce sort de décennies de souffrances, aujourd'hui elle doit pouvoir faire appel à tous les siens. Tu es l'une de ses grandes ambassadrices, et tu préfères ton confort à ton pays. Nana, nous avons perdu Mélina, tu le sais, n'est-ce pas ? Tu le sais, je t'ai vue pleurer à son enterrement. Alors aujourd'hui, je te le dis solennellement : nous avons impérativement besoin de toi...

Mélina ! Mélina Mercouri est morte quelques jours plus tôt, le 6 mars 1994, et nous étions des milliers à la pleurer. Mélina était unique, immense, et cependant je n'en veux pas à Miltos de citer son nom dans une telle circonstance : il est vrai qu'en la perdant, la Grèce vient de perdre une partie de son âme, et l'une de ses voix les plus respectées à travers le monde.

La veille de son départ pour New York où elle devait subir l'opération à laquelle elle n'a pas survécu, elle était venue assister à l'une de mes répétitions. Je préparais un spectacle de bienfaisance en faveur des enfants pour la fondation grecque Elpida, de Mme Mariana Vardinoyannis, un spectacle que nous avions imaginé ensemble. Bien que très gravement malade, Mélina était encore ministre de la Culture, et on l'entendait partout, on la voyait partout, vibrante et passionnée. Elle n'allait pas pouvoir être présente au spectacle, puisqu'elle partait pour les États-Unis, et donc elle était arrivée au théâtre à l'improviste, sachant que je répétais, simplement accompagnée de Jules Dassin, son mari, et de Manuella, son assistante, qui était devenue avec les années l'une de mes plus proches amies.

Tous les trois s'étaient installés au deuxième rang, dans le théâtre vide. Mélina avait croisé les bras sur le dossier du siège, devant elle, elle y avait posé son menton, et m'avait écoutée silencieusement jusqu'à la fin.

Alors, soudain mélancolique, elle avait commencé à me demander :

— Maintenant chante-moi ça, s'il te plaît.

Et bien sûr je lui avais chanté tout ce qu'elle voulait. J'aurais chanté toute la nuit rien que pour elle, si elle me l'avait demandé. Je savais qu'elle partait contre son gré aux États-Unis. Quelques semaines plus tôt, elle s'était cassé le bras et Jules avait pensé que c'était sa façon de protester contre ce voyage. J'aurais chanté toute la nuit si cela avait pu la rendre heureuse, c'était tellement triste de la voir soudain rattrapée par le doute, elle qui n'avait jamais cessé de se révolter, contre les colonels, contre la bêtise, puis contre toutes les injustices.

Manos, qui devait également se faire soigner, l'avait rejointe aux États-Unis. Ainsi avait-il pu passer du temps auprès d'elle durant les jours qui avaient précédé l'opération, lui qui m'avait dit une fois qu'il l'avait tant aimée dans ses jeunes années, qu'après l'avoir perdue il avait préféré se tourner vers les garçons, sûr de ne jamais retrouver une autre Mélina...

Il paraît que lorsque les infirmières entraient dans sa chambre, Mélina leur disait en leur montrant Manos :

— Vous voyez, ce monsieur ? Eh bien, c'est lui qui a écrit la musique de *Jamais le dimanche* !

Et Manos :

— Tais-toi, Mélina, tu sais bien que je n'aime plus cette chanson.

Il arrivait chaque jour avec une plante dans un petit pot, qu'il lui offrait en rougissant, m'a raconté Manuella.

— Comme tu es beau, lui disait-elle. Tu as maigri.

Et ensuite tous les deux passaient l'après-midi à chanter les vieilles chansons de Manos. Les infirmières accouraient, et Mélina cachait ses larmes.

Pour le retour de son corps, je crois qu'à l'instant où apparut son cercueil à la porte de l'avion, son cercueil recouvert du drapeau, la Grèce entière éclata en sanglots. Tous les gens étaient descendus dans la rue, ils s'étaient massés le long de l'itinéraire qu'allait emprunter le cortège, et tout le monde pleurait. Je n'avais jamais vu un peuple unaniment plongé dans un tel chagrin.

Non, je n'en veux pas à Miltos Evert d'avoir évoqué la disparition de Mélina, parce que, au fond de moi, habitée de tout de ce qu'elle a fait pour la Grèce, je commence à me sentir un peu honteuse de me défiler au moment où l'on fait appel à moi.

Après cette conversation mémorable avec Miltos, où nous nous raccrochons mutuellement au nez, c'est vers André que je me tourne. Et j'ai la surprise de l'entendre me dire : « Pourquoi pas ? L'Europe, c'est un beau combat, et tu es dans un moment de ta carrière artistique où tu peux distraire un peu de ton énergie. Tu le fais bien pour l'Unicef... »

Mon Dieu, l'Unicef ! Un mandat de députée est-il compatible avec ma mission d'ambassadrice ? La question soudain me vient à l'esprit. Il est évident que jamais je ne lâcherai les enfants pour le Parlement. Je me suis engagée comme ambassadrice, je m'y sens utile, efficace, c'est au moins une chose que je sais faire, je ne trahirai pas cet engagement pour l'Europe qui me semble très au-dessus de mes capacités. Mais, du coup, je rappelle Miltos Evert.

— Ça va mieux, constate-t-il, tu n'as plus l'air trop en colère.

Il me donne l'assurance que je n'aurai pas à quitter l'Unicef, et l'Unicef de son côté m'encourage à entrer au Parlement européen, arguant que cela pourra renforcer mon autorité dans certaines missions.

— C'est oui, dis-je finalement à Miltos.

— Merci. Je savais bien que tu accepterais.

J'avais mis comme condition à ma candidature de ne pas participer à la campagne électorale qui démarrait immédiatement, je me sentais vraiment trop novice pour fréquenter les estrades et improviser des discours. Cependant, à la fin du mois de mai de cette année 1994, je suis de retour à Athènes pour rencontrer des membres de la Nouvelle Démocratie et discuter de notre programme avec Miltos Evert. J'en profite pour voir Manos qui ne se remet pas de la mort de Mélina. Il reste chez lui, prostré, et je me sens tellement triste de ne pas savoir lui rendre un peu d'espoir !

Le 12 juin, je repars pour Genève, et cette fois ma sœur m'accompagne. Je vais emménager dans une nouvelle maison, sur les hauteurs du lac de Genève, et Jenny vient en même temps pour m'aider et pour que nous partagions un peu de temps ensemble après tous ces deuils. Et puis le 13, c'est son anniversaire, pour une fois je le lui fêterai en tête à tête.

Nous sommes à peine arrivées que Yorgos Levendarios m'appelle :

— Nana, il faut que tu reviennes immédiatement, Miltos réunit demain tous les candidats et les responsables du parti.

— Mais c'est impossible, je viens de rentrer ! C'est même toi qui m'as accompagnée à l'aéroport...

— Je sais. Mais la politique c'est comme ça. Le président t'attend demain sans faute.

La réunion est prévue le 15 juin, et je suis donc de retour à Athènes le 14 en fin d'après-midi.

Ma première visite est pour Manos. Je le trouve très affaibli, très déprimé, mais je parviens tout de même à le faire sourire avec mes nouvelles aventures de femme politique. Le hasard fait que la réunion du lendemain se tient à cinquante mètres de son appartement, de sorte que je lui promets de revenir.

— Aussitôt que c'est fini, lui dis-je en l'embrassant, je viens chez toi, et nous passerons la soirée ensemble.

— D'accord, et tu me raconteras la suite, n'est-ce pas ?

Étrange réunion. C'est la première fois que je rencontre tous mes confrères dans une même pièce, et j'ai un peu le sentiment de pénétrer dans un nid de vipères. La seule personne qui semble sincèrement contente de me voir arriver est Miltos Evert, le président, les autres me dévisagent avec ce sourire contraint qu'on arbore généralement chez son dentiste. J'en aurai l'explication petit à petit en découvrant combien mon parachutage en position éligible a suscité colère et amertume chez tous les candidats. Cependant, très vite, les photographes me repèrent, et je vois alors avec quel empressement les mêmes, qui ne me saluaient pas, s'approchent pour figurer sur la photo... Tout de même, je leur sers à quelque chose, me dis-je à part moi.

Les discours s'enchaînent, et je constate avec surprise qu'on se lève ici ou là pour aller bavarder dans tous les coins, sans aucune gêne, et sans craindre de déranger l'orateur. Si les gens se comportaient comme ça pendant mes récitals, me dis-je encore, je crois que je préférerais changer de métier. Mais tout le monde a l'air de trouver normal de n'écouter que d'une oreille, et, finalement, la seule qui en semble importunée, eh bien c'est moi. En dépit du brouhaha, j'essaie d'enregistrer mentalement tout ce qui se dit, et plus j'en entends, plus je me sens paniquée. Non seulement je ne comprends qu'une phrase sur deux, et encore, mais tout cela paraît codifié, au point que des gens qui n'écoutent pas devinent néanmoins à quel moment il faut applaudir... Saurai-je un jour tenir de tels discours ?

C'est la question que je me pose, quand quelqu'un vient discrètement me souffler à l'oreille :

— Madame Mouskouri, le président vous demande de toute urgence.

Alors je tourne les yeux vers Miltos, assis à la tribune, et je croise aussitôt son regard. Depuis quand me fixe-t-il ? Il semble bouleversé, au bord des larmes.

Je me lève et m'approche de l'estrade, aussi silencieusement que je le peux. Miltos se penche vers moi :

— Manos est en train de mourir, Nana ! Cours chez lui, fais vite !

Je traverse la salle comme un automate. Dans mon esprit, je vais en effet courir jusque chez Manos, mais à peine ai-je franchi les portes que les gardes du corps et le chauffeur de Miltos, qui ont été prévenus, me prennent en charge. J'échappe ainsi à la meute des journalistes, et me retrouve en quelques secondes au seuil de l'immeuble de Manos.

— Vous arrivez trop tard, l'ambulance vient de l'emmener, nous dit un policier.

Dans le même élan, nous partons donc aussitôt pour l'hôpital.

Entre-temps, la nouvelle s'est répandue, et tous les journalistes accourent comme nous vers l'hôpital.

Nous entrons, mais au moment où je pénètre dans le bâtiment, je vois Yorgos Levendarios qui en sort, en larmes, suivi d'un médecin en blouse blanche :

— Madame Mouskouri, je suis désolé... désolé... c'est fini.

— Non !

— Il est mort dans l'ambulance. Nous avons tenté l'impossible pour le ranimer... Je suis vraiment désolé.

Les journalistes sont là, maintenant. Ils voudraient que je leur dise quelque chose, ce que je ressens, qui était Manos pour moi, mais comment dire en quelques mots combien je l'aimais ? Je voudrais bien parler un peu, essayer, mais je ne peux pas, j'ai honte, je suis tellement désespérée de ne pas avoir été dans l'ambulance à l'instant où il est parti... J'aurais voulu lui tenir la main, qu'il ne s'en aille pas tout seul, qu'il sache qu'il vivrait dans mon cœur jusqu'à ma propre fin.

Cette nuit-là, nous ne dormons pas. Nous nous retrouvons d'abord tous chez Manos, pour parler de lui. Il y a là ses plus proches, Jules Dassin, Manuella, sa sœur Miranda, Yorgos, moi... Au milieu de la nuit, nous allons ensemble à la clinique nous recueillir sur la dépouille de Manos. Puis nous sommes chez Yorgos. C'est une maison ancienne, typiquement grecque, dont les murs blanchis à la chaux sont couverts d'icônes et que l'on éclaire à la bougie dans de telles circonstances. Sur tous les meubles reposent des photos de Manos et de Nikos.

Manos avait décidé de se faire enterrer dans le petit village de montagne où Yorgos possède une maison, à une heure de route d'Athènes. À l'aube, nous y allons pour préparer la chapelle. Nous disposons des fleurs, des bougies, nous préparons tout pour la cérémonie, et de nous donner ce mal tous ensemble pour lui, dans le jeune matin d'été, nous donne envie de rire.

La messe est émouvante, tendre et recueillie, et j'essaie de me les figurer à présent tous les trois, enfin réunis pour l'éternité – Nikos, Mélina et Manos. Reposent-ils maintenant dans la lumière ? Nous voient-ils de là-haut, démunis et orphelins ? J'aime penser qu'ils ont trouvé la paix et le repos, après s'être tant battus contre la noirceur du monde.

*Dans le cours de sa vie mystérieuse, l'homme laissa*
*À ses descendants mille preuves et mille échantillons*
*De sa condition immortelle*
*Tout comme il laissa trace de l'avalanche du soir*
*Des cieux des serpents des cerfs-volants adamantins*
*Et des regards des jacinthes*
*Au milieu des soupirs des larmes de la faim des lamentations*
*Et de la cendre des gouffres souterrains.*

Nikos Gatsos

# 26

## Ambassadrice de bonne volonté

Au mois de juin 1994, je suis élue députée, et un mois plus tard je me retrouve à Strasbourg pour étrenner mes nouvelles fonctions. C'est un peu comme la rentrée des classes, il faut remplir des dizaines de formulaires et choisir dans quelles commissions on a envie de travailler. Je songe évidemment pour moi à la Culture, à la Jeunesse, aux Droits des femmes... Mais les discussions qui s'engagent aussitôt me font apparaître encore plus novice que je ne l'imaginais. Quand je dis qu'ici ou là je peux être utile, on me répond que ça n'est pas si simple et qu'il y a d'autres intérêts en jeu. Lesquels ? Personne ne prend vraiment le temps de me l'expliquer. Et tout cela se passe sur fond de folie : le bureau des élus grecs est en permanence assiégé par la presse internationale qui ne s'intéresse qu'à moi, alors que je suis sûrement celle des nouveaux élus qui a le moins de choses à dire. Mais on veut m'interviewer, écrire mon portrait, me filmer, m'enregistrer, me suivre pas à pas, savoir pourquoi j'ai décidé d'entrer au Parlement, quelles sont mes idées pour l'Europe de demain, si je compte abandonner la chanson... Du coup, mes confrères grecs, qui me regardaient déjà de travers, sont ivres de jalousie. Je le mesure à l'antipathie qui devient palpable au fil des jours, comme si ma notoriété, qui dans mon esprit aurait dû servir tout notre groupe, faisait au contraire de moi le mouton noir. Bientôt, quand je cherche un conseil ou un réconfort, je ne trouve plus personne. Et, du coup, je me tourne vers des élus d'autres pays, tels Michel Rocard, Nicole Fontaine, Doris Pack, ou encore Daniel Cohn-Bendit, dont j'aime l'indépendance d'esprit, et qui deviendront par la suite des amis.

Autant dire que cette entrée en politique me laisse aujourd'hui un souvenir pénible. Cependant, têtue et consciencieuse, je m'accroche, et je parviens tout de même à me retrouver dans les commissions qui m'intéressent, et en particulier à la Culture. L'une de mes ambitions est de poursuivre le combat entrepris par Mélina Mercouri pour récupérer les marbres du Parthénon, emportés deux siècles plus tôt par les Anglais et qui sont exposés depuis au British Museum de Londres, sur les rives de la Tamise. Ce sera l'un de mes combats pendant les cinq années de mon mandat.

Les autres sont plus humains, plus ancrés dans ce qui me touche : l'éducation, l'ouverture de l'école à tous les enfants, la lutte contre les violences faites aux femmes, les échanges culturels, l'aide aux pays défavorisés et aux réfugiés dans les régions en guerre, notamment dans les pays nés de l'ex-Yougoslavie.

J'étais arrivée pleine d'idéaux, me disant qu'après avoir chanté la paix et la poésie durant trente-cinq ans, je venais d'obtenir concrètement les moyens d'agir, mais je dois avouer que j'ai sans cesse été déçue par mon impuissance. Que d'énergie dépensée pour de minuscules avancées ! Sans doute est-ce aussi cela la politique, une école de dévouement et de patience, et, au fond, je ne regrette pas ces années difficiles.

J'avais cependant sous-estimé l'impact qu'aurait mon engagement politique sur ma vie d'artiste. À vrai dire, je n'avais pas eu vraiment le temps d'y réfléchir, et je le découvre, avec un affolement croissant, au fil des deux premières années de mon mandat. Être députée, pour moi, c'est être tous les matins au bureau à la première heure pour préparer mes dossiers, c'est être présente en commission comme en assemblée plénière, c'est aller sans cesse sur le terrain pour savoir de quoi je parle. Je vais en Bulgarie, en Roumanie, à Sarajevo... Tout cela se traduit par des nuits courtes, de la fatigue qui s'accumule, des repas sautés ou pris sur le pouce, des rendez-vous à l'aube dans des aéroports noyés de brume, des visites de quartiers lointains dans le vent glacé, sous la neige ou sous la pluie.

Or le manque de sommeil, et plus généralement les violences du quotidien, se répercutent irrémédiablement sur la voix. Quand le corps est fatigué, la voix descend, puis s'éteint petit à petit. Comme je veux à tout prix rester chanteuse, je prends l'habitude d'emprunter des avions privés qui me cueillent au dernier moment à Strasbourg pour me déposer en Allemagne, au Canada, en Finlande, où je donne souvent un récital le soir même. Ces voyages s'ajoutent à ceux que j'effectue pour l'Unicef aux quatre coins du monde, et je constate finalement en arrivant sur scène que ma voix n'est plus la même.

Au début, c'est très troublant, très déconcertant. Puis mon travail au Parlement me reprend et j'essaie de ne plus y penser. Est-ce grave ? Non, ça n'est sûrement que passager. Cependant, cela se renouvelle, et, insensiblement, la chute de ma voix me précipite dans une appréhension qui me glace le sang au moment d'apparaître sur scène. Que suis-je en train de faire, mon Dieu ? La musique était toute ma vie, et voilà qu'entrée en politique sur un coup de tête je suis peut-être en train de la trahir, de me trahir... Quelle est ma place sur cette terre si je ne suis plus chanteuse ? Je me sens par moments perdre pied, comme rattrapée par mes angoisses d'enfant, et, pour ne rien arranger, je vois que je n'ai plus jamais le temps de répéter comme il le faudrait. Et si peu de temps, désormais, pour travailler ! Moi qui ai toujours voulu bien faire les choses, j'ai soudain le sentiment désespérant de devoir les précipiter...

Quand on cesse d'être sûr de soi, c'est la voix qui se met la première à douter. Je crois que pour la première fois de ma vie, je perds confiance en ma voix, et c'est comme un séisme qui ébranlerait tout mon être. Un séisme qui n'en finirait plus. Au fil des mois, je me sens me briser de l'intérieur. André le voit-il ? En est-il conscient ? Il a son travail, moi le mien, et lorsque nous nous retrouvons pour quelques heures, nous désirons l'un et l'autre que ce soit un moment inoubliable. Nous protéger, me dis-je, nous protéger, ne pas l'entraîner dans ma détresse. En vérité, le seul à qui je pourrais me confier sans honte, sans crainte de me mettre à sangloter, c'est évidemment Nikos. Il m'écouterait, il me guiderait, et je saurais mettre les mots sur ce mal indicible qui est peut-être en train de m'anéantir. Jamais Nikos ne m'a tant manqué.

À Genève aussi, je suis dans une grande solitude. Fernande est morte, les enfants sont loin, Hélène à Londres pour ses études, Nicolas, devenu caméraman, sur un tournage. La maison est vide, remplie des échos joyeux d'une vie qui ne reviendra plus.

Cet été 1996, deux ans après mon élection, il me semble qu'à vouloir tout mener de front je suis en train de perdre mon âme. Alors, comme souvent, c'est la vie elle-même qui se charge de tirer la sonnette d'alarme.

Manuella est venue me rendre visite à Genève où je suis pour quelques jours en vacances. C'est le mois d'août, il fait très chaud, et nous profitons de la piscine. Depuis quelque temps, je bois un peu trop, comme pour tromper mon angoisse et me donner la force de continuer cette course folle qui me donne le vertige. Je devrais pourtant être fière. Quelques semaines plus tôt, Miltos Evert m'a appelée : « J'ai absolument besoin de rencontrer le président Chirac, m'a-t-il dit. Peux-tu m'aider ? J'ai tout tenté mais je ne suis arrivé à rien. » En quelques jours, avec le précieux concours de Line Renaud, j'ai obtenu pour Miltos un rendez-vous avec le président français. Ce dernier m'a fait dire qu'il serait heureux de me voir à cette occasion, et il est donc entendu que j'accompagnerai à l'Élysée mon chef de file.

Je pense à ce rendez-vous, et à tout le travail parlementaire qui m'attend à la rentrée, lorsque je quitte le bord de la piscine pour aller prendre une douche et me rhabiller. Il est tard, c'est déjà le crépuscule, nous avons sûrement un peu trop bu et je fais la bêtise de courir sur le sol mouillé... Ça ne rate pas : je glisse, tombe... et me casse le bras !

Les accidents surviennent rarement par hasard. On accumule les déconvenues, on a le sentiment de faire fausse route, on perd confiance en son étoile, et puisqu'on ne fait rien pour se sauver soi-même, le destin s'en charge. Il nous signifie à sa façon que nous sommes en danger. Maintenant, je ne peux plus me cacher la vérité. Toute la souffrance que je me dissimulais, que je m'appliquais à enfouir, et parfois même à noyer dans l'alcool, moi qui ne buvais pas jusqu'ici, je la porte en écharpe, désormais bien visible.

Ce bras cassé, qui va me contraindre à quelques semaines de méditation, marque un tournant dans mon mandat. À présent, je sais que je ne suis pas faite pour la politique. J'ai été élue pour cinq ans, je ne démissionnerai pas, non, mais j'accepte cette aventure comme une parenthèse dans ma vie d'artiste. Et je me convaincs que ma voix, que je traite si mal, me reviendra intacte une fois refermée la parenthèse.

L'Unicef, à l'inverse, entre dans ma vie comme une forme d'accomplissement. La plus belle façon, sans doute, d'acquitter ma dette envers ce monde qui m'a donné sans compter reconnaissance et amour. De lui restituer l'une et l'autre, et la reconnaissance et l'amour, à travers les plus déshérités de ses enfants.

Je vais, ou j'irai, pour l'Unicef dans la plupart des pays de l'Amérique latine, Chili, Brésil, Colombie, Guatemala, dans plusieurs pays d'Afrique, Kenya, Burkina Faso, Soudan, Afrique du Sud, dans la quasi-totalité des pays de l'Europe de l'Est, et, naturellement, en Asie.

En décembre 1996, alors que je suis ambassadrice depuis trois ans, l'Unicef reçoit tous ses diplomates à l'ONU pour célébrer ses cinquante ans. Je retrouve Harry Belafonte, ambassadeur depuis une dizaine d'années, aux côtés de Liv Ullmann, Jeanne Moreau, Peter Ustinov... Des délégations d'enfants de plusieurs pays se sont jointes à nous. Chaque ambassadeur est invité à parler de son travail, puis il y a différents spectacles, et je chante avec une chorale d'enfants des quartiers pauvres de New York.

C'est un événement qui me donne beaucoup d'espoir dans les moments difficiles que je traverse (on vient enfin de me déplâtrer le bras) car je peux mesurer concrètement combien notre tâche est utile : ici, il y a désormais un hôpital qui a pu organiser une campagne de vaccination, là une école qui fonctionne, ailleurs un système d'irrigation qui permet de fertiliser la terre, de nourrir plusieurs villages...

Le soir même, je m'envole pour le Vietnam. Le comité Unicef de ce pays m'a réclamée pour célébrer sur place le même anniversaire. Je devrai parallèlement évaluer l'efficacité de ce que nous avons réalisé là-bas en matière d'écoles et de santé, et m'enquérir auprès du gouvernement des besoins les plus pressants.

Je garde un très beau souvenir de cette mission, en dépit du vol épuisant New York - Hanoi, *via* Singapour, et du rythme effréné des visites et des rencontres. Comme quoi la fatigue n'est rien si l'on a le sentiment d'être utile.

Nous atterrissons au milieu de la matinée, et je n'ai que le temps de me changer avant de me rendre chez le vice-Premier ministre de la République socialiste du Vietnam, M. Nguyên Khanh, qui m'attend pour déjeuner. Déjeuner de bienvenue et de travail. L'après-midi est consacrée à des visites : ici j'inaugure l'arrivée de l'eau dans une école primaire, là je lance une campagne de vaccination contre la polio, ailleurs je m'engage personnellement à lever des fonds, lors de récitals, pour la construction de sept puits dans des villages qui manquent cruellement d'eau. Moi qui ai tant de mal à faire de beaux discours dans l'hémicycle du Parlement européen, je n'ai aucune difficulté à trouver mes mots ici, devant les villageois qui accourent à notre rencontre. Ces regards, ces sourires que je croise, je les connais bien : ce sont les nôtres, ceux de Jenny, de maman et de moi, au lendemain de la guerre, quand nous découvrions les premiers signes du progrès. Je parle de l'eau, si rare aussi chez moi, en Grèce, et je me sens tellement concernée, tellement touchée par tous les défis que doivent relever ces gens !

Invitée du gouvernement, je suis logée dans une maison réservée aux hôtes officiels, derrière le Parlement, avec

Christa Roth, mon assistante pour l'Unicef, qui travaillait auparavant avec Audrey Hepburn. Mon pianiste, Luciano, et Azita, mon assistante parlementaire, ont des chambres à l'hôtel Intercontinental, dans le luxe éblouissant de l'Occident, tandis que moi je retrouve ce qu'était notre confort à la fin des années 1950 : un lit étroit et métallique, une table, une armoire, et dans la cuisine, habillée d'inox et de plastique, un réfrigérateur énorme à la poignée chromée, comme nous en rêvions enfants. Je l'ouvre : il ne contient que deux bouteilles d'eau gazeuse.

J'ouvre également les fenêtres pour sentir monter la fraîcheur du soir, d'autant que la maison possède un petit jardin dont les senteurs délicates m'ont frappée.

Alors Christa, qui connaît bien le Vietnam :

— Je ne te conseille pas d'ouvrir, Nana.

— Pourquoi ? Je ne supporte pas l'air climatisé...

— Je sais bien, oui. Mais si tu laisses ouvert, les rats vont entrer.

— Les rats !

— Il y en a beaucoup ici.

— Ne me dis pas ça, Christa, je ne vais pas pouvoir fermer l'œil !

Et, en effet, j'ai bien du mal à me reposer.

Le lendemain, c'est la grande fête, pour le cinquantième anniversaire. Comme je dois chanter, j'arrive un peu en avance pour me familiariser avec les lieux. Et je découvre mon pianiste en conversation avec les musiciens de l'orchestre vietnamien.

— Nana, me dit-il, je crois qu'il faudrait que vous appreniez cette chanson vietnamienne.

— Là, tout de suite ? Mais je n'ai plus le temps !

— La vice-présidente de la République sera présente, et c'est sa chanson préférée, me disent les musiciens. C'est une berceuse qui touche beaucoup les gens, ici.

Je songe aussitôt à l'émotion suscitée par *Un Canadien errant*, à Montréal, ou à la place qu'occupe *Waltzing Matilda* dans le cœur des Australiens, et je décide d'apprendre cette berceuse dans les quelques minutes dont je dispose. L'orchestre y met du sien, Luciano également, et à condition de ne pas quitter des yeux mon petit papier, j'arrive à peu près à me débrouiller.

La vice-présidente de la République, Mme Nguyên Thi Binh, arrive, et je me retrouve à table assise à sa droite. Très vite, nous sympathisons, puis vient le moment des discours, et nous nous succédons au micro, moi pour dire ma foi en ce que nous entreprenons ici, elle pour évoquer la collaboration de l'Unicef avec l'État vietnamien qu'elle représente.

— Et maintenant, me dit-elle en reprenant sa place, j'aimerais que vous chantiez quelque chose.

— Avec plaisir, madame.

J'interprète deux chansons grecques, quelques titres anglais, puis, en français, *Le Temps des cerises*.

Quand je reviens à table, la vice-présidente m'embrasse, me félicite, puis soudain plus émue qu'elle ne veut le laisser paraître, elle me glisse à l'oreille :

— Je n'ose pas vous le demander, mais j'aimerais tellement que vous me chantiez *Plaisir d'amour*...

— Oh, mais bien sûr !

— Non, restez près de moi, ajoute-t-elle en me retenant, comme je m'apprête à me lever pour retourner vers le micro.

Alors j'entonne *Plaisir d'amour*, *a capella*, devant une salle qui se fige alors dans un silence religieux. Et bientôt j'ai la surprise d'entendre ma voisine mêler sa voix à la mienne. La vice-présidente du Vietnam chante *Plaisir d'amour* devant les membres de son gouvernement, devant les représentants de l'ONU, devant plusieurs ambassadeurs, et sous l'œil de la télévision nationale dont la caméra tourne silencieusement. Chacun a conscience que c'est un élan du cœur, que rien n'a été prémédité, réfléchi, et cela donne à ces quelques minutes volées au protocole une grâce exceptionnelle.

— Pourquoi *Plaisir d'amour* ? lui dis-je, quand les conversations reprennent.

Alors Mme Nguyên Thi Binh me raconte que, engagée dans les négociations de paix, dans les années 1970, à Paris, elle a vécu des semaines épuisantes.

— Quand je regagnais mon hôtel, le soir, me dit-elle, mon repos c'était de vous écouter chanter *Plaisir d'amour*. Je n'avais que ce disque, et je remettais sans cesse cette chanson. Voyez-vous, elle avait le pouvoir mystérieux de me donner de l'espoir...

Elle se tait, je vois combien elle est émue, et je la laisse un instant dans ses souvenirs.

— Maintenant, me dit-elle soudain, c'est moi qui vais chanter quelque chose pour vous.

Dès les premières notes, je reconnais la berceuse que Luciano m'a fait apprendre juste avant le dîner. Alors, cette fois, c'est moi qui l'accompagne, mon petit papier sous les yeux.

Quand la chanson est finie, j'aperçois une larme au coin de son œil.

— Merci, me dit-elle, je ne pensais pas... Je ne pensais pas que vous connaissiez cette chanson. Elle est très émouvante, n'est-ce pas ?

Elle sourit, puis se reprenant :

— Est-ce que vous n'allez pas avoir froid avec cette climatisation ? Tenez, acceptez mon foulard, il faut prendre soin de votre voix...

L'une de mes premières initiatives, en arrivant au Parlement européen, avait été d'évoquer le poids des religions dans la marche du monde. Je sais bien, avais-je dit en substance, qu'Églises et États sont officiellement séparés, il n'empêche que les religions sont souvent au cœur de conflits qu'il appartient aux États de gérer. Et j'avais suggéré que le Parlement se rapproche des dirigeants des différentes Églises afin d'ouvrir un dialogue qui permettrait peut-être un jour de mieux se comprendre entre catholiques et protestants, entre musulmans et catholiques, entre juifs et musulmans... Ma proposition avait été retenue, et lorsqu'une délégation de parlementaires s'était rendue en Turquie pour rencontrer le patriarche Bartholomeos de Constantinople, chef de l'Église orthodoxe, j'avais été invitée à participer à la rencontre.

Moi-même orthodoxe, je connaissais le patriarche Bartholomeos que j'avais suivi lors d'un de ses voyages à

Rome, et qui m'avait présentée au pape Jean-Paul II. C'est pourquoi la communauté orthodoxe américaine pense à moi lorsqu'on évoque la prochaine visite officielle du patriarche aux États-Unis. Accepterais-je de donner en son honneur un grand récital à New York ? J'aime cet homme, je crois aux bienfaits de la religion, et je réponds donc très rapidement que je serais très fière et heureuse de chanter pour lui et notre Église.

La visite officielle est prévue au mois d'octobre 1997, et je suis invitée à accompagner le patriarche à Washington, où il doit être reçu à la Maison-Blanche par Hillary Clinton. Malgré les années, je suis restée plutôt timide, et quand je peux éviter d'apparaître en public dans de telles réceptions, je le fais. Cette fois, cependant, je n'ose pas refuser, et je prie pour que ma présence n'attire pas trop l'attention.

Eh bien, pour une fois, je suis exaucée au-delà de mes vœux ! Tandis que je m'avance vers Mme Clinton, qui accueille individuellement chacun de ses invités, je suis surprise de ne lire dans son regard qu'un intérêt poli. Tiens, me dis-je, ça ne m'est pas arrivé depuis longtemps d'être regardée comme une personne *normale*, je veux dire comme on me regardait il y a trente ans de cela. Mais aussitôt j'en ai l'explication :

— Je suis ravie de vous connaître, entends-je de la bouche de la première dame d'Amérique. On me dit que vous êtes une chanteuse grecque très fameuse ?

C'est étonnant comme ces quelques mots sincères et sympathiques me libèrent à la seconde d'un poids. Ni mon nom ni ma tête ne disent quoi que ce soit à Mme Clinton, et d'un seul coup c'est comme s'il restait un espace dans le monde où je pourrais retrouver l'extraordinaire liberté de l'anonymat. Que cet espace soit à la Maison-Blanche, l'un des lieux les plus célèbres au monde, est sûrement une ironie voulue par l'un de mes amis au Ciel. Peut-être Nikos, qui jamais ne désespérait de la vie. Ou peut-être Thierry Le Luron, qui aurait aimé inventer cette histoire.

La visite du patriarche se termine à la cathédrale Saint John the Divine de New York où je donne mon récital.

Plus de deux mille personnes se pressent ce soir-là dans cette église immense où ont chanté avant moi Jessye Norman et Luciano Pavarotti. « Un concert pour la paix dans le monde, qui fut certainement l'un des moments les plus forts de la visite du patriarche en Amérique », écrira l'*Orthodox Observer* [1]. Il est entendu que les recettes iront aux œuvres de notre Église à travers le monde.

Six semaines après New York, je fais mon retour à l'Olympia. Voilà deux ans que je n'ai pas chanté à Paris, et je n'y reviens que pour six récitals. Il est loin, le temps où je pouvais m'installer sur scène pour un long mois... D'ailleurs, les journaux français dressent de moi des portraits ébouriffants où l'on me voit un jour à la tribune du Parlement européen plaidant contre les mines antipersonnel, un autre jour en Inde pour dénoncer le travail des enfants, le surlendemain à New York pour un concert exceptionnel au Carnegie Hall, puis à Los Angeles, à Sarajevo, à Ouagadougou, et la semaine suivante à Chicago recevant le *World of Children Award*, des mains de mon ami Harry Belafonte, pour mes activités au sein de l'Unicef... « *Super Nana* », titrent la plupart des quotidiens, et c'est vrai qu'à les lire j'en ai moi-même le tournis. Est-ce vraiment ce tourbillon qu'est devenue ma vie ? Les critiques qui me connaissent se demandent comment je trouve encore le temps de chanter. Je leur cache soigneusement combien le déclin de ma voix m'angoisse, mais voilà qu'à la veille de la générale... je tombe malade !

Encore une fois, la vie tire la sonnette d'alarme. Après le bras, tout juste réparé, c'est carrément la voix qui me trahit. Une trachéite, attrapée dans l'avion qui me ramenait des États-Unis, me condamne au silence. Cela m'est déjà arrivé, en Irlande notamment, mais cette fois je l'interprète comme une forme de châtiment. Ma voix proteste d'être si mal traitée, et, à travers elle, c'est mon âme qui se détourne de moi. Quelques jours plus tôt, j'avais déclaré au critique du *Figaro* : « Je ne suis pas une chanteuse qui

---

1. *Orthodox Observer*, décembre 1997.

fait de la politique, ni une politicienne qui chante. Je suis une artiste qui essaye de mettre sa popularité au service de la vie. » Oui, mais comment servirai-je la vie si je ne peux plus chanter ?

Il faut annuler deux soirées que je passe seule à Genève à me soigner, et à tenter de mettre un peu d'ordre dans mes préoccupations.

C'est le moment que choisit le destin pour me rapprocher d'un homme qui va prendre la place du frère que je n'ai pas eu : Jean-Claude Brialy. Voilà bien des années que Jean-Claude et moi nous connaissons mais, chacun très absorbé, nous n'avons pas eu le temps de nous découvrir. Or, il se trouve que Bruno Finck, le compagnon de Jean-Claude, prend alors en charge mon service de presse. C'est grâce à lui que Jean-Claude Brialy et moi allons apprendre à nous connaître, jusqu'à devenir inséparables.

Si j'osais, j'écrirais que Jean-Claude a remplacé dans mon cœur Nikos Gatsos. Mais ce serait mentir, puisque Nikos est toujours vivant en moi et qu'il ne se passe pas un jour sans que je pense à lui. Cependant, Jean-Claude est bien le même ami, intelligent et bienveillant, le seul à qui je peux parler sans honte de mes fragilités parce que j'ai la certitude qu'il ne va pas me juger, qu'il m'accepte et m'aime telle que je suis, et qu'il va trouver les mots pour me réconcilier avec moi-même. Je ne m'étais pas trompée lorsque c'est lui que j'avais élu, dans les années 1960, parmi les trois Jean (Belmondo, Cassel et Brialy) : Jean-Claude a cette générosité des grands artistes, des poètes tels que Nikos, qui cherchent la lumière dans les ténèbres, et découvrent la grâce dans la confusion. Depuis dix ans, maintenant, il est le miroir dans lequel je puise le désir et la force de continuer à chanter.

Cette année 1997, je suis malgré tout présente à travers trois albums. *Return to love*, qui sort en Amérique du Nord et dans tous les pays anglophones. *Nana Latina*, où je chante en espagnol, et où j'enregistre pour la première fois un duo avec Julio Iglesias. J'aime tendrement Julio, qui s'est lancé comme moi, avec son seul talent pour bagage. Voilà vingt ans que nous nous connaissons, et vingt ans que nous nous promettons de chanter ensemble. Enfin, pour la France, je reviens avec *Hommages*, un album où je chante Jacques Brel *(Le Plat Pays, Ne me quitte pas)*, Prévert et Montand *(Les Feuilles mortes)*, Mouloudji *(Un jour tu verras)*, Gainsbourg *(La Chanson de Prévert)*, Serge Lama *(Une île)*, et même Lucio Dalla *(Caruso)*.

Ce disque, c'est Pascal Nègre, le dernier successeur de Louis Hazan à la tête d'Universal, qui m'en a donné l'idée quand il m'a vue avec mon bras dans le plâtre. Pascal, qui est venu au monde en 1961, l'année de mon premier disque d'or en Allemagne, et qui me permet ainsi de mesurer que je chante alors depuis quarante ans... J'ai soixante-trois ans, c'est un bon moment pour rendre hommage à quelques-uns de mes poètes préférés, et ces quelques semaines d'enregistrement m'inondent d'amour et de nostalgie pour la France de mes débuts.

Cette période si difficile s'achève par un nouvel accident. Comme si, marchant au bord du gouffre, il fallait que j'y tombe vraiment avant de retrouver confiance en la vie, en ma voix.

Mon mandat de députée vient de se terminer, et je m'apprête à repartir à la rencontre du monde. Ma première tournée sera pour l'Asie – Taipei, Hong-Kong, Tokyo... puis l'Australie. Ensuite l'Allemagne, où l'on m'attend depuis longtemps.

Genève est sous la neige, et je suis en pleine répétition. Ce jour-là, il fait un temps radieux d'hiver. Dans l'après-midi, je dois prendre l'avion pour rejoindre André à Paris, et le matin je descends donc en ville pour faire quelques courses et régler des problèmes administratifs. C'est en sortant du taxi qui me ramène que se produit l'accident. J'ouvre le portail, je n'ai pas vu la plaque de verglas, et je sens ma jambe se dérober... À quel point nous sommes vulnérables ! En un centième de seconde, tous mes rêves de voyages s'effondrent. Quand je retrouve mes idées, je suis au sol, paralysée par une douleur qui irradie à présent jusque dans la hanche. Par chance, Odette, qui remplace désormais Fernande, entend mes appels au secours. Je ne peux plus me relever, la pauvre Odette doit me traîner jusqu'au porche et faire venir une ambulance.

Les radios révèlent une fracture de la cheville. Une mauvaise fracture. Il faut opérer, et de préférence tout de suite, avant qu'un œdème ne vienne compromettre l'intervention. Que dire ? Je me voyais déjà dans l'avion pour Paris, puis à Tokyo, et au lieu de cela je dois maintenant envisager plusieurs semaines d'immobilisation... Et puis je sais combien l'anesthésie est néfaste pour la voix ! On dirait soudain que toutes les fées les plus nuisibles se sont donné le mot pour m'anéantir.

— André, c'est une catastrophe, je viens de me casser la cheville !

Un silence, et puis la voix calme d'André :

— Où es-tu ? Ne te fais pas de souci, je te rejoins par le premier avion.

# 27

## Sur scène avec Lénou

Et si ma voix est à jamais condamnée ? Et si ma cheville ne se remet pas ? A-t-on déjà vu une chanteuse entrer sur scène en claudiquant ? Tandis que je broie du noir sur mon lit d'hôpital, l'histoire de Marlene Dietrich me revient à l'esprit. C'était dans les années 1960, lors d'une tournée en Allemagne. Un soir, au moment de saluer, Marlene est soudain prise de vertiges, et elle bascule la tête la première dans la fosse d'orchestre. Son manager, Fritz Rau, qui est également le mien en Allemagne, bondit à son secours.

Marlene a le bras cassé, des contusions multiples. On appelle l'ambulance, et Fritz, qui la vénère, l'accompagne évidemment à l'hôpital.

— Je suis tellement désolé, dit-il. Mais tu vas te reposer, et on fera cette tournée plus tard.

— Pourquoi plus tard ? Attends de voir comment je serai demain avant d'annuler.

— Demain ! Mais demain tu seras incapable de chanter, Marlene !

— C'est toi qui le dis, mon petit Fritz.

Par respect pour Marlene, Fritz n'annule pas la représentation du soir. Il décide d'attendre le dernier moment pour prendre une décision.

Trois heures avant le lever de rideau, il voit revenir la même ambulance. On sort un fauteuil roulant, on fait asseoir dedans Marlene qui porte son bras en écharpe, et c'est dans cet équipage qu'elle entre au théâtre.

— Tu vois, je ne suis pas encore morte !

— Marlene ! Tu ne vas pas chanter dans cet état ?

— Et pourquoi crois-tu que je suis sortie du lit ?

À l'instant où elle apparaît sur scène, dans son fauteuil, poussée par Fritz, il y a comme une exclamation de stupeur. Puis la salle comprend, se lève, et alors ce ne sont plus des applaudissements, c'est une ovation qui n'en finit plus. La tournée, qui démarrait timidement, paraît-il, connaît un succès inimaginable.

Qu'aurait fait Marlene à ma place ? Le médecin m'a recommandé de ne pas bouger pendant trois mois, mais bien avant cette échéance je lui fausse compagnie. Nous avons dû ajourner mes tournées en Asie et en Australie, mais je n'ai pas voulu repousser un enregistrement à Oslo. Le chef d'orchestre était venu personnellement me voir à Genève avant mon accident, nous avions tout arrangé, je décide donc d'y aller, accompagnée d'André et de Pierre Satgé, l'homme de l'international chez Universal.

À l'aéroport de Genève, où je suis comme chez moi, où tout le monde me connaît, mon apparition en fauteuil roulant prend des allures de fête. Les gens accourent, me sourient, me souhaitent un bon rétablissement, si bien que j'ai presque de la sympathie pour cet affreux fauteuil.

Mais quel choc, quand je le vois réapparaître à Oslo à la porte de l'avion ! C'est comme si les années me rattrapaient d'un seul coup. Suis-je si vieille, si diminuée, qu'il faille maintenant me faire suivre par un fauteuil roulant ?

— André, je crois que je préfère mourir tout de suite que vivre comme ça, lui dis-je quand nous nous retrouvons dans la voiture venue nous chercher.

— Mais il n'est pas question de vivre comme ça, voyons ! Tu vas te rétablir, et dans deux ou trois mois tu marcheras comme avant.

Comment lui dire cette peur nouvelle, qui me serre le cœur, de ne jamais me rétablir justement ? Moi qui me fichais bien de mon âge jusqu'à présent, j'en éprouve soudain le poids. Mon corps aura-t-il suffisamment de vitalité pour se redresser ? Et si cette fracture marquait le début de mon déclin ? Si plus jamais je ne retrouvais le pouvoir de marcher, de tenir debout sur scène trois heures durant ?

Par bonheur, et sans doute grâce à la confiance que je sens présente dans les regards d'André et de Pierre, ma collaboration avec l'orchestre se passe de manière très agréable. Après avoir donné quelques signes de fragilité, ma voix s'envole, dans toute sa plénitude, me semble-t-il.

Pour le retour, j'ai donc décidé unilatéralement de me dispenser du fauteuil. D'autant plus qu'André m'a offert une nouvelle canne qui pourrait presque passer pour une marque d'élégance...

Mais la compagnie, elle, a pensé à tout, et la première image qui me saute aux yeux, en arrivant à l'enregistrement, est celle de mon fauteuil.

— Merci beaucoup, dis-je, mais je peux me débrouiller toute seule.

Toujours plein de tact, André ne dit rien, et nous allons à pied jusqu'au salon d'attente. A-t-il mesuré que je devais gagner à tout prix ce combat minuscule ? Que c'est une affaire de survie ? En tout cas, je le vois sourire discrètement lorsque je m'affale dans un des canapés du salon, hors d'haleine, mais tellement fière de moi.

Cependant, les Norvégiens sont très têtus, et quand on nous invite à gagner le satellite d'embarquement, je vois resurgir l'épouvantable fauteuil.

— Non merci, dis-je encore, je n'en ai vraiment plus besoin.

Et, de nouveau, je m'applique à marcher le plus dignement possible jusqu'aux hôtesses.

Quand nous y arrivons, j'aperçois tout de même l'homme au fauteuil dissimulé derrière le guichet. Attend-il que je m'effondre ? Y aurait-il encore une dernière épreuve ? Et qui craquera le premier ?

Eh bien, c'est moi ! À présent, il faut rejoindre l'avion, qui se trouve à quelques centaines de mètres, et là j'accepte avec soulagement son secours. Mais j'ai tout de même remporté deux manches sur trois !

Ce voyage en Norvège marque le début de ma résurrection, et, dès mon retour à Genève, je me lance dans la préparation de ma tournée en Allemagne.

L'Allemagne tient une place particulière dans mon cœur. Elle est elle-même le pays de la résurrection. Celui dont ma génération ne peut pas oublier la barbarie, l'inhumanité, et celui qui a su montrer au monde qu'après avoir été capable du pire, un peuple peut être capable du meilleur. L'Allemagne, qui m'a fait tant souffrir, enfant, est aussi le premier pays après la Grèce à m'avoir reconnue, aimée. Le premier à m'avoir apporté le succès avec *Weisse Rosen aus Athen*, dont le disque s'est vendu à un million et demi d'exemplaires en huit mois seulement. Je tremblais de peur en débarquant à Berlin, la première fois, et aujourd'hui Berlin est l'une de mes destinations préférées. Comme si mon amitié avec les Allemands s'était construite contre moi-même, en dépit de cauchemars qui continuent à me hanter certaines nuits. Peut-être ces amitiés-là, si difficiles à conquérir, sont-elles les plus profondes.

En tout cas, quand ma fille Hélène accepte de m'accompagner pour cette tournée, j'y vois aussitôt un heureux présage. Hélène a trente ans. Après cinq années d'études à la Royal Academy de Londres, où elle a appris le théâtre, pratiqué le chant et la danse, elle a décidé de devenir chanteuse. En 1995, elle s'est mariée, et depuis elle fait comme tous les jeunes artistes, elle se produit partout où l'on veut bien l'accueillir, sous le nom de scène de Lénou.

Marche-t-elle sur mes pas ? Peut-être, mais elle ne veut pas profiter de ma notoriété pour se faire connaître. Si elle me suit durant cette longue tournée en Allemagne, je dois promettre de ne jamais révéler qu'elle est ma fille. Je promets, et nous partons ensemble. Lénou m'accompagnera avec les autres choristes pour certaines de mes chansons, mais il est entendu qu'elle chantera seule en ouverture de mes spectacles, comme je l'avais fait avec Brassens en 1962, pratiquement à son âge.

Est-ce sa présence auprès de moi ? Est-ce le plaisir de retrouver l'Allemagne ? Cette tournée démarre joyeusement, et, très vite, je reprends confiance. Les premiers soirs, je tremble en entrant sur scène. J'ai toujours mes broches dans la cheville, on m'a fait un talon spécial qui doit éviter le petit pas de travers qui pourrait être fatal, mais je ne peux pas m'empêcher d'imaginer le pire. Et si je tombais ? Et si ma cheville, encore si fragile, se brisait de nouveau ? Alors resurgit le spectre du fauteuil roulant. Puis j'oublie, tellement heureuse de constater que je tiens de nouveau sur scène trois heures d'affilée, sans éprouver ni souffrance ni fatigue. À chaque entracte, je plonge mon pied gonflé dans un seau plein de glace et ce petit truc fait merveille.

J'ai enfin le loisir d'écouter Lénou. Cette émotion soudain ! Sa voix chaude, si différente de la mienne... Je sais qu'elle ne veut pas me ressembler. Elle veut exister loin de moi, pour ce qu'elle crée, pour ce qu'elle donne. Parfois, je ne peux pas m'empêcher d'en éprouver de la colère, ça me serait si facile de l'aider. Je me dis que c'est bien plus dur pour elle que ça ne l'a été pour moi. Quel courage d'oser chanter lorsqu'on est fille de chanteuse ! Je suis fière qu'elle ait cette force, fière de cette solitude qu'elle revendique. Et comme je l'écoute, ce soir-là, j'ai envie de lui dire : « Tu ne me ressembles pas, Lénou. Si tu savais comme nous sommes différentes ! Mais tu ne peux pas savoir, tu n'étais pas née quand je débutais. Moi, je cachais mes mains derrière mon dos, je fermais les yeux, et mon corps, qui me faisait un peu honte, je le dissimulais sous des robes sans forme. Tandis que toi, tu as ta façon d'occuper la scène. Tu joues de ta silhouette, avec ce charme et cet aplomb que je n'avais pas à ton âge. D'ailleurs, tu vois bien, personne ne devine que tu es ma fille. » Au fond de moi, je pense : pourvu qu'ils l'aiment, pourvu qu'ils l'applaudissent ! Et la salle l'applaudit, oui, et à ce moment-là j'aimerais tellement leur dire : « C'est ma fille ! Vous vous rendez compte, c'est ma fille ! »

Un soir, vers la fin de la tournée, nous sommes en Autriche, à Innsbruck. Quand j'entre dans la salle, je trouve Lénou en train de répéter, sous l'œil des photographes et des journalistes. Et puis je vois qu'elle s'entretient avec certains d'entre eux. Quand elle vient vers moi, je lui souffle à l'oreille :

— Tu leur as dit que tu étais ma fille ?

— Non, mais je me demande s'ils ne l'ont pas deviné.

— Et si nous l'annoncions, ce soir, maintenant que la tournée est finie...

— Si tu le dis une fois, ensuite tout le monde le saura.

— Oui, mais maintenant la preuve est faite que tu n'as pas besoin de moi pour tenir une salle.

— Bon, si tu veux...

— Tu ne vas pas m'en vouloir ?

— Non, je ne crois pas.

Ce soir-là, je ne change rien à l'ordre du récital, mais à la fin seulement Lénou revient sur scène, et je dis :

— Je voulais vous présenter ma fille, Lénou !

Alors il y a un petit moment de surprise, et la salle explose. Comme si les gens, qui peut-être s'étaient posé la question, étaient soulagés d'être mis dans la confidence. Lénou est rappelée, elle doit de nouveau chanter, et après cela, c'est fini, elle veut bien que je dise partout qu'elle est ma fille.

D'ailleurs, quelques mois plus tard, elle m'accompagne en Asie. Et elle n'est pas la seule. Voilà qu'André aussi décide de venir. Non pas simplement les deux ou trois premiers jours, comme il le faisait jusqu'à présent, mais toute la tournée. Du coup, nous proposons à Jean-Claude et à Bruno de se joindre à nous. Et ils acceptent ! André, Jean-Claude et Bruno, c'est mon premier cercle, ma famille. Nous avions souvent rêvé de partir tous ensemble, mais ça semblait impossible. Et soudain, l'horizon se dégage, comme si chacun prenait conscience que le temps passe et qu'il est urgent de se dire qu'on s'aime, de partager des moments qui peut-être ne se représenteront plus.

Cette tournée, nous l'avions ajournée après ma fracture de la cheville. J'avais craint de ne jamais pouvoir remonter sur scène, et je crois que nous sommes tous reconnaissants de la grâce qui m'est accordée. C'est un cadeau du Ciel, il faut s'en saisir et le vivre intensément.

Chaque récital me paraît un moment exceptionnel. Je crois que je n'ai jamais chanté si bien, si passionnément, tout mon être de nouveau voué à la musique. Et nous passons les journées ensemble, à échanger des mots tendres, à profiter de ces plaisirs immenses et minuscules qu'offre le quotidien pour peu qu'on soit bien disposé à son égard.

Et voilà qu'on reparle de notre mariage ! Je crois que c'est Jean-Claude qui en relance l'idée.

— Vous avez l'air tellement bien ensemble, pourquoi vous ne vous mariez pas ?

André sourit, sous ce chapeau à large bord qui jette une ombre sur ses yeux bleus, mais il ne dit rien. Il attend que je dise, moi.

— C'est vrai, André, pourquoi est-ce qu'on ne se marie pas ?

Nous avions été tout près de le faire douze ans plus tôt, quand la mort était venue tout bouleverser. En quelques années, nous avions perdu mon père, les parents d'André, puis Nikos, Mélina, Manos, Fernande... C'était tellement déchirant ! Ensuite, Miltos Evert m'avait précipitée au Parlement, et je n'avais plus fait que croiser André. Puis j'avais perdu la voix, je m'étais brisé les os...

Par quel miracle le ciel s'était-il soudain dégagé ? Nous sommes en pleine embellie, et subitement, cette idée de se marier, enfin, est comme une revanche de la vie sur tous ces deuils.

— André, pourquoi est-ce qu'on ne se marie pas ?

Alors il se penche à mon oreille.

— Est-ce que je peux te dire un secret ? Je n'osais plus te le demander...

Cette année 2002, qui précède notre mariage, est une des plus douces de ma vie. J'enregistre un nouveau disque pour la France, *Fille du soleil*, mais ce disque-là ne ressemble à aucun des précédents. Il est le fruit de chansons que m'offrent mes amis, et nous le construisons un peu comme des amateurs. Pour la première fois, Jean-Claude Brialy m'écrit deux chansons, *Où es-tu passé ?* et *Fille du soleil*, l'une et l'autre baignées de nostalgie.

> *Le voyage de ma vie*
> *Fut joyeux, parfois douloureux,*
> *Je garde en moi cet océan*
> *Qui fut mon rêve, mon rêve d'enfant.*
> *Je suis fille du soleil et de la mer...*

Charles Aznavour me donne *On cueille la rose*, Jean-Loup Dabadie *Petite valse pour un enfant*, et *Le Plaisir d'aimer*, coécrit avec Alain Goraguer, Daniel Lavoie *Cette chance-là*, et, en hommage à Nikos et Manos, je reprends *La Lune de papier*.

Le disque sort à la veille de mon retour à l'Olympia et d'une série de récitals en Belgique. Les journalistes s'interrogent sur mon avenir. Aux uns, je confie que je songe à me retirer. « J'aimerais partir avant que les gens ne se lassent de moi », dis-je. Aux autres je confesse : « Pour moi, arrêter la scène, c'est la mort. » Et je ne veux pas mourir. Je ne me suis jamais sentie si heureuse de vivre, si proche d'André, et, d'une certaine façon... si légère. Comme si, avec les années, l'angoisse d'être rejetée s'était petit à petit épuisée, pour me laisser en tête à tête avec la musique, et avec tous ceux qui partagent cette passion.

Vingt ans plus tôt, je n'aurais peut-être pas accepté avec autant d'insouciance de participer au festival de jazz de Stuttgart. J'aurais sans doute eu peur de décevoir, de n'être pas à la hauteur. Tandis que cette année-là, à soixante-huit ans, je me laisse emporter par mon désir, et cette envie soudaine de renouer avec le jazz qui m'avait détournée du conservatoire, un demi-siècle plus tôt.

Tout commence par la réédition du disque que j'avais enregistré avec Quincy Jones en 1962. C'est une idée d'Universal. Une bonne idée, puisque l'album connaît un succès immédiat dans tous les pays anglophones, en particulier en Australie, aux États-Unis et au Canada. Il est bientôt disque d'or en Grande-Bretagne, puis en Scandinavie, et enfin en Allemagne.

C'est dans ce dernier pays qu'il arrive aux oreilles de mon amie Elke. Elke m'avait été présentée vingt ans plus tôt par Fritz Rau, mon manager en Allemagne. À cette époque, j'avais ressenti le besoin d'avoir une assistante particulière pour l'Allemagne où je venais souvent. Une jeune fille avec laquelle je puisse pratiquer l'allemand. Elke n'a que vingt-cinq ans alors, et elle est libre comme l'air. Nous nous entendons si bien qu'elle accepte très vite de me suivre dans mes tournées mondiales. Pendant une quinzaine d'années, nous sommes inséparables, puis elle rencontre l'homme de sa vie, nous nous quittons dans les larmes, et elle s'installe à Stuttgart.

C'est dans cette ville qu'elle a l'idée de créer un festival de jazz, et comme elle est intelligente, sensible, très entreprenante, et connaît le monde entier, son festival est immédiatement une réussite. Il existe déjà depuis quelques années quand je reçois un coup de téléphone d'Elke. Je suis à Paris, en plein enregistrement.

— Nana, sais-tu qu'ici on s'arrache ton disque avec Quincy Jones?

— Ah oui? C'est formidable!

— Pourquoi tu ne m'avais jamais parlé de cet album?

— Je ne sais pas. On avait toujours tellement de choses à faire, n'est-ce pas? Comment vas-tu? Raconte-moi ce que tu fais.

— Attends, je te raconterai ensuite. Là, je voudrais te proposer quelque chose : pourquoi tu ne ferais pas une soirée jazz dans mon festival?

— Une soirée jazz! Mais Elke, tu plaisantes! Le jazz, c'est très difficile, c'est comme si tu me demandais du jour au lendemain de donner un récital classique.

— Je t'ai bien écoutée, tu chantes avec beaucoup d'émotion. Je suis certaine qu'en répétant un peu tu pourrais t'y remettre...

— Mais quel musicien voudrait de moi?

— Justement, j'ai quelqu'un! Un merveilleux pianiste, Ralf Schmid. Il a écouté ton disque, je crois qu'il aimerait vraiment t'accompagner. On pourrait faire une soirée avec le Big Band de Berlin...

— Vraiment?

— Écoute, fais-moi plaisir, viens me voir à Stuttgart. Je vais t'organiser une rencontre avec ce pianiste, et on verra bien.

Je m'entends dire oui, avec la conscience de commettre une folie. Mais au fond de moi je suis ravie, comme si d'un coup de baguette magique on m'autorisait à revisiter mes premières années.

Il est déjà tard lorsque j'arrive à Stuttgart. Elke organise donc une première rencontre avec Ralf Schmid au bar de mon hôtel. C'est un endroit qui se prête bien à l'évocation du jazz, avec cette nuit électrique qui baigne la vie d'un bleu sombre. Des couples bavardent, noyés dans la fumée de leurs cigarettes, des hommes seuls boivent, et un piano joue quelque part.

Nous commençons à parler, sous le regard amusé et curieux d'Elke. Ralf Schmid n'a que trente-quatre ans, la moitié de mon âge. Puis, petit à petit, les gens s'en vont, le bar se vide autour de nous, et bientôt le piano se tait. Alors, comme si ça allait de soi, Ralf va s'y installer. Il se met à jouer... et moi à chanter. Miracle de la musique ! Elle est comme les grandes amitiés, les années ne l'entament pas. En quelques notes, tout me revient, l'émotion est intacte. Combien de temps est-ce que je chante cette nuit-là ? Je suis ailleurs, portée par cette ivresse du jazz qui donne soudain le sentiment de toucher à l'âme profonde de la vie, à son extrême sensibilité. On voudrait prolonger ce moment, le garder à jamais, sachant combien nous sommes perdus et maladroits lorsque la musique ne nous exalte plus.

Par moments, je croise le regard d'Elke. Elle ne bouge pas, comme fascinée par ce que nous improvisons dans le bar de ce grand hôtel, maintenant désert, au milieu de la nuit.

Et à la fin, lorsque je m'effondre :

— Maintenant c'est dit, Nana, je t'attends à mon festival !

Quel plaisir, ce festival ! J'y retrouve cette folie que Quincy Jones m'avait fait découvrir à New York lorsque nous enregistrions le jour et passions nos nuits à Harlem pour écouter Sarah Vaughan, Chet Baker ou Dizzy Gillespie... Avec le jazz, on est toujours en même temps dans le don de soi et l'écoute des autres, c'est ça qui est magnifique, comme si nous n'étions tous finalement qu'au service de la musique. Ma famille est là, bien sûr, André, Jean-Claude et Bruno, ainsi que Pierre Satgé et Yves Billet, directeur artistique chez Universal qui me suit désormais. De cette soirée à Stuttgart naîtra un nouvel album de jazz, *Nana swings*, enregistrement *live* des dix-huit grands classiques que j'y ai interprétés.

Cette belle année 2002, nous faisons un autre voyage tous ensemble, je veux dire avec André, Jean-Claude et Bruno. Et, cette fois, nous partons pour la Russie.

J'ai fait plusieurs fois le tour du monde, chanté dans la plupart des capitales, mais jamais je ne suis allée en Russie, et c'est un de mes grands regrets.

Comment est-ce possible ? En vérité, c'est un peu ma faute. Durant les années 1980, avant la chute du mur de Berlin, je chante à plusieurs reprises en Allemagne de l'Est. Ça n'est jamais très facile, je dois accepter de chanter bénévolement parce que les pays communistes n'ont pas d'argent pour les artistes, mais il faut tout de même trouver de quoi payer les musiciens et ce sont chaque fois de longues tractations. Cependant, jamais nous ne le regrettons. Les gens vivent alors très douloureusement de l'autre côté du Mur, privés de tout, en particulier de liberté, et ils nous accueillent avec un tel enthousiasme que cela nous console de tous nos sacrifices.

Tandis que je suis en Allemagne de l'Est, les autorités soviétiques me font savoir que je serais la bienvenue en Russie (à l'époque l'URSS) si, par hasard, je souhaitais m'y produire. J'accepte aussitôt l'invitation. André et moi commençons à rêver de récitals à Moscou, puis à Leningrad, sur les rives de la Neva, au milieu du bel été boréal. Très vite, les choses se précisent, on en est à arrêter les dates, lorsque je reçois une demande insolite : les autorités aimeraient savoir quelles chansons je compte interpréter. Je réponds que je ne décide jamais à l'avance du contenu d'un récital, souhaitant me laisser la liberté de choisir en fonction du public. C'est la première fois qu'on m'adresse une telle requête. Est-ce purement formel, ou cela annonce-t-il l'intention de me censurer ? On m'a prévenue que Dylan, par exemple, est interdit en Union soviétique, et André suggère que le Kremlin pourrait ne pas apprécier que je chante *Liberté* sur la place Rouge, après l'avoir interprétée au pied du mur de Berlin. Mais non, ça n'est pas formel. On me prie en retour de bien vouloir donner la liste de mes chansons pour chacun de mes récitals, étant entendu, me précise-t-on, que si cette liste est accréditée, je devrai m'y tenir strictement. Alors la colère me prend. Je rétorque qu'aucun pays au monde ne m'a jamais imposé le programme d'un de mes récitals, et qu'en ce cas je ne chanterai pas en URSS.

Nous annulons tout, la mort dans l'âme. Tristes pour nous, mais peut-être plus tristes encore pour les centaines de personnes qui avaient déjà commencé à se mettre en quête de billets. Cinq cents d'entre elles feront alors une chose qui me bouleversera : le jour de mon anniversaire, elles viendront chacune déposer un bouquet de fleurs devant les grilles de l'ambassade de France à Moscou, en signe de regret et de protestation contre les autorités.

Je découvre donc Moscou, puis Leningrad (redevenue entre-temps Saint-Pétersbourg), au bras d'André, comme une simple touriste. Nous fêtons là-bas l'anniversaire de Jean-Claude, et c'est un joli moment. Et puis, comme je le fais pour chacun de mes déplacements, je mène une mission d'évaluation pour le compte de l'Unicef autour d'un complexe écolier qui vient de voir le jour.

Bon, et ce mariage ?

Jean-Claude y revient :

— Depuis le temps que vous répétez, n'est-ce pas...

Et André :

— Veux-tu dire qu'on pourrait arrêter la date du spectacle ?

— J'allais vous le suggérer.

Il y a d'autant plus urgence que mon fils, Nicolas, envisage, lui aussi, de se marier. On parle du mois d'août 2003.

— Essayons d'être les premiers, dis-je, comme ça André et moi ne serons plus dans le péché pour la fête de Nicolas.

Seulement, ça recommence : je suis en tournée au Canada au printemps 2003, et Jean-Claude lui-même sera en plein spectacle. Nous croisons nos agendas, et il n'y a finalement qu'une possibilité : le 13 janvier 2003. Pour moi, qui suis née un 13, c'est un signe du ciel.

— Marions-nous le 13 janvier !

Pour ce grand jour, nous réunissons nos plus proches amis à Genève. Et c'est André qui prépare le déjeuner. S'il n'avait pas été musicien dans l'âme, André aurait sûrement été un chef prestigieux. Il aime aller chercher seul tout ce qu'il lui faut à l'ouverture du marché, puis il se met silencieusement à ses fourneaux. Il cuisine avec la subtilité qu'il recherche dans la musique.

Jean-Claude et Bruno sont autour de la table, bien sûr, ainsi que Nicolas et Lénou, Paul, le frère d'André, et sa femme Lilette, enfin mes trois plus fidèles amies, Manuella, Yvonne Littlewood et Mine Barral-Vergez, mon habilleuse depuis tant d'années. Je n'ai pas voulu demander à Mine de me confectionner une robe pour l'événement, et, au fond, je sais bien pourquoi. De la même façon, lorsque j'étais enceinte de Nicolas, j'avais attendu sa naissance pour préparer sa chambre, faire chercher le berceau et tout le nécessaire pour l'accueillir. Comme si une sombre superstition me soufflait de ne jamais me réjouir trop tôt. Et donc, jusqu'à l'instant où nous nous habillons pour aller à la mairie, vers la fin de l'après-midi, je fais comme si rien d'exceptionnel ne m'attendait, tendue et pleine d'appréhension. Pourvu qu'aucune catastrophe ne vienne empêcher notre mariage ! André feint d'être parfaitement décontracté, lui, mais je devine qu'il est aussi nerveux que moi quand le fleuriste téléphone.

— Excusez-moi, madame Mouskouri, mais quand est-ce exactement, ce mariage ?

— Eh bien, dans vingt minutes, nous partions !

— Le problème est que votre bouquet est encore à la boutique. M. Chapelle devait passer le prendre et...

— Oh ! André ! André ! Tu n'es pas allé chercher le bouquet !

Bon, le bouquet nous attendra à la mairie. Nous nous engouffrons dans les voitures.

Par chance, Jean-Claude, qui doit être mon témoin avec Manuella, monte avec nous.

— Cette fois-ci, dit-il, j'espère que tu as pensé à tout, André...

— Ne te fais pas de soucis, je ne suis plus un gamin.

— Tu as bien les bagues, au moins ?

— Merde, les bagues ! J'ai oublié les bagues !

Pauvre André ! Nous voilà obligés de faire demi-tour.

Mais le maire est bien là, souriant, très sympathique, et, ce soir-là, André et moi nous lions l'un à l'autre pour le reste de notre vie.

Quelques semaines plus tard, André organisera un grand dîner de mariage dans sa Bourgogne natale pour marquer mon entrée chez les siens. Ainsi, plus de vingt-cinq ans après nous être déclaré secrètement notre amour, on nous reconnaîtra enfin le droit de nous aimer.

# 28

## Vous dire adieu

Atteindre l'an 2000 fut longtemps comme un rêve d'enfant. Le bon Dieu me ferait-il le cadeau de me laisser entrevoir le troisième millénaire ? Oui, le bon Dieu me fit ce cadeau, mais à peine André et moi nous en étions-nous réjouis que je me cassais la cheville...

Alors, je me mis à penser que cela aurait pu être bien pire. J'aurais pu me fracasser la tête en tombant, ou bien encore être renversée par une voiture, et mourir ainsi, stupidement, à la veille d'une tournée. Cette fracture de la cheville, me dis-je, c'est peut-être un avertissement, un signe du Ciel. J'avais soixante-cinq ans, combien d'années me restait-il ? Le Seigneur ne cherchait-il pas à me signifier que le temps m'était désormais compté ?

Sans le vouloir, les journalistes relayèrent le bon Dieu. Jamais je n'en eus autant au téléphone que durant ces semaines à l'hôpital. Et, curieusement, tous me posaient la même question : « Après cet accident, croyez-vous que vous allez pouvoir remonter sur scène ? » On aurait dit qu'ils avaient bien plus que moi conscience de mon âge, et de tous les périls qui me guettaient à présent.

L'idée que peut-être je ne pourrais plus chanter sur scène me traversa. Mais non, c'était impossible, le médecin m'assurait chaque jour que je remarcherais, et nous étions tous confiants. Cependant, l'avertissement était là, et je devais l'entendre. La prochaine fois, me dis-je, je veux être prête à partir.

Partir, quitter ce monde. Il y avait longtemps que j'en avais apprivoisé l'idée, mais jamais encore je ne m'étais trouvée si près du crépuscule, si près de « cette avalanche du soir », dont parle si justement Nikos. C'est à ce moment-là que surgit en moi le désir de vous dire adieu. Comment n'y avais-je pas pensé plus tôt ? Mais comment aurais-je pu y penser, alors que je courais de scène en scène, ivre de l'affection que vous me donniez ?

— André, si je remarche un jour, j'aimerais faire un dernier tour du monde pour dire au revoir.

— Comment ça, dire au revoir ?

Le regard d'André... furieux ! Je crois qu'au début il prit cela pour une marque de désespoir. Cependant, plus le projet grandissait en moi, mieux André le comprenait.

S'il était inspiré par un quelconque désespoir, c'était celui de devoir m'en aller sans vous avoir jamais dit tout ce que je vous dois. Sans vous avoir jamais *remerciés*, allais-je écrire. Mais le mot me paraît si faible, subitement, si petit, si usé, au regard de tout ce que vous m'avez donné au fil de mes cinquante années de scène.

Oui, tout ce que vous m'avez donné. J'en ai pris la mesure en écrivant ce livre dont l'idée m'est venue simultanément, à l'hôpital, comme si cette cheville brisée m'autorisait enfin à me retourner sur moi-même. Que serais-je devenue si vous ne m'aviez pas aimée ? Aujourd'hui, avec un demi-siècle de recul, je peux dire que tout ce qu'allait être ma vie future me fut révélé le 4 juillet 1957, sur le pont du porte-avions américain *Forrestal*. Ce jour-là, Takis Kambas attend une starlette, une étoile, vous vous en souvenez, n'est-ce pas, et, m'apercevant avec mes lunettes et mon embonpoint, il ne peut pas retenir ce cri du cœur : « Quelle catastrophe ! »

J'ai vingt-deux ans, et je suis une *catastrophe*, croit-il. Une autre jeune fille serait sans doute aussitôt repartie en sanglotant. Pourquoi est-ce que je ne m'en vais pas ? Pourquoi l'idée de pleurer ne m'effleure-t-elle même pas ? J'ai mis des années à le comprendre : parce que fuir et pleurer aurait été un luxe que je ne pouvais pas me permettre. Si j'étais rentrée chez moi, ce jour-là, je crois que jamais je ne m'en serais remise. D'une certaine façon, j'en serais morte.

Nous avons tous en nous un trésor, mais le mien, au contraire de l'éblouissante Marilyn Monroe qu'espérait Takis Kambas, le mien est bien caché, profondément enfoui. Non, vous vous trompez, je ne suis pas une catastrophe, ai-je eu envie de dire à M. Kambas en le voyant se décomposer, donnez-moi seulement ma chance, et vous allez voir. Mais je suis timide, je cherche toujours mes mots, et au lieu de cela, je lui ai simplement dit : « Je ne chante pas mal, vous savez. Vous ne devriez pas vous mettre dans cet état. »

Ma chance, c'est qu'il n'avait personne de plus présentable que moi à offrir aux quatre mille marins du *Forrestal* et à l'état-major de la 6ᵉ flotte. Alors il m'a laissée chanter, comme on se jette du haut d'une falaise, et il s'est passé une chose inouïe, totalement imprévisible, et qui nous a tous dépassés : après quelques notes seulement *a capella*, les marins ont applaudi !

Ce sont eux les premiers qui me reconnaissent, qui me donnent ma place dans ce monde. Puis ce sont ces spectateurs grecs, espagnols, allemands, et bientôt français et anglais, dont je n'ose pas croiser le regard, au début. Je ne veux pas savoir ce qu'ils pensent de moi à l'instant où j'entre sur scène, avec ma robe de dentelle noire et mes lunettes papillon ; alors je ferme les yeux, exactement comme je me détourne des miroirs dans l'intimité de ma vie privée. Puisque je ne me plais pas, pourquoi est-ce que je leur plairais ? J'attends les applaudissements pour entrouvrir les paupières, et ce que je devine alors sur vos visages est pour moi chaque fois comme un miracle, comme une apparition. Vous semblez émus, touchés, parfois même éblouis... Peu importent mes lunettes, ma silhouette, maintenant on dirait que vous ne les voyez plus. Vous m'aimez pour ce que révèle ma voix de la femme que je suis, vous m'aimez, tout simplement, et, petit à petit, je peux bien vous le dire aujourd'hui... petit à petit, c'est dans vos yeux que j'apprends à m'aimer. Vous me donnez l'envie de vivre. Vous me sauvez !

Je vous dois cela : d'être vivante. Et d'avoir passionnément aimé la vie. Vous voyez, ce n'est pas rien. C'est une dette immense qui méritait bien ce livre, enfin terminé, et surtout cet ultime tour du monde pour vous dire adieu, et merci.

Ce tour du monde, je l'entame symboliquement en octobre 2004, pour mes soixante-dix ans, et en Allemagne, le pays de mon premier grand succès. Le 4 octobre, je chante au Philharmonique de Berlin, où je m'étais produite vingt ans plus tôt à l'invitation d'Herbert von Karajan. Les 11 et 12 octobre, je suis au Palais de la musique d'Athènes, et, dans la nuit du 12 au 13, nous fêtons mon anniversaire à l'hôtel King George. C'est dans ce même hôtel que, le 3 septembre 1959, j'avais remporté les deux premiers prix du Festival de la chanson grecque.

Puis je parcours toute l'Europe, à l'exception de la Grèce et de la France. Ces deux pays tiennent une place à part dans mon cœur. C'est en Grèce que j'aimerais terminer ma tournée d'adieu, à l'été 2008, par un grand récital au théâtre Hérode Atticus. Quant à la France, ma seconde patrie, je lui dirai au revoir depuis la scène somptueuse de l'Opéra Garnier où je chanterai pour la première fois, et la dernière fois sans doute, le 24 novembre 2007.

Après l'Europe, je m'envole pour l'Asie. Je suis à Singapour, à Hong-Kong, à Taïwan, en Corée du Sud... Je pensais ne pas être connue en Corée, et cependant nous avons chaque soir cinq à six mille personnes. Je donne deux récitals à Séoul, un à Taegu, qui n'est qu'un petit point sur la carte, et à Pusan, à l'extrême sud, où j'arrive un 13 octobre, sept mille personnes me chantent en anglais *Happy birthday*.

Je garde la Chine et le Japon pour plus tard, et je rejoins l'Australie, puis la Nouvelle-Zélande.

C'est dans ce dernier pays, à Christchurch, que l'émotion me submerge. Pour cette tournée d'adieu, je respecte une forme de rituel. Une rose blanche est accrochée à mon micro en souvenir de *Roses blanches de Corfou* que j'ai chanté sur les scènes du monde entier. J'ouvre mon récital par la chanson de Bob Dylan, *I'll remember you*, et je le clos en offrant à la salle la petite rose de mon micro.

*I'll remember you*
*At the end of the trail,*
*I had so much left to do,*
*I had so little time to fail.*
*There's some people that*
*You don't forget,*
*Even though you've only seen'm*
*One time or two.*
*When the roses fade*
*And I'm in the shade,*
*I'll remember you*[1].

Ce soir-là, à Christchurch, je fais autant de rappels que possible. Je vois bien que la salle est d'une ferveur exceptionnelle. Les gens sont debout depuis le premier rappel, il y a dans l'air une émotion particulière qui me serre la gorge. Mais il faut finir, il faut se dire adieu, et le signe que je ne reviendrai plus est cette petite rose blanche que je décroche de mon micro, et qu'à la toute fin je lance vers la foule après avoir chanté *My way*.

Quand je fais ce geste, la scène est largement plongée dans l'ombre, les musiciens sont déjà partis, je suis seule, simplement suivie par un projecteur. Cependant, la salle continue d'applaudir, debout. Pour ne pas lui tourner le dos, je sors donc à reculons, tout en saluant, tout en sentant monter les larmes.

Je suis sur le point de m'engager en coulisses, quand les applaudissements cessent brutalement. « Tiens, me dis-je, c'est étrange, jamais je n'ai vu cela. » Et sur le coup, je m'immobilise, à demi cachée par le rideau.

Alors j'entends monter de la foule comme un murmure. Mon Dieu, qu'est-ce que c'est ? Je tends l'oreille, le murmure enfle, s'élève, et à ce moment-là seulement je comprends que la salle chante. Mais d'une seule voix, comme si les gens s'étaient donné le mot. « Ils chantent

---

1. Je me souviendrai de toi au bout du chemin, / Il me reste tant de choses à faire / Et si peu de temps à perdre. / Il y a des personnes que l'on n'oublie pas, / Même si on ne les a vues qu'une ou deux fois. / Quand les roses se faneront / Et que je disparaîtrai, / De toi je me souviendrai.

pour moi, me dis-je, ils chantent pour moi ! » Et c'est un tel choc, soudain, que je reviens vers eux.

En cinquante années de scène, jamais je n'avais vu cela : plusieurs milliers de spectateurs debout, chantant pour une chanteuse qui se tient toute seule sur les planches, et qui pleure. Parce que, bien sûr, je ne peux pas retenir mes larmes.

J'entends :

> *Now is the hour when we must say goodbye.*
> *Soon you'll be sailing, far across the sea.*
> *While you're away, oh please remember me.*
> *When you return, you'll find me waiting here.* [1]

Et je pleure, et je pleure...
Adieu, et merci.

---

1. Chanson Maori, *Now is the hour*, très populaire en Nouvelle-Zélande. L'heure est venue, où nous devons nous quitter. / Bientôt, tu navigueras par-delà les mers. / Quand tu seras loin, souviens-toi de moi, s'il te plaît. / Quand tu reviendras, tu me trouveras, je t'attendrai.

# Jean-Claude

**Jean-Claude Brialy est mort le 30 mai 2007, alors que je venais d'achever ce livre sur ma vie. Quelques jours plus tard, dans le chagrin, j'ai essayé de dire en quelques pages combien j'ai aimé cet homme, combien il va me manquer. Je me suis mise à écrire ce texte qui était également pour moi une manière de revivre nos derniers moments ensemble. J'ai voulu qu'il figure dans mes Mémoires, et nous avons pu l'y ajouter in extremis.**

Jean-Claude ne le savait pas, mais il avait repris auprès de moi le rôle qu'avait tenu Nikos Gatsos durant mes premières années en Grèce. Il ne lui a pas succédé, non, mais il est entré avec lui dans mon cœur, à la même place. Sans Nikos, je n'aurais jamais deviné combien le monde recelait de richesses, et surtout de talents chez les hommes pour le décrire, le mettre en vers, en musique, ou en images. Nikos m'avait ouvert les portes du rêve, de la création, et c'était encore lui qui m'avait poussée à quitter la Grèce pour partir à la découverte du monde. « Si je pars, tu ne seras plus là pour me montrer le chemin, lui avais-je dit. Comment je vais faire ? – Ouvre tes yeux et tes oreilles, aie confiance en la vie. » J'avais ouvert les yeux et rencontré Jean-Claude.

Il partageait sa vie avec Bruno, moi avec André, et bientôt tous les quatre nous sommes devenus une famille. Quand Jean-Claude jouait, nous étions tous les trois dans la salle. Quand je chantais, ils étaient là tous les trois, dans les premiers rangs. Et le lendemain de la représentation, quelle que soit la ville, Jean-Claude nous entraînait à travers les rues. À Cuba, au Caire, à Moscou, j'ai appris en l'écoutant que derrière chaque chose, chaque événement, même le plus désespérant ou le plus laid, se cache de la beauté. Il m'a appris à voir, à profiter des moments, à aimer tout simplement.

Nous ne nous sommes pas vus vieillir, il nous restait encore tant de choses à faire ! Et soudain, au dernier nouvel an, il m'a semblé que Jean-Claude n'était plus tout à fait le même. Lui et Bruno avaient fait le voyage jusque chez nous, à Genève. D'habitude, c'était un moment de bonheur, Jean-Claude disposait la table avec ce raffinement qu'il mettait en tout, et puis il menait la conversation et j'essayais de ne pas penser que j'aurais dû l'enregistrer tellement ce qu'il disait était joli, ou drôle, ou romantique. Mais cette fois, il était moins bavard, plus grave.

— Pourquoi est-ce que nous n'irions pas tous ensemble à Londres pour l'anniversaire d'André ? ai-je proposé.

Nos anniversaires étaient toujours de bons prétextes pour nous retrouver quelque part. Jean-Claude a immédiatement accepté, j'étais contente de mon idée.

Du 9 au 15 février de cette année 2007, nous avons donc flâné dans la capitale britannique. Jean-Claude voulait revoir *Les Misérables*, et comme je devais donner un récital à l'Albert Hall, quelques mois plus tard, il a voulu s'imprégner de la salle et nous avons passé une après-midi à réfléchir ensemble à la mise en scène.

— Quand est-ce exactement ? m'a-t-il demandé.

— Le 29 octobre.

Il m'a promis qu'il y serait.

Le lendemain, au cours de notre promenade, il est tombé.

— Est-ce que tu es fatigué, Jean-Claude ?

— Pas du tout. Tout va très bien.

Mais au retour de Londres, il s'est fait conduire directement à l'hôpital. Quand je lui ai proposé de l'accompagner, il a refusé sèchement, avec ce ton d'officier qui me rappelait chaque fois qu'il était le fils d'un colonel.

— Tout va très bien, je te dis.

Le 17 février, Aznavour donnait son grand concert pour l'Arménie. Bien sûr, Jean-Claude y était attendu.

— Tu devrais plutôt te reposer, lui ai-je dit.

Lui-même était le premier à me rappeler que je n'étais plus une jeune fille quand il me voyait fatiguée.

— Mais non, je me sens très bien.

— Tout de même, à Londres...

— C'était un accident, Nana, n'en parlons plus !

À Londres, je l'avais entendu dire : « Quel dommage, je ne vois pas quand nous trouverons le temps d'aller au Brésil, et j'aurais tellement aimé montrer Rio à Bruno... » Aussi, quand nous avons évoqué son prochain anniversaire, le 30 mars, j'ai proposé que nous partions tous pour le Brésil. Il a réfléchi, c'était un peu compliqué, il fallait bouleverser nos agendas, mais on y est arrivés, et, le 25 mars, nous nous sommes envolés pour Rio.

D'habitude, il se moquait de moi qui ne suis pas toujours très vaillante en voyage.

— Oh, la chanteuse, disait-il, elle ne pense qu'à aller à la piscine.

Lui aimait se lever tôt et partir marcher à travers les villes avec André, pendant que Bruno et moi continuions à dormir avant d'aller nager.

Cette fois, Jean-Claude a trouvé bien de profiter de la piscine le matin, et de ne marcher que l'après-midi.

C'est pendant l'une de ces promenades dans les rues de Rio, à une halte, que l'observant serrer fort les mains de Bruno, je l'ai soudain revu me racontant les derniers mois de Cocteau. Lui avait vingt-cinq ans en ce temps-là, et Cocteau, m'avait-il dit, lui prenait les mains en lui disant : « Serre-moi fort, je suis si fatigué, donne-moi un peu de ta jeunesse. » Et voilà qu'inconsciemment, sans doute, il répétait cette scène qui l'avait bouleversé, lui dans le rôle de son cher Cocteau.

Ce jour-là, j'ai pris conscience qu'il se préparait quelque chose de très grave, mais que je ne devais pas attendre d'explications de la part de Jean-Claude. J'ai deviné qu'il avait l'espoir que je comprendrais toute seule, en dépit de ses dénégations.

Cependant, comme chaque année, il a organisé lui-même sa fête d'anniversaire, choisi son gâteau, apprêté la table et mené la conversation.

Au consul de France, qui avait organisé une réception magnifique en son honneur, il a promis de revenir l'année prochaine pour présider un festival du cinéma et présenter une rétrospective de tous ses films.

Au retour du Brésil, le 4 avril, il s'est fait de nouveau conduire à l'hôpital. Je voyais bien, au regard de Bruno, que lui était dans le secret, et je savais que s'il ne me disait rien c'était par respect pour Jean-Claude, pour ne pas le trahir.

Au mois d'avril, je devais chanter à New York, et le 15 mai nous devions être en Grèce pour l'inauguration de l'exposition *Cocteau et la Grèce* que j'avais organisée et dédiée à Jean-Claude.

— Tu n'es pas obligé de venir à New York, lui ai-je dit. Tout ce long voyage pour une seule soirée, c'est trop.

— Je t'ai dit que j'y serai, j'y serai.

Ce soir-là, après le récital au Lincoln Center, il a frappé à ma loge. Il avait l'air épuisé.

— Tu es fatigué, Jean-Claude.

— Non, tout va bien, aucun problème. Tu as été magnifique ! Mais tu sais, au début...

Et pour la première fois, je l'ai vu chercher un siège. Il avait maigri, ses jambes le faisaient souffrir, et il ne pouvait plus vraiment le cacher.

Plus tard, Bruno me dira que plutôt que d'arrêter son spectacle, *J'ai oublié de vous dire*, il le donnait désormais assis.

Est-ce qu'il ne fallait pas annuler la Grèce ?

— On a dit qu'on y allait, on y va.

Le 15 mai, nous nous sommes donc envolés pour Athènes, comme prévu. Tout le long du voyage, il a dormi, lui qui d'habitude aimait lire les journaux et bavarder. C'était presque comme si je le veillais, et je me suis sentie très triste.

Puis en arrivant devant l'hôtel, il s'est passé cette scène dont je comprends, aujourd'hui, avec le recul, qu'elle devait être ma dernière tentative pour partager son secret et le porter avec lui.

Comme il y a des marches pour accéder à l'hôtel, et qu'il ne pouvait plus les monter, je l'ai pris par la main pour le conduire vers une entrée de plain-pied. Je m'attendais à ce qu'il me repousse, mais non, il s'est laissé guider comme un enfant, et cette docilité, si insolite chez lui, m'a précipitée de nouveau dans une grande émotion.

— Tu ne me parles jamais, lui ai-je dit doucement, tout en lui pressant la main. Pourquoi ? On devrait peut-être partager ça aussi. Tu ne trouves pas ? On est de si vieux amis.

— Nana, ma chérie, je t'assure, tout va bien.

— Même quand je te téléphone à la maison, maintenant tu me passes aussitôt Bruno. Est-ce que tu crois que c'est seulement pour Bruno que j'appelle ?

— Tu sais très bien que je déteste parler au téléphone.

Et subitement, il s'est arrêté, et m'a caressé silencieusement la main, comme s'il me suppliait de ne pas insister. Alors je me suis tue, je n'ai plus eu le cœur à le torturer avec mes questions.

Le soir, nous avons dîné à l'hôtel, et il est monté se coucher aussitôt après.

Le lendemain, il devait donner un entretien sur Cocteau au plus grand quotidien grec et je l'ai vu apparaître vers 13 heures. Il était reposé, magnifique, tout habillé de blanc avec son écharpe sur l'épaule, mignon comme tout. L'entretien s'est très bien passé, et ensuite il a même accepté qu'on le photographie.

Il devait repartir dès le lendemain, après la conférence de presse d'inauguration, car les 18 et 19 mai il jouait à Metz. On lui a suggéré d'annuler mais il a refusé malgré son épuisement.

Le 20 mai, il était à Cannes. Il avait promis d'être présent pour le soixantième anniversaire du festival.

Je comprends aujourd'hui que c'était le dernier engagement qu'il s'était imposé. Au retour, il a fait un bref séjour à l'hôpital, puis il est rentré chez lui, à Monthyon.

C'est là qu'une réflexion de Bruno m'a placée soudain en face d'une vérité que j'avais préféré me cacher. « Nana, les chimios ne servent plus à rien, les médecins ont décidé de le laisser tranquille. »

Jusqu'à présent, je ne pouvais pas croire que ça soit possible. Pas Jean-Claude, lui ne pouvait pas s'en aller. Mais en entendant Bruno, j'ai compris, et j'ai eu le sentiment que le sol se dérobait sous mes pieds.

Ça devait être le mercredi 23 mai. Il ne lui restait qu'une semaine à vivre.

Le vendredi, nous avons parlé, Bruno et moi, et j'ai pensé que Jean-Claude serait mieux installé dans le salon, au rez-de-chaussée, plutôt qu'à l'étage.

Quand je suis allée le voir, le lundi 28 mai, on aurait dit que toute la maison se recueillait avant un événement d'une terrible gravité. Les baies vitrées étaient closes, les volets tirés, il régnait sur la propriété un silence oppressant. Les chiens, si joyeux d'ordinaire, n'ont pas aboyé.

Jean-Claude était couché au salon, on avait descendu son lit. Il m'a dit qu'il était content que je sois là, avec André, il nous a demandé des nouvelles de toute la famille, et puis il m'a regardée droit dans les yeux :

— C'est la première fois que je me sens comme ça, a-t-il soufflé.

J'ai repensé à la mort de Nikos. Lui aussi avait eu, de la même façon, une phrase elliptique pour me signifier qu'il allait partir, que nous n'allions plus nous revoir.

— Est-ce que tu souffres beaucoup ? ai-je demandé.

Il a acquiescé en prononçant un « oui » à peine audible.

J'ai promis de revenir très vite et nous nous sommes embrassés.

Voilà, jusqu'au dernier moment il a refusé qu'on le plaigne, refusé qu'on le soulage d'un peu de cette angoisse qui devait lui étreindre le cœur au seuil de la mort.

Il est parti comme un seigneur, en emportant une partie de mon âme.

# Remerciements

À mes amis que le destin a placés sur mon chemin et qui m'ont permis d'exprimer mes notes noires ou blanches, qui ont comblé mon besoin de lumière, de liberté et d'espoir.

Ces rencontres sont devenues mes repères. Grâce à elles, j'ai pu franchir les portes de la musique.

Merci à Bernard Fixot et à sa brillante équipe, plein d'enthousiasme et de jeunesse.

Cher Bernard, merci de m'avoir accordé votre confiance et fait rencontrer Lionel Duroy qui m'a aidée à écrire mon histoire.

La vie est un voyage, pas une destination.

Merci de m'avoir encouragée à refaire ce magnifique parcours qui m'a permis de progresser et d'accepter mes défaites, mes blessures, au point de mieux apprécier la fin du voyage et ceux qui m'ont montré le chemin.

Merci à Jean-Claude Brialy et à Bruno Finck, mes chers amis, de m'avoir présentée à Bernard Fixot.

Toute ma gratitude à M. Hazan et à Odile d'avoir cru en moi, de m'avoir si tendrement introduite dans le monde du disque et d'être devenus une seconde famille. J'espère vous avoir donné la satisfaction que vous méritez.

Merci également à Jacques Caillard, à Georges Meyerstein et à Gérard Davoust.

À mes grands amis, Quincy Jones, Irving Green, Bobby Scott, Harry Belafonte, Charles Aznavour, Michel Legrand, Eddy Marnay, Serge

Lama, Serge Gainsbourg, Gilbert Bécaud, Jacques Brel, Mick Michelle et Line Renaud.

Merci aux *Athéniens*, Georges, Spiros, Philipos, Kostas et mon fidèle Youssie.

Je remercie aussi Monique Lemarcis, Roger Kreichers, Philippe Bouvard, Michel Drucker, Françoise Coquet, Maritie et Gilbert Carpentier, Albert Em Saalem, Jacques Médjès, Robert Toutan, Patrick Sabatier, Patrick Sébastien, Jean-Pierre Foucault, Gérard Louvin.

En Angleterre, je tiens à remercier tout particulièrement Yvonne Littlewood, ma chère amie réalisatrice et productrice pour la BBC, mais aussi Peter Knight et Jack Baverstock, Tonny Visconti, Robert Paterson, Andrew Miller, John Coast, Jim Aiken, Olaff Wiper, Steve Gottlieb, Fred Marks, Danny Bittensh.

Pour l'Allemagne, merci à Ernst Verch, Heinz Allisch, Fred Weirich, Wolfgang Kretschmar, Ossie Drechsler, Jürgen Sauerman, Roland Komerell, Louis Schpielmann, Koch, Franz Selbe et son équipe, Alfred Biolek, Friedrich Krammer et Gritt Wisse.

Merci encore à Alain Levy, Jan Timmer, David Fine, Jörgen Larsen, Doug Morris, mais aussi à Fritz-Rau, Hermjio Klein, Elke Balzer, Sam Gesser, Harold Leventhal, Sol Hurok, Arne Warsaw, Roland Ribet, Horst Stammler, Freddy Burger, Gilbert Coullier.

À mes amis Bob Dylan, Leonard Cohen, Joan Baez, Julio Iglesias, José Luis Moreno, Manolo Diaz, Roberto Livi, Amalia Megapanou et Constantin Caramanlis, Dean et Marianne Metropoulos, Anne-Marie et Constantin, ancien roi de Grèce.

À tous les chanteurs et chanteuses qui m'ont fait rêver, la divine Maria Callas, Ella Fitzgerald, Billie Holiday, Judy Garland, Nat King Cole, Annie Lenox.

Merci à Per Spook et Mine Barral-Vergez, créateurs et amis.

Je pense aussi à Pierre Delanoé, Claude Lemesle, Jean-Loup Dabadie, Alain Goraguer, Roger Loubet, Graeme Allwright, Michel Jourdan, Luciano Di Napoli, André Asséo, Louis Nucera, Micheline Brunnel, Georges Rovere, Dominique Segall.
Merci à Rolland Guillotel, mon magicien du son préféré, pour toutes les merveilleuses chansons enregistrées.

Merci à Azita, mon assistante chérie au Parlement européen.

## La Fille de la Chauve-souris

Manos Hadjidakis et Nikos Gatsos, merci d'avoir tracé mon chemin, de m'avoir appris à rechercher la vérité, la liberté et la justice à travers vos chansons. Vous étiez mes parents spirituels.

À mes parents et à ma sœur, qui m'ont transmis l'amour et des valeurs simples, la sincérité, la sagesse, la bonté, la fierté et la ténacité.

Fernande, merci d'avoir protégé mes enfants, Lénou et Nicolas. Leur amour est ma force. J'aimerais qu'ils soient fiers de leur maman.
Andriko, merci de m'avoir toujours fait confiance dans mon travail et de m'avoir permis d'accomplir ma vie d'artiste sans concession.

Merci encore à nos amis les Güggenbühl, toujours près de nous et de mes enfants quand je voyageais. Merci à Juliette.

Merci enfin à Pascal Nègre, le plus jeune et dernier président de ma maison de disques, la même depuis le début, et à toute son équipe, notamment Jean-Yves Billet et Pierre Satgé.

Et Lionel, merci encore.

**IMPRESSION**
**IMPRIMERIE GAGNÉ**

Dépôt légal : octobre 2007

Nº d'édition : 1322/02 – Nº d'impression : 87970

*Imprimé au Canada*